U0217480

「十三五」国家重点出版物出版规划项目

国家出版基金项目
NATIONAL PUBLICATION FOUNDATION

中国中药资源大典

中国中药资源大典

资源大典

重庆卷

②

黄璐琦 / 总主编

钟国跃　瞿显友　刘正宇 / 主　编

北京科学技术出版社

图书在版编目（CIP）数据

中国中药资源大典 . 重庆卷 . 2 / 钟国跃，瞿显友，刘正宇主编 . — 北京：北京科学技术出版社，2020.10
ISBN 978-7-5714-1058-2

Ⅰ . ①中… Ⅱ . ①钟… ②瞿… ③刘… Ⅲ . ①中药资源—资源调查—重庆 Ⅳ . ① R281.4

中国版本图书馆 CIP 数据核字 (2020) 第 137418 号

策划编辑：李兆弟　侍　伟
责任编辑：侍　伟　王治华
责任校对：贾　荣
图文制作：樊润琴
责任印制：李　茗
出 版 人：曾庆宇
出版发行：北京科学技术出版社
社　　址：北京西直门南大街16号
邮政编码：100035
电　　话：0086-10-66135495（总编室）　　0086-10-66113227（发行部）
网　　址：www.bkydw.cn
印　　刷：北京捷迅佳彩印刷有限公司
开　　本：889mm×1194mm　　1/16
字　　数：1009千字
印　　张：45.5
版　　次：2020年10月第1版
印　　次：2020年10月第1次印刷
ISBN 978-7-5714-1058-2

定　　价：790.00元

目录 Contents

被子植物

杨柳科 Salicaceae 杨属 Populus

响叶杨
Populus adenopoda Maxim.

| 药 材 名 | 响叶杨（药用部位：根皮、树皮或叶）。

| 形态特征 | 乔木，高 15 ～ 30m。树皮灰白色，光滑，老时深灰色，纵裂；树冠卵形。小枝较细，暗赤褐色，被柔毛；老枝灰褐色，无毛。芽圆锥形，有黏质，无毛。叶卵状圆形或卵形，长 5 ～ 15cm，宽 4 ～ 7cm，先端长渐尖，基部截形或心形，稀近圆形或楔形，边缘有内曲圆锯齿，齿端有腺点，上面无毛或沿脉被柔毛，深绿色，光亮，下面灰绿色，幼时被密柔毛；叶柄侧扁，被绒毛或柔毛，长 2 ～ 8（～ 12）cm，先端有 2 显著腺点。雄花序长 6 ～ 10cm，苞片条裂，有长缘毛，花盘齿裂。果序长 12 ～ 20（～ 30）cm；花序轴被毛；蒴果卵状长椭圆形，长 4 ～ 6mm，稀 2 ～ 3mm，先端锐尖，无毛，有短柄，2 瓣裂；种子倒卵状椭圆形，长 2.5mm，暗褐色。花期 3 ～ 4 月，果期 4 ～ 5 月。

响叶杨

| **生境分布** | 生于海拔 1900m 以下的阳坡灌丛中、杂木林中，或沿河两旁，有时成小片纯林或与其他树种混交成林。重庆各地均有分布。 |

| **资源情况** | 野生资源一般。药材主要来源于野生。 |

| **采收加工** | 冬、春季采收根皮和树皮，趁鲜剥取，鲜用或晒干。夏季采收叶，鲜用或晒干。 |

| **功能主治** | 苦，平。归肝、脾经。散瘀止痛，祛风活血。用于风湿性关节炎，四肢不遂，龋齿，跌打损伤，瘀血肿痛。 |

| **用法用量** | 内服煎汤，9 ~ 15g；或泡酒。外用煎汤洗；或鲜品捣敷。 |

杨柳科 Salicaceae 杨属 Populus

山杨
Populus davidiana Dode

山杨

| 药 材 名 |

山杨（药用部位：树皮、叶、枝、根皮）。

| 形态特征 |

乔木，高达 25m，胸径约 60cm。树皮光滑，灰绿色或灰白色，老树基部黑色，粗糙；树冠圆形。小枝圆筒形，光滑，赤褐色，萌枝被柔毛。芽卵形或卵圆形，无毛，微有黏质。叶三角状卵圆形或近圆形，长、宽近相等，长 3 ~ 6cm，先端钝尖、急尖或短渐尖，基部圆形、截形或浅心形，边缘有密波状浅齿，发叶时显红色，萌枝叶大，三角状卵圆形，下面被柔毛；叶柄侧扁，长 2 ~ 6cm。花序轴被疏毛或密毛；苞片棕褐色，掌状条裂，边缘被密长毛；雄花序长 5 ~ 9cm，雄蕊 5 ~ 12，花药紫红色；雌花序长 4 ~ 7cm；子房圆锥形，柱头 2 深裂，带红色。果序长达 12cm；蒴果卵状圆锥形，长约 5mm，有短柄，2 瓣裂。花期 3 ~ 4 月，果期 4 ~ 5 月。

| 生境分布 |

生于海拔 1600 ~ 2400m 的山坡、山脊和沟谷地带，常形成小面积纯林或与其他树种形成混交林。分布于重庆巫山、巫溪、城口、万州、石柱等地。

| **资源情况** | 野生资源一般。药材来源于野生。

| **采收加工** | 冬、春季采收，趁鲜剥取树皮，鲜用或晒干。

| **功能主治** | 清热解毒，祛风行瘀，凉血止咳，消痰，驱虫。树皮，用于高血压，肺热咳嗽，小便淋沥，风痹，脚气，跌打瘀血，妊娠下痢，牙痛，口疮，蛔虫，秃疮疥癣。叶，用于龋齿，骨疽久发，臁疮腿。枝，用于腹胀满坚如石，积年不损者，燕吻疮。根皮，用于肺热咳嗽，淋浊，带下，妊娠下痢，牙痛，口疮。

杨柳科 Salicaceae 杨属 Populus

毛白杨 *Populus tomentosa* Carr.

毛白杨

药材名

毛白杨（药用部位：树皮、嫩枝。别名：白杨、笨白杨）、杨狗花（药用部位：花序）。

形态特征

乔木，高达 30m。树皮纵裂，粗糙，干直或微弯；皮孔菱形散生，或 2 ~ 4 连生；树冠圆锥形至卵圆形或圆形。芽卵形，花芽卵圆形或近球形，微被毡毛。长枝叶阔卵形或三角状卵形，具深齿牙缘或波状齿牙缘；叶柄上部侧扁，长 3 ~ 7cm，先端通常有 2 腺点；短枝叶通常较小，卵形或三角状卵形，先端渐尖，上面暗绿色，有金属光泽，下面光滑，具深波状齿牙缘；叶柄稍短于叶片，侧扁，先端无腺点。雄花序长 10 ~ 14（~ 20）cm，雄花苞片具约 10 尖头，密生长毛，雄蕊 6 ~ 12，花药红色；雌花序长 4 ~ 7cm，苞片褐色，尖裂，沿边缘被长毛；子房长椭圆形，柱头 2 裂，粉红色。果序长达 14cm；蒴果圆锥形或长卵形，2 瓣裂。花期 3 月，果期 4 ~ 5 月。

生境分布

生于海拔 1500m 以下的温和平原地区，或庭园栽培。分布于重庆黔江、沙坪坝、彭水、酉阳、江津、南川、巫溪、綦江、忠县、武隆、垫江、梁平、涪陵等地。

| **资源情况** | 野生和栽培资源均较丰富。药材来源于野生和栽培。

| **采收加工** | 毛白杨：秋、冬季或结合伐木采剥树皮，刮去粗皮，鲜用或晒干。生长季节均可采收嫩枝。

杨狗花：春季现蕾开花时，分批摘取雄花序，鲜用或晒干。

| **药材性状** | 毛白杨：本品树皮板块状或卷筒状，厚 2 ~ 4mm。外表面鲜时暗绿色，干后棕黑色，常残存银灰色的栓皮，皮孔明显，菱形；内表面灰棕色，有细纵条纹。质坚韧，不易折断，断面显纤维性及颗粒性。气微，味微。

杨狗花：本品雄花序长条状圆柱形，长 10 ~ 14（ ~ 20）cm，直径 0.4 ~ 1cm，多破碎，表面红棕色或深棕色。芽鳞多紧抱而成杯状，单个鳞片宽卵形，长 0.3 ~ 1.3cm，边缘有细毛，表面略光滑。花序轴上具多数带雄蕊的花盘，花盘扁，半圆形或类圆形，深棕褐色；每雄花雄蕊 6 ~ 12，有的脱落，花丝短，花药 2 室，棕色。苞片卵圆形或宽卵圆形，边缘深尖裂，具长白柔毛。体轻。气微，味微苦、涩。

| **功能主治** | 毛白杨：苦、甘，寒。清热利湿。用于赤白痢，淋浊带下，急性肝炎，支气管炎，肺炎，蛔虫病，习惯性便秘。

杨狗花：苦、甘，寒。清热利湿，祛痰，止痢。用于痢疾，淋浊，带下，肺热咳嗽，肝炎，蛔虫病。

| **用法用量** | 毛白杨：内服煎汤，10 ~ 15g。外用捣敷。

杨狗花：内服煎汤，9 ~ 15g。外用适量，热熨。脾胃虚寒者慎服。

杨柳科 Salicaceae 柳属 Salix

垂柳

Salix babylonica L.

垂柳

药材名

柳枝（药用部位：枝条）。

形态特征

乔木，高达 12 ～ 18m。树冠开展而疏散；树皮灰黑色，不规则开裂。枝细，下垂，淡褐黄色、淡褐色或带紫色，无毛。叶狭披针形或线状披针形，长 9 ～ 16cm，宽 0.5 ～ 1.5cm，先端长渐尖，基部楔形两面无毛或微被毛，上面绿色，下面色较淡，具锯齿缘；叶柄长（3 ～ ）5 ～ 10mm，被短柔毛；托叶仅生于萌发枝上，斜披针形或卵圆形，边缘有齿牙。花序先叶开放，或与叶同时开放。雄花序长 1.5 ～ 2（～ 3）cm，有短梗，花序轴被毛；雄蕊 2，花丝与苞片近等长或较长，花药红黄色；苞片披针形，腺体 2。雌花序长达 2 ～ 3（～ 5）cm，有梗，基部有 3 ～ 4 小叶，花序轴被毛；子房椭圆形，无毛或下部稍被毛，无柄或近无柄，花柱短，柱头 2 ～ 4 深裂；苞片披针形，长 1.8 ～ 2（～ 2.5）mm，外面被毛；腺体 1。蒴果长 3 ～ 4mm，带绿黄褐色。花期 3 ～ 4 月，果期 4 ～ 5 月。

| **生境分布** | 多栽培于水库、池塘或道路旁。重庆各地均有分布。

| **资源情况** | 野生资源稀少，栽培资源较丰富。药材主要来源于栽培。

| **采收加工** | 春、夏季摘取嫩树枝条，鲜用或晒干。

| **药材性状** | 鲜柳枝：本品小枝条圆柱形，直径 0.2 ~ 1cm，外表面呈黄绿色或黄棕色，表面光滑，少有分枝，质柔，较易折断，断面淡白绿色。叶片呈披针形至线状披针形，长 9 ~ 16cm，宽 0.5 ~ 1.5cm，先端渐尖，基部楔形，边缘具细锯齿，上表面绿色，下表面带白色，侧脉 15 ~ 30 对，叶柄长 0.5 ~ 1cm，被短柔毛。气微，味微苦、涩。

柳枝：本品枝条长而直，褐色无毛，表面微有纵皱纹，黄色。节间长 0.5 ~ 5cm，上有明显的圆点状小根痕；质脆易断，断面不平坦；幼枝微被毛。叶多脱落、破碎。

| **功能主治** | 苦，寒。归胃、肝经。祛风利湿，解毒消肿。用于风湿痹痛，小便淋浊，黄疸，龋齿，龈肿，风疹瘙痒，疔疮，丹毒。

| **用法用量** | 内服煎汤，5 ~ 15g；鲜品加倍。外用适量，煎汤含漱或熏洗。

杨柳科 Salicaceae 柳属 Salix

川鄂柳 *Salix fargesii* Burk.

| **药 材 名** | 巫山柳（药用部位：根、叶）。

| **形态特征** | 乔木或灌木。当年生小枝通常仅基部被丝状毛；芽先端被疏毛。叶椭圆形或狭卵形，长达 11cm，宽达 6cm，先端急尖至圆形，基部圆形至楔形，边缘有细腺锯齿，上面暗绿色，无毛或多少被柔毛，下面淡绿色，特别是脉上被白色长柔毛，侧脉 16 ~ 20 对；叶柄长达1.5cm，初被丝状毛，后变为无毛，通常有数枚腺体。花序长 6 ~ 8cm，花序梗长 1 ~ 3cm，有正常叶，轴被疏丝状毛；苞片窄倒卵形，先端圆，长约 1mm，密被长柔毛，缘毛较苞片为长；雄蕊 2，无毛；腹腺长方形，长约 0.5mm，背腺甚小，宽卵形；子房被长毛，有短柄，花柱长约 1mm，上部 2 裂，柱头 2 裂；仅 1 腹腺，宽卵形，长约 0.5mm。果序长 12cm；蒴果长圆状卵形，被毛，有短柄。

川鄂柳

生境分布	生于海拔 1000 ~ 2400m 的阴湿杂木林中。分布于重庆城口、巫溪、巫山、奉节、南川、北碚等地。
资源情况	野生资源较少。药材主要来源于野生。
采收加工	全年均可采收根，春、夏季采收叶。鲜用或晒干。
功能主治	祛风湿，解毒。
用法用量	内服煎汤，9 ~ 30g；或泡酒。外用适量，煎汤洗，或捣敷。

杨柳科 Salicaceae 柳属 Salix

旱柳
Salix matsudana Koidz.

| 药 材 名 |

旱柳叶（药用部位：嫩叶、枝叶）。

| 形态特征 |

乔木，高达 18m，胸径达 80cm。树皮暗灰黑色，有裂沟；芽微被短柔毛。叶披针形，长 5 ~ 10cm，宽 1 ~ 1.5cm，先端长渐尖，基部窄圆形或楔形，上面绿色，无毛，有光泽，下面苍白色或带白色，有细腺锯齿缘，幼叶被丝状柔毛；叶柄短，长 5 ~ 8mm，在上面被长柔毛；托叶披针形或缺，边缘有细腺锯齿。花序与叶同时开放；雄花序圆柱形，长 1.5 ~ 2.5（~ 3）cm，直径 6 ~ 8mm，多少有花序梗，花序轴被长毛；雄蕊 2，花丝基部被长毛，花药卵形，黄色；苞片卵形，黄绿色，先端钝，基部多少被短柔毛；腺体 2。雌花序较雄花序短；子房长椭圆形，近无柄，无毛，无花柱或很短，柱头卵形，近圆裂；苞片同雄花；腺体 2，背生和腹生。果序长 2（~ 2.5）cm。花期 4 月，果期 4 ~ 5 月。

| 生境分布 |

栽培于庭园、公路旁，或逸为野生。分布于重庆秀山、綦江、黔江、酉阳、石柱、彭水、

旱柳

丰都、南川等地。

| **资源情况** | 野生和栽培资源均一般。药材来源于野生和栽培。

| **采收加工** | 4 ~ 5 月采收,鲜用或晒干。

| **药材性状** | 本品嫩叶多纵向卷曲,完整者展平后呈披针形,上表面黄绿色,下表面灰绿色,幼叶有丝状柔毛,薄纸质;叶柄短,亦有柔毛。气微,味微苦、涩。嫩枝呈圆柱形,浅黄褐色,表面略具纵棱,有光泽,节上有芽或脱落后呈三角形的瘢痕。体轻,易折断,横断面皮部极薄,木部黄白色,疏松,中央有白色髓。气微,味微苦。

| **功能主治** | 苦,寒。散风,祛湿,清湿热。用于黄疸性肝炎,风湿性关节炎,湿疹,牛皮癣。

| **用法用量** | 内服煎汤,9 ~ 15g。外用捣敷。

杨柳科 Salicaceae 柳属 Salix

龙爪柳

Salix matsudana Koidz. f. *tortuosa* (Vilm.) Rehd.

龙爪柳

| 药 材 名 |

龙爪柳（药用部位：嫩枝、枝叶。别名：龙须柳、拐枝柳）。

| 形态特征 |

本种与原变型旱柳的主要区别在于枝卷曲。

| 生境分布 |

栽培于水库、池塘或道路旁或逸为野生。重庆各地均有分布。

| 资源情况 |

野生和栽培资源均稀少。药材来源于野生和栽培。

| 采收加工 |

花未开时，折取细嫩枝叶，阴干。

| 功能主治 |

微苦，寒。散风祛湿，清热解毒。用于黄疸性肝炎，风湿性关节炎。

| 用法用量 |

内服煎汤，10 ~ 15g；或泡酒。外用适量，煎汤擦洗。

| 附　注 |　本种喜光，耐干旱、水湿、寒冷，喜温暖至高温环境，生长适温为 15 ～ 28℃，喜潮湿。栽培土壤以湿润的壤土最佳，砂壤土次之。生产中采用种子、扦插和埋条等繁殖方式。

杨柳科 Salicaceae 柳属 Salix

南川柳
Salix rosthornii Seemen

| 药 材 名 | 南川柳（药用部位：根皮。别名：网脉柳）。

| 形态特征 | 乔木或灌木。幼枝被毛，后无毛。叶披针形，椭圆状披针形或长圆形，稀椭圆形，长 4 ~ 7cm，宽 1.5 ~ 2.5cm，先端渐尖，基部楔形，上面亮绿色，下面浅绿色，两面无毛；幼叶脉上被短柔毛，边缘有整齐的腺锯齿；叶柄被短柔毛，上端或有腺点；托叶偏卵形，有腺锯齿，早落；萌枝上的托叶发达，肾形或偏心形。花与叶同时开放；花序长 3.5 ~ 6cm，疏花；花序梗长 1 ~ 2cm，有 3（~ 6）小叶；花序轴被短柔毛；雄蕊基部有短柔毛；苞片卵形，基部被柔毛；花具腹腺和背腺，形状多变化，常结合成多裂的盘状；雌花序长 3 ~ 4cm。蒴果卵形。花期 3 月下旬至 4 月上旬，果期 5 月。

南川柳

| 生境分布 | 生于海拔 450 ～ 1600m 的溪边或路旁灌丛中。分布于重庆巫山、巫溪、奉节、万州、南川、巴南、石柱、酉阳、城口等地。 |

| 资源情况 | 野生资源一般。药材来源于野生。 |

| 采收加工 | 全年均可采收。 |

| 功能主治 | 涩，温。活血祛瘀。用于劳伤吐血，跌打瘀血。 |

| 用法用量 | 内服煎汤，9 ～ 30g；或泡酒。外用适量，煎汤洗；或捣敷。 |

| 附　注 | 本种为中国特有植物，适应性强，对气候、土壤要求不严，耐碱，耐旱。 |

杨柳科 Salicaceae 柳属 Salix

秋华柳 *Salix variegata* Franch.

| 药 材 名 | 银叶柳（药用部位：枝。别名：变色柳、雪柳）。

| 形态特征 | 灌木，通常高 1m 左右。幼枝粉紫色，被绒毛，后无毛。叶通常为长圆状倒披针形或倒卵状长圆形，形状多变化，长 1.5cm，先端急尖或钝，上面散生柔毛，下面被伏生绢毛，稀脱落，近无毛，全缘或有锯齿；叶柄短。花叶后开放，稀同时开放。雄花序长 1.5 ~ 2.5cm，花序梗短，生 1 ~ 2 小叶；雄蕊 2，花丝合生，无毛，花药黄色；苞片椭圆状披针形，外面被长柔毛，长为花丝一半，腺体 1，圆柱形，长达 1mm。雌花序较粗，受粉后，不断伸长增粗，果序长达 4cm，花序梗也伸长；子房卵形，无柄，被密柔毛，花柱无或近无，柱头 2 裂；苞片同雄花；仅 1 腹腺。蒴果狭卵形。花期不定，通常在秋季开花。

秋华柳

| 生境分布 | 生于海拔 1000m 以下的河滩灌丛中。分布于重庆南川、城口、巫溪、巫山、北碚等地。 |

| 资源情况 | 野生资源稀少。药材主要来源于野生。 |

| 采收加工 | 4 ～ 5 月采收嫩叶及枝条，鲜用或晒干。 |

| 功能主治 | 苦，凉。祛风除湿。用于风湿性关节炎。 |

| 用法用量 | 内服煎汤，10 ～ 15g；或泡酒。外用适量，煎汤洗；或捣敷。 |

| 附 注 | 本种植物适应性强，对气候、土壤要求不严，耐碱，耐旱。 |

杨柳科 Salicaceae 柳属 Salix

皂柳

Salix wallichiana Anderss.

| 药 材 名 | 皂柳根（药用部位：根。别名：毛狗条根）。

| 形态特征 | 灌木或乔木。叶披针形，先端急尖至渐尖，网脉不明显，幼叶发红色，全缘，萌枝叶常有细锯齿；上年落叶灰褐色。花序先叶开放或近同时开放，无花序梗。雄花序长 1.5 ~ 2.5（~ 3）cm，直径 1 ~ 1.3（~ 1.5）cm；雄蕊 2，花药大，椭圆形，长 0.8 ~ 1mm，黄色，花丝纤细，离生，长 5 ~ 6mm，无毛或基部被疏柔毛；腺 1，卵状长方形。雌花序圆柱形，或向上部渐狭（下部花先开放），长 2.5 ~ 4cm，直径 1 ~ 1.2cm，果序可伸长至 12cm，直径 1.5cm；子房狭圆锥形，长 3 ~ 4mm，密被短柔毛，子房柄短或受粉后逐渐伸长，有的果柄可与苞片近等长，花柱短至明显，柱头直立，2 ~ 4 裂；苞片长圆形，先端急尖，赭褐色或黑褐色，被长毛；腺体同雄花。

皂柳

蒴果长可达 9mm。花期 4 月中下旬至 5 月初，果期 5 月。

| **生境分布** | 生于山谷溪流旁、林缘或山坡。分布于重庆城口、巫山、巫溪、奉节、黔江、石柱、南川等地。

| **资源情况** | 野生资源稀少。药材主要来源于野生。

| **采收加工** | 全年均可采挖，洗净，晒干。

| **功能主治** | 祛风除湿，解热消肿。用于风湿性关节炎，头风。

| **用法用量** | 内服煎汤，15 ~ 30g。外用适量，煎汤熏洗；或捣敷。

桤木

桦木科 Betulaceae 桤木属 Alnus

桤木
Alnus cremastogyne Burk.

| 药 材 名 |

桤木（药用部位：树皮、嫩枝叶）。

| 形态特征 |

乔木，高 30 ~ 40m。树皮灰色，平滑；枝条灰色或灰褐色，无毛；小枝褐色，无毛或幼时被淡褐色短柔毛；芽具柄，有 2 芽鳞。叶倒卵形、倒卵状矩圆形、倒披针形或椭圆形，长 4 ~ 14cm，宽 2.5 ~ 8cm，先端骤尖或锐尖，基部楔形或微圆，边缘具几不明显而稀疏的钝齿，上面疏生腺点，幼时疏被长柔毛，下面密生腺点，几无毛，很少于幼时密被淡黄色短柔毛，脉腋间有时被簇生的髯毛，侧脉 8 ~ 10 对；叶柄长 1 ~ 2cm，无毛，很少于幼时被淡黄色短柔毛。雄花序单生，长 3 ~ 4cm。果序单生叶腋，矩圆形，长 1 ~ 3.5cm，直径 5 ~ 20mm；果序梗细瘦，柔软，下垂，长 4 ~ 8cm，无毛，很少于幼时被短柔毛；果苞木质，长 4 ~ 5mm，先端具 5 浅裂片。小坚果卵形，长约 3mm，膜质翅宽仅为果实的 1/2。

| 生境分布 |

生于海拔 500 ~ 2600m 的山坡或岸边的林中，在海拔 1500m 地带可成纯林。分布于重庆黔江、长寿、石柱、丰都、忠县、酉阳、涪陵、南川、秀山、城口、武隆、开州、垫江、巴南等地。

| **资源情况** | 野生资源丰富。药材主要来源于野生。

| **采收加工** | 全年均可采收，鲜用或晒干。

| **药材性状** | 本品树皮光滑，灰色。幼枝有短柔毛，具芽。单叶互生；叶柄长 1 ~ 2cm，完整叶展平后呈倒卵形或椭圆形，长 4 ~ 14cm，宽 2.5 ~ 8cm，先端急尖，基部阔楔形，边缘有疏锯齿，鲜时两面可见腺点，下表面被疏长柔毛。气微，味苦。

| **功能主治** | 苦、涩，凉。清热解毒，凉血止血。用于吐血，衄血，肠炎，痢疾。

| **用法用量** | 内服煎汤，10 ~ 15g，鲜品加倍。

桦木科 Betulaceae 桦木属 Betula

红桦

Betula albosinensis Burk.

红桦

| 药 材 名 |

红桦（药用部位：树皮、芽）。

| 形 态 特 征 |

乔木，高可达 30m。树皮淡红褐色或紫红色，有光泽和白粉，呈薄层状剥落，纸质；枝条红褐色，无毛；小枝紫红色，无毛，有时疏生树脂腺体；芽鳞无毛，仅边缘被短纤毛。叶卵形或卵状矩圆形，长 3 ~ 8cm，宽 2 ~ 5cm，先端渐尖，基部圆形或微心形，较少宽楔形，边缘具不规则的重锯齿，齿尖常角质化，上面深绿色，无毛或幼时疏被长柔毛，下面淡绿色，密生腺点，沿脉疏被白色长柔毛；侧脉 10 ~ 14 对，脉腋间通常无髯毛，有时被稀疏的髯毛；叶柄长 5 ~ 15cm，疏被长柔毛或无毛。雄花序圆柱形，长 3 ~ 8cm，直径 3 ~ 7mm，无梗；苞鳞紫红色，仅边缘被纤毛。果序圆柱形，单生或同时具有 2 ~ 4 排成总状，长 3 ~ 4cm，直径约 1cm；果序梗纤细，长约 1cm，疏被短柔毛；果苞长 47cm，中裂片矩圆形或披针形，先端圆，侧裂片近圆形，长及中裂片的 1/3。小坚果卵形，长 2 ~ 3mm，上部疏被短柔毛，膜质翅宽及果实的 1/2。

| 生境分布 | 生于海拔 1000 ～ 2700m 的山地、向阳的杂木林中，有时成小片纯林。分布于重庆城口、巫山、巫溪、开州、奉节、武隆等地。 |

| 资源情况 | 野生资源较少。药材来源于野生，自采自用。 |

| 采收加工 | 全年均可采收。鲜用或晒干。 |

| 功能主治 | 清热利湿，解毒。用于胃病。 |

| 用法用量 | 外用适量，鲜品捣敷。 |

| 附　　注 | 本种喜光，喜湿润气候。 |

桦木科 Betulaceae 桦木属 Betula

西桦

Betula alnoides Buch.-Ham. ex D. Don

西桦

| 药 材 名 |

西桦（药用部位：叶、树皮）。

| 形态特征 |

乔木，高达 16m。树皮红褐色；枝条暗紫褐色，有条棱，无毛；小枝密被白色长柔毛和树脂腺体。叶厚纸质，披针形或卵状披针形，长 4 ~ 12cm，宽 2.5 ~ 5.5cm，先端渐尖至尾状渐尖，基部楔形、宽楔形或圆形，少有微心形，边缘具内弯的刺毛状的不规则重锯齿，上面无毛，下面的脉上疏被长柔毛，脉腋间被密髯毛，其余无毛，密生腺点；侧脉 10 ~ 13 对；叶柄长 1.5 ~ 3（~ 4）cm，密被长柔毛及腺点。果序长圆柱形，（2 ~）3 ~ 5 排成总状，长 5 ~ 10cm，直径 4 ~ 6mm；总梗长 5 ~ 10mm，果序梗长 2 ~ 3mm，均密被黄色长柔毛；果苞甚小，长约 3mm，背面密被短柔毛，边缘被纤毛，基部楔形，上部具 3 裂片，侧裂不甚发育，呈耳突状，中裂片矩圆形，先端钝。小坚果倒卵形，长 1.5 ~ 2mm，背面疏被短柔毛，膜质翅大部分露于果苞之外，宽为果实的 2 倍。

| **生境分布** | 生于海拔 700 ~ 2100m 的山坡杂林中。分布于重庆璧山、涪陵、大足、江津、酉阳、南川、开州、垫江、巫溪等地。 |

| **资源情况** | 野生资源稀少。药材来源于野生。 |

| **采收加工** | 春、夏、秋季采叶，全年均可剥取树皮，鲜用或晒干。 |

| **功能主治** | 解毒，敛疮。用于疮毒，溃后久不收口。 |

| **用法用量** | 外用适量，鲜品捣敷。 |

桦木科 Betulaceae 桦木属 Betula

亮叶桦
Betula luminifera H. Winkl.

| 药 材 名 | 亮叶桦叶（药用部位：叶）、亮叶桦皮（药用部位：树皮）、亮叶桦根（药用部位：根）。

| 形态特征 | 乔木，高可达 20m，胸径可达 80cm。树皮红褐色或暗黄灰色，坚密，平滑；枝条红褐色，无毛，有蜡质白粉。叶矩圆形，有时为椭圆形或卵形，长 4.5 ~ 10cm，宽 2.5 ~ 6cm，先端骤尖或呈细尾状，基部圆形，边缘具不规则的刺毛状重锯齿，叶上面仅幼时密被短柔毛，下面密生树脂腺点，沿脉疏生长柔毛，侧脉 12 ~ 14 对；叶柄长 1 ~ 2cm，密被短柔毛及腺点，极少无毛。雄花序 2 ~ 5 簇生小枝先端或单生小枝上部叶腋；花序梗密生树脂腺体；苞鳞背面无毛，边缘被短纤毛。果序大部单生，间或在 1 短枝上出现 2 单生于叶腋的果序，长圆柱形，长 3 ~ 9cm，直径 6 ~ 10mm；果序梗长 1 ~ 2cm，

亮叶桦

下垂，密被短柔毛及树脂腺体；果苞长 2～3mm。小坚果倒卵形，长约 2mm，背面疏被短柔毛，膜质翅宽为果实的 1～2 倍。

| **生境分布** | 生于海拔 500～2500m 的向阳山坡杂木林中。分布于重庆黔江、綦江、大足、城口、秀山、永川、奉节、铜梁、石柱、云阳、彭水、武隆、巫溪、北碚、巫山、梁平、合川、荣昌等地。

| **资源情况** | 野生和栽培资源均较丰富。药材来源于野生和栽培。

| **采收加工** | 亮叶桦叶：4～7 月采收，鲜用或晒干。
亮叶桦皮：7～10 月剥取树皮，晒干或鲜用。
亮叶桦根：全年均可采挖，切片，晒干。

| **功能主治** | 亮叶桦叶：甘、辛，凉。清热解毒，利尿。用于疔毒，水肿。
亮叶桦皮：甘、辛，微温。除风化湿，消食，解毒。用于食积停滞，胃肠炎，感冒，风湿痹痛，乳痈红肿。
亮叶桦根：甘、微辛，凉。清热利尿。用于小便淋痛，水肿。

| **用法用量** | 亮叶桦叶：内服煎汤，10～15g。外用鲜品捣敷。
亮叶桦皮：内服煎汤，15～30g。外用捣敷。
亮叶桦根：内服煎汤，10～15g。

桦木科 Betulaceae 桦木属 Betula

白桦
Betula platyphylla Suk.

白桦

药材名

桦木皮（药用部位：树皮。别名：桦皮、白桦皮、桦树皮）、桦树液（药材来源：树干中流出的汁液）。

形态特征

乔木，高可达 27m。树皮灰白色，成层剥裂；枝条暗灰色或暗褐色，无毛，具或疏或密的树脂腺体或无；小枝暗灰色或褐色，无毛亦无树脂腺体，有时疏被毛和疏生树脂腺体。叶厚纸质，三角状卵形、三角状菱形、三角形；叶柄细瘦，无毛。果序单生，圆柱形或矩圆状圆柱形，下垂；果序梗细瘦，密被短柔毛，成熟后近无毛，无或具或疏或密的树脂腺体；果苞背面密被短柔毛至成熟时毛渐脱落，边缘被短纤毛，基部楔形或宽楔形，中裂片三角状卵形，先端渐尖或钝，侧裂片卵形或近圆形，直立、斜展至向下弯，如为直立或斜展时则较中裂片稍宽且微短，如为横展至下弯时则长及宽均大于中裂片。小坚果狭矩圆形、矩圆形或卵形，背面疏被短柔毛。

生境分布

生于海拔 400 ~ 1800m 的山地林中，是阔叶林和针阔林混交林常见树种。分布于重庆武隆等地。

| **资源情况** | 野生资源稀少。药材主要来源于野生。

| **采收加工** | 桦木皮：春、夏、秋季剥取，以春、秋季采者为佳，切碎，晒干。
桦树液：5 月间将树皮划开，盛取汁液，鲜用。

| **药材性状** | 桦木皮：本品呈大张的反卷筒状。卷筒外表面（即皮的内表面）淡黄棕色，有深色横条纹；卷筒内表面（即皮的外表面）灰白色而微带红色，上有疙瘩样的枝痕，黑棕色。质柔韧，折断面略平坦，可成层片状剥落。气微弱而香，味苦。

| **功能主治** | 桦木皮：苦，平。归肺、胃、大肠经。清热利湿，祛痰止咳，解毒。用于咽痛喉痹，咳嗽气喘，黄疸，腹泻，痢疾，淋证，小便不利，乳痈，疮毒，痒疹。
桦树液：苦，凉。祛痰止咳，清热解毒。用于咳嗽，气喘，小便赤涩。

| **用法用量** | 桦木皮：内服煎汤，10 ～ 15g。外用适量，研末；或煅存性，研末调撒。
桦树液：内服鲜汁 20 ～ 30ml。

| **附　　注** | 本种喜光，不耐阴，耐严寒，生命力强，对土壤适应性强，尤喜湿润酸性土壤，在沼泽地、干燥阳坡及湿润阴坡都能生长。

桦木科 Betulaceae 桦木属 Betula

糙皮桦
Betula utilis D. Don

| 药 材 名 | 糙皮桦（药用部位：树皮）。

| 形态特征 | 乔木，高可达 33m。树皮暗红褐色，成层剥裂；枝条红褐色，无毛；小枝褐色，密被树脂腺体和短柔毛，较少无腺体、无毛。叶厚纸质，卵形、长卵形至椭圆形或矩圆形，长 4 ~ 9cm，宽 2.5 ~ 6cm，先端渐尖或长渐尖，基部圆形或近心形，边缘具不规则的锐尖重锯齿；幼时密被白色长柔毛，后渐变无毛，下面密生腺点，沿脉密被白色长柔毛，脉腋间被密髯毛，侧脉 8 ~ 14 对；叶柄长 8 ~ 20mm，疏被毛或近无毛。果序全部单生或单生兼有 2 ~ 4 排成总状，直立或斜展，圆柱形或矩圆状圆柱形，长 3 ~ 5cm，直径 7 ~ 12mm；果序梗长 8 ~ 15mm，多少被短柔毛和树脂腺体；果苞长 5 ~ 8mm，背面疏被短柔毛，边缘被短纤毛，中裂片披针形，侧裂片近圆形或

糙皮桦

卵形,斜展,长及中裂片的1/3或1/4。小坚果倒卵形,长2～3mm,宽1.5～2mm。

| **生境分布** | 生于海拔2300m左右的山坡林中。分布于重庆城口、巫山、巫溪等地。

| **资源情况** | 野生资源稀少。药材主要来源于野生。

| **采收加工** | 春、夏、秋季可剥取树皮,切碎,晒干。

| **功能主治** | 树皮,清热利湿,抗菌,驱虫。用于癔症。

| **用法用量** | 外用适量,研末或煅存研末调敷。

| **附　注** | 树皮加工品焦油,用于外伤,皮肤病,各种斑疹。

桦木科 Betulaceae 鹅耳枥属 Carpinus

川陕鹅耳枥
Carpinus fargesiana H. Winkl.

| 药 材 名 | 川陕鹅耳枥（药用部位：根、茎皮）。

| 形态特征 | 乔木，高可达 20m。树皮灰色，光滑；枝条细瘦，无毛，小枝棕色，疏被长柔毛。叶厚纸质，卵状披针形、卵状椭圆形、椭圆形、矩圆形，长 2.5 ~ 6.5cm，宽 2 ~ 2.5cm，基部近圆形或微心形，幼时疏被长柔毛，后变无毛，下面淡绿色，沿脉疏被长柔毛，其余无毛；侧脉 12 ~ 16 对，脉腋间被髯毛，边缘具重锯齿；叶柄细瘦，长 6 ~ 10mm，疏被长柔毛。果序长约 4cm，直径约 2.5cm；果序梗长 1 ~ 1.5cm，果序梗、果序轴均疏被长柔毛；果苞半卵形或半宽卵形，长 1.3 ~ 1.5cm，宽 6 ~ 8mm，背面沿脉疏被长柔毛，外侧的基部无裂片，内侧的基部具耳突或仅边缘微内折，中裂片半三角状披针形，内侧边缘直，全缘，外侧边缘具疏齿，先端渐尖。小

川陕鹅耳枥

坚果宽卵圆形，长约 3mm，无毛，无树脂腺体，极少于上部疏生腺体，具数肋。

| **生境分布** | 生于海拔 1000 ~ 2000m 的林中。分布于重庆城口、巫溪、巫山、奉节、南川、黔江等地。

| **资源情况** | 野生资源一般。药材主要来源于野生。

| **采收加工** | 秋季采挖，剥取根皮和茎皮，洗净，鲜用或晒干。

| **功能主治** | 解毒，祛瘀。

| **用法用量** | 外用适量，捣敷。

桦木科 Betulaceae 鹅耳枥属 Carpinus

短尾鹅耳枥

Carpinus londoniana H.Winkl.

| 药 材 名 | 短尾鹅耳枥（药用部位：根皮。别名：岷江鹅耳枥、白皮鹅耳枥）。

| 形态特征 | 乔木，高 10 ~ 13m。树皮深灰色；枝条下垂，小枝棕色，无毛，密生灰白色皮孔。叶厚纸质，狭椭圆形、狭矩圆形，长 6 ~ 12cm，宽 2.5 ~ 3cm，先端长渐尖或尾状渐尖，基部通常圆楔形，有时近圆形，较少微心形，边缘具重锯齿，上面亮绿色，光滑，下面淡绿色，仅在脉腋间被髯毛；叶柄较粗短，密被短柔毛。果序长 5 ~ 10cm，直径 3 ~ 3.5cm；果序梗、果序轴均密被短柔毛，幼时被长柔毛；果苞无毛，内、外侧的基部均具明显的裂片，内侧基部的裂片卵形，外侧基部的裂片与之近相等或稍短而宽，中裂片矩圆形或微作镰状弯曲，内侧全缘，外侧边缘具不明显的波状细齿。小坚果宽卵圆形，被褐色树脂腺体并有无色透明的树脂分泌物，无毛。

短尾鹅耳枥

| **生境分布** | 生于海拔 300 ~ 1500m 的潮湿山坡或山谷的杂木林中。分布于重庆南川等地。

| **资源情况** | 野生资源稀少。药材来源于野生。

| **采收加工** | 秋季采挖根，剥取根皮，洗净，鲜用或晒干。

| **功能主治** | 淡，平。活血散瘀，利湿通淋。用于跌打损伤，痈肿，淋证。

| **用法用量** | 内服煎汤，10 ~ 15g。外用适量，捣敷。

桦木科 Betulaceae 鹅耳枥属 Carpinus

多脉鹅耳枥 *Carpinus polyneura* Franch.

| 药 材 名 | 多脉鹅耳枥（药用部位：根皮）。

| 形态特征 | 乔木，高 7 ~ 15m。树皮灰色。叶厚纸质，长椭圆形、披针形、卵状披针形至狭披针形或狭矩圆形，较少椭圆形或矩圆形，长 4 ~ 8cm，宽 1.5 ~ 2.5cm，先端长渐尖至尾状，基部圆楔形，较少近圆形或楔形，边缘具刺毛状重锯齿，脉腋间被簇生的髯毛，侧脉 16 ~ 20 对；叶柄长 5 ~ 10mm。果序长 3 ~ 6cm，直径 1 ~ 2cm；果序梗细瘦，长约 2cm；果序梗、果序轴疏被短柔毛；果苞半卵形或半卵状披针形，长 8 ~ 15mm，宽 4 ~ 6mm，两面沿脉疏被长柔毛，背面较密，外侧基部无裂片，内侧基部的边缘微内折，中裂片的外侧边缘仅具 1 ~ 2 疏锯齿或具不明显的疏细齿，有时近全缘，内侧边缘直，全缘。小坚果卵圆形，长 2 ~ 3mm，被或疏或密的短柔毛，

多脉鹅耳枥

先端被长柔毛，具数肋。

| **生境分布** | 生于海拔 600 ~ 1700m 的山坡林中。分布于重庆城口、巫山、巫溪、奉节、南川、武隆等地。 |

| **资源情况** | 野生资源稀少。药材主要来源于野生。 |

| **采收加工** | 秋季采挖根，剥取根皮，洗净，鲜用或晒干。 |

| **功能主治** | 淡，平。用于跌打损伤，痈肿，淋证。 |

| **用法用量** | 内服煎汤，10 ~ 15g。外用适量，捣敷。 |

桦木科 Betulaceae 鹅耳枥属 Carpinus

昌化鹅耳枥 *Carpinus tschonoskii* Maxim.

昌化鹅耳枥

药 材 名

昌化鹅耳枥（药用部位：果、根皮。别名：千筋树）。

形态特征

乔木，高5～10m。树皮暗灰色；小枝褐色，疏被长柔毛，后渐变无毛。叶椭圆形、矩圆形、卵状披针形，少有倒卵形或卵形，长5～12cm，宽2.5～5cm，先端渐尖至尾状，基部圆楔形或近圆形，边缘具刺毛状重锯齿，两面均疏被长柔毛，以后除背面沿脉尚被疏毛、脉腋间被稀疏的髯毛外，叶柄上面疏被短柔毛。果序长6～10cm，直径3～4cm；果序梗、果序轴均疏被长柔毛；果苞外侧基部无裂片，内侧的基部仅边缘微内折，较少具耳突，中裂片披针形，外侧边缘具疏锯齿，内侧边缘直或微呈镰状弯曲。小坚果宽卵圆形，先端疏被长柔毛，有时具树脂腺体。

生境分布

生于海拔1100～2400m的山坡林中。分布于重庆南川、武隆、巫溪等地。

资源情况

野生资源稀少。药材来源于野生。

| **采收加工** | 秋季采挖根，剥取根皮，洗净，鲜用或晒干。

| **功能主治** | 涩，平。舒筋活络，止痢。用于痢疾，跌打损伤。

| **用法用量** | 内服煎汤，10 ~ 15g。外用适量，捣敷。

桦木科 Betulaceae 鹅耳枥属 Carpinus

雷公鹅耳枥 *Carpinus viminea* Wall.

| 药 材 名 | 雷公鹅耳枥（药用部位：根皮）。

| 形态特征 | 乔木，高 10 ~ 20m。树皮深灰色；小枝棕褐色，密生白色皮孔，无毛。叶厚纸质，椭圆形、矩圆形、卵状披针形，长 6 ~ 11cm，宽 3 ~ 5cm，先端渐尖、尾状渐尖至长尾状，基部圆楔形、圆形兼有微心形，有时两侧略不等，边缘具规则或不规则的重锯齿，除背面沿脉疏被长柔毛及有时脉腋间被稀少的髯毛外，均无毛，侧脉 12 ~ 15 对；叶柄较细长，长（10 ~）15 ~ 30mm，多数无毛，偶被稀疏长柔毛或短柔毛。果序长 5 ~ 15cm，直径 2.5 ~ 3cm，下垂；果序梗疏被短柔毛，序轴纤细，长 1.5 ~ 4cm，无毛；果苞长 1.5 ~ 2.5（~ 3）cm，内、外侧基部均具裂片，近无毛；中裂片半卵状披针形至矩圆形，长 1 ~ 2cm，内侧全缘，很少具疏细齿，直或微作镰

雷公鹅耳枥

形弯曲，外侧边缘具齿牙状粗齿，较少具不明显的波状齿，内侧基部的裂片卵形，长约 3mm，外侧基部的裂片与之近相等或较小而呈齿裂状。小坚果宽卵圆形，长 3 ～ 4mm，无毛，有时上部疏生小树脂腺体和细柔毛，具少数细肋。

| 生境分布 | 生于海拔 700 ～ 2350m 的山坡杂木林中。分布于重庆武隆、丰都、城口、奉节、石柱、酉阳、万州、南川等地。

| 资源情况 | 野生资源稀少。药材主要来源于野生。

| 采收加工 | 秋季采挖，剥取根皮，洗净，鲜用或晒干。

| 功能主治 | 微甘，平。用于跌打损伤。

| 用法用量 | 外用适量，捣敷。

桦木科 Betulaceae 榛属 Corylus

华榛
Corylus chinensis Franch.

药材名	华榛（药用部位：种仁）。
形态特征	乔木，高可达 20m。树皮灰褐色，纵裂；枝条灰褐色，无毛；小枝褐色，密被长柔毛和刺状腺体，很少无毛、无腺体，基部通常密被淡黄色长柔毛。叶椭圆形、宽椭圆形或宽卵形，长 8 ~ 18cm，宽 6 ~ 12cm，先端骤尖至短尾状，基部心形，两侧显著不对称，边缘具不规则的钝锯齿，上面无毛，下面沿脉疏被淡黄色长柔毛，有时具刺状腺体，侧脉 7 ~ 11 对；叶柄长 1 ~ 2.5cm，密被淡黄色长柔毛及刺状腺体。雄花序 2 ~ 8 排成总状，长 2 ~ 5cm；苞鳞三角形，锐尖，先端具 1 易脱落的刺状腺体。果实 2 ~ 6 簇生成头状，长 2 ~ 6cm，直径 1 ~ 2.5cm；果苞管状，较果实长 2 倍，外面具纵肋，疏被长柔毛及刺状腺体，很少无毛和无腺体，上部

华榛

深裂，具 3 ~ 5 镰状披针形的裂片，裂片通常又分叉成小裂片。坚果球形，长 1 ~ 2cm，无毛。

| **生境分布** | 生于海拔 1200 ~ 2500m 的湿润山坡林中。分布于重庆巫溪、巫山、石柱、南川、黔江、城口等地。

| **资源情况** | 野生资源一般。 药材主要来源于野生。

| **采收加工** | 总苞由青色变黄色、微裂时采收。

| **功能主治** | 调中开胃，明目。

| **用法用量** | 内服煎汤，10 ~ 15g。

桦木科 Betulaceae 榛属 Corylus

藏刺榛

Corylus ferox Wall. var. *tibetica* (Batal.) Franch.

| 药 材 名 | 藏刺榛（药用部位：种仁。别名：山板栗、野板栗、西藏刺榛）。

| 形态特征 | 乔木或小乔木，高 5 ~ 12m。树皮灰黑色或灰色；枝条灰褐色或暗灰色，无毛；小枝褐色，疏被长柔毛，基部密生黄色长柔毛，有时具或疏或密的刺状腺体。叶厚纸质，宽椭圆形或宽倒卵形，先端尾状，基部近心形或近圆形，有时两侧稍不对称，边缘具刺毛状重锯齿，上面仅幼时疏被长柔毛，后变无毛，下面沿脉密被淡黄色长柔毛，脉腋间有时被簇生的髯毛；叶柄较细瘦，密被长柔毛或疏被毛至几无毛。果实簇生，果苞钟状，成熟时褐色，背面密被短柔毛，具疏或密刺状腺体，上部具分叉而锐利的针刺状裂片，疏被毛或几无毛；坚果扁球形，上部裸露，先端密被短柔毛。

藏刺榛

| **生境分布** | 生于海拔 1500 ～ 2400m 的山地杂木林中。分布于重庆城口、巫溪、巫山、奉节、石柱、南川等地。 |

| **资源情况** | 野生资源一般。药材来源于野生。 |

| **采收加工** | 总苞由青色变黄色、微裂时采收。 |

| **功能主治** | 辛、甘、涩，平。祛风止痒，涩肠。用于皮肤瘙痒，肠炎腹泻等。 |

| **用法用量** | 内服煎汤，10 ～ 15g。 |

| **附　注** | 本种喜光，喜湿润气候和土层深厚、肥沃、排水良好、湿润的砂壤土，特别是腐殖质含量高的土壤更适合本种生长，黏重、积水的土壤不适合本种生长，光照不足对本种生长和结实不利。 |

桦木科 Betulaceae 榛属 Corylus

川榛

Corylus heterophylla Fisch. var. *sutchuenensi* Franch.

| 药 材 名 | 川榛（药用部位：种仁、根）。

| 形态特征 | 灌木或小乔木，高1～7m。树皮灰色；枝条暗灰色，无毛，小枝黄褐色，密被短柔毛兼被疏生的长柔毛，无或多少具刺状腺体。叶矩圆形或宽倒卵形，长4～13cm，宽2.5～10cm，先端凹缺或截形，中央具三角状凸尖，基部心形，边缘具不规则的重锯齿，中部以上具浅裂，上面无毛，下面于幼时疏被短柔毛，以后仅沿脉疏被短柔毛，其余无毛，侧脉3～5对；叶柄纤细。雄花序单生，长约4cm。果实单生或2～6簇生成头状；果苞钟状，外面具细条棱，密被短柔毛兼有疏生的长柔毛，密生刺状腺体，很少无腺体，较果实长但不超过1倍，很少较果实短，上部浅裂，裂片三角形，全缘，很少具疏锯齿；果序梗长约1.5cm，密被短柔毛。坚果近球形，长7～15mm，无毛

川榛

或仅先端疏被长柔毛。

| **生境分布** | 生于海拔 800 ～ 2400m 的山地阴坡灌丛中。分布于重庆城口、巫山、巫溪、石柱、南川、黔江等地。

| **资源情况** | 野生资源稀少。药材主要来源于野生。

| **采收加工** | 秋季果实成熟后及时采摘，晒干后除去总苞及果壳。

| **功能主治** | 种仁，健脾和胃，润肺止咳。用于病后体弱，脾虚泄泻，食欲不振，咳嗽。根，清热润肺，和胃健脾。用于消化不良，脾虚泄泻，肺热咳嗽。

| **用法用量** | 内服煎汤，30 ～ 60g；或研末服。

壳斗科 Fagaceae 栗属 Castanea

锥栗
Castanea henryi (Skan) Rehd. et Wils.

| **药 材 名** | 锥栗（药用部位：种仁）。

| **形态特征** | 大乔木，高达 30m，胸径 1.5m。冬芽长约 5mm；小枝暗紫褐色，托叶长 8 ~ 14mm。叶长圆形或披针形，长 10 ~ 23cm，宽 3 ~ 7cm，先端长渐尖至尾状长尖；新生叶的基部狭楔尖，两侧对称；成长叶的基部圆或宽楔形，一侧偏斜，叶缘的裂齿有长 2 ~ 4mm 的线状长尖，叶背无毛，但嫩叶有黄色鳞腺且在叶脉两侧被疏长毛；开花期的叶柄长 1 ~ 1.5cm，结果时延长至 2.5cm。雄花序长 5 ~ 16cm，花簇有花 1 ~ 3 (~ 5)；每壳斗有雌花 1（偶有 2 或 3），仅 1 花（稀 2 或 3）发育结实，花柱无毛，稀在下部被疏毛。成熟壳斗近圆球形，连刺直径 2.5 ~ 4.5cm，刺或密或稍疏生，长 4 ~ 10mm；坚果长 12 ~ 15mm，宽 10 ~ 15mm，顶部被伏毛。花期 5 ~ 7 月，

锥栗

果期 9 ~ 10 月。

| **生境分布** | 生于海拔 1000 ~ 1200m 的丘陵与山地，常见于落叶或常绿的混交林中。分布于重庆城口、巫溪、巫山、奉节、万州、南川、忠县、酉阳、江津、云阳等地。

| **资源情况** | 野生资源丰富。药材来源于野生。

| **采收加工** | 夏、秋季采集，除去芒刺厚衣，取内坚硬的果体，晒干。

| **功能主治** | 用于消化不良，失眠。

| **用法用量** | 内服生食、煮食或炒存性研末。外用捣敷。

壳斗科 Fagaceae 栗属 *Castanea*

栗 *Castanea mollissima* Bl.

| 药 材 名 | 板栗花（药用部位：穗状花序）、板栗壳（药用部位：总苞）。

| 形态特征 | 乔木，高达 20m，胸径 80cm。冬芽长约 5mm；小枝灰褐色，托叶长圆形，长 10 ~ 15mm，被疏长毛及鳞腺。叶椭圆形至长圆形，长 11 ~ 17cm，宽稀达 7cm，先端短至渐尖，基部近截平或圆，或两侧稍向内弯而呈耳垂状，常一侧偏斜而不对称，新生叶的基部常狭楔尖且两侧对称，叶背被星芒状伏贴绒毛或因毛脱落变为几无毛；叶柄长 1 ~ 2cm。雄花序长 10 ~ 20cm，花序轴被毛；花 3 ~ 5 聚生成簇，雌花 1 ~ 3（~ 5）发育结实，花柱下部被毛。成熟壳斗的锐刺有长有短，有疏有密，密时全遮蔽壳斗外壁，疏时则外壁可见，壳斗连刺直径 4.5 ~ 6.5cm；坚果高 1.5 ~ 3cm，宽 1.8 ~ 3.5cm。花期 4 ~ 6 月，果期 8 ~ 10 月。

栗

| **生境分布** | 生于平地至海拔 2800m 的山地，多栽培。重庆各地均有分布。

| **资源情况** | 栽培资源较丰富。药材主要来源于野生。

| **采收加工** | 板栗花：4 ～ 5 月花开时采收，干燥。

板栗壳：秋季采收成熟果实时剥取刺壳，晒干。

| **药材性状** | 板栗花：本品呈长条形或细长条形，微弯曲，被柔毛，长 10 ～ 20cm。淡黄褐色，花簇生于黄白色的花序轴上，花粉易落，手捻有滑腻感，可附于手指上。花序轴质脆，易折断。气微香，味涩。

板栗壳：本品呈刺球形，略扁，连刺直径 4 ～ 6.5cm，高 1.5 ～ 3cm，多纵向裂开成 2 ～ 4 瓣。外表面黄棕色或棕色，密布自基部分枝成束的鹿角状利刺，刺长 1 ～ 1.5cm；外表面及刺上密被灰白色至灰绿色柔毛，多有粗壮果穗。内表面密被紧贴的黄棕色有丝光的长绒毛，基底有 2 ～ 3 坚果脱落后的疤痕。质坚硬，断面颗粒状，暗棕褐色。气微，味微涩。

| **功能主治** | 板栗花：苦、涩，平。清热燥湿，止血，散结。用于泄泻，痢疾，带下，便血，瘰疬，瘿瘤。

板栗壳：甘、涩，平。止咳，化痰，消炎。用于慢性支气管炎，咳嗽痰多，百日咳，淋巴结炎，腮腺炎。

| **用法用量** | 板栗花：内服煎汤，9 ～ 15g。

板栗壳：内服煎汤，30 ～ 60g。

扁刺锥

扁刺锥 *Castanopsis platyacantha* Rehd. et Wils.

| 药 材 名 |

扁刺锥（药用部位：叶、种子）。

| 形态特征 |

乔木，高达 20m，胸径达 1m。树皮灰褐黑色，枝、叶均无毛。叶革质，卵形，长椭圆形，长 10 ~ 18cm，宽 3 ~ 6cm，先端短尖或为弯斜的长尖，基部近于圆形或阔楔形，通常一侧略偏斜，叶缘中部或上部有锯齿状裂齿；叶柄长 8 ~ 15mm。花序自叶腋抽出，雄花序穗状或为圆锥花序，花被裂片内面被短柔毛，每壳斗有雌花 1 ~ 3，花柱 2 ~ 3。果序长 8 ~ 15cm，壳斗近圆球形或阔椭圆形，连刺直径 30 ~ 40mm，不规则 2 ~ 4 瓣开裂，刺长 4 ~ 8mm，下部合生成刺束，有时连生成鸡冠状刺环，壳壁及刺被灰棕色微柔毛，每壳斗有坚果 1 ~ 3；坚果阔圆锥形，每壳斗有 1 坚果的，则果宽稍过于高，横径 14 ~ 20mm，每壳斗有坚果 2 ~ 3 的，则坚果有一面平坦，较小，密被棕色伏毛，果脐约占坚果面积的 1/3。花期 5 ~ 6 月，果熟期翌年 9 ~ 11 月。

| 生境分布 |

生于海拔 1000 ~ 1800m 的山地疏、密林中，干燥或湿润地方，有时成小片纯林。分布于重庆丰都、南川、酉阳等地。

| **资源情况** | 野生资源稀少。药材来源于野生。

| **功能主治** | 健胃，补肾，除湿热。

| **用法用量** | 内服煎汤，适量。

壳斗科 Fagaceae 青冈属 Cyclobalanopsis

黄毛青冈

Cyclobalanopsis delavayi (Franch.) Schott.

黄毛青冈

药 材 名

黄栎（药用部位：树皮）。

形态特征

常绿乔木，高达 20m，胸径达 1m。小枝密被黄褐色绒毛。叶片革质，长椭圆形或卵状长椭圆形，长 8 ～ 12cm，宽 2 ～ 4.5cm，先端渐尖或短渐尖，基部宽楔形或近圆形，叶缘中部以上有锯齿；中脉在叶面凹陷，在叶背突起，侧脉每边 10 ～ 14；叶面无毛，叶背密被黄色星状绒毛；叶柄长 1 ～ 2.5cm，密被灰黄色绒毛。雄花序簇生或分枝，长 2 ～ 4cm，被黄色绒毛；雌花序腋生，长约 4cm，着生 2 ～ 3 花，被黄色绒毛，花柱 3 ～ 5 裂。壳斗浅碗形，包着坚果约1/2，直径 1 ～ 1.5（ ～ 1.9）cm，高 5 ～ 8（ ～ 10）mm，内壁被黄色绒毛；小苞片合生成 6 ～ 7 同心环带，环带边缘具浅齿，密被黄色绒毛。坚果椭圆形或卵形，直径 1 ～ 1.5cm，高约 1.8cm，初被绒毛，后渐脱落；果脐凸起，直径 6 ～ 8mm。花期 4 ～ 5 月，果期翌年 9 ～ 10 月。

生境分布

生于海拔 1000 ～ 2800m 的常绿阔叶林或松栎混交林中。分布于重庆酉阳等地。

| **资源情况** | 野生资源稀少。药材来源于野生。

| **采收加工** | 全年均可采收，晒干。

| **功能主治** | 微苦、涩，微温。平喘。用于哮喘。

| **用法用量** | 内服煎汤，15 ～ 30g；研末，每次 3 ～ 6g。

壳斗科 Fagaceae 青冈属 Cyclobalanopsis

青冈
Cyclobalanopsis glauca (Thunb.) Oerst.

| **药 材 名** | 槠子（药用部位：种仁）、槠子皮叶（药用部位：树皮、叶）。

| **形态特征** | 常绿乔木，高达 20m，胸径可达 1m。小枝无毛。叶片革质，倒卵状椭圆形或长椭圆形，长 6 ~ 13cm，宽 2 ~ 5.5cm，先端渐尖或短尾状，基部圆形或宽楔形，叶缘中部以上有疏锯齿；侧脉每边 9 ~ 13，叶背支脉明显；叶面无毛，叶背被整齐平伏白色单毛，老时渐脱落，常有白色鳞秕；叶柄长 1 ~ 3cm。雄花序长 5 ~ 6cm，花序轴被苍色绒毛。果序长 1.5 ~ 3cm，着生果 2 ~ 3；壳斗碗形，包着坚果1/3 ~ 1/2，直径 0.9 ~ 1.4cm，高 0.6 ~ 0.8cm，被薄毛；小苞片合生成 5 ~ 6 同心环带，环带全缘或有细缺刻，排列紧密。坚果卵形、长卵形或椭圆形，直径 0.9 ~ 1.4cm，高 1 ~ 1.6cm，无毛或被薄毛，果脐平坦或微凸起。花期 4 ~ 5 月，果期 10 月。

青冈

| **生境分布** | 生于海拔 360 ~ 2600m 的山坡或沟谷林中。分布于重庆丰都、黔江、忠县、秀山、涪陵、酉阳、永川、璧山、巫溪、南川、綦江、武隆、巫山、大足、巴南等地。 |

| **资源情况** | 野生和栽培资源均一般。药材来源于野生和栽培。 |

| **采收加工** | 槠子：秋季果实成熟时采收，晒干后剥取种仁。
槠子皮叶：全年均可采收，鲜用或晒干。 |

| **功能主治** | 槠子：甘、苦、涩，平。涩肠止泻，生津止渴。用于泄泻，痢疾，津伤口渴，伤酒。
槠子皮叶：止血，敛疮。用于产妇血崩，臁疮。 |

| **用法用量** | 槠子：内服煎汤，10 ~ 15g。
槠子皮叶：内服煎汤，9 ~ 15g。外用适量，嫩叶贴敷。 |

壳斗科 Fagaceae 青冈属 Cyclobalanopsis

小叶青冈 Cyclobalanopsis myrsinifolia (Blume) Oerst.

小叶青冈

| 药 材 名 |

槠子（药用部位：种仁。别名：甜槠、面槠）、槠子皮叶（药用部位：树皮、叶）。

| 形态特征 |

常绿乔木，高 20m，胸径达 1m。小枝无毛，被凸起淡褐色长圆形皮孔。叶卵状披针形或椭圆状披针形，长 6 ~ 11cm，宽 1.8 ~ 4cm，先端长渐尖或短尾状，基部楔形或近圆形，叶缘中部以上有细锯齿；侧脉每边 9 ~ 14，常不达叶缘，叶背支脉不明显；叶面绿色，叶背粉白色，干后为暗灰色，无毛；叶柄长 1 ~ 2.5cm，无毛。雄花序长 4 ~ 6cm；雌花序长 1.5 ~ 3cm。壳斗杯形，包着坚果 1/3 ~ 1/2，直径 1 ~ 1.8cm，高 5 ~ 8mm，壁薄而脆，内壁无毛，外壁被灰白色细柔毛；小苞片合生成 6 ~ 9 同心环带，环带全缘。坚果卵形或椭圆形，直径 1 ~ 1.5cm，高 1.4 ~ 2.5cm，无毛，先端圆，柱座明显，有 5 ~ 6 环纹；果脐平坦，直径约 6mm。花期 6 月，果期 10 月。

| 生境分布 |

生于海拔 800 ~ 1400m 的山谷、阴坡杂木林中。分布于重庆城口、巫溪、巫山、奉节、南川、黔江、忠县、彭水、云阳、涪陵、酉阳、北碚等地。

| **资源情况** | 野生资源丰富。药材来源于野生。

| **采收加工** | 楮子：秋季果实成熟时采收，晒干后剥取种仁。

楮子皮叶：全年均可采收，鲜用或晒干。

| **功能主治** | 楮子：甘、苦、涩，平。涩肠止泻，生津止渴。用于泄泻，痢疾，津伤口渴，伤酒。

楮子皮叶：止血，敛疮。用于产妇血崩，臁疮。

| **用法用量** | 楮子：内服煎汤，10 ～ 15g。

楮子皮叶：内服煎汤，9 ～ 15g。外用适量，嫩叶贴敷。

壳斗科 Fagaceae 水青冈属 Fagus

水青冈 *Fagus longipetiolata* Seem.

| 药 材 名 | 水青冈（药用部位：壳斗）。

| 形态特征 | 乔木，高达 25m。冬芽长达 20mm；小枝的皮孔狭长圆形或兼有近圆形。叶长 9 ~ 15cm，宽 4 ~ 6cm，稀较小，先端短尖至短渐尖，基部宽楔形或近于圆，有时一侧较短且偏斜，叶缘波浪状，有短的尖齿；侧脉每边 9 ~ 15，直达齿端，开花期的叶沿叶背中脉、侧脉被长伏毛，其余被微柔毛，结果时因毛脱落变无毛或几无毛；叶柄长 1 ~ 3.5cm。总梗长 1 ~ 10cm；壳斗（3 ~ ）4 瓣裂，裂瓣长 20 ~ 35mm，呈稍增厚的木质；小苞片线状，向上弯钩，位于壳斗顶部的长达 7mm，下部的较短，与壳壁相同均被灰棕色微柔毛，壳壁的毛较长且密，通常有坚果 2；坚果比壳斗裂瓣稍短或等长，脊棱顶部有狭而略伸延的薄翅。花期 4 ~ 5 月，果期 9 ~ 10 月。

水青冈

| 生境分布 | 生于海拔 300 ～ 2400m 的山地杂木林中，多见于向阳坡地，与常绿或落叶树混生，常为上层树种。分布于重庆奉节、秀山、巫溪、北碚、开州、城口、万州、石柱、武隆、南川、江津等地。

| 资源情况 | 野生资源一般。药材主要来源于野生。

| 采收加工 | 秋季采收成熟果实时剥取壳斗，晒干。

| 功能主治 | 健胃，消食，理气。

壳斗科 Fagaceae 柯属 *Lithocarpus*

白柯

Lithocarpus dealbatus (Hook. f. et Thoms. ex DC.) Rehd.

| 药 材 名 | 白皮柯（药用部位：花序。别名：野槟榔）。

| 形态特征 | 乔木，高很少达 20m，胸径 80cm。芽鳞、当年生枝、叶背、叶柄、花序轴及壳斗的鳞片被棕黄或黄灰色毡状短柔毛，二年生枝毛较少，皮孔稀明显且凸起。叶厚纸质或革质，卵形、卵状椭圆形或披针形，长 7 ~ 14cm，宽 2 ~ 5cm，先端长或短尖，基部楔尖，全缘，很少上部叶缘浅波浪状；中脉在叶面微凸起，通常被稀疏短毛，侧脉每边 9 ~ 15，在叶面常稍凹陷，支脉纤细，两面同色或叶背带灰色，有蜡鳞层；叶柄长 1 ~ 2cm。雄穗状花序多穗聚生枝的顶部，长很少达 15cm；雌花序稀长 20cm，有时雌雄同序；雌花每 3、很少 5 一簇，花柱长 1 ~ 1.5mm。果序通常长 5 ~ 8cm；壳斗碗状，包着坚果一半至大部分（壳斗发育至中期时仍全包坚果），高 8 ~ 14mm，

白柯

宽 10 ~ 18mm，小苞片三角形，贴生或很少有部分稍扩展，覆瓦状排列；坚果扁圆形或近圆球形，比壳斗略小，顶部圆或近于平坦或很少凸尖，柱座微凹陷，仅柱座四周被粉状细毛，其余无毛，或偶有柱座全被细毛，果脐凸起，约占坚果面积的 1/3，很少约达一半。花期 8 ~ 10 月，果熟期翌年 8 ~ 10 月。

| **生境分布** | 生于海拔 1300 ~ 2250m 的山地较阴湿的阔叶林中，常与栲属、栎属及石栎属树种组成混交林。分布于重庆开州、武隆、江津、南川等地。

| **资源情况** | 野生资源稀少。药材来源于野生。

| **采收加工** | 4 ~ 5 月采收，晾干。

| **功能主治** | 微苦、涩，温。消食，杀虫。用于食积腹胀，虫积腹痛。

| **用法用量** | 内服煎汤，9 ~ 15g。

| **附　　注** | 本种喜阳光，耐旱。栽培宜选择土层深厚、疏松、肥力中等以上的山坡下部或沟谷两旁的酸性土壤，不宜在干旱、瘠薄的山顶或山坡上部栽培。

壳斗科 Fagaceae 柯属 *Lithocarpus*

木姜叶柯

Lithocarpus litseifolius (Hance) Chun

| 药 材 名 | 多穗石柯根（药用部位：根。别名：甜茶根）、多穗石柯果（药用部位：果实。别名：甜茶果）、多穗石柯茎（药用部位：茎枝）、多穗石柯叶（药用部位：叶。别名：甜茶叶）。

| 形态特征 | 常绿乔木，高 11 ~ 15m。小枝幼时淡褐色，老时干后暗褐黑色。叶互生；叶柄长 2 ~ 2.5cm，基部增粗，常呈暗褐色，有时被灰白色粉霜；叶片革质，长椭圆形或卵状长椭圆形，长 7 ~ 14cm，宽 3 ~ 4cm，先端急尖或突然渐尖，基部楔形，全缘，无毛，下面稍带灰白色；侧脉 7 ~ 10 对，支脉纤细，疏离，稍明显，小脉通常不明显。雄花序极少复穗状；雌花 3 朵一簇，常 1 朵结实。果序长 8 ~ 10cm，果序轴纤细，直径约 5mm；壳斗浅盘形，包围坚果基部，直径 9 ~ 14mm，高 3 ~ 5mm；鳞状苞片轮状排列，细小，除顶部

木姜叶柯

外与壳斗愈合，被褐黑色绒毛。坚果扁球形，直径 1.6 ~ 1.8cm，长 9 ~ 13mm，未成熟时顶部锥尖状，成熟时近平坦，中央有短尖头，基部截平，无毛；果脐深内陷，直径 6 ~ 8mm。花期 5 ~ 9 月，果期翌年 5 ~ 9 月。

| 生境分布 | 生于海拔 400 ~ 1000m 的山地阔叶林中。分布于重庆奉节等地。

| 资源情况 | 野生资源较少。药材来源于野生。

| 采收加工 | 多穗石柯根：全年均可采挖，洗净，晒干。
多穗石柯果：夏、秋季果实成熟时采收，鲜用或晒干。
多穗石柯茎：全年均可采收，晒干。
多穗石柯叶：春、夏、秋季采摘，晒干或鲜用。

| 药材性状 | 多穗石柯叶：本品革质，多皱缩卷曲、破碎，展平后呈倒卵状椭圆形，背面叶脉凸出，先端渐尖或尾尖，基部楔形，全缘。质脆。气微，味甘。

| 功能主治 | 多穗石柯根：甘、涩，平。补肝肾，祛风湿。用于肾虚腰痛，风湿痹痛。
多穗石柯果：甘、涩，平。和胃降逆。用于呃逆，噎膈。
多穗石柯茎：祛风湿，活血止痛。用于风湿痹痛，损伤骨折。
多穗石柯叶：甘、微苦，平。清热解毒，化痰，祛风，降压。用于湿热泻痢，肺热咳嗽，痈疽疮疡，皮肤瘙痒，高血压。

| 用法用量 | 多穗石柯根：内服煎汤，15 ~ 30g。
多穗石柯果：内服煎汤，15 ~ 30g。
多穗石柯茎：内服煎汤，10 ~ 15g。
多穗石柯叶：内服煎汤，10 ~ 15g。外用适量，捣敷；或煎汤洗。

| 附　注 | 本种的中文名和拉丁学名在《中国植物志》（中文版）、《海南植物志》中均采用木姜叶柯 *Lithocarpus litseifolius* (Hance) Chun，而在《贵州植物志》《福建植物志》《浙江植物志》和《横断山植物志》中则为多穗石栎 *Lithocarpus polystachyus* (Wall. ex A. DC.) Rehder。
多穗柯、甜茶等为本种的常见别名。

麻栎

壳斗科 Fagaceae 栎属 Quercus

麻栎
Quercus acutissima Carr.

| 药 材 名 |

橡实（药用部位：果实。别名：栎子、抒斗子、栎木子）、橡木皮（药用部位：根皮或树皮。别名：栎木皮、栎树皮）、橡实壳（药用部位：壳斗。别名：橡斗壳、橡豆子壳、橡子壳）。

| 形态特征 |

落叶乔木，高达 30m，胸径达 1m。树皮深灰褐色，深纵裂；幼枝被灰黄色柔毛，后渐脱落，老时灰黄色，具淡黄色皮孔；冬芽圆锥形，被柔毛。叶片形态多样，通常为长椭圆状披针形，长 8 ~ 19cm，宽 2 ~ 6cm，先端长渐尖，基部圆形或宽楔形，叶缘有刺芒状锯齿，叶片两面同色，幼时被柔毛，老时无毛或叶背面脉上被柔毛，侧脉每边 13 ~ 18 条；叶柄长 1 ~ 3（~ 5）cm，幼时被柔毛，后渐脱落。雄花序常数个集生当年生枝下部叶腋，有花 1 ~ 3，花柱 30。壳斗杯形，包着坚果约 1/2，连小苞片直径 2 ~ 4cm，高约 1.5cm；小苞片钻形或扁条形，向外反曲，被灰白色绒毛。坚果卵形或椭圆形，直径 1.5 ~ 2cm，高 1.7 ~ 2.2cm，先端圆形，果脐凸起。花期 3 ~ 4 月，果期翌年 9 ~ 10 月。

| 生境分布 | 生于海拔 60 ～ 2200m 的山地阳坡，成小片纯林或混交林。重庆各地均有分布。

| 资源情况 | 野生资源丰富。药材主要来源于野生。

| 采收加工 | 橡实：冬季果实成熟后采收，连壳斗摘下，晒干后除去壳斗，再晒至足干，贮放通风干燥处。

橡木皮：随时可采，洗净，晒干，切片。

橡实壳：采收橡实时收集，晒干。

| 药材性状 | 橡实：本品坚果卵球形至长卵形，长约 2cm，直径 1.5 ～ 2cm；表面淡褐色，果脐凸起。种仁白色。气微，味淡、微涩。

橡木皮：本品表面灰黑色，粗糙；具不规则纵裂，软木质；内面类白色。气微，味微苦、涩。

橡实壳：本品杯状，直径 1.5 ～ 2cm，高约 2cm。外面鳞片状苞片狭披针形，呈覆瓦状排列，反曲，被灰白色柔毛；内面棕色，平滑。气微，味苦、涩。

| 功能主治 | 橡实：苦、涩，微温。归脾、大肠、肾经。收敛固脱，止血，解毒。用于泄泻，痢疾，便血，痔血，脱肛，小儿疝气，疮痈久溃不收，乳腺炎，睾丸炎，面黯。

橡木皮：苦、涩，平。解毒利湿，涩肠止泻。用于泄泻，痢疾，疮疡，瘰疬。

橡实壳：涩，温。涩肠止泻，止带，止血，敛疮。用于赤白下痢，肠风下血，脱肛，带下，血崩，牙疳，疮疡。

| 用法用量 | 橡实：内服煎汤，3 ～ 10g；或入丸、散，每次 1.5 ～ 3g。外用适量，炒焦研末调涂。

橡木皮：内服煎汤，3 ～ 10g。外用适量，煎汤或加盐，浸水洗。孕妇慎服。

橡实壳：内服煎汤，3 ～ 10g；或炒焦研末，每次 3 ～ 6g。外用适量，烧存性研末调敷，或煎汤洗。

壳斗科 Fagaceae 栎属 Quercus

槲栎

Quercus aliena Bl.

槲栎

药 材 名

槲栎（药用部位：果实）。

形态特征

落叶乔木，高达 30m。树皮暗灰色，深纵裂；小枝灰褐色，近无毛，具圆形淡褐色皮孔；芽卵形，芽鳞具缘毛。叶片长椭圆状倒卵形至倒卵形，长 10 ~ 20（~ 30）cm，宽 5 ~ 14（~ 16）cm，先端微钝或短渐尖，基部楔形或圆形，叶缘具波状钝齿，叶背被灰棕色细绒毛；侧脉每边 10 ~ 15，叶面中脉侧脉不凹陷；叶柄长 1 ~ 1.3cm，无毛。雄花序长 4 ~ 8cm，雄花单生或数朵簇生花序轴，微被毛，花被 6 裂，雄蕊通常 10；雌花序生于新枝叶腋，单生或 2 ~ 3朵簇生。壳斗杯形，包着坚果约 1/2，直径1.2 ~ 2cm，高 1 ~ 1.5cm；小苞片卵状披针形，长约 2mm，排列紧密，被灰白色短柔毛。坚果椭圆形至卵形，直径 1.3 ~ 1.8cm，高1.7 ~ 2.5cm，果脐微凸起。花期（3 ~）4 ~ 5月，果期 9 ~ 10 月。

生境分布

生于海拔 100 ~ 2000m 的向阳山坡，常与其他树种组成混交林或成小片纯林。分布于重庆黔江、垫江、彭水、江津、铜梁、南川、九龙坡、长寿、武隆、丰都、綦江、开州、巫山、沙坪坝等地。

| **资源情况** | 野生资源丰富。药材来源于野生。

| **采收加工** | 冬季果实成熟后采收，连壳斗摘下，晒干后除去壳斗，再晒至足干，贮放通风干燥处。

| **功能主治** | 涩肠止痢，止血。

| **用法用量** | 内服煎汤，3 ~ 10g；或入丸、散，每次 1.5 ~ 3g。外用适量，炒焦研末调涂。

壳斗科 Fagaceae 栎属 Quercus

白栎 *Quercus fabri* Hance

| 药 材 名 | 白栎蓓（药用部位：带虫瘿的果实、总苞或根。别名：白栎蒲）。

| 形态特征 | 落叶乔木或灌木状，高达 20m。树皮灰褐色，深纵裂；小枝密生灰色至灰褐色绒毛；冬芽卵状圆锥形，芽长 4 ~ 6mm，芽鳞多数，被疏毛。叶片倒卵形、椭圆状倒卵形，长 7 ~ 15cm，宽 3 ~ 8cm，先端钝或短渐尖，基部楔形或窄圆形，叶缘具波状锯齿或粗钝锯齿，幼时两面被灰黄色星状毛；侧脉每边 8 ~ 12，叶背支脉明显；叶柄长 3 ~ 5mm，被棕黄色绒毛。雄花序长 6 ~ 9cm，花序轴被绒毛；雌花序长 1 ~ 4cm，生 2 ~ 4 花。壳斗杯形，包着坚果约 1/3，直径 0.8 ~ 1.1cm，高 4 ~ 8mm；小苞片卵状披针形，排列紧密，在口缘处稍伸出。坚果长椭圆形或卵状长椭圆形，直径 0.7 ~ 1.2cm，高 1.7 ~ 2cm，无毛，果脐凸起。花期 4 月，果期 10 月。

白栎

| **生境分布** | 生于海拔 1900m 以下的丘陵、山地杂木林中。分布于重庆黔江、綦江、万州、丰都、璧山、南岸、涪陵、大足、潼南、江津、合川、永川、奉节、巫山、石柱、梁平、城口、铜梁、酉阳、南川、九龙坡、秀山、北碚、开州、巫溪、沙坪坝、巴南、荣昌等地。

| **资源情况** | 野生资源较丰富。药材主要来源于野生。

| **采收加工** | 秋季采集带虫瘿的果实及总苞，晒干。全年均可采挖根，鲜用或晒干。

| **功能主治** | 苦、涩，平。理气消积，明目解毒。用于疳积，疝气，泄泻，痢疾，火眼赤痛，疮疖。

| **用法用量** | 内服煎汤，15 ~ 21g。外用适量，煅炭研敷。

壳斗科 Fagaceae 栎属 Quercus

乌冈栎
Quercus phillyraeoides A. Gray

| 药 材 名 | 乌冈栎（药用部位：果实的虫瘿、根）。

| 形态特征 | 常绿灌木或小乔木，高达 10m。小枝纤细，灰褐色，幼时被短绒毛，后渐无毛。叶片革质，倒卵形或窄椭圆形，长 2 ~ 6（~ 8）cm，宽 1.5 ~ 3cm，先端钝尖或短渐尖，基部圆形或近心形，叶缘中部以上具疏锯齿，两面同为绿色，老叶两面无毛或仅叶背中脉被疏柔毛，侧脉每边 8 ~ 13；叶柄长 3 ~ 5mm，被疏柔毛。雄花序长 2.5 ~ 4cm，纤细，花序轴被黄褐色绒毛；雌花序长 1 ~ 4cm，花柱长 1.5mm，柱头 2 ~ 5 裂。壳斗杯形，包着坚果 1/2 ~ 2/3，直径 1 ~ 1.2cm，高 6 ~ 8mm；小苞片三角形，长约 1mm，覆瓦状排列紧密，除先端外被灰白色柔毛。果实长椭圆形，高 1.5 ~ 1.8cm，直径约 8mm，果脐平坦或微凸起，直径 3 ~ 4mm。花期 3 ~ 4 月，果期 9 ~ 10 月。

乌冈栎

| **生境分布** | 生于海拔 700 ～ 1400m 的山坡、山顶或山谷密林中，常生于山地岩石上。分布于重庆城口、黔江、南川、江津、北碚、涪陵、奉节等地。 |

| **资源情况** | 野生资源一般。药材主要来源于野生。 |

| **采收加工** | 秋季采集带虫瘿的果实，晒干。全年均可采挖根，鲜用或晒干。 |

| **功能主治** | 果实的虫瘿，健脾消积，理气，清火，明目。根，用于肠炎，痢疾。 |

| **用法用量** | 内服煎汤，15 ～ 21g。外用适量，煅炭研敷。 |

壳斗科 Fagaceae 栎属 Quercus

枹栎

Quercus serrata Murray

| 药材名 | 枹栎（药用部位：果实）。

| 形态特征 | 落叶乔木，高达25m。树皮灰褐色，深纵裂；幼枝被柔毛，不久即脱落；冬芽长卵形，长5～7mm，芽鳞多数，棕色，无毛或被极少毛。叶片薄革质，倒卵形或倒卵状椭圆形，长7～17cm，宽3～9cm，先端渐尖或急尖，基部楔形或近圆形，叶缘有腺状锯齿，幼时被伏贴单毛，老时及叶背被平伏单毛或无毛，侧脉每边7～12；叶柄长1～3cm，无毛。雄花序长8～12cm，花序轴密被白毛，雄蕊8；雌花序长1.5～3cm。壳斗杯状，包着坚果1/4～1/3，直径1～1.2cm，高5～8mm；小苞片长三角形，贴生，边缘被柔毛。坚果卵形至卵圆形，直径0.8～1.2cm，高1.7～2cm，果脐平坦。花期3～4月，果期9～10月。

枹栎

| 生境分布 | 生于海拔 200 ～ 2000m 的山地或沟谷林中。分布于重庆城口、彭水、石柱、丰都、巫溪、九龙坡、巫山、奉节、万州、梁平、黔江、南川等地。

| 资源情况 | 野生资源一般。药材来源于野生。

| 采收加工 | 秋季采收，晒干。

| 功能主治 | 养胃健脾。

| 用法用量 | 内服煎汤，适量。

壳斗科 Fagaceae 栎属 Quercus

栓皮栎 *Quercus variabilis* Bl.

| 药 材 名 | 青杠碗（药用部位：果壳、果实。别名：毛猴儿、虫波罗、橡子肉）。

| 形态特征 | 落叶乔木，高达 30m，胸径达 1m 以上。树皮黑褐色，深纵裂，木栓层发达。小枝灰棕色，无毛；芽圆锥形，芽鳞褐色，具缘毛。叶片卵状披针形或长椭圆形，长 8 ~ 15（~ 20）cm，宽 2 ~ 6（~ 8）cm，先端渐尖，基部圆形或宽楔形，叶缘具刺芒状锯齿，叶背密被灰白色星状绒毛；侧脉每边 13 ~ 18，直达齿端；叶柄长 1 ~ 3（~ 5）cm，无毛。雄花序长达 14cm，花序轴密被褐色绒毛，花被 4 ~ 6 裂，雄蕊 10 或较多；雌花序生于新枝上端叶腋，花柱 30。壳斗杯形，包着坚果 2/3，连小苞片直径 2.5 ~ 4cm，高约 1.5cm；小苞片钻形，反曲，被短毛。坚果近球形或宽卵形，高、直径均约 1.5cm，先端圆，果脐凸起。花期 3 ~ 4 月，果期翌年 9 ~ 10 月。

栓皮栎

| **生境分布** | 生于海拔 2000m 以下的阳坡。分布于重庆垫江、涪陵、彭水、潼南、城口、奉节、石柱、綦江、云阳、酉阳、南川、长寿、九龙坡、武隆、合川、沙坪坝等地。

| **资源情况** | 野生资源丰富。药材主要来源于野生。

| **采收加工** | 秋季采收，晒干。

| **功能主治** | 苦、涩，平。止咳，止泻，止血，解毒。用于咳嗽，久泻，久痢，痔漏出血，头癣。

| **用法用量** | 内服煎汤，10 ～ 15g。外用适量，研末调敷。

榆科 Ulmaceae 朴属 Celtis

紫弹树

Celtis biondii Pamp.

紫弹树

药 材 名

紫弹树叶（药用部位：叶）、紫弹树枝（药用部位：茎枝）、紫弹树根皮（药用部位：根皮）。

形态特征

落叶小乔木至乔木，高达 18m。树皮暗灰色。叶宽卵形、卵形至卵状椭圆形，长 2.5 ~ 7cm，宽 2 ~ 3.5cm，基部钝至近圆形，稍偏斜，先端渐尖至尾状渐尖，在中部以上疏具浅齿，薄革质，边稍反卷，上面脉纹多下陷，两面被微糙毛，或叶面无毛，仅叶背脉上被毛，或下面除糙毛外还密被柔毛；叶柄长 3 ~ 6mm，幼时被毛，老后几脱净；托叶条状披针形，被毛，比较迟落，往往到叶完全长成后才脱落。果序单生叶腋，通常具 2 果（少有 1 或 3 果），由于总梗极短，很像果梗双生于叶腋，总梗连同果梗长 1 ~ 2cm，被糙毛；果实幼时被疏或密的柔毛，后毛逐渐脱净，黄色至橘红色，近球形，直径约 5mm，核两侧稍压扁，侧面观近圆形，直径约 4mm，具 4 肋，表面具明显的网孔状。花期 4 ~ 5 月，果期 9 ~ 10 月。

| **生境分布** | 生于海拔 400～2000m 的河边或灌木林中。分布于重庆合川、黔江、涪陵、长寿、武隆、巫山、巫溪、奉节、城口、云阳、酉阳、石柱、南川、北碚等地。

| **资源情况** | 野生资源稀少。药材主要来源于野生。

| **采收加工** | 紫弹树叶：春、夏季采集，鲜用或晒干。
紫弹树枝：全年均可采收，切片，晒干。
紫弹树根皮：春初秋末采挖根，除去须根、泥土，剥取根皮，晒干。

| **药材性状** | 紫弹树叶：本品多破碎皱缩，完整者展平后呈卵形或卵状椭圆形，长 2.5～7cm，宽 2～3.5cm，先端渐尖，基部宽楔形，两边不相等，中上部边缘有锯齿，稀全缘；上表面暗黄绿色，较粗糙，下表面黄绿色；幼叶两面被散生毛，脉上毛较多，脉腋毛较密，老叶无毛；叶柄长 3～6mm，具细软毛。质脆，易碎。气微，味淡。

| **功能主治** | 紫弹树叶：甘，寒。清热解毒。用于疮毒溃烂。
紫弹树枝：甘，寒。通络止痛。用于腰背酸痛。
紫弹树根皮：甘，寒。解毒消肿，祛痰止咳。用于乳痈肿痛，痰多咳喘。

| **用法用量** | 紫弹树叶：外用适量，捣敷；或研末调敷。
紫弹树枝：内服煎汤，15～30g。
紫弹树根皮：内服煎汤，10～30g。外用适量，捣敷。

榆科 Ulmaceae 朴属 Celtis

黑弹树
Celtis bungeana Bl.

| 药 材 名 | 棒棒木（药用部位：树干、枝条）。

| 形态特征 | 落叶乔木，高达 10m。树皮灰色或暗灰色；当年生小枝淡棕色，老后色较深，无毛，散生椭圆形皮孔，去年生小枝灰褐色；冬芽棕色或暗棕色，鳞片无毛。叶厚纸质，狭卵形、长圆形、卵状椭圆形至卵形，长 3 ~ 7（~ 15）cm，宽 2 ~ 4（~ 5）cm，基部宽楔形至近圆形，稍偏斜至几乎不偏斜，先端尖至渐尖，中部以上疏具不规则浅齿，有时一侧近全缘，无毛；叶柄淡黄色，长 5 ~ 15mm，上面有沟槽，幼时槽中被短毛，老后脱净；萌发枝上的叶形变异较大，先端可具尾尖且被糙毛。果实单生叶腋（在极少情况下，一总梗上可具 2 果），果柄较细软，无毛，长 10 ~ 25mm，果实成熟时蓝黑色，近球形，直径 6 ~ 8mm；核近球形，肋不明显，表面极大部分近平

黑弹树

滑或略具网孔状凹陷，直径 4 ～ 5mm。花期 4 ～ 5 月，果期 10 ～ 11 月。

| **生境分布** | 生于海拔 1000m 以下的路旁、山坡、灌丛或林边。分布于重庆巫山、巫溪、开州、武隆、南川等地。

| **资源情况** | 野生资源一般。药材来源于野生。

| **采收加工** | 夏季砍割枝条，切薄片；或取树干刨成薄片，晒干。

| **药材性状** | 本品树干多刨成薄片状，外表面灰色，平滑。茎枝圆柱状，灰褐色，有光泽；断面白色，纹理致密；质坚硬。气微香，味微苦。

| **功能主治** | 辛、微苦，凉。祛痰，止咳，平喘。用于慢性咳嗽，哮喘。

| **用法用量** | 内服煎汤，30 ～ 60g。

榆科 Ulmaceae 朴属 Celtis

朴树
Celtis sinensis Pers.

| 药 材 名 | 朴树皮（药用部位：树皮）、朴树叶（药用部位：叶）、朴树果（药用部位：果实）、朴树根皮（药用部位：根皮）。

| 形态特征 | 落叶乔木，高达 30m。树皮灰白色；当年生小枝幼时密被黄褐色短柔毛，老后毛常脱落，去年生小枝褐色至深褐色，有时还可残留柔毛；冬芽棕色，鳞片无毛。叶厚纸质至近革质，多为卵形或卵状椭圆形，但不带菱形，长 5 ~ 13cm，宽 3 ~ 5.5cm，基部几乎不偏斜或仅稍偏斜，先端尖至渐尖，但不为尾状渐尖，边缘变异较大，近全缘至具钝齿，幼时叶背常和幼枝、叶柄一样，密生黄褐色短柔毛，老时或脱净或残存，变异也较大。果梗常 2 ~ 3（少有单生）生于叶腋，其中 1 果梗（实为总梗）常有 2 果（少有多至具 4 果），其他的具 1 果，无毛或被短柔毛，长 7 ~ 17mm；果实成熟时黄色

朴树

至橙黄色，近球形，直径 5 ~ 7mm；核近球形，直径约 5mm，具 4 肋，表面有网孔状凹陷。花期 3 ~ 4 月，果期 9 ~ 10 月。

| 生境分布 | 生于海拔 250 ~ 1500m 的路旁、山坡、林缘。分布于重庆万州、黔江、江津、彭水、潼南、长寿、合川、酉阳、綦江、秀山、城口、铜梁、九龙坡、南川、涪陵、丰都、北碚、巫溪、巫山、梁平、巴南、荣昌、沙坪坝等地。

| 资源情况 | 栽培资源丰富。药材来源于栽培。

| 采收加工 | 朴树皮：全年均可采收，洗净，切片，晒干。
朴树叶：夏季采收，鲜用或晒干。
朴树果：冬季果实成熟时采收，晒干。
朴树根皮：全年均可采收，刮去粗皮，洗净，鲜用或晒干。

| 药材性状 | 朴树皮：本品呈板块状。表面棕灰色，粗糙而不开裂，有白色皮孔；内表面棕褐色。气微，味淡。
朴树叶：本品多破碎，完整者卵形或卵状椭圆形，长 5 ~ 13cm，宽 3 ~ 5.5cm，先端尖，基部偏斜，边缘中上部有浅锯齿，上面无毛，棕褐色，下面叶脉上有少数绒毛或无毛，棕黄色；叶柄长 5 ~ 10mm，被柔毛。气微，味淡。

| 功能主治 | 朴树皮：辛、苦，平。祛风透疹，消食化滞。用于麻疹透发不畅，消化不良。
朴树叶：微苦，凉。清热，凉血，解毒。用于漆疮，荨麻疹。
朴树果：苦、涩，平。清热利咽。用于感冒咳嗽，喑哑。
朴树根皮：苦、辛，平。祛风透疹，消食止泻。用于麻疹透发不畅，消化不良，食积泻痢，跌打损伤。

| 用法用量 | 朴树皮：内服煎汤，15 ~ 60g。
朴树叶：外用适量，鲜品捣敷；或捣烂，取汁涂敷。
朴树果：内服煎汤，3 ~ 6g。
朴树根皮：内服煎汤，15 ~ 30g。外用适量，鲜品捣敷。

榆科 Ulmaceae 山黄麻属 *Trema*

羽脉山黄麻 *Trema levigata* Hand.-Mazz.

| 药 材 名 | 羽脉山黄麻（药用部位：皮、叶）。

| 形态特征 | 小乔木，高 4～7(～10)m，或灌木。小枝被灰白色柔毛，老枝灰褐色，皮孔明显，近圆形。叶纸质，卵状披针形或狭披针形，长 5～11cm，宽 1.5～2.5cm，先端渐尖，基部对称或微偏斜，钝圆或浅心形，边缘有细锯齿，叶面深绿，被稀疏的柔毛，后毛渐脱落，近光滑，稀带光泽，稍粗糙，叶背浅绿，除脉上疏生柔毛外，其他处光滑无毛，微被白粉；羽状脉，稀有不明显的基出脉 3，侧脉 5～7 对；叶柄长 5～8mm，被灰白色柔毛。聚伞花序与叶柄近等长；雄花直径略过 1mm，花被片 5，倒卵状船形，外面疏生微柔毛，退化子房狭倒卵形。小核果近球形，微压扁，直径 1.5～2mm，熟时由橘红色渐变成黑色，花被脱落。花期 4～5 月，果期 9～12 月。

羽脉山黄麻

| 生境分布 | 生于向阳山坡杂木林或灌丛中，或生于干热河谷疏林中。分布于重庆璧山、石柱、铜梁、永川、大足等地。

| 资源情况 | 野生资源一般。药材来源于野生。

| 采收加工 | 春、夏季采集叶，全年均可采收皮。鲜用或晒干。

| 功能主治 | 清热泻火。用于风湿关节痛。

| 用法用量 | 外用适量，鲜品捣敷；或干品研粉调敷。

榆科 Ulmaceae 榆属 Ulmus

多脉榆

Ulmus castaneifolia Hemsl.

| 药 材 名 | 多脉榆（药用部位：树皮）。

| 形态特征 | 落叶乔木，高达 20m，胸径 50cm。树皮厚，木栓层发达，淡灰色至黑褐色，纵裂成条状或成长圆状块片脱落；小枝较粗，无木栓翅及膨大的木栓层；冬芽卵圆形，常稍扁，芽鳞两面均被密毛。叶长圆状椭圆形、长椭圆形、长圆状卵形、倒卵状长圆形或倒卵状椭圆形，质地通常较厚，主侧脉凹陷处常多少被毛，叶背密被长柔毛，边缘具重锯齿；侧脉每边 16 ～ 35（幼树及萌发枝上之叶的侧脉较少）；叶柄长 3 ～ 10mm，密被柔毛。花在去年生枝上排成簇状聚伞花序。翅果长圆状倒卵形、倒三角状倒卵形或倒卵形，长 1.5 ～ 3.3（常 2 ～ 3）cm，宽 1 ～ 1.6cm，除先端缺口柱头面被毛，果核部分位于翅果上部，上端接近缺口，宿存花被无毛，4 ～ 5

多脉榆

浅裂，裂片边缘被毛，果梗较花被为短，密生短毛。花果期 3 ~ 4 月。

| **生境分布** | 生于海拔 500 ~ 1600m 的山坡或山谷的阔叶林中。分布于重庆酉阳、南川、江津、北碚等地。

| **资源情况** | 野生资源较少。药材来源于野生，自采自用。

| **采收加工** | 春季或 8 ~ 9 月间割下老枝条，立即剥取内皮晒干。

| **功能主治** | 清热解毒，利尿消肿，祛痰。

| **用法用量** | 内服煎汤，9 ~ 15g。

榆科 Ulmaceae 榆属 Ulmus

榔榆
Ulmus parvifolia Jacq.

榔榆

| 药 材 名 |

榔榆皮（药用部位：树皮、根皮）、榔榆茎叶（药用部位：茎叶）。

| 形态特征 |

落叶乔木，高达 25m，胸径可达 1m。树冠广圆形，树干基部有时成板状根，树皮灰色或灰褐色，裂成不规则鳞状薄片剥落，露出红褐色内皮。叶质地厚，披针状卵形或窄椭圆形，稀卵形或倒卵形，中脉两侧长宽不等，叶面深绿色。花秋季开放，3～6 基数在叶腋簇生或排成簇状聚伞花序，花被上部杯状，下部管状，花被片 4，深裂至杯状花被的基部或近基部，花梗极短，被疏毛。翅果椭圆形或卵状椭圆形，长 10～13mm，宽 6～8mm，除先端缺口柱头面被毛外，余处无毛；果翅稍厚，基部的柄长约 2mm，两侧的翅较果核部分窄；果核部分位于翅果的中上部，上端接近缺口，花被片脱落或残存；果梗较管状花被短，长 1～3mm，被疏生短毛。花果期 8～10 月。

| 生境分布 |

生于海拔 1300m 以下的平原、丘陵、山地及疏林中。分布于重庆南川、北碚、万州、

奉节、石柱、綦江、南岸、巴南、江北、城口等地。

| **资源情况** | 野生资源一般。药材来源于野生，自采自用。

| **采收加工** | 春、秋季采收根皮；春季或 8 ~ 9 月间割下老枝条，立即剥取内皮晒干。

| **功能主治** | 榔榆皮：甘，寒。利水，通淋，消痈。用于小儿解颅。
榔榆茎叶：苦，平。用于疮肿，腰酸背痛，牙痛。

| **用法用量** | 内服煎汤，9 ~ 15g。

榆科 Ulmaceae 榆属 Ulmus

榆树
Ulmus pumila L.

| 药 材 名 | 榆树叶（药用部位：叶）、榆白皮（药用部位：树皮、根皮。别名：榆皮、榆根白皮、榆树皮）、榆荚仁（药用部位：果实、种子。别名：榆实、榆子、榆仁）、榆枝（药用部位：枝）。

| 形态特征 | 落叶乔木，高达 25m，胸径 1m，在干瘠之地长成灌木状。叶椭圆状卵形、长卵形、椭圆状披针形或卵状披针形，长 2 ~ 8cm，宽 1.2 ~ 3.5cm，先端渐尖或长渐尖，基部偏斜或近对称，一侧楔形至圆，另一侧圆至半心形，叶面平滑无毛，叶背幼时被短柔毛，后变无毛或部分脉腋被簇生毛，边缘具重锯齿或单锯齿；侧脉每边 9 ~ 16；叶柄长 4 ~ 10mm，通常仅上面被短柔毛。花先叶开放，在去年生枝的叶腋呈簇生状。翅果近圆形，稀倒卵状圆形，长 1.2 ~ 2cm，除先端缺口柱头面被毛外，余处无毛，果核部分位于

榆树

翅果的中部，上端不接近或接近缺口，成熟前后其色与果翅相同，初淡绿色，后白黄色，宿存花被无毛，4 浅裂，裂片边缘被毛；果梗较花被短，长 1 ~ 2mm，被（或稀无）短柔毛。花果期 3 ~ 6 月。

| **生境分布** | 生于海拔 1000 ~ 2500m 的山坡、山谷、川地、丘陵或沙冈等处。分布于重庆万州、涪陵、长寿、巫溪、开州、巴南、荣昌等地。

| **资源情况** | 栽培资源较丰富。药材来源于栽培。

| **采收加工** | 榆树叶：春、夏季采摘，晒干。
榆白皮：春、秋季采收根皮，春季或 8 ~ 9 月间割下老枝条，立即剥取内皮，晒干。
榆荚仁：4 ~ 6 月果实成熟时采收，除去果翅，晒干。
榆枝：夏、秋季采收树枝，鲜用或晒干。

| **药材性状** | 榆树叶：本品常破碎，完整者呈倒卵形、椭圆状卵形或椭圆状披针形，长 2 ~ 8cm，宽 1.2 ~ 3.5cm，上表面暗绿色，下表面淡褐色，先端锐尖或渐尖，基部圆形或楔形，边缘多具单锯齿；叶脉斜向上射出，明显，在下表面凸起，脉腋有白色簇生毛。气微，味淡。
榆白皮：本品呈板片状或浅槽状，长短不一，厚 3 ~ 7mm。外表面浅黄白色或灰白色，较平坦，皮孔横生，嫩皮较明显，有不规则纵向浅裂纹，偶有残存的灰褐色粗皮；内表面黄棕色，具细密的纵棱纹。质柔韧，纤维性。气微，味稍淡，有黏性。

| **功能主治** | 榆树叶：甘，平。利小便，消水肿。用于石淋。
榆白皮：甘，微寒。归肺、脾、膀胱经。利水通淋，祛痰，消肿解毒。用于小便不利，淋浊，带下，咳喘痰多，失眠，内、外伤出血，难产胎死不下，瘰疬，秃疮，疥癣。
榆荚仁：甘、辛，平。健脾安神，清热利水，消肿杀虫。用于失眠，食欲不振，带下，小便不利，水肿，小儿疳热羸瘦，烫火伤，疮癣。
榆枝：甘，平。利尿通淋。用于气淋。

| **用法用量** | 榆树叶：内服煎汤，1.5 ~ 9g。
榆白皮：内服煎汤，9 ~ 15g；或研末。外用适量，煎汤洗；或捣敷；或研末调敷。
榆荚仁：内服煎汤，10 ~ 15g。外用适量，研末调敷。
榆枝：内服煎汤，9 ~ 15g。

杜仲科 Eucommiaceae 杜仲属 Eucommia

杜仲
Eucommia ulmoides Oliver

| 药材名 | 杜仲（药用部位：树皮。别名：石思仙、扯丝皮、丝连皮）、杜仲叶（药用部位：叶）、杜仲籽（药用部位：果实）。

| 形态特征 | 落叶乔木，高达 20m，胸径约 50cm。树皮灰褐色，粗糙，内含橡胶，折断拉开有多数细丝；芽体卵圆形，外面发亮，红褐色。叶椭圆形或矩圆形，薄革质，长 6 ～ 15cm，宽 3.5 ～ 6.5cm；基部圆形或阔楔形，先端渐尖，边缘有锯齿；叶柄长 1 ～ 2cm，上面有槽，被散生长毛。花生于枝基部。雄花无花被；花梗长约 3mm，无毛；苞片倒卵状匙形，长 6 ～ 8mm，先端圆形；雄蕊长约 1cm，无毛，花丝长约 1mm，药隔凸出，花粉囊细长，无退化雌蕊。雌花单生，苞片倒卵形，花梗长 8mm；子房无毛，1 室，先端 2 裂，子房柄极短。翅果扁平，长椭圆形，长 3 ～ 3.5cm，宽 1 ～ 1.3cm，先端 2 裂，

杜仲

基部楔形，周围具薄翅；坚果位于中央，子房柄长 2 ～ 3mm，与果梗相接处有关节；种子扁平，线形，长 1.4 ～ 1.5cm，宽 3mm，两端圆形。

| 生境分布 | 生于海拔 300 ～ 500m 的低山、谷地或低坡的疏林里。分布于重庆黔江、秀山、潼南、大足、奉节、长寿、城口、万州、巫山、丰都、云阳、璧山、垫江、酉阳、南川、涪陵、巫溪、綦江、江津、忠县、武隆、开州、石柱、梁平、沙坪坝、荣昌、合川等地。

| 资源情况 | 栽培资源丰富。药材主要来源于栽培。

| 采收加工 | 杜仲：4～6月剥取，刮去粗皮，堆置"发汗"，至内皮呈紫褐色，晒干。
杜仲叶：夏、秋季枝叶茂盛时采收，晒干或低温烘干。
杜仲籽：秋季果实成熟时采收，除去杂质，干燥。

| 药材性状 | 杜仲：本品呈板片状或两边稍向内卷，大小不一，厚3～7mm。外表面淡棕色或灰褐色，有明显的皱纹或纵裂槽纹，有的树皮较薄，未去粗皮者可见明显的皮孔；内表面暗紫色，光滑。质脆，易折断，断面有细密、银白色、富弹性的橡胶丝相连。气微，味微苦。
杜仲叶：本品多破碎，完整者展平后呈椭圆形或卵形，长7～15cm，宽3.5～7cm。表面黄绿色或黄褐色，微有光泽，先端渐尖，基部圆形或广楔形，边缘有锯齿，具短叶柄。质脆，搓之易碎，折断面有少量银白色橡胶丝相连。气微，味微苦。
杜仲籽：本品呈长椭圆形，扁平，长2.6～4.1cm，宽1～1.5cm。表面光滑，黄褐色或棕褐色，有光泽，中间稍突，先端2裂，基部楔形，周围具薄翅；果皮断裂后有银白色的胶丝相连，内含种子1，棕褐色，扁平，长1～1.8cm，宽2～5mm。气微，味苦。

| 功能主治 | 杜仲：甘，温。归肝、肾经。补肝肾，强筋骨，安胎。用于肝肾不足，腰膝酸痛，筋骨无力，头晕目眩，妊娠漏血，胎动不安。
杜仲叶：微辛，温。归肝、肾经。补肝肾，强筋骨。用于肝肾不足，头晕目眩，腰膝酸痛，筋骨痿软。

杜仲籽：通常做杜仲籽油。桃叶珊瑚苷的提取原料。

| **用法用量** | 杜仲：内服煎汤，6 ~ 10g。

杜仲叶：内服煎汤，10 ~ 15g。

| **附　　注** | 本种喜温暖湿润气候，耐寒性较强，以阳光充足，土层深厚肥沃、富含腐殖质的砂壤土、黏壤土栽培为宜。自然分布区年平均温度 13 ~ 17℃，年平均降水量 500 ~ 1500mm。

桑科 Moraceae 构属 Broussonetia

藤构

Broussonetia kaempferi Sieb. var. *australis* Suzuki

| **药 材 名** | 藤构（药用部位：全株）。

| **形态特征** | 蔓生藤状灌木。树皮黑褐色；小枝显著伸长，幼时被浅褐色柔毛，成长脱落。叶互生，螺旋状排列，呈近对称的卵状椭圆形，长 3.5 ~ 8cm，宽 2 ~ 3cm，先端渐尖至尾尖，基部心形或截形，边缘锯齿细，齿尖具腺体，不裂，稀 2 ~ 3 裂，表面无毛，稍粗糙；叶柄长 8 ~ 10mm，被毛。花雌雄异株；雄花序短穗状，长 1.5 ~ 2.5cm，花序轴约 1cm；雄花花被片 3 ~ 4，裂片外面被毛，雄蕊 3 ~ 4，花药黄色，椭圆状球形，退化雌蕊小；雌花集生为球形头状花序。聚花果直径 1cm，花柱线形，延长。花期 4 ~ 6 月，果期 5 ~ 7 月。

| **生境分布** | 生于海拔 1600m 以下的山谷灌丛中或沟边山坡路旁。分布于重庆北

藤构

碚、黔江、綦江、涪陵、大足、秀山、合川、潼南、巫山、江津、永川、铜梁、璧山、九龙坡、长寿、开州、丰都、南川、南岸、沙坪坝、荣昌等地。

| **资源情况** | 野生资源丰富。药材来源于野生。

| **采收加工** | 全年均可采剥，晒干。

| **功能主治** | 清热，止咳，利尿。用于砂淋，石淋，肺热咳嗽。

| **用法用量** | 内服煎汤，30 ~ 60g。

桑科 Moraceae 构属 Broussonetia

楮

Broussonetia kazinoki Sieb.

| 药 材 名 | 构皮麻（药用部位：全株或根、根皮。别名：九得藤、狗额藤、谷沙藤）、小构树叶（药用部位：叶）、小构树汁（药材来源：树汁）。

| 形态特征 | 灌木，高 2 ～ 4m。小枝斜上，幼时被毛，后脱落。叶卵形至斜卵形，长 3 ～ 7cm，宽 3 ～ 4.5cm，先端渐尖至尾尖，基部近圆形或斜圆形，边缘具三角形锯齿，不裂或 3 裂，表面粗糙，背面近无毛；叶柄长约 1cm；托叶小，线状披针形，渐尖，长 3 ～ 5mm，宽 0.5 ～ 1mm。花雌雄同株；雄花序球形，头状，直径 8 ～ 10mm，雄花花被 3 ～ 4 裂，裂片三角形，外面被毛，雄蕊 3 ～ 4，花药椭圆形；雌花序球形，被柔毛，花被管状，先端齿裂，或近全缘，花柱单生，仅在近中部有小突起。聚花果球形，直径 8 ～ 10mm；瘦果扁球形，外果皮壳质，表面具瘤体。花期 4 ～ 5 月，果期 5 ～ 6 月。

楮

| 生境分布 | 生于海拔 200 ~ 1700m 的山坡灌丛、溪边路旁或次生木林中。分布于重庆黔江、大足、忠县、綦江、彭水、酉阳、城口、涪陵、合川、潼南、石柱、云阳、奉节、万州、巫溪、垫江、南川、长寿、开州、北碚、永川、南岸、巴南、荣昌、丰都、江津等地。

| 资源情况 | 野生资源丰富。药材主要来源于野生。

| 采收加工 | 构皮麻：全年均可采收，晒干。
小构树叶：全年均可采收，鲜用或晒干。

| 功能主治 | 构皮麻：甘、淡，平。归肝、肾、膀胱经。祛风除湿，散瘀消肿。用于风湿痹痛，泄泻，痢疾，黄疸，浮肿，痈疖，跌打损伤。
小构树叶：淡，凉。清热解毒，祛风止痒，敛疮止血。用于痢疾，神经性皮炎，疥癣，疖肿，刀伤出血。
小构树汁：涩，凉。祛风止痒，清热解毒。用于皮炎，疥癣，蛇虫犬咬。

| 用法用量 | 构皮麻：内服煎汤，30 ~ 60g。
小构树叶：内服煎汤，30 ~ 60g；或捣汁饮。外用适量，捣敷；或绞汁搽。
小构树汁：外用适量，取汁搽。

桑科 Moraceae 构属 Broussonetia

构树
Broussonetia papyrifera (Linn.) L'Hert. ex Vent.

构树

药材名

楮实子（药用部位：成熟果实。别名：楮实、构树子、榖实）、楮茎（药用部位：枝条。别名：楮枝）、楮树白皮（药用部位：除去外皮的内皮。别名：榖木皮、楮树皮、榖白皮）、构树根（药用部位：根。别名：榖树子根、榖木蒀、纱纸树根）、楮皮间白汁（药材来源：茎皮部的乳汁。别名：榖枝汁、榖树白汁、榖树汁）、构树叶（药用部位：叶。别名：楮叶、谷楮叶、构叶）。

形态特征

乔木，高 10 ～ 20m。叶螺旋状排列，广卵形至长椭圆状卵形，长 6 ～ 18cm，宽 5 ～ 9cm，先端渐尖，基部心形，两侧常不相等，边缘具粗锯齿，不分裂或 3 ～ 5 裂，表面粗糙，疏生糙毛，背面密被绒毛；叶柄长 2.5 ～ 8cm，密被糙毛；托叶大，卵形，狭渐尖，长 1.5 ～ 2cm，宽 0.8 ～ 1cm。花雌雄异株；雄花序为柔荑花序，粗壮，长 3 ～ 8cm，苞片披针形，被毛，花被 4 裂，裂片三角状卵形，被毛，雄蕊 4；雌花序球形，头状，苞片棍棒状，先端被毛，花被管状，柱头线形，被毛。聚花果直径 1.5 ～ 3cm，成熟时橙红色，肉质；瘦果具与之等长的柄，表面有小瘤，

龙骨双层，外果皮壳质。花期 4 ～ 5 月，果期 6 ～ 7 月。

| **生境分布** | 生于海拔 150 ～ 2300m 的山坡、路旁、沟边或林中。重庆各地均有分布。

| **资源情况** | 野生和栽培资源均丰富。药材主要来源于野生。

| **采收加工** | 楮实子：秋季果实成熟时，洗净，晒干，除去灰白色膜状宿萼和杂质。
楮茎：春季采收，晒干。
楮树白皮：春、秋季剥取树皮，除去外皮，晒干。
构树根：全年均可采收，洗净，切片，晒干。

楮皮间白汁：春、秋季割开树皮，流出乳汁，干后取下。

构树叶：夏季采摘，干燥。

| **药材性状** | 楮实子：本品略呈球形或卵圆形，稍扁，直径约 1.5mm。表面红棕色，有网状皱纹或颗粒状突起，一侧有棱，一侧有凹沟，有的具果梗。质硬而脆，易压碎，胚乳类白色，富油性。气微，味淡。

构树根：本品呈不规则块片状。表面黄褐色或土黄色，较粗糙，具纵向细皱纹，外皮易脱落，直径 0.5 ~ 4.5cm，厚 0.5 ~ 1.5cm。质稍坚硬，断面皮部薄，灰黄色，纤维性强，木部宽，类白色或淡黄色。气微，味淡。

构树叶：本品呈广卵形至长椭圆状卵形，长 6 ~ 18cm，厚 5 ~ 9cm，先端渐尖，基部心形或偏斜，边缘有粗锯齿，不分裂或 3 ~ 5 裂，表面粗糙，被刺毛，背面密被粗毛和柔毛，侧脉每边 7 ~ 8；叶柄长 2.5 ~ 8cm，密被粗毛。气微，味淡，微涩。

| **功能主治** | 楮实子：甘，寒。归肝、肾经。补肾，清肝，明目，利尿。用于肝肾不足，腰膝酸软，虚劳骨蒸，头晕目昏，目生翳膜，水肿胀满。

楮茎：祛风，明目，利尿。用于风疹，目赤肿痛，小便不利。

楮树白皮：甘，平。行水，止血。用于小便不利，水肿胀满，便血，崩漏。

构树根：甘，微寒。归肺、脾经。凉血散瘀，清热利尿，化痰止咳。用于咳嗽吐血，崩漏，水肿，跌打损伤。

楮皮间白汁：甘，平。利水，杀虫解毒。用于水肿，疥癣，虫咬。

构树叶：甘、涩，凉。归肝、脾经。清热凉血，利湿杀虫。用于鼻衄，顽癣，皮炎，虫咬。

| **用法用量** | 楮实子：内服煎汤，6 ~ 12g。

楮茎：内服煎汤，6 ~ 9g；或捣汁饮。外用适量，煎汤洗。

楮树白皮：内服煎汤，6 ~ 9g；酿酒或入丸、散。外用适量，煎汤洗；或烧存性，研末点眼。

构树根：内服煎汤，30 ~ 60g。

楮皮间白汁：内服煎汤，适量，冲服。外用适量，涂抹。

构树叶：外用6 ~ 10g。

| **附　注** | 本种喜温暖湿润气候，适应性较强，耐干旱，耐湿热，对土壤的要求不严，以向阳、土层深厚、疏松肥沃的土壤栽培为宜。生产中采用分根繁殖方式，亦可采用分蘗、压条繁殖方式。

桑科 Moraceae 大麻属 Cannabis

大麻 *Cannabis sativa* L.

药 材 名	火麻仁（药用部位：成熟果实。别名：大麻仁、麻仁、麻子）、麻根（药用部位：根。别名：麻青根、大麻根）、麻花（药用部位：雄花。别名：麻勃、乌麻花）、麻皮（药用部位：茎皮部纤维）、麻叶（药用部位：叶。别名：火麻叶、火麻头）、麻蕡（药用部位：雌花序、幼嫩果序。别名：枭实、麻勃、麻蓝）。
形态特征	一年生直立草本，高 1～3m，枝具纵沟槽，密生灰白色贴伏毛。叶掌状全裂，裂片披针形或线状披针形，长 7～15cm，中裂片最长，宽 0.5～2cm，先端渐尖，基部狭楔形，表面深绿色，微被糙毛，背面幼时密被灰白色贴状毛后变无毛，边缘具向内弯的粗锯齿；中脉及侧脉在表面微下陷，背面隆起；叶柄长 3～15cm，密被灰白色贴伏毛；托叶线形。雄花序长达 25cm；花黄绿色，花被 5，膜质，

大麻

外面被细伏贴毛，雄蕊 5，花丝极短，花药长圆形；小花柄长 2～4mm。雌花绿色；花被 1，紧包子房，略被小毛；子房近球形，外面包于苞片。瘦果为宿存黄褐色苞片所包，果皮坚脆，表面具细网纹。花期 5～6 月，果期 7 月。

| **生境分布** | 栽培于保存圃或庭园。分布于重庆彭水、南川、南岸等地。

| **资源情况** | 野生资源一般，栽培资源稀少。药材主要来源于栽培。

| **采收加工** | 火麻仁：秋季果实成熟时采收，除去杂质，晒干。
麻根：全年均可采挖，除去泥土，晒干。

麻花：5～6月花期时采收，鲜用或晒干。

麻皮：夏、秋季取茎，剥取皮部，除去外皮，晒干。

麻叶：夏、秋季枝叶茂盛时采收，鲜用或晒干。

麻蕡：夏季采收，鲜用或晒干。

| 药材性状 | 火麻仁：本品呈卵圆形，长4～5.5mm，直径2.5～4mm。表面灰绿色或灰黄色，有微细的白色或棕色网纹，两边有棱，先端略尖，基部有1圆形果梗痕。果皮薄而脆，易破碎。种皮绿色，子叶2，乳白色，富油性。气微，味淡。

| 功能主治 | 火麻仁：甘，平。归脾、胃、大肠经。润肠通便。用于血虚津亏，肠燥便秘。

麻根：苦，平。散瘀，止血，利尿。用于跌打损伤，难产，胞衣不下，血崩，淋证，带下。

麻花：苦、辛，温；有毒。祛风，活血，生发。用于风病肢体麻木，遍身瘙痒，眉发脱落，妇女经闭。

麻皮：甘，平。归大肠、脾经。活血，利尿。用于跌打损伤，热淋胀痛。

麻叶：苦、辛，平；有毒。截疟，驱蛔，定喘。用于疟疾，蛔虫病，气喘。

麻蕡：辛，平；有毒。祛风镇痛，定惊安神。用于痛风，痹证，癫狂，失眠，咳喘。

| 用法用量 | 火麻仁：内服煎汤，10～15g；或入丸、散。外用适量，捣敷；或煎汤洗。脾肾不足之便溏、阳痿、遗精、带下者慎服。

麻根：内服煎汤，9 ~ 15g；或捣汁。

麻花：内服煎汤，1 ~ 3g；或入膏、丸。外用适量，研末敷；或作炷燃灸。畏牡蛎。

麻皮：内服煎汤，9 ~ 15g；或研末冲服。

麻叶：内服捣汁，0.2 ~ 1.5g；或入丸、散。外用适量，捣敷。麻叶有毒，内服宜慎。多食会引起中毒反应，开始出现头昏、头痛、心烦、上腹部不适、心悸、全身发麻、舌及口周有麻木、增厚、迟钝感，继而口唇有紧束感、心悸加重、联想力减弱，重者意识模糊、嗜睡或昏迷。

麻蕡：内服煎汤，0.3 ~ 0.6g。外用适量，捣敷。体虚者及孕妇忌服。

| 附　注 | 本种喜温暖湿润气候，幼苗期能耐 −5 ~ −3℃霜冻，生长适温为 19 ~ 23℃。对土壤要求不严，以土层深厚、疏松肥沃、排水良好的砂壤土或黏壤土栽培为宜。生产中采用种子繁殖方式。

桑科 Moraceae 柘属 *Cudrania*

构棘
Cudrania cochinchinensis (Lour.) Kudo et Masam.

| **药 材 名** | 穿破石（药用部位：根。别名：奴柘、川破石、地棉根）、山荔枝果（药用部位：果实。别名：山荔枝、野梅子）。

| **形态特征** | 直立或攀缘状灌木。枝无毛，具粗壮弯曲、无叶的腋生刺，刺长约1cm。叶革质，椭圆状披针形或长圆形，长 3 ~ 8cm，宽 2 ~ 2.5cm，全缘，先端钝或短渐尖，基部楔形，两面无毛；叶柄长约 1cm。花雌雄异株，雌、雄花序均为具苞片的球形头状花序，每花具 2 ~ 4 苞片，苞片锥形，内面具 2 黄色腺体，苞片常附着于花被片上；雄花序直径 6 ~ 10mm，花被片 4，不相等，雄蕊 4，花药短，在芽时直立，退化雌蕊锥形或盾形；雌花序微被毛，花被片顶部厚，分离或下部合生，基部有 2 黄色腺体。聚合果肉质，表面微被毛，成熟时橙红色；核果卵圆形，成熟时褐色，光滑。花期 4 ~ 5 月，果期 6 ~ 7 月。

构棘

| **生境分布** | 生于海拔 600 ~ 1700m 的溪边灌丛中或山谷林缘处。分布于重庆奉节、开州、南川、江津、彭水、北碚等地。 |

| **资源情况** | 野生资源稀少。药材主要来源于野生。 |

| **采收加工** | 穿破石：全年均可采挖，除去须根，洗净，切片或段，晒干。
山荔枝果：夏、秋季果实近成熟时采收，鲜用或晒干。 |

| **药材性状** | 穿破石：本品呈不规则块状，大小、厚薄不一。外皮橙黄色或橙红色，具多数纵皱纹，有的密布细小类白色点状或横长的疤痕，栓皮菲薄，多呈层状，极易脱落，脱落处显灰黄色或棕褐色。质坚硬，不易折断，切面淡黄色或淡黄棕色，皮部薄，纤维性；木部宽广，有小孔。气微，味淡。
山荔枝果：本品球形，直径 3 ~ 5cm。鲜品橙红色，具绒毛，有乳黄色浆汁，干品棕红色，皱缩。剖开后，果皮内层着生多数瘦果，每 1 瘦果包裹在肉质的花被和苞片中。基部有极短的果柄。气微，味微甘。 |

| **功能主治** | 穿破石：微苦，凉。归心、肝经。祛风通络，清热除湿，解毒消肿。用于肺结核，黄疸性肝炎，肝脾肿大，胃炎，十二指肠溃疡，风湿性关节炎，腰腿痛，淋浊，闭经痨伤，咯血，跌打损伤，疔疮痈肿。
山荔枝果：微甘，温。理气，消食，利尿。用于疝气，食积，小便不利。 |

| **用法用量** | 穿破石：内服煎汤，9 ~ 30g，鲜品可用至 120g；或浸酒。外用适量，捣敷。
山荔枝果：内服煎汤，15 ~ 30g；或嚼食。 |

| **附　注** | 在 FOC 中，本种的拉丁学名被修订为 *Maclura cochinchinensis* (Loureiro) Corner，属名被修订为橙桑属 *Maclura*。 |

桑科 Moraceae 榕属 Ficus

无花果 *Ficus carica* L.

| 药 材 名 | 无花果（药用部位：花序托。别名：树地瓜、密果、牛奶仔）、无花果叶（药用部位：叶）、无花果根（药用部位：根）。

| 形态特征 | 落叶灌木，高 3 ~ 10m，多分枝。树皮灰褐色，皮孔明显；小枝直立，粗壮。叶互生，厚纸质，广卵圆形，长、宽近相等，10 ~ 20cm，通常 3 ~ 5 裂，小裂片卵形，边缘具不规则钝齿，表面粗糙，背面密生细小钟乳体及灰色短柔毛，基部浅心形；基生侧脉 3 ~ 5，侧脉 5 ~ 7 对；叶柄粗壮；托叶卵状披针形，长约 1cm，红色。雌雄异株，雄花和瘿花生于同一榕果内壁；雄花生于内壁口部，花被片 4 ~ 5，雄蕊 3，有时 1 或 5；瘿花花柱侧生，短；雌花花被与雄花同，子房卵圆形，光滑，花柱侧生，柱头 2 裂，线形。榕果单生叶腋，大而呈梨形，直径 3 ~ 5cm，顶部下陷，成熟时紫红色或黄色，基生苞片 3，卵形；瘦果透镜状。花果期 5 ~ 7 月。

无花果

| 生境分布 | 栽培于房前屋后。重庆各地均有分布。

| 资源情况 | 野生和栽培资源一般。药材主要来源于栽培，自产自销。

| 采收加工 | 无花果：秋季采摘，水潦，晒干或鲜用。

无花果叶：6～9月采收，晒干或鲜用。

无花果根：全年均可采收，鲜用或晒干。

| 药材性状 | 无花果：本品呈倒圆锥形或类球形，长约2cm，直径1.5～2.5cm。表面淡黄棕色至暗棕色或紫黑色，有波状弯曲的纵棱线；先端稍平截，中央有圆形突起，基部渐狭，带有果柄及残存的苞片。质坚硬，横断面黄白色，内壁着生众多细小瘦果，有时壁的上部尚见枯萎的雄花。瘦果卵形或三棱状卵形，长0.1～0.2cm，淡黄色，外有宿萼包被。气微，味甘、略酸。

无花果叶：本品呈宽卵形或短圆形，绿色或暗绿色，长10～24cm，宽9～22cm，掌状3～5裂，少有不裂，尖端钝，基部心形，边缘波状或有粗齿，上面粗糙，下面生短毛，叶脉于下表面凸起；叶柄长4～14cm。气微，味甘微平。以完整色绿者为佳。

| 功能主治 | 无花果：甘，凉。归肺、胃、大肠经。健脾益胃，消肿解毒，润肺止咳。用于食欲不振，脘腹胀痛，痔疮便秘，咽喉肿痛，带下，热痢，咳嗽多痰，痔疮出血。

无花果叶：甘、微辛，平；有小毒。清热润肺，开胃养津，理肠止泻。用于咽痛喘咳，胃中嘈热，泻痢痔疮，肿毒。

无花果根：甘，平。清热解毒，散瘀消肿。用于肺热咳嗽，咽喉肿痛，痔疮，痈疽，瘰疬，筋骨疼痛。

| 用法用量 | 无花果：内服煎汤，9～15g，大剂量可用30～60g；生食鲜果1～2。外用适量，煎汤洗；研末调敷；或吹喉。脾胃虚寒者慎服。

无花果叶：内服煎汤，9～15g。外用适量，煎汤熏洗。

无花果根：内服煎汤，9～15g。外用适量，煎汤洗。

| 附　　注 | 本种喜温暖湿润气候，耐瘠，抗旱，不耐寒，不耐涝，以向阳、土层深厚、疏松肥沃、排水良好的砂壤土或黏壤土栽培为宜。生产中采用扦插、分株、压条繁殖等方式，尤以扦插繁殖为主。

桑科 Moraceae 榕属 Ficus

台湾榕 *Ficus formosana* Maxim.

| 药 材 名 | 台湾榕（药用部位：全株。别名：奶汁树、长叶牛奶树、水牛奶）。

| 形态特征 | 灌木，高 1.5 ~ 3m。小枝、叶柄、叶脉幼时疏被短柔毛；枝纤细，节短。叶膜质，倒披针形，长 4 ~ 11cm，宽 1.5 ~ 3.5cm，全缘或在中部以上有疏钝齿裂，顶部渐尖，中部以下渐窄，至基部呈狭楔形，干后表面墨绿色，背面淡绿色，中脉不明显。榕果单生叶腋，卵球形，直径 6 ~ 9mm，成熟时绿色带红色，顶部脐状突起，基部收缩为纤细短柄，基生苞片 3，边缘齿状，总梗长 2 ~ 3mm，纤细；雄花散生榕果内壁，有或无柄，花被片 3 ~ 4，卵形，雄蕊 2，稀为 3，花药长过花丝；瘿花花被片 4 ~ 5，舟状，子房球形，有柄，花柱短，侧生；雌花有柄或无柄，花被片 4，花柱长，柱头漏斗形。瘦果球形，光滑。花期 4 ~ 7 月。

台湾榕

| **生境分布** | 生于溪边灌丛中。分布于重庆丰都、南川、大足、石柱等地。

| **资源情况** | 野生资源一般。药材主要来源于野生。

| **采收加工** | 全年均可采收，鲜用或晒干。

| **功能主治** | 甘、微涩，平。活血补血，催乳，止咳，祛风利湿，清热解毒。用于月经不调，产后或病后虚弱，乳汁不下，咳嗽，风湿痹痛，跌打损伤，背痛，乳痛，毒蛇咬伤，湿热黄疸，急性肾炎，尿路感染。

| **用法用量** | 内服煎汤，10 ~ 30g。外用适量，捣敷。

桑科 Moraceae 榕属 Ficus

菱叶冠毛榕 Ficus gasparriniana Miq. var. *laceratifolia* (Lévl. et Vant.) Corner

| 药材名 | 树地瓜（药用部位：果实。别名：山枇杷、斑鸠食子、鸡眼睛）、树地瓜根（药用部位：根。别名：牛奶根）。

| 形态特征 | 灌木。小枝纤细，节短，幼嫩部分被糙毛，后近于无毛。叶厚纸质至亚革质，倒卵形，长6～10cm，宽2～3cm，先端急尖至渐尖，叶上半部具数个不规则齿裂，基部楔形，微钝，全缘，表面粗糙，具瘤体，背面白绿色，微被柔毛或近无毛；基脉短，侧脉3～5对；叶柄长约1cm，被柔毛；托叶披针形，长约10mm。雄花具柄，花被片3，被毛，雄蕊2～3；瘿花花被片3～4，被毛，倒披针形，子房斜卵圆形，花柱侧生，浅2裂；雌花花被片4，先端被毛。榕果成对腋生或单生叶腋，具柄，柄长不超过10mm，幼时卵状椭圆形，被柔毛，后呈椭圆状球形，有白斑，长10～14mm，直径8～12mm，

菱叶冠毛榕

成熟时紫红色，顶生苞片脐状突起，红色，基生苞片 3，宽卵形；瘦果卵球形，直径 2.5 ～ 3.5mm，光滑，花柱侧生，长，弯曲。花期 5 ～ 7 月。

| 生境分布 | 生于海拔 600 ～ 1300m 的山地林中或水边灌丛处。分布于重庆北碚、黔江、长寿、綦江、丰都、璧山、垫江、大足、涪陵、江津、永川、合川、彭水、铜梁、云阳、南川、九龙坡、开州、武隆、巫溪、梁平、巴南、沙坪坝、荣昌、万州、巫山、江北等地。

| 资源情况 | 野生资源丰富。药材主要来源于野生，自采自用。

| 采收加工 | 树地瓜：秋、冬季采收，晒干。
树地瓜根：全年均可采收，晒干。

| 药材性状 | 树地瓜：本品紫红色或深紫色，球形或椭圆形，常见残存的苞片，横切面花序托内壁着生众多小瘦果，有时壁的上部还可见枯萎的雄花。气微香，味微甘、涩。

| 功能主治 | 树地瓜：甘，平。下乳。用于乳汁不足。
树地瓜根：微咸，平。清热解毒，敛疮。用于赤白痢，淋证，瘰疬，痔疮。

| 用法用量 | 树地瓜：内服煎汤，15 ～ 24g。
树地瓜根：内服煎汤，15 ～ 24g。

尖叶榕

桑科 Moraceae 榕属 Ficus

尖叶榕
Ficus henryi Warb. ex Diels

药材名

尖叶榕果（药用部位：果实）。

形态特征

小乔木，高 3 ～ 10m。幼枝黄褐色，无毛，具薄翅。叶倒卵状长圆形至长圆状披针形，长 7 ～ 16cm，宽 2.5 ～ 5cm，先端渐尖或尾尖，基部楔形，表面深绿色，背面色稍淡，两面均被点状钟乳体；侧脉 5 ～ 7 对，网脉在背面明显，全缘或从中部以上有疏锯齿；叶柄长 1 ～ 1.5cm。雄花生于榕果内壁的口部或散生，具长梗，花被片 4 ～ 5，白色，倒披针形，微被毛，雄蕊 3 ～ 4，花药椭圆形；瘿花生于雌花下部，具柄，花被片 5，卵状披针形；雌花生于另一植株榕果内壁，子房卵圆形，花柱侧生，柱头 2 裂。榕果单生叶腋，球形至椭圆形，直径 1 ～ 2cm，总梗长 5 ～ 6mm，顶生苞片脐状突起，基生苞片 3，榕果成熟时橙红色；瘦果卵圆形，光滑，背面龙骨状。花期 5 ～ 6 月，果期 7 ～ 9 月。

生境分布

生于海拔 600 ～ 1600m 的山地疏林中或溪沟潮湿地。分布于重庆城口、奉节、石柱、南川、北碚、璧山、涪陵、巫山等地。

| **资源情况** | 野生资源一般。药材主要来源于野生。 |

| **采收加工** | 秋、冬季采收果实，晒干。 |

| **功能主治** | 清热利湿，解毒消肿。用于痔疮。 |

| **用法用量** | 内服煎汤，适量。 |

桑科 Moraceae 榕属 Ficus

异叶榕 *Ficus heteromorpha* Hemsl.

异叶榕

| 药 材 名 |

奶浆果（药用部位：果实。别名：牛奶子、大山枇杷、大斑鸠食子）、奶浆木（药用部位：全株或根。别名：牛舌子树、小木通、一母三样）。

| 形 态 特 征 |

落叶灌木或小乔木，高 2 ~ 5m；树皮灰褐色；小枝红褐色，节短。叶多形，琴形、椭圆形、椭圆状披针形，长 10 ~ 18cm，宽 2 ~ 7cm，先端渐尖或为尾状，基部圆形或浅心形，表面略粗糙，背面有细小钟乳体，全缘或微波状；基生侧脉较短，侧脉 6 ~ 15 对，红色；叶柄长 1.5 ~ 6cm，红色；托叶披针形，长约 1cm。雄花和瘿花同生于一榕果中；雄花散生内壁，花被片 4 ~ 5，匙形，雄蕊 2 ~ 3；瘿花花被片 5 ~ 6，子房光滑，花柱短；雌花花被片 4 ~ 5，包围子房，花柱侧生，柱头画笔状，被柔毛。榕果成对生于短枝叶腋，稀单生，无总梗，球形或圆锥状球形，光滑，直径 6 ~ 10mm，成熟时紫黑色，顶生苞片脐状，基生苞片 3，卵圆形；瘦果光滑。花期 4 ~ 5 月，果期 5 ~ 7 月。

| **生境分布** | 生于海拔 350 ~ 1700m 的山坡林下、路旁、灌丛、山谷、沟边。分布于重庆黔江、北碚、綦江、垫江、万州、南岸、璧山、忠县、大足、彭水、江津、酉阳、长寿、永川、潼南、合川、城口、巫山、石柱、奉节、丰都、铜梁、涪陵、南川、九龙坡、武隆、云阳、开州、巴南、荣昌等地。 |

| **资源情况** | 野生资源丰富。药材主要来源于野生，自采自用。 |

| **采收加工** | 奶浆果：夏、秋季采收，鲜用或晒干。
奶浆木：全年均可采收，鲜用或晒干。 |

| **药材性状** | 奶浆果：本品榕果近球形，直径 0.6 ~ 1cm，先端有圆形突起，表面淡棕色至深棕色；剖开后花序托肉质，内壁上着生多数瘦果，包藏于花被内。瘦果细小，近卵形，稍压扁，长约 3mm，先端尖而略弯，基部圆钝；表面黄棕色，光滑。气微，味微甘。 |

| **功能主治** | 奶浆果：甘、酸，温。补血，下乳。用于脾胃虚弱，乳汁不下。
奶浆木：微苦、涩，凉。祛风除湿，化痰止咳，活血，解毒。用于风湿痹痛，咳嗽，跌打损伤，毒蛇咬伤。 |

| **用法用量** | 奶浆果：内服炖肉，干品 30 ~ 60g，鲜品 250 ~ 500g。
奶浆木：内服煎汤，15 ~ 30g；或浸酒。外用适量，煎汤洗。 |

桑科 Moraceae 榕属 Ficus

岩木瓜
Ficus tsiangii Merr. ex Corner

| 药 材 名 | 岩木瓜（药用部位：果序。别名：野无花果）。

| 形态特征 | 灌木或乔木，高 4 ~ 6m，树皮灰褐色，粗糙，分枝稀疏，小枝节间长，直径 3 ~ 4mm，密生灰白色至黄褐色硬毛。叶螺旋状排列，纸质，卵形至倒卵状椭圆形，长 8 ~ 23cm，宽 5 ~ 15cm，先端稍宽，渐尖为尾状，尾长 7 ~ 13mm，基部圆形至浅心形或宽楔形，表面很粗糙，被粗糙硬毛，背面有钟乳体，密被灰白色或褐色糙毛，基生侧脉延伸至叶片中部以上，侧脉每边 4 ~ 5，叶基有 2 腺体；叶柄细长，3 ~ 12cm；托叶早落，披针形，长 5 ~ 6mm，被贴伏柔毛。榕果簇生于老茎基部或落叶瘤状短枝上，卵圆形至球状椭圆形，长 2 ~ 3.5cm，宽 1.5 ~ 2cm，被粗糙短硬毛，成熟时红色，表面有侧生苞片，顶生苞片直立，总梗长 2 ~ 4cm，榕果内壁有刚毛；雄花

岩木瓜

两型，生于内壁口部或散生，无柄雄花生于口部，有柄雄花散生，花被片 3 ~ 5，线状披针形，雄蕊 2，稀为 1，花丝基部有毛，花药无短尖；雌花子房无柄，柱头浅 2 裂，散生刚毛；不育花小。瘦果透镜状，背面微具龙骨。花期 5 ~ 8 月。

| 生境分布 | 生于海拔 620 ~ 1850m 的山谷、沟边等潮湿地区。分布于重庆南川、綦江、江津等地。

| 资源情况 | 野生资源稀少。药材主要来源于野生。

| 采收加工 | 秋、冬季采收果实，晒干。

| 功能主治 | 涩、微甘，平。活血散瘀，止咳行气。用于跌打损伤，肺热咳嗽，腹胀，便血。

| 用法用量 | 内服煎汤，适量。

桑科 Moraceae 榕属 Ficus

榕树
Ficus microcarpa L. f.

| 药 材 名 | 榕须（药用部位：气生根。别名：榕须、榕根须、半天吊）、榕树叶（药用部位：叶。别名：小榕叶、落地金钱）、榕树果（药用部位：果实）、榕树胶汁（药材来源：树脂。别名：榕树乳汁）、榕树皮（药用部位：树皮）。|

| 形态特征 | 高大乔木，高 15 ~ 25m，胸径达 50cm，冠幅广展。老树常有锈褐色气根。树皮深灰色。叶薄革质，狭椭圆形，长 4 ~ 8cm，宽 3 ~ 4cm，先端钝尖，基部楔形，表面深绿色，干后深褐色，有光泽，全缘，基生叶脉延长，侧脉 3 ~ 10 对；叶柄长 5 ~ 10mm，无毛；托叶小，披针形，长约 8mm。雄花、雌花、瘿花生于同一榕果内，花间有少许短刚毛；雄花无柄或具柄，散生内壁，花丝与花药等长；雌花与瘿花相似，花被片 3，广卵形，花柱近侧生，柱头短，棒形。榕果 |

榕树

成对腋生或生于已落叶枝叶腋，成熟时黄色或微红色，扁球形，直径 6 ～ 8mm，无总梗，基生苞片 3，广卵形，宿存。瘦果卵圆形。花期 5 ～ 6 月。

| 生境分布 |　生于海拔 400 ～ 800m 的林缘或旷野，野生或植为行道树。重庆各地均有分布。

| 资源情况 |　栽培资源较丰富，无野生资源。药材主要来源于栽培。

| 采收加工 |　榕须：全年均可采收，割取气生根，晒干。

榕树叶：全年均可采收，鲜用或晒干。

榕树果：夏、秋季采收，鲜用或晒干。

榕树胶汁：全年均可采收，割伤树皮，收集流出的乳汁。

榕树皮：全年均可采收，洗净，晒干。

| 药材性状 |　榕须：本品呈长条状圆柱形，长 1 ～ 1.2m，基部较粗，末端渐细，常有分枝，有时簇生数条支根。表面红褐色，具纵皱纹及灰白色或黄白色皮孔，皮孔呈圆点状或椭圆状。质柔韧，皮部不易折断，断面木部棕色。气微，味苦、涩。

榕树叶：本品不规则卷曲或呈筒状，褐色至黄褐色，展平后呈椭圆形或卵形，长 4 ～ 8cm，宽 3 ～ 4cm，先端钝或短尖，基部稍狭，全缘，下面网脉明显。叶柄长 7 ～ 12mm。革质，体轻，稍有韧性。气微，味苦、涩。

| 功能主治 |　榕须：苦、涩，凉。归肺、胃、肝经。清热解毒，祛风除湿，活血止痛。用于时疫感冒，顿咳，麻疹不透，乳蛾，目赤肿痛，风湿骨痛，痧气腹痛，胃痛，久痢，湿疹，带下，阴痒，鼻衄，血淋，跌打损伤。

榕树叶：淡，凉。清热发表，解毒消肿，祛湿止痛。用于流感，慢性气管炎，百日咳，扁桃体炎，目赤，牙痛，菌痢，肠炎，乳痈，烫伤。用于感冒高热，湿热泻痢，痰多咳嗽。外用于跌打瘀肿，湿疹，痔疮。

榕树果：微甘，平。清热解毒。用于疮疖，臁疮。

榕树胶汁：微甘，平。明目去翳，解毒消肿。用于赤眼，目翳，瘰疬，唇疔，牛皮癣。

榕树皮：微苦，微寒。止泻，消肿，止痒。用于泄泻，痔疮，疥癣。

| 用法用量 |　榕树须：内服煎汤，9 ～ 15g；或浸酒。外用适量，捣碎酒炒敷或煎汤洗。

榕树叶：内服煎汤，9 ～ 15g；或研末；或浸酒。外用适量，捣敷。麻风病病人慎服。

榕树果：外用适量，煎汤熏洗。

榕树胶汁：内服煎汤，适量，煮粥食。外用适量，涂敷。

榕树皮：内服煎汤，9 ～ 15g。外用适量，煎汤洗。

桑科 Moraceae 榕属 Ficus

琴叶榕

Ficus pandurata Hance

| 药 材 名 | 琴叶榕（药用部位：根、叶。别名：山甘草、山沉香、过山香）。

| 形态特征 | 小灌木，高 1 ~ 2m。小枝、嫩叶幼时被白色柔毛。叶纸质，提琴形或倒卵形，长 4 ~ 8cm，先端急尖，有短尖，基部圆形至宽楔形，中部缢缩，表面无毛，背面叶脉被疏毛和小瘤点，基生侧脉 2，侧脉 3 ~ 5 对；叶柄疏被糙毛，长 3 ~ 5mm；托叶披针形，迟落。雄花有柄，生榕果内壁口部，花被片 4，线形，雄蕊 3，稀为 2，长短不一；瘿花有柄或无柄，花被片 3 ~ 4，倒披针形至线形，子房近球形，花柱侧生，很短；雌花花被片 3 ~ 4，椭圆形，花柱侧生，细长，柱头漏斗形。榕果单生叶腋，鲜红色，椭圆形或球形，直径 6 ~ 10mm，顶部脐状突起，基生苞片 3，卵形，总梗长 4 ~ 5mm，纤细。花期 6 ~ 8 月。

琴叶榕

| **生境分布** | 生于山地、旷野或灌丛林下。分布于重庆北碚、秀山、璧山、涪陵、武隆、巫山、永川、梁平等地。 |

| **资源情况** | 野生资源一般。药材主要来源于野生。 |

| **采收加工** | 全年均可采收根，以秋季采者为佳。夏、秋季采收叶，鲜用或晒干。 |

| **功能主治** | 甘、微辛，平。祛风除湿，解毒消肿，活血通经。用于风湿痹痛，黄疸，疟疾，百日咳，乳汁不通，乳痈，痛经，闭经，痈疖肿痛，跌打损伤，毒蛇咬伤。 |

| **用法用量** | 内服煎汤，30 ~ 60g。外用适量，捣敷。 |

桑科 Moraceae 榕属 *Ficus*

薜荔 *Ficus pumila* L.

| 药材名 | 薜荔果（药用部位：花序托。别名：木馒头、鬼馒头、爬壁果）、薜荔藤（药用部位：带叶茎枝。别名：小薜荔、薜荔络石藤、络石藤）、薜荔根（药用部位：根）。

| 形态特征 | 攀缘或匍匐灌木。叶二型，不结果枝节上生不定根，叶卵状心形，长约2.5cm，薄革质，基部稍不对称，先端渐尖，叶柄很短；结果枝上无不定根，革质，卵状椭圆形，长5～10cm，宽2～3.5cm，先端急尖至钝形，基部圆形至浅心形，全缘，上面无毛，背面被黄褐色柔毛，基生叶脉延长，网脉3～4对，在表面下陷，背面凸起，网脉甚明显，呈蜂窝状，叶柄长5～10mm；托叶2，披针形，被黄褐色丝状毛。雄花生于榕果内壁口部，多数，排为几行，有柄，花被片2～3，线形，雄蕊2，花丝短；瘿花具柄，花被片3～4，线形，花柱侧生，短；雌花生另一植株榕果内壁，花柄长，花被片

薜荔

4 ~ 5。榕果单生叶腋，瘿花果梨形，雌花果近球形，长 4 ~ 8cm，直径 3 ~ 5cm，顶部平截，略具短钝头或为脐状突起，基部收窄成 1 短柄，基生苞片宿存，三角状卵形，密被长柔毛，榕果幼时被黄色短柔毛，成熟时黄绿色或微红色，总梗粗短。瘦果近球形，有黏液。花果期 5 ~ 8 月。

| 生境分布 | 生于旷野树上、村边残墙破壁上、石灰岩坡上。分布于重庆合川、巫溪、万州、涪陵、黔江、酉阳、南川、武隆、巴南等地。

| 资源情况 | 野生资源稀少。药材来源于野生。

| 采收加工 | 薜荔果：秋季采收成熟的花序托，除去柄，晒干。
薜荔藤：秋末冬初叶未脱落前采收，干燥。
薜荔根：全年均可采收，鲜用或晒干。

| 药材性状 | 薜荔果：本品呈倒卵形或倒梨形，长 3.5 ~ 6.5cm，直径 3 ~ 4.5cm。表面黄棕色或红棕色，常有黑褐色斑纹，平滑，略有纵行突起。先端平截，外表略呈颗粒状，中央有 1 凸出的圆形疤痕，有时呈小孔状；下端渐狭，具短果梗或果梗痕。体轻，质坚硬，不易破碎。经打击剖开后可见花序托厚 3 ~ 5mm，内表面棕黄色，上有褐色小斑点，断面棕红色，层纹状，捏之如海绵。内有极多瘦果，圆球形，直径约 1mm，黄棕色，具光泽，质脆；近先端的突起下面有众多单性花和膜质小苞片。气微，味淡。
薜荔藤：本品茎呈不规则圆柱形，弯曲，多分枝，长短不一，直径 0.1 ~ 1.4cm；表面棕黄色至棕褐色，上部光滑，下部有多数须根；质坚脆，易折断，断面平坦，黄绿色，髓偏于一侧。叶互生，叶柄长 0.5cm；叶片展开后呈椭圆形，全缘，表面黄绿色，背部中脉凸起，细脉交织成蜂窝状，革质。气微，味淡。

| 功能主治 | 薜荔果：酸，平。补肾固精，通乳，活血消肿，解毒。用于肾亏腰酸，阳痿遗精，乳汁稀少，痈肿初起。
薜荔藤：酸，平。归心、肝、肾经。祛风除湿，活血通络，解毒消肿。用于风湿痹痛，筋脉拘挛，跌打损伤，痈肿。
薜荔根：苦，寒。祛风除湿，舒筋通络。用于风湿痹痛，坐骨神经痛，腰肌劳损，水肿，疟疾，闭经，产后瘀血腹痛，慢性肾炎，慢性肠炎，跌打损伤。

| 用法用量 | 薜荔果：内服煎汤，9 ~ 12g。
薜荔藤：内服煎汤，9 ~ 15g。
薜荔根：内服煎汤，9 ~ 15g，鲜品加倍。

桑科 Moraceae 榕属 Ficus

珍珠莲
Ficus sarmentosa Buch.-Ham. ex J. E. Sm. var. *henryi* (King ex Oliv.) Corner

| **药 材 名** | 石彭子（药用部位：果实。别名：冰球子、崖荔枝、崖石榴）、珍珠莲（药用部位：根、藤）。

| **形态特征** | 木质攀缘匍匐藤状灌木。幼枝密被褐色长柔毛。叶革质，卵状椭圆形，长 8 ~ 10cm，宽 3 ~ 4cm，先端渐尖，基部圆形至楔形，全缘，表面无毛，背面密被褐色柔毛或长柔毛；基生侧脉延长，侧脉 5 ~ 7 对，小脉网结成蜂窝状；叶柄长 5 ~ 10mm，被毛。雄花、瘿花同生于一榕果内壁，雌花生于另一植株榕果内；雄花生于内壁近口部，具柄，花被片 3 ~ 4，倒披针形，雄蕊 2，花药有短尖，花丝极短；瘿花具柄，花被片 4，倒卵状匙形，子房椭圆形，花柱短，柱头浅漏斗形；雌花和瘿花相似，具柄，花被片匙形，子房倒卵圆形，花柱近顶生，柱头细长。榕果成对腋生，圆锥形，直径 1 ~ 1.5cm，表面密被褐

珍珠莲

色长柔毛，成长后脱落，顶生苞片直立，长约 3mm，基生苞片 3，卵状披针形，长 3 ~ 6mm，无总梗或具短梗，内壁散生刚毛。瘦果卵状椭圆形，外被黏液 1 层。花期 5 ~ 7 月。

| 生境分布 | 生于阔叶林下或灌丛中。分布于重庆黔江、巫山、南川、北碚、綦江、武隆、开州等地。

| 资源情况 | 野生资源稀少。药材主要来源于野生，自产自销。

| 采收加工 | 石彭子：秋季采收，晒干。
珍珠莲：全年均可采收，洗净，切片，鲜用或晒干。

| 药材性状 | 石彭子：本品呈倒圆锥形，直径约 1cm，先端明显凸起，基部有短柄。表面暗灰色，有疣状突起和黄色绒毛。质坚硬，不易碎，击破后，内含多数黄色卵形瘦果，包藏于红色花被内。气微，味甘、涩。

| 功能主治 | 石彭子：甘、涩，平。归肝经。消肿止痛，止血。用于睾丸偏坠，跌打损伤，内痔便血。
珍珠莲：微辛，平。祛风除湿，消肿止痛，解毒杀虫。用于风湿关节痛，脱臼，乳痈，疮疖，癣症。

| 用法用量 | 石彭子：内服煎汤，9 ~ 15g。
珍珠莲：内服煎汤，30 ~ 60g。外用适量，捣敷；或和米汤磨汁敷。

桑科 Moraceae 榕属 Ficus

尾尖爬藤榕 *Ficus sarmentosa* Buch.-Ham. ex J. E. Sm. var. *lacrymans* (Lévl. et Vant.) Corner

尾尖爬藤榕

| 药材名 |

爬藤榕（药用部位：根、茎。别名：薄叶匍茎榕、薄叶爬藤榕）。

| 形态特征 |

藤状匍匐灌木。小枝无毛，干后灰白色，具纵槽。叶薄革质，披针状卵形，长 4 ~ 8cm，宽 2 ~ 2.5cm，先端渐尖至尾尖，基部楔形，全缘，表面无毛，背面疏被褐色柔毛或无毛，两面绿色，干后绿白色至黄绿色；侧脉 5 ~ 6 对，网脉两面平；叶柄长约 5mm。雄花、瘿花同生于一榕果内壁，雌花生于另一植株榕果内；雄花生于内壁近口部，具柄，花被片 3 ~ 4；倒披针形，雄蕊 2，花药有短尖，花丝极短；瘿花具柄，花被片 4，倒卵状匙形，子房椭圆形，花柱短，柱头浅漏斗形；雌花和瘿花相似，具柄，花被片匙形，子房倒卵圆形，花柱近顶生，柱头细长。榕果成对腋生或生于落叶枝叶腋，球形，直径 5 ~ 9mm，表面无毛或薄被柔毛，顶部微下陷，基生苞片 3，三角形，长约 3mm，总梗长 5 ~ 15mm，榕果内壁散生刚毛。瘦果卵状椭圆形，外被黏液 1 层。花期 4 ~ 5 月，果期 6 ~ 7 月。

| 生境分布 | 生于海拔 500 ～ 1400m 的山谷，攀缘于岩石上。分布于重庆忠县、云阳、丰都、开州、武隆、江津、城口、巫溪、奉节、彭水、黔江、南川、北碚等地。

| 资源情况 | 野生资源一般。药材来源于野生。

| 采收加工 | 全年均可采收，鲜用或晒干。

| 功能主治 | 辛、甘，温。祛风除湿，行气活血，消肿止痛。用于风湿痹痛，神经性头痛，小儿惊风，胃痛，跌打损伤。

| 用法用量 | 内服煎汤或炖肉，30 ～ 60g。

桑科 Moraceae 榕属 Ficus

爬藤榕

Ficus sarmentosa Buch.-Ham. ex J. E. Sm. var. *impressa* (Champ.) Corner

爬藤榕

药材名

爬藤榕（药用部位：根、茎、果实。别名：岩边藤、长叶铁牛、枇杷藤）。

形态特征

攀缘或匍匐木质藤状灌木，长 2 ～ 10m。小枝无毛，干后灰白色，具纵槽。叶互生；叶柄长 5 ～ 10mm；托叶披针形；叶片革质，披针形或椭圆状披针形，长 3 ～ 9cm，宽 1 ～ 3cm，先端渐尖，基部圆形或楔形，上面绿色，无毛，下面灰白色或浅褐色，侧脉 6 ～ 8 对，网脉凸起，成蜂窝状。隐头花序，花序托单生或成对腋生，或簇生老枝上，球形，直径 4 ～ 7mm，有短梗，近无毛；基部有苞片 3；雄花、瘿花生于同一花序托内壁，雄花生于近口部，花被片 3 ～ 4，雄蕊 2；瘿花有花被片 3 ～ 4，子房不发育；雌花生于另一植株花序托内，具梗，花被片 3 ～ 4，子房倒卵圆形，花柱近顶生。瘦果小，表面光滑。花期 5 ～ 10 月。

生境分布

生于海拔 350 ～ 1600m 的溪边或山谷石灰岩壁上。分布于重庆城口、奉节、巫溪、彭水、武隆、黔江、南川、北碚等地。

| **资源情况** | 野生资源稀少。药材主要来源于野生。

| **采收加工** | 全年均可采收，鲜用或晒干。

| **功能主治** | 根及茎，苦、涩、甘，温。祛风除湿，行气活血，消肿止痛。用于风湿痹痛，神经性头痛，小儿惊风，胃痛，跌打损伤。果实，甘、淡，凉。止渴解暑。用于肺痨潮热，暑热咳嗽。

| **用法用量** | 内服煎汤或炖肉，30 ~ 60g。

| **附　　注** | 与本种同作爬藤榕入药的地方习用品有薄叶匍茎榕 *Ficus sarmentosa* Buch.-Ham. ex J. E. Sm. var. *lacrymans* (Lévl.) Corner，其分布于长江以南各地。

桑科 Moraceae 榕属 Ficus

竹叶榕 *Ficus stenophylla* Hemsl.

| 药 材 名 | 水稻清（药用部位：全株。别名：野碧桃、狭叶榕、牛奶泡）、水稻清乳汁（药材来源：乳汁）。

| 形态特征 | 小灌木，高 1 ～ 3m。小枝散生灰白色硬毛，节间短。叶纸质，干后灰绿色，线状披针形，长 5 ～ 13cm，先端渐尖，基部楔形至近圆形，表面无毛，背面有小瘤体，全缘背卷，侧脉 7 ～ 17 对；托叶披针形，红色，无毛，长约 8mm；叶柄长 3 ～ 7mm。雄花和瘿花同生于雄株榕果中，雄花生于内壁口部，有短柄，花被片 3 ～ 4，卵状披针形，红色，雄蕊 2 ～ 3，花丝短；瘿花，具柄，花被片 3 ～ 4，倒披针形，内弯，子房球形，花柱短，侧生；雌花生于另一植株榕果中，近无柄，花被片 4，线形，先端钝。榕果椭圆状球形，表面稍被柔毛，直径 7 ～ 8mm，成熟时深红色，先端脐状突起，基生苞片三角形，宿存，

竹叶榕

总梗长 20 ～ 40mm。瘦果透镜状，顶部具棱骨，一侧微凹入，花柱侧生，纤细。花果期 5 ～ 7 月。

| 生境分布 | 生于溪旁潮湿处或山坡路边。分布于重庆綦江、秀山、云阳、南川、武隆、垫江、巫溪、开州等地。

| 资源情况 | 野生资源一般。药材主要来源于野生。

| 采收加工 | 水稻清：春、秋季间采收，洗净，切片，晾干；叶亦鲜用。
水稻清乳汁：春、秋季间切割树皮，流出乳汁，随采随用。

| 功能主治 | 水稻清：苦，温。祛痰止咳，祛风除湿，活血消肿，安胎，通乳。用于咳嗽胸痛，风湿骨痛，胎动不安，肾炎，乳痈，疮疖肿毒，跌打损伤。
水稻清乳汁：辛，平。解毒消肿。用于蛇虫咬伤。

| 用法用量 | 水稻清：内服煎汤，15 ～ 30g。外用适量，捣敷；或煎汤洗。
水稻清乳汁：外用适量，涂敷。

| 附　　注 | 本种喜光照，能耐直晒，也能耐半荫，过于荫蔽长势不良。喜温暖，不耐寒；喜湿润，不耐干旱。喜潮湿空气，耐干燥性差，喜通风良好处。采用高压、扦插或播种法繁殖。本种易于栽培。

桑科 Moraceae 榕属 Ficus

地果 *Ficus tikoua* Bur.

| 药 材 名 | 地瓜藤（药用部位：藤茎。别名：铺地蜈蚣、地枇杷、地板藤）、地瓜果（药用部位：隐花果。别名：地枇杷果、地瓜、地石榴）、地瓜根（药用部位：根）。

| 形态特征 | 匍匐木质藤本。茎上生细长不定根，节膨大；幼枝偶有直立的，高 30 ～ 40cm。叶坚纸质，倒卵状椭圆形，长 2 ～ 8cm，宽 1.5 ～ 4cm，先端急尖，基部圆形至浅心形，边缘具波状疏浅圆锯齿，基生侧脉较短，侧脉 3 ～ 4 对，表面被短刺毛，背面沿脉被细毛；叶柄长 1 ～ 2cm，直立幼枝的叶柄长达 6cm；托叶披针形，长约 5mm，被柔毛。雄花生于榕果内壁孔口部，无柄，花被片 2 ～ 6，雄蕊 1 ～ 3；雌花生另一植株榕果内壁，有短柄，无花被，有黏膜包被子房。榕果成对或簇生匍匐茎上，常埋于土中，球形至卵球形，直径 1 ～ 2cm，

地果

基部收缩成狭柄，成熟时深红色，表面多圆形瘤点，基生苞片 3，细小。瘦果卵球形，表面有瘤体，花柱侧生，长，柱头 2 裂。花期 5 ~ 6 月，果期 7 月。

| 生境分布 | 生于海拔 1200m 以下的山坡灌丛阴处、草坡或岩石缝中。分布于重庆北碚、黔江、綦江、万州、璧山、忠县、南岸、大足、潼南、巫山、秀山、石柱、合川、涪陵、奉节、酉阳、云阳、彭水、江津、城口、巫溪、铜梁、垫江、南川、九龙坡、永川、长寿、丰都、开州、武隆、梁平、巴南、沙坪坝、荣昌等地。

| 资源情况 | 野生资源丰富。药材来源于野生，自产自销。

| 采收加工 | 地瓜藤：夏、秋季采收，除去杂质，洗净，切段，干燥。
地瓜果：夏季采收尚未成熟的隐花果（榕果），晒干。
地瓜根：夏、秋季间采挖全株，除去地上部分，洗净，晒干或鲜用。

| 药材性状 | 地瓜藤：本品茎呈圆柱形，有的略扁，稍扭曲，长短不一，直径 0.3 ~ 4cm；表面棕褐色，粗糙，散在点状皮孔；节略膨大，腹面多有不定根残痕。质稍硬脆，易折断，断面皮部窄，黄棕色，木部黄色，髓部小，有的中空，常偏于一侧。气微，味苦、微涩。
地瓜果：本品呈球形或卵圆形，直径 0.4 ~ 1.2cm。表面黄绿色或淡红色，皱缩，基部有短柄。剖开后可见肉质花托内壁着生许多小瘦果。气微，味微甘、微涩。
地瓜根：本品呈类圆柱形，直径约 7mm。表面暗紫棕色，具不规则纵皱纹。质硬，断面皮部暗紫色，木部灰黄色。气微，味淡。

| 功能主治 | 地瓜藤：苦，凉。归肺、肝、脾经。清热利湿，活血通络，解毒消肿。用于肺热咳嗽，痢疾，水肿，黄疸，小儿消化不良，风湿痹痛，经闭，带下，跌打损伤，痔疮出血，无名肿毒。
地瓜果：甘，微寒。清热解毒，涩精止遗。用于咽喉肿痛，遗精滑精。
地瓜根：苦、涩，凉。归脾、肾经。清热利湿，消肿止痛。用于泄泻，痢疾，黄肿，风湿痹痛，遗精，带下，瘰疬，痔疮，牙痛，跌打伤痛。

| 用法用量 | 地瓜藤：内服煎汤，10 ~ 25g。外用适量，捣敷；或煎汤洗。
地瓜果：内服煎汤，9 ~ 30g；或用开水泡饮。
地瓜根：内服煎汤，30 ~ 60g。

| 附　注 | 本种喜温暖湿润的环境。对土壤要求不严，以疏松、肥沃的夹砂土较好。通过扦插繁殖。

桑科 Moraceae 榕属 Ficus

黄葛树 *Ficus virens* Ait.var. *sublanceolata* (Miq.) Corner

| 药 材 名 | 黄桷叶（药用部位：叶。别名：大榕叶）、黄桷根（药用部位：根皮。别名：黄葛根）、黄桷树根疙瘩（药材来源：根部由寄生虫所形成的虫瘿）、黄桷皮（药用部位：树皮。别名：黄桷树皮）。

| 形态特征 | 落叶或半落叶乔木，有板根或支柱根，幼时附生。叶薄革质或皮纸质，近披针形，长可达 20cm，宽 4 ～ 7cm，先端渐尖，基部钝圆或楔形至浅心形，全缘，干后表面无光泽；基生叶脉短，侧脉 7 ～ 10 对，背面凸起，网脉稍明显；叶柄长 2 ～ 5cm；托叶披针状卵形，先端急尖，长可达 10cm。雄花、瘿花、雌花生于同一榕果内；雄花无柄，少数，生于榕果内壁近口部，花被片 4 ～ 5，披针形，雄蕊 1，花药广卵形，花丝短；瘿花具柄，花被片 3 ～ 4，花柱侧生，短于子房；雌花与瘿花相似，花柱长于子房。榕果单生或成对腋生或簇生已落

黄葛树

叶枝叶腋，球形，直径 7 ~ 12mm，成熟时紫红色，基生苞片 3，细小，无总梗。瘦果表面有皱纹。花果期 4 ~ 7 月。

| 生境分布 | 栽培于公路旁。重庆各地均有分布。

| 资源情况 | 栽培资源丰富。药材主要来源于栽培。

| 采收加工 | 黄桷叶：夏、秋季采收，鲜用。
黄桷根：全年均可采收，以 8 ~ 9 月采者为佳，鲜用或晒干。
黄桷树根疙瘩：全年均可采收，从根部割取，切片，晒干。
黄桷皮：全年均可采收，晒干。

| 功能主治 | 黄桷叶：涩，平。祛风通络，止痒敛疮，活血消肿。用于筋骨疼痛，迎风流泪，皮肤瘙痒，臁疮，跌打损伤，骨折。
黄桷根：苦、酸，温。祛风除湿，通经活络，消肿，杀虫。用于风湿痹痛，四肢麻木，半身不遂，劳伤腰痛，跌打损伤，水肿，疥癣。
黄桷树根疙瘩：苦，温。祛风除湿，活血通络。用于风湿关节痛，劳伤腰痛。
黄桷皮：苦、酸，温。祛风通络，杀虫止痒。用于风湿痹证，四肢麻木，半身不遂，癣疮。

| 用法用量 | 黄桷叶：内服煎汤，9 ~ 15g。外用适量，捣敷；或煎汤洗。
黄桷根：内服煎汤，9 ~ 15g；或浸酒。外用煎汤洗浴。
黄桷树根疙瘩：内服 10 ~ 30g，浸酒饮。
黄桷皮：内服煎汤，15 ~ 30g。外用适量，煎汤洗。

| 附　注 | 本种喜光，有气生根，为阳性树种，喜温暖、高温、湿润气候，耐旱而不耐寒，耐寒性比榕树稍强。抗风，抗大气污染，耐瘠薄，对土壤要求不严，生长迅速，萌发力强，易栽植。本种的繁殖常用扦插繁殖法。

桑科 Moraceae 葎草属 Humulus

葎草 *Humulus scandens* (Lour.) Merr.

| 药 材 名 | 葎草（药用部位：地上部分）、葎草花（药用部位：雌花穗）。

| 形态特征 | 缠绕草本。茎、枝、叶柄均具倒钩刺。叶纸质，肾状五角形，掌状5～7深裂，稀为3裂，长、宽均为7～10cm，基部心形，表面粗糙，疏生糙伏毛，背面被柔毛和黄色腺体，裂片卵状三角形，边缘具锯齿；叶柄长5～10cm。雄花小，黄绿色，圆锥花序，长15～25cm；雌花序球果状，直径约5mm，苞片纸质，三角形，先端渐尖，具白色绒毛；子房为苞片包围，柱头2，伸出苞片外。瘦果成熟时露出苞片外。花期春、夏季，果期秋季。

| 生境分布 | 生于沟边、荒地、废墟、林缘边。重庆各地均有分布。

| 资源情况 | 野生资源丰富。药材来源于野生。

葎草

采收加工

葎草：夏、秋季采收，除去杂质，切段，晒干。

葎草花：秋季采收，除去枝叶，干燥。

药材性状

葎草：本品茎淡绿色，有纵棱。茎、枝和叶柄密生倒钩刺。叶对生，有长柄，叶片肾状五角形，直径 1 ~ 7cm，掌状 5 深裂，稀为 3 或 7 裂，裂片卵形或卵状披针形，先端急尖或渐尖，基部心形，两面被粗糙硬毛，下面有黄色腺点。有的带花、果实。气微，味淡。

葎草花：本品由数至十数朵雌花穗重叠成短柱状，常附有卵形苞片及托叶，基部有残留果柄。外表面灰绿色至灰褐色，密被白色细绒毛，以苞片边缘与背面为多。苞片卵形，有的苞片内有 1 黄色扁圆形果实，剥开后有 1 黄色扁圆形子仁。气微，味淡。

功能主治

葎草：甘、苦，寒。清热解毒，利尿，退虚热。用于肺热咳嗽，小便不利，肺痨咳嗽，午后潮热。外用于湿疹，皮肤瘙痒。

葎草花：清热解毒，利水消肿。用于肺痨咳嗽，潮热，肺热咳嗽，小便不利。

用法用量

葎草：内服煎汤，15 ~ 30g。外用适量。

葎草花：内服煎汤，6 ~ 9g。

桑科 Moraceae 柘属 Cudrania

柘树

Cudrania tricuspidata (Carr.) Bur. ex Lavallee

| 药 材 名 | 柘木（药用部位：根、茎枝）、穿破石（药用部位：根。别名：柘根、柘藤根、刺楮）、柘树果实（药用部位：果实。别名：佳子、山荔枝、水荔枝）。

| 形态特征 | 落叶灌木或小乔木，高达 8m。小枝暗绿褐色，具坚硬棘刺，刺长 5 ~ 35mm。单叶互生；叶柄长 0.5 ~ 2cm；托叶侧生，分离；叶片近革质，卵圆形或倒卵形，长 5 ~ 13cm，先端钝或渐尖，基部楔形或圆形，全缘或 3 裂，上面暗绿色，下面淡绿色，幼时两面均被毛，成长后下面主脉略被毛，余均光滑无毛；基出脉 3，侧脉 4 ~ 5 对。花单性，雌雄异株；均为球形头状花序，具短梗，单个或成对着生于叶腋；雄花花被片 4，长圆形，基部有苞片 2 或 4，雄蕊 4，花丝直立；雌花花被片 4，花柱 1，线状。聚花果球形，肉质，直

柘树

径约 2.5cm，橘红色或橙黄色，表面微皱缩，瘦果包裹在肉质的花被里。花期 5 ~ 6 月，果期 9 ~ 10 月。

| **生境分布** | 生于海拔 500 ~ 1500(~ 2200)m 阳光充足的山地或林缘。分布于重庆黔江、彭水、奉节、酉阳、巫溪、云阳、荣昌、武隆、南川、秀山等地。

| **资源情况** | 野生资源丰富。药材来源于野生。

| **采收加工** | 柘木：全年均可采挖，除去须根，洗净，切片或段，晒干。
穿破石：全年均可采挖，除去须根，洗净，切片或段，晒干。
柘树果实：秋季果实将成熟时采收，切片，鲜用或晒干。

| **药材性状** | 柘木：本品呈段状或不规则块片状，大小、厚薄不一。主根外皮橙黄色或橙红色，具多数纵皱纹，有的密布细小类白色点状或横长疤痕，栓皮菲薄，多成层状，极易脱落，脱落处显灰黄色或棕褐色。茎枝表面灰褐色或灰黄色，具黄白色点状或横长疤痕。质坚硬，不易折断，切面淡黄色或淡黄棕色，皮部窄，色深，木部发达，具细小密集的导管孔。气微，味淡。
穿破石：本品呈不规则块片状，大小、厚薄不一。外皮橙黄色或橙红色，具多数纵皱纹，有的密布细小类白色点状或横长疤痕，栓皮菲薄，多成层状，极易脱落，脱落处显灰黄色或棕褐色。质坚硬，不易折断，切面淡黄色或淡黄棕色，皮部薄，纤维性；木部宽广，有小孔。气微，味淡。
柘树果实：本品完整者近球形，直径约 2.5cm。鲜者肉质，橙黄色；干者多为对开切片，呈皱缩的半球形，全体橘黄色或棕红色，果皮内层着生多数瘦果，瘦果被干缩的肉质花被包裹，长约 0.5cm，内含种子 1，棕黑色。气微，味微甘。

| **功能主治** | 柘木：甘，温。归肾、肝经。滋养肝肾，舒筋活络。用于肝肾不足，月经量过多，崩漏，腰膝酸痛，跌打损伤。
穿破石：微苦，凉。归肺、肝经。止咳，退黄，活血，通络。用于肺结核，湿热黄疸，胁肋疼痛，跌打瘀痛，风湿痹痛。
柘树果实：苦，平。清热凉血，舒筋活络。用于跌打损伤。

| **用法用量** | 柘木：内服煎汤，5 ~ 15g。
穿破石：内服煎汤，15 ~ 30g。
柘树果实：内服煎汤，15 ~ 30g；或研末。

| **附　注** | 在 FOC 中，本种被修订为构棘 *Maclura tricuspidata* Carriere，属名被修订为橙桑属 *Maclura*。

 桑科 Moraceae 桑属 Morus

桑 *Morus alba* L.

| 药材名 | 桑叶（药用部位：叶。别名：岩桑、冬霜叶、霜桑叶）、桑白皮（药用部位：根皮。别名：桑根白皮、白桑皮、桑皮）、桑枝（药用部位：嫩枝。别名：桑条）、桑椹（药用部位：果穗。别名：桑椹子、桑实、桑树枣）、桑叶露（药材来源：叶的蒸馏液）、桑叶汁（药材来源：鲜叶的乳汁。别名：桑滋干、桑叶滋、桑脂）、桑柴灰（药材来源：茎枝烧成的灰。别名：桑灰、桑薪灰）、桑根（药用部位：根。别名：桑树根）、桑沥（药材来源：枝条经烧灼后沥出的汁液。别名：桑油）、桑皮汁（药材来源：树皮中的白色汁液。别名：桑汁、桑白汁、桑木汁）、桑霜（药材来源：桑柴灰汁经过滤，取滤液蒸发所得的晶状物。别名：木硇）、桑椹酒（药材来源：果穗同药曲酿成的酒）、桑瘿（药用部位：老树上的结节）。

桑

| 形态特征 | 乔木或为灌木，高 3 ~ 10m 或更高，胸径可达 50cm。树皮厚，灰色，具不规则浅纵裂；冬芽红褐色，卵形，芽鳞覆瓦状排列，灰褐色，被细毛；小枝被细毛。叶卵形或广卵形，长 5 ~ 15cm，宽 5 ~ 12cm，先端急尖、渐尖或圆钝，基部圆形至浅心形，边缘锯齿粗钝，有时叶为各种分裂，表面鲜绿色，无毛，背面沿脉被疏毛，脉腋被簇毛；叶柄长 1.5 ~ 5.5cm，被柔毛；托叶披针形，早落，外面密被细硬毛。花单性，腋生或生于芽鳞腋内，与叶同时生出；雄花序下垂，长 2 ~ 3.5cm，密被白色柔毛，雄花花被片宽椭圆形，淡绿色，花丝在芽时内折，花药 2 室，球形至肾形，纵裂；雌花序长 1 ~ 2cm，被毛，总花梗长 5 ~ 10mm，被柔毛，雌花无梗，花被片倒卵形，先端圆钝，外面和边缘被毛，两侧紧抱子房，无花柱，柱头 2 裂，内面有乳头状突起。聚花果卵状椭圆形，长 1 ~ 2.5cm，成熟时红色或暗紫色。花期 4 ~ 5 月，果期 5 ~ 8 月。

| 生境分布 | 生于海拔 1000m 以下的山坡疏林或渠岸、路旁及住宅周围，或栽培于田埂、山坡。重庆各地均有分布。

| 资源情况 | 野生和栽培资源均丰富。药材来源于野生和栽培。

| 采收加工 | 桑叶：初霜后采收，除去杂质，晒干。
桑白皮：秋末叶落时至翌年春发芽前采挖根，刮去黄棕色粗皮，纵向剖开，剥取根皮，晒干。
桑枝：春末夏初采收，除去叶，晒干；或趁鲜切片，晒干。
桑椹：4 ~ 6 月果实变红时采收，晒干或略蒸后晒干。
桑叶露：取鲜桑叶和清水置于蒸馏器中，加热蒸馏，收取蒸馏液，分装于玻璃瓶中，封口，灭菌。
桑叶汁：将桑叶摘下，滴取桑叶的白色乳汁于容器中，鲜用。
桑柴灰：初夏剪取桑枝，晒干后，烧火取灰。
桑根：全年均可采挖，除去泥土和须根，鲜用或晒干。
桑沥：取较粗枝条，将两端架起，中间加火烤，收集两端滴出的汁液。
桑皮汁：用刀划破桑树枝皮，立即有白色乳汁流出，用洁净容器收取。
桑霜：取桑柴灰，用热水浸泡，适当搅拌，静置，取上清液过滤，滤液再经加热蒸干，收取干燥的晶状物，装入瓶（罐）中，加盖。
桑椹酒：4 ~ 6 月采摘红色桑椹，加药曲如常法酿酒即成。
桑瘿：冬季桑树修枝时，锯取老桑树上的瘤状结节，趁鲜时劈成不规则小块片，晒干。

| **药材性状** | 桑叶：本品多皱缩破碎，完整者有柄，叶片展平后呈卵形或宽卵形，长 8 ～ 15cm，宽 7 ～ 12cm，先端渐尖，基部截形、圆形或心形，边缘有锯齿或钝锯齿，有的不规则分裂。上表面黄绿色或浅黄棕色，有的有小疣状突起；下表面色稍浅，叶脉凸出，小脉网状，脉上被疏毛，脉基具簇毛。质脆。气微，味淡、微苦、涩。

桑白皮：本品呈扭曲的卷筒状、槽状或板片状，长短、宽窄不一，厚 1 ～ 4mm。外表面白色或淡黄白色，较平坦，有的残留橙黄色或棕黄色鳞片状粗皮；内表面黄白色或灰黄色，有细纵纹。体轻，质韧，纤维性强，难折断，易纵向撕裂，撕裂时有粉尘飞扬。气微，味微甘。

桑枝：本品呈长圆柱形，少有分枝，长短不一，直径 0.5 ～ 1.5cm。表面灰黄色或黄褐色，有多数黄褐色点状皮孔及细纵纹，并有灰白色略呈半圆形的叶痕和黄棕色的腋芽。质坚韧，不易折断，断面纤维性。切片厚 0.2 ～ 0.5cm，皮部较薄，木部黄白色，射线放射状，髓部白色或黄白色。气微，味淡。

桑椹：本品由多数小瘦果集合而成，呈长圆形，长 1 ～ 2cm，直径 0.5 ～ 0.8cm。黄棕色、棕红色或暗紫色，有短果序梗。小瘦果卵圆形，稍扁，长约 2mm，宽约 1mm，外具肉质花被片 4。气微，味微酸而甘。

桑叶露：本品为无色液体，透明。气微香，味淡。

桑叶汁：本品为白色乳汁，略有黏稠性。气微，味微甘、淡。

桑柴灰：本品呈粉末状，常夹杂未完全灰化的炭棒，灰白色。体较轻，具吸水性，加入水中，绝大部分沉于水底，水液略呈灰白色。显碱性。气微，味微咸。

桑根：本品呈圆柱形，粗细不一，直径通常 2 ～ 4cm。外皮黄褐色或橙黄色，粗皮易呈鳞片状裂开或脱落，可见横长皮孔。质坚韧，难折断，切面皮部白色或淡黄白色，纤维性强；木部占绝大部分，淡棕色，木纹细密。气微，味微甘、苦。

桑沥：本品为淡黄棕色澄明液体，略带黏稠性。气清香，味微苦、甘。

桑皮汁：本品为白色乳汁，半透明，略有黏稠感。气微，味微甘、淡。

桑霜：本品为结晶块状物，棕褐色，半透明或不透明。质脆。气微，味微苦、咸。

桑瘿：本品为不规则块片，大小不一。外表面灰棕色，有浅棕色点状突起的皮孔。质坚韧，不易折断，劈面黄白色，木纹较细密，有的髓部中空或呈朽木状，棕褐色。气微，味淡。 |
| **功能主治** | 桑叶：甘、苦，寒。归肺、肝经。疏散风热，清肺润燥，清肝明目。用于风热感冒，肺热燥咳，头晕头痛，目赤昏花。

桑白皮：甘，寒。归肺经。泻肺平喘，利水消肿。用于肺热喘咳，水肿胀满尿少，面目肌肤浮肿。 |

桑枝：微苦，平。归肝经。祛风湿，利关节。用于风湿痹病，肩臂、关节酸痛麻木。

桑椹：甘、酸，寒。归心、肝、肾经。滋阴补血，生津润燥。用于肝肾阴虚，眩晕耳鸣，心悸失眠，须发早白，津伤口渴，内热消渴，肠燥便秘。

桑叶露：苦，微寒。归肝经。清肝明目。用于目赤肿痛。

桑叶汁：苦，微寒。归肝经。清肝明目，消肿解毒。用于目赤肿痛，痈疖，瘰疬，蜈蚣咬伤。

桑柴灰：辛，寒。利水，止血，蚀恶肉。用于水肿，金疮出血，面上痣疵。

桑根：微苦，寒。归肝经。清热定惊，祛风通络。用于惊痫，目赤，牙痛，筋骨疼痛。

桑沥：甘，凉。归肝经。祛风止痉，清热解毒。用于破伤风，皮肤疥疮。

桑皮汁：苦，微寒。清热解毒，止血。用于口舌生疮，外伤出血，蛇虫咬伤。

桑霜：甘，凉。解毒消肿，散积。用于痈疽疔疮，噎食积块。

桑椹酒：甘，凉。归肝、肾经。补益肝肾。用于肾虚水肿，耳鸣耳聋。

桑瘿：苦，平。归肝、胃经。祛风除湿，止痛，消肿。用于风湿痹痛，胃痛，鹤膝风。

| **用法用量** | 桑叶：内服煎汤，5 ～ 10g。

桑白皮：内服煎汤，6 ～ 12g；或入散剂。外用适量，捣汁涂或煎汤洗。肺寒无火或风寒咳嗽者禁服。

桑枝：内服煎汤，9 ～ 15g。外用适量，煎汤熏洗。

桑椹：内服煎汤，9 ～ 15g；或熬膏、浸酒、生啖；或入丸、散。外用适量，浸水洗。脾胃虚寒便溏者禁服。

桑叶露：内服 15 ～ 30g。

桑叶汁：外用适量，涂敷或点眼。

桑柴灰：内服淋汁代水煎药。外用适量，研末敷；或以沸水淋汁浸洗。

桑根：内服煎汤，15 ～ 30g。外用煎汤洗。

桑沥：内服 5 ～ 10ml。外用涂搽。

桑皮汁：外用适量，涂搽。

桑霜：内服 3 ～ 6g，冲烊入汤剂。外用适量，涂敷。

桑椹酒：内服 5 ～ 10ml。

桑瘿：内服煎汤，3 ～ 9g；或酒浸、醋磨服。

| **附 注** | 本种喜温暖湿润气候，稍耐阴。气温 12℃ 以上开始萌芽，生长适宜温度 25 ～ 30℃，超过 40℃ 则受到抑制，降到 12℃ 以下则停止生长。耐旱，不耐涝，耐瘠薄。对土壤的适应性强。通过种子、嫁接和压条繁殖。

桑科 Moraceae 桑属 *Morus*

鸡桑 *Morus australis* Poir.

| **药 材 名** | 鸡桑根（药用部位：根、根皮）。

| **形态特征** | 灌木或小乔木。树皮灰褐色；冬芽大，圆锥状卵圆形。叶卵形，长5～14cm，宽3.5～12cm，先端急尖或尾状，基部楔形或心形，边缘具粗锯齿，不分裂或3～5裂，表面粗糙，密生短刺毛，背面疏被粗毛；叶柄长1～1.5cm，被毛；托叶线状披针形，早落。雄花序长1～1.5cm，被柔毛，雄花绿色，具短梗，花被片卵形，花药黄色；雌花序球形，长约1cm，密被白色柔毛，花被片长圆形，暗绿色，花柱很长，柱头2裂，内面被柔毛。聚花果短椭圆形，直径约1cm，成熟时红色或暗紫色。花期3～4月，果期4～5月。

| **生境分布** | 生于海拔300～2000m的石灰岩山地或林缘及荒地。分布于重庆黔

鸡桑

江、城口、忠县、石柱、永川、巴南、巫山、酉阳、北碚等地。

| **资源情况** | 野生资源一般。药材主要来源于野生。

| **采收加工** | 秋末叶落时至翌年春季发芽前采挖根，刮去黄棕色粗皮，纵向剖开，剥取根皮，晒干。

| **功能主治** | 泻肺火，利小便。用于肺热咳嗽，衄血，水肿，腹泻，黄疸。

| **用法用量** | 内服煎汤，6 ~ 9g。

桑科 Moraceae 桑属 Morus

蒙桑
Morus mongolica (Bur.) Schneid.

| 药 材 名 | 桑叶（药用部位：叶）、桑白皮（药用部位：根皮）、桑椹（药用部位：果穗）。

| 形态特征 | 小乔木或灌木。树皮灰褐色，纵裂；小枝暗红色，老枝灰黑色；冬芽卵圆形，灰褐色。叶长椭圆状卵形，长 8 ~ 15cm，宽 5 ~ 8cm，先端尾尖，基部心形，边缘具三角形单锯齿，稀为重锯齿，齿尖有长刺芒，两面无毛；叶柄长 2.5 ~ 3.5cm。雄花序长 3cm，雄花被暗黄色，外面及边缘被长柔毛，花药 2 室，纵裂；雌花序短圆柱状，长 1 ~ 1.5cm，总花梗纤细，长 1 ~ 1.5cm，花被片外面上部疏被柔毛，或近无毛，花柱长，柱头 2 裂，内面密生乳头状突起。聚花果长 1.5cm，成熟时红色至紫黑色。花期 3 ~ 4 月，果期 4 ~ 5 月。

蒙桑

| **生境分布** | 生于海拔 800 ~ 1500m 的山地或林中。分布于重庆涪陵、南川、城口、巫山等地。

| **资源情况** | 野生资源稀少。药材来源于野生。

| **采收加工** | 桑叶：初霜后采收，除去杂质，晒干。

桑白皮：秋末叶落时至翌年春季发芽前采挖根，刮去黄棕色粗皮，纵向剖开，剥取根皮，晒干。

桑葚：4 ~ 6 月果实变红时采收，晒干，或略蒸后晒干。

| **功能主治** | 桑叶：苦、甘，寒。疏散风热，清肺，明目。用于风热感冒，风温初起，发热，汗出恶风，咳嗽胸痛，肺燥干咳无痰，咽干口渴，风热及肝阳上扰，目赤肿痛，痈疖，瘰疬，蜈蚣咬伤。

桑白皮：甘，寒。泻肺平喘，利水消肿。用于肺热喘咳，水饮停肺，胀满喘急，水肿，脚气，小便不利。

桑椹：甘、酸，寒。滋阴养血，生津止渴，润肠。用于肝肾不足或血虚精亏引起的头晕目眩，腰酸耳鸣，须发早白，失眠多梦，津伤口渴，消渴，肠燥便秘。

| **用法用量** | 桑叶：内服煎汤，5 ~ 10g。

桑白皮：内服煎汤，6 ~ 9g。

桑葚：内服煎汤，9 ~ 15g；或熬膏、浸酒、生啖；或入丸、散。外用适量，浸水洗。脾胃虚寒便溏者禁服。

| **附　注** | 本种的药材为来源于桑 *Morus alba* L. 的桑叶、桑白皮和桑椹的混用品。

荨麻科 Urticaceae 苎麻属 Boehmeria

序叶苎麻
Boehmeria clidemioides Miq. var. *diffusa* (Wedd.) Hand.-Mazz.

| 药 材 名 | 水火麻（药用部位：全草。别名：水苏麻、玄麻、水苎麻）。

| 形态特征 | 多年生草本或亚灌木。茎高 0.9 ~ 3m，常多分枝，上部多少密被短伏毛。叶互生，或有时茎下部少数叶对生；叶片纸质或草质，卵形、狭卵形或长圆形，长 5 ~ 14cm，宽 2.5 ~ 7cm，先端长渐尖或骤尖，基部圆形，稍偏斜，边缘自中部以上有小或粗牙齿，两面被短伏毛，上面常粗糙，基出脉 3，侧脉 2 ~ 3 对。穗状花序单生叶腋，通常雌雄异株，顶部有叶 2 ~ 4；叶狭卵形，长 1.5 ~ 6cm；团伞花序直径 2 ~ 3mm，除在穗状花序上着生外，也常生于叶腋；雄花无梗，花被片 4，椭圆形，下部合生，外面被疏毛，雄蕊 4，退化雌蕊椭圆形；雌花花被椭圆形或狭倒卵形，先端有 2 ~ 3 小齿，外面上部被短毛。花期 6 ~ 8 月。

序叶苎麻

生境分布	生于海拔 1800m 以下的山坡灌丛中或山谷水旁。分布于重庆黔江、綦江、潼南、西阳、长寿、彭水、忠县、涪陵、永川、江津、丰都、垫江、铜梁、石柱、巫溪、梁平、城口、奉节、南川等地。
资源情况	野生资源较丰富。药材来源于野生。
采收加工	秋季采收，鲜用或晒干。
功能主治	辛，温。祛风除湿。用于风湿痹痛。
用法用量	内服煎汤，3 ~ 9g；或研末。

荨麻科 Urticaceae 苎麻属 Boehmeria

细野麻
Boehmeria gracilis C. H. Wright

| 药材名 | 麦麸草（药用部位：地上部分。别名：红棉麻、野线麻、红线麻）、麦麸草根（药用部位：根）。

| 形态特征 | 亚灌木或多年生草本，高 40 ~ 120cm。茎和分枝疏被短伏毛。叶对生，叶片草质，圆卵形、菱状宽卵形或菱状卵形，长 3 ~ 7（~ 10）cm，宽 2 ~ 6（~ 7.5）cm，先端骤尖，基部圆形、圆截形或宽楔形，边缘在基部之上有牙齿（牙齿每侧 8 ~ 13，正三角形或三角形），两面疏被短伏毛；叶柄长 1 ~ 7cm，疏被短伏毛。穗状花序单生叶腋，通常雌雄异株，有时雌雄同株，不分枝，轴疏被短伏毛；团伞花序苞片狭三角形至钻形；雄花无梗，花被片 4，雄蕊 4，退化雌蕊椭圆形；雌花花被纺锤形，先端有 2 小齿，外面

细野麻

密被短伏毛,果期呈菱状倒卵形。瘦果卵球形,长约 1.2mm,基部有短柄。花期 6 ~ 8 月。

| 生境分布 | 生于海拔 1700m 以下的山坡杂草丛中、林荫下岩壁旁或沟边。分布于重庆北碚、綦江、忠县、合川、潼南、石柱、云阳、城口、涪陵、酉阳、永川、奉节、彭水、南川等地。

| 资源情况 | 野生资源较丰富。药材来源于野生。

| 采收加工 | 麦麸草:秋季采收,晒干。
麦麸草根:秋季采收,鲜用或晒干。

| 药材性状 | 麦麸草:本品茎有分枝,表面有短伏毛。叶对生,多皱缩,展平后呈卵形或宽卵形,长 2 ~ 10cm,宽 1.5 ~ 7cm,先端尾尖,基部宽楔形,边缘有粗锯齿,两面均有短粗毛;叶柄长 1 ~ 7cm。果实倒卵形,上部有少量短毛。宿存柱头丝状。气微,味涩、微苦。

| 功能主治 | 麦麸草:辛、微苦,平。祛风止痒,解毒利湿。用于皮肤瘙痒,湿毒疮疹。
麦麸草根:辛、微苦,平。活血消肿。用于跌打伤肿,痔疮肿痛。

| 用法用量 | 麦麸草:内服煎汤,6 ~ 9g。外用适量,煎汤洗。
麦麸草根:内服煎汤,6 ~ 9g。外用适量,煎汤洗。

| 附　　注 | 在 FOC 中,本种被修订为小赤麻 *Boehmeria spicata* (Thunb.) Thunb.。

荨麻科 Urticaceae 苎麻属 Boehmeria

苎麻
Boehmeria nivea (L.) Gaudich.

| 药 材 名 | 苎麻根（药用部位：根茎、根。别名：苧麻根、家麻根、苎根）、苎麻皮（药用部位：茎皮）、苎麻叶（药用部位：叶）、苎花（药用部位：花。别名：苎麻花）、苎麻梗（药用部位：茎、带叶嫩茎）。

| 形态特征 | 亚灌木或灌木，高 0.5 ~ 1.5m。茎上部与叶柄均密被开展的长硬毛和近开展和贴伏的短糙毛。叶互生，叶片草质，圆卵形或宽卵形，长 6 ~ 15cm，宽 4 ~ 11cm，先端骤尖，基部近截形或宽楔形，边缘在基部之上有牙齿，上面稍粗糙，疏被短伏毛，下面密被雪白色毡毛，侧脉约 3 对；托叶分生，背面被毛。团伞花序组成圆锥花序，腋生。雄花花被片 4，狭椭圆形，合生至中部，先端急尖，外面被疏柔毛；雄蕊 4；退化雌蕊狭倒卵球形，先端有短柱头。雌花花被椭圆形，先端有 2 ~ 3 小齿，外面被短柔毛，果期菱状倒披针形。

苎麻

瘦果近球形，长约 0.6mm，光滑，基部突缩成
细柄。花期 8 ~ 10 月。

| 生境分布 |

生于海拔 200 ~ 1700m 的低山及丘陵地带原野、
路旁或沟边。分布于重庆长寿、丰都、綦江、
北碚、黔江、潼南、万州、酉阳、秀山、涪陵、
合川、云阳、石柱、永川、城口、忠县、铜梁、
巫溪、璧山、南川、开州、九龙坡、江津、武隆、
奉节、巫山、大足、梁平、巴南、荣昌、沙坪坝、
南岸等地。

| 资源情况 |

野生资源较丰富。药材主要来源于野生，亦有
少量栽培。

| 采收加工 |

苎麻根：冬、春季采挖，除去地上茎、细根及
泥土，干燥。

苎麻皮：夏、秋季采收，剥取茎皮，鲜用或晒干。

苎麻叶：春、夏、秋季采收，鲜用或晒干。

苎花：夏季花盛期采收，鲜用或晒干。

苎麻梗：春、夏季采收，鲜用或晒干。

| 药材性状 |

苎麻根：本品根茎呈不规则圆柱形，稍弯曲，
长 8 ~ 25cm，直径 0.4 ~ 2.5cm；表面灰棕色，
有纵皱纹及横长皮孔，并有多数疣状突起、残
留细根及根痕；质硬而脆，断面纤维性，皮部
灰褐色，木部淡棕色，有的中间有数个同心环
纹，髓部棕色或中空。根略呈纺锤形，稍膨大，
长 7 ~ 15cm，直径 0.5 ~ 1.5cm；表面灰棕色，

有纵皱纹及横长皮孔；断面粉性，无髓。气微，味淡，嚼之有黏性。

苎麻皮：本品为长短不一的条片，皮甚薄，粗皮易脱落或有少量残留，粗皮绿棕色，内皮白色或淡灰白色。质软，韧性强，曲而不断。气微，味淡。

苎麻叶：本品多皱缩，全体绿棕色，有毛，叶片展平后呈宽卵形，长 6 ～ 15cm，宽 5 ～ 10cm，先端渐尖，基部近圆形或宽楔形，边缘有粗齿，基出脉 3，上面微凹，下面微隆起。叶柄较长，长达 7cm。气微，味微辛、微苦。

苎花：本品雄花序为圆锥花序，多干缩成条状，花小，淡黄色，花被片 4，雄蕊 4；雌花序簇成球形，淡绿黄色，花小，花被片 4，紧抱子房，花柱 1。质柔软。气微香，味微辛、微苦。

苎麻梗：本品茎圆柱形，有粗毛，体较轻，质韧，皮部易纵向撕裂，韧性足，断面淡黄色，中央为髓。叶对生，多皱缩或破碎，绿棕色，完整者展平后呈宽卵形，长 6 ～ 15cm，宽 5 ～ 10cm，先端渐尖，基部近圆形或宽楔形，边缘有粗齿；基出脉 3，叶背微隆起，两面均有毛；叶柄较长，长达 7cm。气微，味微辛、微苦。

| 功能主治 | 苎麻根：甘，寒。归心、肝、肾、膀胱经。止血，安胎。用于胎动不安，先兆流产，尿血。外用于痈肿初起。

苎麻皮：甘，寒。归胃、膀胱、肝经。清热凉血，散瘀止血，解毒利尿，安胎回乳。用于瘀热心烦，天行热病，产后血晕、腹痛，跌打损伤，创伤出血，血淋，小便不通，肛门肿痛，胎动不安，乳房胀痛。

苎麻叶：甘、微苦，寒。归肝、心经。凉血止血，散瘀消肿，解毒。用于咯血，吐血，血淋，尿血，月经过多，外伤出血，跌打肿痛，脱肛，丹毒，疮肿，乳痈，湿疹，蛇虫咬伤。

苎花：甘，寒。清心除烦，凉血透疹。用于心烦失眠，口舌生疮，麻疹透发不畅，风疹瘙痒。

苎麻梗：甘，微寒。散瘀，解毒。用于金疮折损，痘疮，痈肿，丹毒。

| 用法用量 | 苎麻根：内服煎汤，9 ～ 30g；或捣汁。外用适量，捣敷；或煎汤熏洗。无实热者慎服。

苎麻皮：内服煎汤，3 ～ 15g；或酒煎。外用适量，捣敷。

苎麻叶：内服煎汤，10 ～ 30g；或研末；或鲜品捣汁。外用适量，研末掺；或鲜品捣敷。脾胃虚寒者慎服。

苎花：内服煎汤，6 ～ 15g。

苎麻梗：内服煎汤，6 ~ 15g；或入丸、散。外用适量，研末调敷；或鲜品捣敷。

| **附　注** | 本种喜温暖湿润气候，发芽适宜气温 22 ~ 25℃，生长最适温度为 23 ~ 30℃，气温在 8℃以下时幼苗停止生长，在 0℃以下时苗易冻死。年平均降水量 800 ~ 1000mm，平均相对湿度 80% 左右最为适宜。怕风，忌渍水。对土壤适应性强，以土层深厚、疏松肥沃、富含腐殖质、排水良好、土壤 pH 5.5 ~ 6.5 的砂壤土或黏壤土栽培为宜。采用种子、分根、扦插、压条、分株方式繁殖，亦可用组织培养方法培育试管苗。

荨麻科 Urticaceae 苎麻属 *Boehmeria*

悬铃叶苎麻
Boehmeria tricuspis (Hance) Makino

| 药 材 名 | 赤麻（药用部位：根、嫩茎叶）、山麻根（药用部位：根。别名：龟叶麻根）。

| 形态特征 | 亚灌木或多年生草本。茎高 50 ~ 150cm，中部以上与叶柄和花序轴密被短毛。叶对生，稀互生；叶片纸质，扁五角形或扁圆卵形，茎上部叶常为卵形，长 8 ~ 12（~ 18）cm，宽 7 ~ 14（~ 22）cm，顶部 3 骤尖或 3 浅裂，基部截形、浅心形或宽楔形，边缘有粗牙齿，上面粗糙，被糙伏毛，下面密被短柔毛，侧脉 2 对；叶柄长 1.5 ~ 6（~ 10）cm。穗状花序单生叶腋，或同一植株的全为雌性，或茎上部的为雌性，其下的为雄性，雌的长 5.5 ~ 24cm，分枝呈圆锥状或不分枝，雄的长 8 ~ 17cm，分枝呈圆锥状；团伞花序直径 1 ~ 2.5mm。雄花花被片 4，椭圆形，长约 1mm，下部合生，外面上部疏被短毛；

悬铃叶苎麻

雄蕊 4，长约 1.6mm，花药长约 0.6mm；退化雌蕊椭圆形，长约 0.6mm。雌花花被椭圆形，长 0.5 ～ 0.6mm，齿不明显，外面被密柔毛，果期呈楔形至倒卵状菱形，长约 1.2mm；柱头长 1 ～ 1.6mm。花期 7 ～ 8 月。

| 生境分布 | 生于海拔 500 ～ 1400m 山谷疏林下、沟边或田边。分布于重庆黔江、丰都、城口、酉阳、巫山、武隆、彭水、秀山、南川等地。

| 资源情况 | 野生资源丰富。药材来源于野生。

| 采收加工 | 赤麻：春、秋季采挖根，夏、秋季采收叶，洗净，鲜用或晒干。
山麻根：秋季采挖根，洗净，晒干或鲜用。

| 药材性状 | 山麻根：本品呈圆柱形，略弯曲，直径 1 ～ 2cm。表面暗赤色，有较多的点状突起及须根痕。质硬，断面棕白色，有较细密的放射状纹理。水浸略有黏性。气微，味微辛、微苦、涩。

| 功能主治 | 赤麻：涩、微苦，平。收敛止血，清热解毒。用于咯血，衄血，尿血，便血，崩漏，跌打损伤，无名肿毒，疮疡。
山麻根：微苦、辛，平。活血止血，解毒消肿。用于跌打损伤，胎漏下血，痔疮肿痛，疖肿。

| 用法用量 | 赤麻：内服煎汤，6 ～ 15g。外用适量，捣敷；或研末调涂。
山麻根：内服煎汤，6 ～ 15g；或浸酒。外用适量鲜品，捣敷；或煎汤洗。

荨麻科 Urticaceae 微柱麻属 Chamabainia

微柱麻
Chamabainia cuspidata Wight

| 药 材 名 | 虫蚁菜（药用部位：全草。别名：张麻、止血草）。

| 形态特征 | 多年生草本。茎直立或渐升，高 12 ~ 60cm，不明显四棱形，有 4 浅纵沟，不分枝或分枝，被短曲柔毛，有时还混生开展的长柔毛，在上部毛较密。叶对生，叶片草质，菱状卵形或卵形，稀狭卵形，长 1 ~ 6.5cm，宽 0.6 ~ 3cm，先端通常骤尖，稀短渐尖或急尖，基部宽楔形，边缘在下部全缘，其上每侧有小牙齿 3 ~ 10，两面均被稀疏的短柔毛，侧脉约 2 对；叶柄长 2 ~ 10mm；托叶膜质，斜三角形，长 4 ~ 6mm，常包围团伞花序，中肋在先端伸出成短尖头。团伞花序单性，雌雄异株，通常雌雄同株，茎顶部为雄性，其下为雌性，有多数密集的花；雄花序的苞片卵形、三角形至披针形，长 1 ~ 1.5mm，雌苞片极小，钻形或狭披针形，长 0.6 ~ 1mm。雄

微柱麻

花花梗长达 3mm；花被片 3 ~ 4，狭椭圆形，长 1.5 ~ 2mm，合生至中部，先端尾状渐尖，外面上部被疏毛，在先端之下有短角状突起；雄蕊 3 ~ 4，长约 2mm；退化雌蕊倒卵形或长椭圆形，长约 0.3mm。雌花花被椭圆形或倒卵形，长 0.6 ~ 0.8mm，顶部被短毛，果期菱状宽倒卵形或倒卵形，长 1 ~ 1.2mm，周围有狭翅；柱头长约 0.2mm。瘦果近椭圆状球形，长约 1mm，暗褐色，稍带光泽。花期 6 ~ 8 月。

| **生境分布** | 生于海拔 1000 ~ 2400m 的山地林下或沟边。分布于重庆黔江、涪陵、开州、南川、武隆、巫山、奉节等地。

| **资源情况** | 野生资源稀少。药材来源于野生。

| **采收加工** | 夏、秋季采收，鲜用或晒干。

| **功能主治** | 微酸、苦，平。止血生肌，除湿止痢。用于外伤出血，痢疾，胃腹疼痛。

| **用法用量** | 内服煎汤，10 ~ 20g。外用适量，捣敷。

荨麻科 Urticaceae 水麻属 Debregeasia

长叶水麻

Debregeasia longifolia (Burm. f.) Wedd.

| **药 材 名** | 长叶水麻（药用部位：茎叶）。

| **形态特征** | 小乔木或灌木。小枝密被伸展的灰色或褐色的微粗毛，以后渐脱落。叶纸质或薄纸质，长圆状披针形或倒卵状披针形，长 9 ~ 18cm，宽 2 ~ 5cm，边缘具细牙齿或细锯齿，上面疏生细糙毛，有泡状隆起，下面在脉网内被 1 层灰白色的短毡毛，在脉上密生灰色或褐色粗毛；叶柄长 1 ~ 3（~ 4）cm，毛被同幼枝；托叶长圆状披针形，先端 2 裂至上部的近 1/3 处，背面被短柔毛。花序雌雄异株，生于当年生枝、上年生枝和老枝的叶腋，2 ~ 4 回二歧分枝，在花枝最上部的常二叉分枝或单生，花序轴上密被伸展的短柔毛，团伞花簇直径 3 ~ 4mm；雄花花被片 4，在中部合生，三角状卵形，背面稀疏的贴生细毛，雄蕊 4；雌花倒卵珠形，花被薄膜质，倒卵珠形，

长叶水麻

先端 4 齿，包被雌蕊而离生。瘦果带红色或金黄色，干时变铁锈色，葫芦状，下半部紧缩成柄，宿存花被与果实贴生。花期 7 ~ 9 月，果期 9 月至翌年 2 月。

| **生境分布** | 生于海拔 150 ~ 1000m 的山谷、溪边两岸灌丛中或森林中的湿润处，有时在向阳干燥处也有生长。分布于重庆巫山、巫溪、奉节、黔江、彭水、石柱、万州、忠县、丰都、涪陵、南川、綦江、江津、北碚、巴南等地。

| **资源情况** | 野生资源一般。药材来源于野生。

| **采收加工** | 全年均可采收，鲜用或晒干。

| **功能主治** | 辛、苦，凉。祛风止咳，清热利湿。用于伤风感冒，咳嗽，热痹，膀胱炎，无名肿毒，牙痛。

| **用法用量** | 内服煎汤，9 ~ 15g。外用适量，鲜品捣敷。

水麻
Debregeasia orientalis C. J. Chen

| 药 材 名 | 冬里麻（药用部位：枝叶。别名：红烟、柳梅、水麻根）、冬里麻根（药用部位：根、根皮。别名：水麻柳根）。

| 形态特征 | 灌木，高 1 ~ 4m。小枝常被贴生的白色短柔毛。叶纸质或薄纸质，长圆状狭披针形或条状披针形，长 5 ~ 18cm，宽 1 ~ 2.5cm，边缘有不等的细锯齿或细牙齿，上面常有泡状隆起，疏生短糙毛，钟乳体点状，背面被毡毛，在脉上疏生短柔毛；细脉结成细网，各级脉在背面凸起；叶柄短，毛被同幼枝；托叶披针形，长 6 ~ 8mm，先端浅 2 裂，背面纵肋上疏生短柔毛。花序雌雄异株，生于上年生枝和老枝的叶腋，2 回二歧分枝或二叉分枝，具短梗或无梗，长 1 ~ 1.5cm，每分枝的先端各生 1 球状团伞花簇；雄花花被片 4，在下部合生，裂片三角状卵形，雄蕊 4。瘦果小浆果状，倒卵形，

水麻

长约 1mm，宿存花被肉质，紧贴生于果实。花期 3 ～ 4 月，果期 5 ～ 7 月。

| **生境分布** | 生于丘陵、低山溪边或林边。分布于重庆城口、巫溪、开州、奉节、酉阳、南川、涪陵等地。

| **资源情况** | 野生资源一般。药材来源于野生。

| **采收加工** | 冬里麻：夏、秋季采收，鲜用或晒干。
冬里麻根：夏、秋季采收，洗净，鲜用或晒干。

| **药材性状** | 冬里麻：本品嫩茎枝短细，先端常有小芽，灰褐色，密生短毛。叶皱缩，展平后呈披针形或狭披针形，长 3 ～ 16cm，宽 1 ～ 2.5cm，先端渐尖，基部楔形或圆形，边缘有细锯齿，上面粗糙，下面密被白色毛，侧脉 5 ～ 6 对；叶柄长 0.3 ～ 1cm，有短毛；托叶卵状披针形。气微，味微甘。

| **功能主治** | 冬里麻：辛、微苦，凉。疏风止咳，清热透疹，化瘀止血。用于外感咳嗽，咯血，小儿急惊风，麻疹不透，跌打伤肿，妇女腹中包块，外伤出血。
冬里麻根：微苦、辛，平。祛风除湿，活血止痛，解毒消肿。用于风湿痹痛，跌打伤肿，骨折，外伤出血，疮痈肿毒。

| **用法用量** | 冬里麻：内服煎汤，15 ～ 30g；或捣汁。外用适量，研末调敷；或鲜品捣敷；或煎汤洗。
冬里麻根：内服煎汤，9 ～ 15g。外用适量，研末撒；或鲜品捣敷。

荨麻科 Urticaceae 楼梯草属 *Elatostema*

星序楼梯草
Elatostema asterocephalum W. T. Wang

| 药 材 名 | 星序楼梯草（药用部位：根。别名：星花楼梯草）。

| 形态特征 | 多年生小草本。茎高 10 ~ 14cm，不分枝，无毛。叶无柄或具极短柄，无毛；叶片草质，斜椭圆形或斜狭倒卵形，先端骤尖或渐尖，基部在狭侧楔形，在宽侧近耳形，边缘在中部之上有浅牙齿，钟乳体明显或不明显，托叶钻形。花序雌雄同株或异株。雄花序单生茎顶叶腋，无梗；花序托不明显；苞片 2，三角状卵形，先端渐尖，外面先端之下有短角状突起，无毛；小苞片船状卵形，外面先端之下有短角状突起，无毛；雄花花被片狭长圆形，基部合生，外面先端被短柔毛，雄蕊退化不存在。雌花序无梗，直径约 4mm；花序托小，有多数苞片；

星序楼梯草

苞片狭三角形或条状披针形，先端有短突起，上部疏被睫毛；小苞片披针状条形，先端有短突起，疏被睫毛。花期 2 ~ 3 月。

| **生境分布** | 生于海拔 400 ~ 1600m 的溪边杂林下或岩壁上。分布于重庆南川、武隆等地。

| **资源情况** | 野生资源稀少。药材来源于野生。

| **采收加工** | 夏、秋季采收，鲜用或晒干。

| **功能主治** | 微苦，寒。清热消炎，拔毒。用于无名肿毒。

| **用法用量** | 内服煎汤，6 ~ 15g。外用适量，鲜品捣敷。

荨麻科 Urticaceae 楼梯草属 *Elatostema*

骤尖楼梯草
Elatostema cuspidatum Wight

| 药 材 名 | 骤尖楼梯草（药用部位：全草。别名：半边扇、冷水草）。

| 形态特征 | 多年生草本。茎高 25 ～ 90cm，不分枝或有少数分枝，无毛。叶片草质，斜椭圆形或斜长圆形，长 4.5 ～ 13.5（～ 23）cm，宽 1.8 ～ 5（～ 8）cm，先端骤尖或长骤尖，基部在宽侧宽楔形、圆形或近耳形，在宽侧自基部之上有尖牙齿，无毛或上面疏被短伏毛，钟乳体稍明显，密，半离基三出脉，侧脉在宽侧 3 ～ 5；托叶白色，条形或条状披针形，长 5 ～ 10（～ 20）mm，宽 2 ～ 3mm，中脉绿色。雄花序具短梗，花序梗长 1.5 ～ 4mm；花序托长圆形或近圆形。雌花序具极短梗，花序托椭圆形或近圆形；苞片多数，先端有细角状突起；小苞片多数，密集；雌花花被片不明显。瘦果狭椭圆状球形，长约 1mm，约有 8 纵肋。花期 5 ～ 8 月。

骤尖楼梯草

| **生境分布** | 生于海拔 400 ~ 2000m 的山谷沟边石隙或林下。分布于重庆黔江、酉阳、綦江、云阳、丰都、开州、南岸、石柱、南川、北碚等地。

| **资源情况** | 野生资源一般。药材来源于野生。

| **采收加工** | 夏、秋季采收，鲜用或晒干。

| **功能主治** | 祛风除湿，清热解毒。

| **用法用量** | 内服煎汤，6 ~ 15g。外用适量，鲜品捣敷。

荨麻科 Urticaceae 楼梯草属 Elatostema

锐齿楼梯草

Elatostema cyrtandrifolium (Zoll. et Mor.) Miq.

| 药 材 名 | 毛叶楼梯草（药用部位：全草。别名：米烧）。

| 形态特征 | 多年生草本。茎高 14 ~ 40cm，疏被短柔毛或无毛。叶片草质或膜质，斜椭圆形或斜狭椭圆形，长 5 ~ 12cm，宽 2.2 ~ 4.7cm，先端长渐尖或渐尖（渐尖头全缘），基部在宽侧宽楔形或圆形，边缘在基部之上有牙齿，上面散生少数短硬毛，下面沿中脉及侧脉被少数短毛或变无毛，钟乳体稍明显，密，长 0.2 ~ 0.4mm，具半离基三出脉或三出脉；托叶狭披针形或钻形，长约 4mm。花序雌雄异株。雄花序单生叶腋；花序梗长约 6mm；花序托直径约 6mm，2 浅裂；苞片大，约 5，宽卵形。雌花序近无梗或有短梗；花序托宽椭圆形或椭圆形；苞片多有角状突起；小苞片多数，密集，条状披针形或匙形。瘦果长约 0.8mm，有纵肋。花期 4 ~ 9 月。

锐齿楼梯草

| **生境分布** | 生于海拔 450 ～ 1400m 的山谷溪边石上、山洞中或林中。分布于重庆綦江、丰都、巫溪、南川、巴南、北碚等地。

| **资源情况** | 野生资源一般。药材来源于野生。

| **采收加工** | 夏、秋季采收，鲜用或晒干。

| **功能主治** | 祛风除湿，解毒杀虫。用于风湿痹痛，痈肿，疥疮。

| **用法用量** | 内服煎汤，9 ～ 15g。外用适量，鲜品捣敷；或煎汤洗。

荨麻科 Urticaceae 楼梯草属 Elatostema

梨序楼梯草

Elatostema ficoides Wedd.

| 药 材 名 | 梨序楼梯草（药用部位：全草。别名：果序楼梯草）。

| 形态特征 | 多年生草本。茎高 45 ～ 100cm，不分枝或分枝。叶具短柄或无柄；叶片薄草质，斜倒披针状长圆形、斜长圆形或狭椭圆形，长 10 ～ 23cm，宽 3.5 ～ 8cm，先端凸渐尖，基部在狭侧狭楔形，宽侧圆形或耳形，边缘在基部之上有密牙齿，散生少数短糙毛，叶脉羽状；叶柄无毛；托叶膜质，条形或披针状条形。花序雌雄同株或异株。雄花序单生或与雌花序同生叶腋，有长梗，花序梗无毛；小苞片多数，条形或狭条形，疏被睫毛。雄花有短梗，无毛；花被片 4 ～ 5，长圆形，下部合生，外面先端之下有短突起；雄蕊 4 ～ 5；退化雌蕊小，长约 0.2mm。雌花序常成对生茎上部叶腋，无梗，近圆形；花序托明显，边缘有多数苞片；苞片正三角形、狭卵形或三角形，边缘有疏睫毛；

梨序楼梯草

小苞片多数，密集，狭条形或匙状条形。雌花子房椭圆形，柱头小。花期8～9月。

| **生境分布** | 生于海拔 250～2000m 的山谷林中、灌丛中、沟边阴湿处或溪边杂木林下。分布于重庆巫山、巫溪、城口、黔江、石柱、南川等地。

| **资源情况** | 野生资源稀少。药材来源于野生。

| **采收加工** | 夏、秋季采收，晒干。

| **功能主治** | 微苦，凉。祛风除湿。用于风湿疼痛，四肢麻木。

| **用法用量** | 内服煎汤，6～15g。

荨麻科 Urticaceae 楼梯草属 Elatostema

宜昌楼梯草
Elatostema ichangense H. Schröter

| 药 材 名 | 宜昌楼梯草（药用部位：根、叶。别名：石螃蟹）。

| 形态特征 | 多年生草本。茎高约 25cm，不分枝，无毛。叶无毛；叶片草质或薄纸质，斜倒卵状长圆形或斜长圆形，长 6 ~ 12.4cm，宽 2 ~ 3cm，先端尾状渐尖（渐尖部分全缘），基部在宽侧钝或圆形，边缘下部或中部之下全缘，其上有浅牙齿，钟乳体密，长 0.2 ~ 0.4mm，半离基三出脉或近三出脉；托叶条形或长圆形，长 2 ~ 3.5mm。雄花序无梗或近无梗；花序托小；苞片约 6，长 3 ~ 4mm，2 片较大，其先端的角状突起长 3.5 ~ 7mm，其他的较小。雌花序有梗，花序梗长达 4mm；花序托近方形或长方形；苞片三角形，或宽或扁三角形，长 0.5 ~ 1mm，先端有角状突起；小苞片多数，密集。瘦果长约 0.6mm，约有 8 纵肋。花期 8 ~ 9 月。

宜昌楼梯草

| **生境分布** | 生于海拔 300 ～ 1300m 的山地常绿阔叶林中或石上。分布于重庆云阳、巫溪、石柱、彭水、酉阳、南川、江津、北碚等地。 |

| **资源情况** | 野生资源一般。药材来源于野生。 |

| **采收加工** | 全年均可采收，鲜用或晒干。 |

| **功能主治** | 微苦，凉。清热解毒，调经止痛。用于痈疽疮毒，月经不调，痛经。 |

| **用法用量** | 内服煎汤，6 ～ 15g。外用适量，鲜品捣敷。 |

荨麻科 Urticaceae 楼梯草属 Elatostema

楼梯草
Elatostema involucratum Franch. et Sav.

| 药 材 名 | 楼梯草（药用部位：全草。别名：细水麻叶、赤车使者、养血草）、楼梯草根（药用部位：根茎。别名：龙含珠根）。

| 形态特征 | 多年生草本。茎高 25 ～ 60cm，不分枝或有 1 分枝，无毛。叶片草质，斜倒披针状长圆形或斜长圆形，长 4.5 ～ 16cm，宽 2.2 ～ 4.5cm，先端骤尖（骤尖部分全缘），基部在狭侧楔形，在宽侧圆形或浅心形，边缘有牙齿，上面被少数短糙伏毛，下面无毛或沿脉被短毛，钟乳体长 0.3 ～ 0.4mm；叶脉羽状，侧脉每侧 5 ～ 8；托叶狭条形或狭三角形，长 3 ～ 5mm。雄花序梗长 7 ～ 20mm；花序托不明显；苞片少数，狭卵形或卵形。雄花花被片 5，长约 1.8mm，下部合生，先端之下有不明显突起。雌花序具极短梗；花序托通常很小，周围有卵形苞片。瘦果卵球形，长约 0.8mm，有少数不明显纵肋。花期 5 ～ 10 月。

楼梯草

| **生境分布** | 生于海拔 200 ~ 2000m 的山谷沟边石上、林中或灌丛中。分布于重庆大足、潼南、石柱、江津、北碚、奉节、秀山、城口、铜梁、酉阳、南川、璧山、涪陵、巫溪、云阳、永川、巫山、合川、巴南、开州、丰都等地。

| **资源情况** | 野生资源丰富。药材来源于野生。

| **采收加工** | 楼梯草：春、夏、秋季采割，洗净，切碎，鲜用或晒干。
楼梯草根：夏、秋季采挖，除去茎叶及须根，洗净，晒干。

| **药材性状** | 楼梯草：本品茎长约40cm。叶皱缩，展平后呈斜长椭圆形，先端尖锐，带尾状，基部斜，半圆形，边缘中部以上有粗锯齿。聚伞花序常集成头状；雄花 1 ~ 10 朵簇生，花序有柄；雌花 8 ~ 12 朵簇生，无柄。瘦果卵形，细小。气微，味微苦。

| **功能主治** | 楼梯草：微苦，微寒。归大肠、肝、脾经。清热解毒，祛风除湿，利水消肿，活血止痛。用于赤白痢，高热惊风，黄疸，风湿痹痛，水肿，淋证，经闭，疮肿，疟腮，带状疱疹，毒蛇咬伤，跌打损伤，骨折。
楼梯草根：微辛，微寒；有小毒。活血止痛。用于跌打损伤，筋骨疼痛。

| **用法用量** | 楼梯草：内服煎汤，6 ~ 9g。外用适量，鲜品捣敷；或捣烂和酒揉擦。孕妇慎服。
楼梯草根：内服煎汤，6 ~ 9g；或泡酒。

荨麻科 Urticaceae 楼梯草属 Elatostema

南川楼梯草 *Elatostema nanchuanense* W. T. Wang

| 药 材 名 | 南川楼梯草（药用部位：全草。别名：大叶楼梯草）。

| 形态特征 | 多年生草本。茎高 33 ~ 40cm，不分枝，疏被柔毛。叶具短柄或无柄；叶片草质，上部叶斜长圆形或斜狭长圆形，下部叶较小，先端渐尖至尾状，基部斜楔形，边缘密生牙齿或小牙齿，上面散生少数糙毛，下面沿中脉及侧脉被短伏毛，钟乳体明显，叶脉羽状；托叶膜质，披针形。花序雌雄同株或异株，成对腋生。雄花序具极短梗；花序托椭圆形，中部稍 2 浅裂，边缘有扁圆卵形苞片，后者顶部有突起；小苞片匙状倒梯形或船状长圆形，呈船形时，外面先端之下有短突起。雄花具梗，花被片 5，狭椭圆形，基部合生，有角状突起，无毛；雄蕊 5。雌花序具短梗或无梗，有多数花；苞片正三角形或宽卵形，先端有钻形骤尖头，有睫毛；小苞片匙状条形。瘦果狭卵

南川楼梯草

球形或椭圆状球形。花期 6 月。

| **生境分布** | 生于海拔 600 ～ 1200m 的阴湿杂木林下。分布于重庆南川、武隆等地。

| **资源情况** | 野生资源稀少。药材来源于野生。

| **采收加工** | 夏、秋季采收，鲜用或晒干。

| **功能主治** | 微苦，寒。拔毒消肿，止血。用于无名肿毒，外伤出血。

| **用法用量** | 内服煎汤，6 ～ 15g。

荨麻科 Urticaceae 楼梯草属 Elatostema

托叶楼梯草
Elatostema nasutum Hook. f.

| 药 材 名 | 托叶楼梯草（药用部位：全草。别名：托叶冷水花、冷草、小冷草）。

| 形态特征 | 多年生草本。茎直立或渐升，高16 ~ 40cm，不分枝或分枝，无毛。叶具短柄；叶片草质，干时常变黑，斜椭圆形或斜椭圆状卵形，长3.5 ~ 9（ ~ 15.5）cm，宽（2 ~ ）3.5 ~ 6cm，先端渐尖（渐尖部分全缘），基部在狭侧近楔形，在宽侧心形或近耳形，边缘在狭侧中部之上、在宽侧基部之上有牙齿，无毛或上面疏被少数短硬伏毛，钟乳体不太明显，稀疏或稍密，长0.2 ~ 0.4mm，叶脉三出，稀半离基三出，侧脉在狭侧约1，在宽侧约3；叶柄长1 ~ 4mm，无毛；托叶膜质，狭卵形至条形，长9 ~ 18mm，宽1.5 ~ 4.5mm，无毛。花序雌雄异株。雄花序有梗，直径4 ~ 10mm，有多数密集的花；花序梗长0.3 ~ 3.6cm，无毛；花序托小；苞片约6，船状卵形，长

托叶楼梯草

2 ～ 5mm，先端有角状突起，近无毛或有短睫毛；小苞片长 1.5 ～ 3mm，似苞片或条形，有睫毛，先端有长或短的角状突起。雄花无毛，花梗长达 2.5mm；花被片 4，船状椭圆形，长约 1.2mm，基部合生，外面先端之下有角状突起；雄蕊 4；退化雌蕊长达 0.1mm。雌花序无梗或具极短梗，直径 3 ～ 9mm，有多数密集的花；花序托明显，周围有苞片；苞片正三角形，长约 3mm，先端有长角状突起，被睫毛；小苞片狭长圆形，长约 2mm，先端有角状突起。瘦果椭圆状球形，长 0.8 ～ 1mm，约有 10 纵肋。花期 7 ～ 10 月。

| **生境分布** | 生于海拔 600 ～ 2400m 的山地林下或草坡阴处。分布于重庆丰都等地。

| **资源情况** | 野生资源稀少。药材来源于野生。

| **采收加工** | 夏、秋季采收，鲜用或晒干。

| **功能主治** | 苦，寒。清热解毒，接骨。用于骨髓炎。

| **用法用量** | 内服煎汤，6 ～ 9g。外用适量，鲜品捣敷。

荨麻科 Urticaceae 楼梯草属 Elatostema

钝叶楼梯草 Elatostema obtusum Wedd.

| 药 材 名 | 钝叶楼梯草（药用部位：全草。别名：细叶倒老嫩）。

| 形态特征 | 草本。茎平卧或渐升，长 10 ~ 40cm，分枝或不分枝，有反曲的短糙毛。叶无柄或具极短柄；叶片草质，斜倒卵形或斜倒卵状椭圆形，先端钝，基部在狭侧楔形；托叶披针状狭条形，长约 2mm。花序雌雄异株。雄花序有梗，有花 3 ~ 7；花序梗无毛；花序托极小；苞片 2，卵形，被短毛。雄花花被片 4，倒卵形，长约 3mm，基部合生，外面被疏毛；雄蕊 4，花药长约 0.8mm，基部叉开；退化雌蕊三角形。雌花序无梗，生茎上部叶腋；苞片 2，狭长圆形、披针形或狭卵形，外面被疏毛，常骤尖。雌花花被不明显；子房狭长圆形；退化雄蕊 5，近圆形。瘦果狭卵球形，稍扁，光滑。花期 6 ~ 9 月。

钝叶楼梯草

| **生境分布** | 生于海拔 500 ~ 2000m 的溪谷阴湿林下，常与苔藓同生。分布于重庆开州、石柱、酉阳、南川、巫山、巫溪、城口、黔江等地。 |

| **资源情况** | 野生资源稀少。药材来源于野生。 |

| **采收加工** | 春、夏、秋季采割，洗净，切碎，鲜用或晒干。 |

| **功能主治** | 清热利湿。 |

| **用法用量** | 内服煎汤，6 ~ 9g。 |

荨麻科 Urticaceae 楼梯草属 Elatostema

樱叶楼梯草
Elatostema prunifolium W. T. Wang

| **药 材 名** | 樱叶楼梯草（药用部位：全草）。

| **形态特征** | 多年生草本。茎高 27 ~ 36cm，不分枝或分枝，无毛。叶无柄；叶片草质，斜长圆形，长 5 ~ 11cm，宽 1.6 ~ 3.8cm，先端长渐尖，基部在狭侧楔形，在宽侧近耳形，边缘自基部之上密生锯齿或小牙齿，上面散生短糙伏毛，下面沿脉网疏被短毛或变无毛，钟乳体明显，叶脉羽状；托叶膜质，狭卵形至狭披针形，无毛。雄花序成对腋生，有梗，直径 4 ~ 6mm，二叉状分枝，枝短，其先端有密集的花；花序梗长 3 ~ 6mm，疏被短柔毛；苞片狭长圆形或条形，外面先端之下有长 0.5 ~ 2mm 的角状突起，被短睫毛。雄花有梗，花被片 4 ~ 5，稍不等大，椭圆形或狭椭圆形，下部合生；雄蕊 4 ~ 5。4 月开花。

樱叶楼梯草

生境分布	生于海拔 250 ～ 800m 的溪边阴湿杂木林下。分布于重庆武隆、江津、南川等地。
资源情况	野生资源稀少。药材来源于野生。
采收加工	夏、秋季采收，鲜用或晒干。
功能主治	辛，寒。活血祛瘀，除湿。用于跌打瘀血，风湿麻木。
用法用量	内服煎汤，6 ～ 9g。外用适量，鲜品捣敷。

荨麻科 Urticaceae 楼梯草属 *Elatostema*

对叶楼梯草

Elatostema sinense H. Schroter

| 药 材 名 | 对叶楼梯草（药用部位：全草。别名：对叶倒老嫩）。

| 形态特征 | 多年生草本。茎高 20 ~ 40cm，不分枝，上部稍密被向下反曲的短毛。叶具短柄或近无柄；叶片草质，斜椭圆形至斜长圆形，长 3.5 ~ 9.5cm，宽 1.5 ~ 2.8cm，先端渐尖或尾状渐尖，基部在狭侧楔形，在宽侧宽楔形、圆形或近耳形，边缘有牙齿；叶柄长 1 ~ 3mm；托叶披针状条形或披针形；退化叶小，椭圆形，全缘或有少数齿。花序雌雄异株。雄花序腋生；花序托极小或不存在；花序梗被疏毛或无毛；苞片数个，宽卵形或宽倒卵形，被短睫毛，外面先端之下有或无短突起；小苞片多数，膜质，长圆形或条形，上部被短睫毛。雄花花梗无毛；花被片 5，狭椭圆形，基部合生，外面无突起，先端被疏短毛；雄蕊 5；退化雄蕊长约 0.1mm。雌花序具极短梗，有多数花；花序托小，近

对叶楼梯草

椭圆形；花序梗长约 1mm；外方 2 苞片正三角形，被疏睫毛，其他花序边缘的苞片狭三角形，长约 1.2mm，所有苞片在外面先端之下均有短突起；小苞片多数，密集，匙状条形，上部被长睫毛。瘦果卵球形。花期 6 ～ 9 月。

| 生境分布 | 生于海拔 500 ～ 2000m 的溪边阔叶林下。分布于重庆綦江、江津、开州、巴南、城口等地。

| 资源情况 | 野生资源一般。药材来源于野生。

| 采收加工 | 夏、秋季采收，鲜用或晒干。

| 功能主治 | 辛、微苦，平。祛风除湿。用于风湿性关节炎，黄疸，水肿。

| 用法用量 | 内服煎汤，6 ～ 9g。

庐山楼梯草 *Elatostema stewardii* Merr.

| 药 材 名 | 乌骨麻（药用部位：全草或根茎。别名：接骨草、白龙骨、冷坑青）。

| 形态特征 | 多年生草本。茎高 24 ～ 40cm，不分枝，无毛或近无毛，常具球形或卵球形珠芽。叶具短柄；叶片草质或薄纸质，斜椭圆状倒卵形、斜椭圆形或斜长圆形，长 7 ～ 12.5cm，宽 2.8 ～ 4.5cm，先端骤尖，基部在狭侧楔形或钝，在宽侧耳形或圆形，边缘下部全缘，其上有牙齿，无毛或上面散生短硬毛，钟乳体明显，密，长 0.1 ～ 0.4mm，叶脉羽状，侧脉在狭侧 4 ～ 6，在宽侧 5 ～ 7；叶柄长 1 ～ 4mm，无毛；托叶狭三角形或钻形，长约 4mm，无毛。花序雌雄异株，单生叶腋。雄花序具短梗，直径 7 ～ 10mm；花序梗长 1.5 ～ 3mm；花序托小；苞片 6，外方 2 较大，宽卵形，长 2mm，宽 3mm，先端有长角状突起，其他苞片较小，先端有短突起；小苞片膜质，宽条形至狭条形，

庐山楼梯草

长 2 ~ 3mm，被疏睫毛。雄花花被片 5，椭圆形，长约 1.8mm，下部合生，外面先端之下有短角状突起，有被睫毛；雄蕊 5；退化雌蕊极小。雌花序无梗；花序托近长方形，长约 3mm；苞片多数，三角形，长约 0.5mm，密被短柔毛，较大的具角状突起；小苞片密集，匙形或狭倒披针形，长 0.5 ~ 0.8mm，边缘上部密被短柔毛。瘦果卵球形，长约 0.6mm，纵肋不明显。花期 7 ~ 9 月。

| **生境分布** | 生于海拔 580 ~ 1400m 的山谷沟边或林下。分布于重庆黔江、垫江、忠县、云阳、涪陵、酉阳、丰都、城口、巫溪、大足等地。

| **资源情况** | 野生资源丰富。药材来源于野生。

| **采收加工** | 夏、秋季采集，鲜用或晒干。

| **药材性状** | 本品根茎呈不规则圆柱形，多分枝，长 3 ~ 10cm。表面淡紫红色，有结节，并有多数须根痕。断面暗紫红色，具 6 ~ 7 个维管束。气微，味辛而苦。

| **功能主治** | 苦、辛，温。活血祛瘀，解毒消肿，止咳。用于跌打扭伤，骨折，闭经，风湿痹痛，疟腮，带状疱疹，疮肿，毒蛇咬伤，咳嗽。

| **用法用量** | 内服煎汤，鲜品 10 ~ 30g。外用适量，鲜品捣敷。

荨麻科 Urticaceae 楼梯草属 Elatostema

赤水楼梯草
Elatostema strigulosum W. T. Wang var. *semitriplinerve* W. T. Wang

| 药 材 名 |　赤水楼梯草（药用部位：全草）。

| 形态特征 |　小草本。茎高 7 ~ 11cm，不分枝，上部被向上弯曲的短伏毛或近无毛。叶无柄或近无柄；叶片薄纸质，斜椭圆形或斜狭椭圆形，先端微钝，基部在狭侧钝，在宽侧短耳形，边缘在狭侧自中部以上有浅牙齿，在宽侧下部 1/3 处全缘，其上有浅牙齿，上面无毛或散生少数短硬毛，下面沿中脉被稀疏短毛或近无毛，钟乳体明显，密，具半离基三出脉，侧脉每侧 2 ~ 3；叶柄不存在或长达 0.8mm；托叶狭三角形或钻形。花序雌雄同株或异株。雄花序具长梗，长 2 ~ 3.5cm，无毛或疏被短柔毛；花序托极小；苞片约 8，狭卵形或三角形，长 1.5 ~ 3mm，先端有短或长角状突起，被疏柔毛；小苞片狭披针形，先端被疏毛。雄花花梗长约 1mm，无毛；花被片 5，外面先端之

赤水楼梯草

下有短突起，疏被短柔毛；雄蕊 5。雌花花被不明显；子房椭圆形。花期 8 月。

| 生境分布 |

生于海拔 1750m 左右的低山沟边潮湿处。分布于重庆南川、江津、綦江等地。

| 资源情况 |

野生资源较少。药材来源于野生。

| 采收加工 |

夏、秋季采收，鲜用或晒干。

| 功能主治 |

微苦，平。清热利湿。用于感冒发热，风湿疼痛。

| 用法用量 |

内服煎汤，9 ~ 15g。

| 附　　注 |

本变种与原种伏毛楼梯草的区别在于叶先端微钝，具半离基三出脉；雄花序梗较长，长 2 ~ 3.5cm。

荨麻科 Urticaceae 楼梯草属 Elatostema

拟骤尖楼梯草
Elatostema subcuspidatum W. T. Wang

| 药 材 名 | 冷箐草（药用部位：全草。别名：大叶倒老嫩）。

| 形态特征 | 多年生草本，干后多少变黑。茎高26～55cm，不分枝或下部具1分枝，上部被开展短柔毛。叶具短柄或无柄；叶片干时纸质，斜椭圆形，先端尾状渐尖或渐尖，基部狭侧楔形或钝，宽侧耳形，边缘在下部1/4全缘，其他部分有牙齿，上面被短糙伏毛，下面沿脉被短糙毛，钟乳体密，不明显，三出脉，侧脉在狭侧1～2，在宽侧3；托叶披针形，近无毛。花序雌雄异株。雄花序腋生；花序梗被短柔毛；花序托椭圆形，疏被贴伏短柔毛；苞片宽条形，近透明，无毛；小苞片密集，条形或匙状狭条形，无毛。雄花密集，4基数。雌花序成对腋生，具极短柄；花序托近圆形，近无毛；苞片角状突起大，披

拟骤尖楼梯草

针状条形，被疏柔毛；小苞片密集，船形或长椭圆形。雌花密集。花期 8 月。

| **生境分布** | 生于海拔 1600m 以下的溪边阴湿林下。分布于重庆南川、武隆、云阳等地。

| **资源情况** | 野生资源较少。药材主要来源于野生。

| **采收加工** | 夏、秋季采收，鲜用或晒干。

| **功能主治** | 苦，寒。清热解毒，消炎止痛。用于无名肿毒，跌打肿痛。

| **用法用量** | 内服煎汤，9 ~ 15g。

荨麻科 Urticaceae 蝎子草属 *Girardinia*

大蝎子草
Girardinia diversifolia (Link) Friis

| 药 材 名 | 大钱麻（药用部位：全草或根。别名：红活麻、掌叶蝎子草、梗麻）。

| 形态特征 | 多年生高大草本，茎下部常木质化。茎高达 2m，具 5 棱，被刺毛和细糙毛或伸展的柔毛，多分枝。叶片宽卵形、扁圆形或五角形，茎干的叶较大，分枝上的叶较小，长和宽均为 8 ～ 25cm，基部宽心形或近截形，具（3 ～）5 ～ 7 深裂片，稀不裂，边缘有不规则的牙齿或重牙齿，上面疏生刺毛和糙伏毛，下面被糙伏毛或短硬毛和在脉上疏生刺毛，基生脉 3；叶柄长 3 ～ 15cm，毛被同茎上的；托叶大，长圆状卵形，长 10 ～ 30mm，外面疏生细糙伏毛。花雌雄异株或同株，雌花序生于上部叶腋，雄花序生于下部叶腋，多次二叉状分枝排成总状或近圆锥状，长 5 ～ 11cm；雌花序总状或近圆锥状，稀长穗状，在果时长 10 ～ 25cm，序轴上被糙伏毛和伸展的粗毛，小团

大蝎子草

伞花枝上密生刺毛和细粗毛。雄花近无梗；在芽时直径约 1mm，花被片 4，卵形，内凹，外面疏生细糙毛；退化雌蕊杯状。雌花长约 0.5mm；花被片大的 1 枚舟形，长约 0.4mm（在果时增长到约 1mm），先端有 3 齿，背面疏生细糙毛，小的 1 枚条形，较短；子房狭长圆状卵形。瘦果近心形，稍扁，长 2.5 ~ 3mm，成熟时变棕黑色，表面有粗疣点。花期 9 ~ 10 月，果期 10 ~ 11 月。

| 生境分布 | 生于山谷、溪旁、山地林边或疏林下。分布于重庆荣昌、巫山、云阳、石柱、南川等地。

| 资源情况 | 野生资源一般。药材来源于野生。

| 采收加工 | 全年均可采收，以春、夏季较多，鲜用或晒干。

| 药材性状 | 本品全草长 0.5 ~ 2m，被短毛和锐刺状螫毛。茎有棱。叶皱缩，展平后呈五角形，长、宽均为 8 ~ 15cm，基部浅心形或近截形，掌状 3 深裂，边缘有粗锯齿，两面均有毛；叶柄长 4 ~ 15cm；托叶宽卵形，合生。气微，味苦。

| 功能主治 | 苦、辛，凉；有小毒。祛风除痰，利湿解毒。用于咳嗽痰多，风湿痹痛，跌打疼痛，头痛，皮肤瘙痒，水肿疮毒，蛇咬伤。

| 用法用量 | 内服煎汤，9 ~ 15g；或捣汁饮。外用适量，煎汤熏洗。

荨麻科 Urticaceae 糯米团属 Gonostegia

糯米团 *Gonostegia hirta* (Bl.) Miq.

糯米团

| 药 材 名 |

糯米藤（药用部位：带根全草。别名：捆仙绳、糯米菜、糯米草）。

| 形态特征 |

多年生草本，有时茎基部变木质。茎蔓生、铺地或渐升，长 50 ~ 100（~ 160）cm，基部直径 1 ~ 2.5mm，不分枝或分枝，上部带四棱形，被短柔毛。叶对生；叶片草质或纸质，宽披针形至狭披针形、狭卵形、稀卵形或椭圆形，长（1.2 ~ ）3 ~ 10cm，宽（0.7 ~ ）1.2 ~ 2.8cm，先端长渐尖至短渐尖，基部浅心形或圆形，全缘，上面稍粗糙，被稀疏短伏毛或近无毛，下面沿脉被疏毛或近无毛，基出脉 3 ~ 5；叶柄长 1 ~ 4mm；托叶钻形，长约 2.5mm。团伞花序腋生，通常两性，有时单性，雌雄异株，直径 2 ~ 9mm；苞片三角形，长约 2mm。雄花花梗长 1 ~ 4mm；花蕾直径约 2mm，在内折线上被稀疏长柔毛；花被片 5，分生，倒披针形，长 2 ~ 2.5mm，先端短骤尖；雄蕊 5，花丝条形，长 2 ~ 2.5mm，花药长约 1mm；退化雌蕊极小，圆锥形。雌花花被菱状狭卵形，长约 1mm，先端有 2 小齿，被疏毛，果期呈卵形，长约 1.6mm，有 10 纵肋；柱头长约

3mm，被密毛。瘦果卵球形，长约 1.5mm，白色或黑色，有光泽。花期 5 ~ 9 月。

| **生境分布** | 生于海拔 140 ~ 1450m 的山坡、路旁或沟边，常成片生长。分布于重庆黔江、北碚、綦江、丰都、万州、南岸、垫江、大足、城口、彭水、秀山、永川、酉阳、合川、涪陵、奉节、石柱、巫山、长寿、云阳、江津、九龙坡、铜梁、巫溪、璧山、南川、忠县、武隆、开州、梁平、巴南、沙坪坝、荣昌等地。

| **资源情况** | 野生资源丰富。药材主要来源于野生。

| **采收加工** | 全年均可采收，鲜用或晒干。

| **药材性状** | 本品根粗壮，肉质，圆锥形，有支根；茎表面浅红棕色；不易折断，断面略粗糙，呈浅棕黄色。茎黄褐色。叶多破碎，暗绿色，粗糙有毛，润湿展平后，3 条基脉明显，背面网脉明显。有时可见簇生的花或瘦果，果实卵形，先端尖，约具 10 条细纵棱。气微，味淡。

| **功能主治** | 清热解毒，健脾消积，利湿消肿，散瘀止血。用于乳痈，肿毒，痢疾，消化不良，食积腹痛，疳积，带下，水肿，小便不利，痛经，跌打损伤，咯血，吐血，外伤出血。

| **用法用量** | 内服煎汤，10 ~ 30g，鲜品加倍。外用适量，捣敷。

荨麻科 Urticaceae 艾麻属 Laportea

珠芽艾麻

Laportea bulbifera (Sieb. et Zucc.) Wedd.

珠芽艾麻

| 药 材 名 |

野绿麻（药用部位：全草）、野绿麻根（药用部位：根。别名：红禾麻、零余子荨麻、铁秤铊）。

| 形态特征 |

多年生草本。根数条，丛生，纺锤状，红褐色。茎下部多少木质化，高 50 ~ 150cm，不分枝或少分枝，在上部常呈"之"字形弯曲，具纵棱 5，被短柔毛和稀疏的刺毛，以后渐脱落；珠芽 1 ~ 3，常生于不生长花序的叶腋，木质化，球形，直径 3 ~ 6mm，多数植株无珠芽。叶卵形至披针形，有时宽卵形，长（6 ~）8 ~ 16cm，宽（2.5 ~）3.5 ~ 8cm，先端渐尖，基部宽楔形或圆形，稀浅心形，边缘自基部以上有牙齿或锯齿，上面被糙伏毛和稀疏的刺毛，下面脉上被短柔毛和稀疏的刺毛，尤其主脉上的刺毛较长，钟乳体细点状，上面明显，基出脉 3，其侧出的 1 对稍弧曲，伸达中部边缘，侧脉 4 ~ 6 对，伸向齿尖；叶柄长 1.5 ~ 10cm，毛被同茎上部；托叶长圆状披针形，长 5 ~ 10mm，先端 2 浅裂，背面肋上被糙毛。花序雌雄同株，稀异株，圆锥形，序轴上被短柔毛和稀疏的刺毛；雄花序生于茎顶部以下的叶腋，具短梗，长 3 ~

10cm，分枝多，开展；雌花序生于茎顶部或近顶部叶腋，长 10 ～ 25cm，花序梗长 5 ～ 12cm，分枝较短，常着生于序轴的一侧。雄花具短梗或无梗，在芽时扁圆球形，直径约 1mm，花被片 5，长圆状卵形，内凹，外面近先端无角状突起物，外面被微毛；雄蕊 5；退化雌蕊倒梨形，长约 0.4mm；小苞片三角状卵形，长约 0.7mm。雌花具梗，花被片 4，不等大，分生，侧生的 2 枚较大，紧包被着子房，长圆状卵形或狭倒卵形，长约 1mm，以后增大，外面多少被短糙毛，背生的 1 枚圆卵形，兜状，长约 0.5mm，腹生的 1 枚最短，三角状卵形，长约 0.3mm；子房具雌蕊柄，直立，后弯曲；柱头丝形，长 2 ～ 4mm，周围密生短毛。瘦果圆倒卵形或近半圆形，偏斜，扁平，长 2 ～ 3mm，光滑，有紫褐色细斑点；雌蕊柄增长到约 0.5mm，下弯；宿存花被片侧生的 2 枚长约 1.5mm，伸达果实的近中部，外面被短糙毛，有时近光滑；花梗长 2 ～ 4mm，在两侧面扁化成膜质翅，有时果序枝也扁化成翅，匙形，先端有深的凹缺。花期 6 ～ 8 月，果期 8 ～ 12 月。

| **生境分布** | 生于海拔 600 ～ 1800m 的山坡林下或林缘路边半阴坡湿润处。分布于重庆城口、巫溪、奉节、酉阳、黔江、南川等地。

| **资源情况** | 野生资源稀少。药材来源于野生。

| **采收加工** | 野绿麻：夏、秋季采挖，洗净，鲜用或晒干。
野绿麻根：秋季采挖，除去茎、叶及泥土，晒干。

| **药材性状** | 野绿麻：本品根茎连接成团块状，大小不等，灰棕色或棕褐色，上面有多数茎残基和孔洞。根簇生于根茎周围，呈长圆锥形或细长纺锤形，扭曲，长 6 ～ 20cm，直径 3 ～ 6mm；表面灰棕色至红棕色，具细纵皱纹，有纤细的须根或须根痕；质坚硬，不易折断，断面纤维性，浅红棕色；气微，味微苦、涩。茎平滑或具短毛及少数螫毛。叶狭卵形或卵形，先端渐尖，基部宽楔形或圆形，边缘具钝锯齿、圆齿或尖齿，两面疏生短毛和螫毛，常以脉上较密，具柄。叶腋常生珠芽 1 ～ 4。雄花序圆锥形生于茎上部叶腋，无总梗，花被 4，雄蕊 5，退化子房杯状；雌花序近顶生，具总梗，花序轴及总梗密生短毛及螫毛，花被片 4，内侧 2 枚花后增大。瘦果斜卵形，扁平，长 2 ～ 3mm。气微，味微苦。

| **功能主治** | 野绿麻：健脾消积。用于小儿疳积。
野绿麻根：辛，温。祛风除湿，活血止痛。用于风湿痹痛，肢体麻木，跌打损伤，骨折疼痛，月经不调，劳伤乏力，肾炎水肿。

| **用法用量** | 内服煎汤，9 ～ 15g，鲜品加倍。外用适量，煎汤洗或捣敷。

荨麻科 Urticaceae 艾麻属 Laportea

艾麻 *Laportea cuspidata* (Wedd.) Friis

| **药 材 名** | 红线麻（药用部位：根。别名：红头麻、苕麻、山活麻）。 |

| **形态特征** | 多年生草本。根数条丛生，纺锤状，肥厚，一般长 5 ~ 10cm，直径 3 ~ 5mm，有的长达 30cm，直径达 1cm。茎下部多少木质化，不分枝或分枝，高 40 ~ 150cm，直径 4 ~ 15mm，直立，在上部呈"之"字形，具纵棱 5，有时带紫红色，疏生刺毛和短柔毛。有时具生于叶腋的木质珠芽数枚。叶近膜质至纸质，卵形、椭圆形或近圆形，长 7 ~ 22cm，宽 3.5 ~ 17cm，先端长尾状（长达 7cm），基部心形或圆形，有时近截形，边缘具粗大的锐牙齿，牙齿自下向上渐大，有时具重牙齿，两面疏生刺毛和短柔毛，有时近光滑，钟乳体细点状，在上面稍明显；基出脉 3，稀离基三出脉，其侧出的 1 对近直伸达中部齿尖，侧脉 2 ~ 4 对，斜出达齿尖；叶柄长 3 ~ 14cm，被 |

艾麻

毛同茎上部；托叶卵状三角形，长 3 ~ 4mm，先端 2 裂，以后脱落。花序雌雄同株，雄花序圆锥状，生于雌花序之下部叶腋，直立，长 8 ~ 17cm；雌花序长穗状，生于茎梢叶腋，在果时长 15 ~ 25cm，小团伞花簇稀疏着生于单一的序轴上，花序梗较短，长 2 ~ 8cm，疏生刺毛和短柔毛。雄花具短梗或近无梗，在芽时扁圆球形，直径约 1.5mm；花被片 5，狭椭圆形，外面上部无角状突起，疏生微毛；雄蕊 5，花丝下部贴生于花被片；退化雌蕊倒圆锥形，长约 0.4mm。雌花具梗；花被片 4，不等大，侧生 2 枚紧包被着子房，长圆状卵形，长约 0.7mm，在果时显著增大，外面被微毛，背生 1 枚圆卵形，内凹，长约 0.6mm，腹生 1 枚宽卵形，长约 0.4mm；柱头丝形，长约 0.2mm；雌蕊柄短，在果时显著增长。瘦果卵形，歪斜，双凸透镜状，长近 2mm，绿褐色，光滑，具短的弯折的柄，着生于近直立的雌蕊柄上，雌蕊柄长 1 ~ 2mm；花梗无翅；宿存花被侧生 2 枚圆卵形，长 1.5 ~ 1.8mm，背面中肋显著隆起。花期 6 ~ 7 月，果期 8 ~ 9 月。

| **生境分布** | 生于海拔 400 ~ 2200m 的林下草丛中或沟边。分布于重庆铜梁、南川、巫溪、奉节、开州、丰都、涪陵、石柱、武隆、彭水等地。

| **资源情况** | 野生资源较丰富。药材来源于野生。

| **采收加工** | 夏、秋季采挖，除去茎叶及须根，洗净，鲜用或晒干。

| **功能主治** | 辛、苦，寒；有小毒。祛风除湿，通经活络，消肿，解毒。用于风湿痹痛，肢体麻木，腰腿疼痛，水肿，淋巴结结核，蛇咬伤。

| **用法用量** | 内服煎汤，6 ~ 12g；或浸酒。外用适量，捣敷；或煎汤洗。

荨麻科 Urticaceae 艾麻属 *Laportea*

棱果艾麻 *Laportea elevata* C. J. Chen

棱果艾麻

药材名

棱果艾麻（药用部位：全草）。

形态特征

一年生草本。茎不分枝，高 20 ~ 70cm，不呈"之"字形弯曲，疏生刺毛和短柔毛；无珠芽。叶在顶部常轮生，其余互生，膜质，下部的较宽，卵形或倒卵形，上部的较狭，长圆状披针形或长圆状卵形，先端渐尖或长渐尖，基部圆形或浅心形，下部全缘，浅圆齿，疏生小刺毛；叶柄疏生刺毛；托叶长圆状披针形。花序雌雄异株或同株，圆锥状，花序轴上疏生刺毛和短柔毛；雄花序生于下部叶腋，花序梗纤细；雌花序生于上部或顶部叶腋，花序梗粗而扁，2 列分枝。雄花具短梗；花被片 5，绿黄色，椭圆形，疏生微毛；雄蕊 5；退化雌蕊倒梨形。雌花具短梗；柱头丝形。瘦果倒三角状卵形，扁平。花期 3 ~ 4 月，果期 5 ~ 6 月。

生境分布

生于海拔 1000 ~ 1200m 的溪边杂木林下或溪谷湿润处。分布于重庆江津、南川、永川等地。

| **资源情况** | 野生资源较少。药材来源于野生。 |

| **采收加工** | 夏、秋季采收，鲜用或晒干。 |

| **功能主治** | 祛风除湿，止痒。用于风湿性关节炎，风疹瘙痒。 |

| **用法用量** | 内服煎汤，9 ~ 15g。外用适量，或煎汤洗。 |

| **附　　注** | 在 FOC 中，本种被修订为珠芽艾麻 *Laportea bulbifera* (Sieb. et Zucc.) Wedd.。 |

荨麻科 Urticaceae 假楼梯草属 Lecanthus

假楼梯草
Lecanthus peduncularis (Wall. ex Royle) Wedd.

| **药材名** | 假楼梯草（药用部位：全草。别名：绿山麻柳、水苋菜）。

| **形态特征** | 草本。茎肉质，下部常匍匐，高 25 ~ 70cm，常分枝，上部被短柔毛。叶同对的常不等大，卵形，稀卵状披针形，长 4 ~ 15cm，宽 2 ~ 6.5cm，先端渐尖，基部稍偏斜，圆形，有时宽楔形，边缘有牙齿或牙齿状锯齿，上面疏生透明硬毛，下面脉上疏生短柔毛，钟乳体条形，两面明显；具基出脉 3，其侧生的 1 对弧曲，其中 1 条达近顶部齿尖，另 1 条仅达中部与 1 条二级脉在中部环结，二级脉多数，在上部近边缘环结；叶柄长 2 ~ 8cm，疏生短柔毛；托叶膜质，长圆形或狭卵形，长 3 ~ 8mm，先端钝。花序雌雄同株或异株，单生叶腋，具盘状花序托，花着生于其上；雄花序托盘状，直径 8 ~ 18mm，花序梗长 5 ~ 20cm；雌花序托盘直径 5 ~ 10mm，花序梗长 3 ~ 12cm，

假楼梯草

在分枝上的花序托较小，总花梗较短而纤细；总苞片生于花序托盘的边缘，膜质，卵形或近三角形，长约 1mm。雄花具梗；花被片 5，外面近先端常有角状突起；雄蕊 5；退化雌蕊很小，近圆锥形。雌花具短梗，长约 1mm；花被片（3 ～）4（～ 5），近等大（生于盘状花序边缘的花被片不等大），长圆状倒卵形，其中 2 枚外面先端的下面有短角状突起；退化雄蕊明显，椭圆状长圆形，长约 0.8mm。瘦果椭圆状卵形，长 0.8 ～ 1mm，熟时褐灰色，表面散生疣点，上部背腹侧有 1 条略隆起的脊。花期 7 ～ 8 月，果期 9 ～ 10 月。

| 生境分布 |

生于海拔 1300 ～ 2700m 的林下阴湿处。分布于重庆涪陵、彭水、秀山、南川、石柱等地。

| 资源情况 |

野生资源稀少。药材来源于野生。

| 采收加工 |

全年均可采收，洗净，鲜用或晒干。

| 功能主治 |

甘，寒。归肺经。润肺止咳。用于肺热咳嗽，阴虚久咳，咯血。

| 用法用量 |

内服煎汤，6 ～ 15g。

荨麻科 Urticaceae 花点草属 Nanocnide

花点草

Nanocnide japonica Bl.

| **药 材 名** | 幼油草（药用部位：全草。别名：高墩草、日本花点草、小九龙盘）。

| **形态特征** | 多年生小草本。茎直立，自基部分枝，下部多少匍匐，高 10 ~ 25（~ 45）cm，常半透明，黄绿色，有时上部带紫色，被向上倾斜的微硬毛。叶三角状卵形或近扇形，长 1.5 ~ 3（~ 4）cm，宽 1.3 ~ 2.7（~ 4）cm，先端钝圆，基部宽楔形、圆形或近截形，边缘每边具 4 ~ 7 圆齿或粗牙齿；茎下部的叶较小，扇形或三角形，基部截形或浅心形，上面翠绿色，疏生紧贴的小刺毛，下面浅绿色，有时带紫色，疏生短柔毛，钟乳体短杆状，两面均明显，基出脉 3 ~ 5，次级脉与细脉呈二叉状分枝；茎下部的叶柄较长；托叶膜质，宽卵形，长 1 ~ 1.5mm，具缘毛。雄花序为多回二歧聚伞花序，生于枝的顶部叶腋，直径 1.5 ~ 4cm，疏松，具长梗，长过叶，花序梗被向上

花点草

倾斜的毛；雌花序密集成团伞花序，直径 3 ~ 6mm，具短梗。雄花具梗，紫红色，直径 2 ~ 3mm；花被 5 深裂，裂片卵形，长约 1.5mm，背面近中部有横向的鸡冠状突起物，其上缘被长毛；雄蕊 5；退化雌蕊宽倒卵形，长约 0.5mm。雌花长约 1mm，花被绿色，不等 4 深裂，外面 1 对生于雌蕊的背腹面，较大，倒卵状船形，稍长于子房，具龙骨状突起，先端有 1 ~ 2 透明长刺毛，背面和边缘疏生短毛；内面 1 对裂片生于雌蕊的两侧，长倒卵形，较窄小，顶生 1 透明长刺毛。瘦果卵形，黄褐色，长约 1mm，有疣点状突起。花期 4 ~ 5 月，果期 6 ~ 7 月。

| **生境分布** | 生于海拔 100 ~ 1600m 的山谷林下或石缝阴湿处。重庆各地均有分布。

| **资源情况** | 野生资源丰富。药材来源于野生。

| **采收加工** | 全年均可采收，除去杂质，洗净，鲜用或晒干。

| **功能主治** | 淡，凉。清热解毒，止咳，止血。用于黄疸，肺结核咯血，潮热，痔疮，瘰子。

| **用法用量** | 内服煎汤，30 ~ 60g。外用适量，煎汤洗患处。

荨麻科 Urticaceae 花点草属 Nanocnide

毛花点草
Nanocnide lobata Wedd.

| 药 材 名 | 毛花点草（药用部位：全草。别名：雪药、泡泡草、波丝草）。

| 形态特征 | 一年生或多年生草本。茎柔软，铺散丛生，自基部分枝，长 17 ~ 40cm，常半透明，有时下部带紫色，被向下弯曲的微硬毛。叶膜质，宽卵形至三角状卵形，长 1.5 ~ 2cm，宽 1.3 ~ 1.8cm，先端钝或锐尖，基部近截形至宽楔形，边缘每边具 4 ~ 5 (~ 7) 不等大的粗圆齿或近裂片状粗齿，齿三角状卵形，先端锐尖或钝，长 2 ~ 5mm，先端的 1 枚常较大，稀全绿色；茎下部的叶较小，扇形，先端钝或圆形，基部近截形或浅心形，上面深绿色，疏生小刺毛和短柔毛，下面浅绿色，略带光泽，在脉上密生紧贴的短柔毛，基出脉 3 ~ 5，两面散生短杆状钟乳体；茎下部的叶柄长于叶片，茎上部的叶柄短于叶片，被向下弯曲的短柔毛；托叶膜质，卵形，长约

毛花点草

1mm，具缘毛。雄花序常生于枝的上部叶腋，稀数朵雄花散生于雌花序的下部，具短梗，长 5 ~ 12mm；雌花序由多数花组成团聚伞花序，生于枝的顶部叶腋或茎下部裸茎的叶腋内（有时花枝梢也无叶），直径 3 ~ 7mm，具短梗或无梗。雄花淡绿色，直径 2 ~ 3mm；花被（4 ~）5 深裂，裂片卵形，长约 1.5mm，背面上部有鸡冠状突起，其边缘疏生白色小刺毛；雄蕊（4 ~）5，长 2 ~ 2.5mm；退化雌蕊宽倒卵形，长约 0.5mm，透明。雌花长 1 ~ 1.5mm；花被片绿色，不等 4 深裂，外面 1 对较大，近舟形，长过子房，在背部龙骨上和边缘密生小刺毛，内面 1 对裂片较小，狭卵形，与子房近等长。瘦果卵形，压扁，褐色，长约 1mm，有疣点状突起，外面围以稍大的宿存花被片。花期 4 ~ 6 月，果期 6 ~ 8 月。

| 生境分布 | 生于海拔 1400m 以下的山谷溪旁、石缝、路旁阴湿地或草丛中。重庆各地均有分布。

| 资源情况 | 野生资源丰富。药材来源于野生。

| 采收加工 | 春、夏季采收，除去泥沙，晒干或阴干。

| 药材性状 | 本品常卷缩成团。根茎短，不定根细长须状。茎丛生，有的上部有分枝，长 10 ~ 20cm；表面黄绿色，被向下螫毛。叶互生，多皱缩破碎，完整者展平后呈卵圆形或三角状卵形，长、宽近相等，均为 1 ~ 2cm，先端钝或略尖，边缘有粗锯齿，基部宽楔形或浅心形，两面散生螫毛，上面有白色点状突起，雄花序有短梗，略长于雌花序，生于茎梢叶腋，雌花序有梗或无梗，聚伞状，生于上部叶腋。瘦果卵形，有小点。气微，味淡。

| 功能主治 | 苦，凉。归肺经。清热解毒，通经活血。用于咳嗽，疮毒，痹疹，烫伤。

| 用法用量 | 内服煎汤，15 ~ 30g。外用适量，捣敷；或菜油浸后外用。

荨麻科 Urticaceae 紫麻属 Oreocnide

紫麻
Oreocnide frutescens (Thunb.) Miq.

| 药 材 名 | 紫麻（药用部位：全株。别名：水麻泡、水麻叶、柴芒麻）。

| 形态特征 | 灌木，稀小乔木，高 1 ~ 3m。小枝褐紫色或淡褐色，上部常被粗毛或近贴生的柔毛，稀被灰白色毡毛，以后渐脱落。叶常生于枝的上部，草质，以后有时变纸质，卵形、狭卵形，稀倒卵形，长 3 ~ 15cm，宽 1.5 ~ 6cm，先端渐尖或尾状渐尖，基部圆形，稀宽楔形，边缘自下部以上有锯齿或粗牙齿，上面常疏生糙伏毛，有时近平滑，下面常被灰白色毡毛，以后渐脱落，或只被柔毛或多少短伏毛；基出脉 3，其侧出的 1 对稍弧曲，与最下 1 对侧脉环结，侧脉 2 ~ 3 对，在近边缘处彼此环结；叶柄长 1 ~ 7cm，被粗毛；托叶条状披针形，长约 10mm，先端尾状渐尖，背面中肋疏生粗毛。花序生于上年生枝和老枝上，几无梗，呈簇生状，团伞花簇直径 3 ~ 5mm。雄花在

紫麻

芽时直径约 1.5mm；花被片 3，在下部合生，长圆状卵形，内弯，外面上部被毛；雄蕊 3；退化雌蕊棒状，长约 0.6mm，被白色绵毛。雌花无梗，长 1mm。瘦果卵球形，两侧稍压扁，长约 1.2mm；宿存花被变深褐色，外面疏生微毛，内果皮稍骨质，表面有多数细洼点；肉质花托浅盘状，围以果实的基部，熟时则常增大成壳斗状，包围着果实的大部分。花期 3～5 月，果期 6～10 月。

| 生境分布 | 生于海拔 200～1500m 的山谷林下或沟边。分布于重庆黔江、长寿、酉阳、云阳、綦江、江津、石柱、铜梁、涪陵、南川、九龙坡、武隆、忠县、巫溪、合川、巴南、沙坪坝、奉节、秀山、璧山等地。

| 资源情况 | 野生资源丰富。药材来源于野生。

| 采收加工 | 夏、秋季采收，洗净，鲜用或晒干。

| 药材性状 | 本品被毛，长达 1m。茎上有棱槽。叶皱缩，展平后呈卵状长圆形或卵状披针形，长 4～12cm，宽 1.7～5cm，先端渐尖，基部楔形，边缘有锯齿；叶柄长 1～4cm。果实卵形。气微，味微甘。

| 功能主治 | 甘，凉。清热解毒，行气活血，透疹。用于感冒发热，跌打损伤，牙痛，麻疹不透，肿疡。

| 用法用量 | 内服煎汤，30～60g。外用适量，捣敷；或煎汤含漱。

荨麻科 Urticaceae 墙草属 Parietaria

墙草
Parietaria micrantha Ledeb.

| **药 材 名** | 墙草根（药用部位：根。别名：石薯、白石薯、田薯）。

| **形态特征** | 一年生铺散草本，长 10 ~ 40cm。茎上升平卧或直立，肉质，纤细，多分枝，被短柔毛。叶膜质，卵形或卵状心形，长 0.5 ~ 3cm，宽 0.4 ~ 2.2cm，先端锐尖或钝尖，基部圆形或浅心形，稀宽楔形或骤狭，上面疏生短糙伏毛，下面疏生柔毛，钟乳体点状，在上面明显；基出脉 3，侧出的 1 对稍弧曲，伸达中部边缘，侧脉常 1 对，常从叶的近基部伸出达上部，在近边缘消失；叶柄纤细，长 0.4 ~ 2cm，被短柔毛。花杂性，聚伞花序数朵，具短梗或近簇生状；苞片条形，单生于花梗的基部或 3 枚在基部合生成轮生状，着生于花被的基部，绿色，外面被腺毛，在果时伸长达 1.5mm。两性花具梗，长约 0.6mm，花被片 4 深裂，褐绿色，外面被毛，膜质，裂片长圆状卵形；雄蕊

墙草

4，花丝纤细，花药近球形，淡黄色；柱头画笔头状。雌花具短梗或近无梗；花被片合生成钟状，4 浅裂，浅褐色，薄膜质，裂片三角形。果实坚果状，卵形，长 1 ~ 1.3mm，黑色，极光滑，有光泽，具宿存的花被和苞片。花期 6 ~ 7 月，果期 8 ~ 10 月。

| **生境分布** | 生于海拔 1000 ~ 2000m 的山坡阴湿草地屋宅、墙上或岩石下阴湿处。分布于重庆城口、巫山、巫溪、南川等地。

| **资源情况** | 野生资源稀少。药材来源于野生。

| **采收加工** | 全年均可采收，多鲜用。

| **功能主治** | 苦、酸，平。归肝经。清热解毒，消肿，拔脓。用于痈疽疮疖，乳腺炎，睾丸炎，深部脓肿，多发性脓肿，秃疮。

| **用法用量** | 内服煎汤，15 ~ 30g。外用适量，鲜品捣敷。

荨麻科 Urticaceae 赤车属 Pellionia

赤车
Pellionia radicans (Sieb. et Zucc.) Wedd.

| 药 材 名 | 赤车使者（药用部位：全草或根。别名：见血青、小锦枝、毛骨草）。

| 形态特征 | 多年生草本。茎下部卧地，偶尔木质，在节处生根，上部渐升，长 20 ~ 60cm，通常分枝，无毛或疏被长约 0.1mm 的小毛。叶具极短 柄或无柄；叶片草质，斜狭菱状卵形或披针形，长（1.2 ~）2.4 ~ 5（~ 8）cm，宽 0.9 ~ 2（~ 2.7）cm，先端短渐尖至长渐尖，基部 在狭侧钝，在宽侧耳形，边缘自基部之上有小牙齿，两面无毛或近 无毛，钟乳体稍明显或不明显，密或稀疏，长约 0.3mm，半离基三 出脉，侧脉在狭侧 2 ~ 3，在宽侧 3 ~ 4；叶柄长 1 ~ 4mm；托叶 钻形，长 1 ~ 4.2mm，宽约 0.2mm。花序通常雌雄异株。雄花序为稀 疏的聚伞花序，长 1 ~ 5（~ 8）cm；花序梗长 4 ~ 35（~ 70）mm， 与分枝无毛或被乳头状小毛；苞片狭条形或钻形，长 1.5 ~ 2mm。

赤车

雄花花被片 5，椭圆形，长约 1.5mm，外面无毛或被短毛，顶部的角状突起长 0.4 ~ 0.8mm；雄蕊 5；退化雌蕊狭圆锥形，长约 0.6mm。雌花序通常有短梗，直径 3 ~ 5mm，有多数密集的花；花序梗长 0.5 ~ 3（~ 25）mm，被少数极短的毛；苞片条状披针形，长约 1.6mm。雌花花被片 5，长约 0.4mm，果期长约 0.8mm，3 较大，船状长圆形，外面顶部有长约 0.6mm 的角状突起，2 较小，狭长圆形，平，无突起；子房与花被片近等长。瘦果近椭圆状球形，长约 0.9mm，有小瘤状突起。花期 5 ~ 10 月。

| 生境分布 | 生于海拔 200 ~ 1500m 的山地山谷林下、灌丛中阴湿处或溪边，常成片繁生。分布于重庆彭水、奉节、綦江、铜梁、巫山、北碚、合川、大足等地。

| 资源情况 | 野生资源一般。药材来源于野生。

| 采收加工 | 夏、秋季拔起全草，或除去地上部分，洗净，鲜用或晒干。

| 药材性状 | 本品根茎呈圆柱形，细长，长短不一，直径约 1mm；表面棕褐色。叶互生，多皱缩卷曲、破碎，完整者展平后呈狭卵形或卵形，基部不对称，上表面绿色，下表面灰绿色，质脆、易碎。有的可见小花序。气微，味微苦、涩。

| 功能主治 | 辛、苦，温；有小毒。祛风胜湿，活血行瘀，解毒止痛。用于风湿骨痛，跌打肿痛，骨折，疮疖，牙痛，骨髓炎，丝虫病引起的淋巴管炎，肝炎，支气管炎，毒蛇咬伤，烫火伤。

| 用法用量 | 内服煎汤，15 ~ 30g。外用适量，鲜品捣敷；或研末调敷。

荨麻科 Urticaceae 赤车属 Pellionia

曲毛赤车 *Pellionia retrohispida* W. T. Wang

| **药 材 名** | 毛茎赤车（药用部位：全草）。

| **形态特征** | 多年生草本。茎渐升，长约70cm，下部在节上生根，有1分枝，被反曲并贴伏的糙毛（长0.6～1mm）。叶具短柄；叶片草质，斜椭圆形，长3.5～7.5cm，宽1.1～3.3cm，先端微尖或短渐尖，基部狭侧圆形，宽侧耳形，下部全缘，其上有小牙齿，上面散生短糙伏毛，下面脉上被短糙毛，钟乳体不明显，密，长0.1～0.4mm，半离基三出脉，侧脉在狭侧2～3，在宽侧3～4；叶柄长（1～）2.5～9mm，被糙伏毛；托叶绿色，三角形或狭三角形，长3.2～6.5mm，宽1～1.8mm，有睫毛或无毛。花序雌雄异株。雄花序具长梗，具密集的花，直径0.8～1.5cm；花序梗长1～5.5cm，被短伏毛；苞片卵状长圆形或三角形，长2.2～6mm，先端骤尖或长渐尖，被睫毛。

曲毛赤车

雄花花被片 5，椭圆形，长 1.5 ~ 3mm，基部合生，外面先端具角状突起（突起长 1.2 ~ 2mm），上部被疏柔毛；雄蕊 5；退化雌蕊小。雌花序具梗，直径 3 ~ 14mm，1 ~ 2 回分枝，有多数花；花序梗长 0.5 ~ 2.2cm，密被反曲糙毛。雌花花被片 4 ~ 5，长 0.7 ~ 1mm，外面被疏毛，2 较大，船状长圆形，外面先端之下有角状突起（长 0.2 ~ 1mm），其他 3 较小，狭披针形；退化雄蕊披针形，与花被片等长；子房椭圆形，长约 0.7mm，柱头小。瘦果狭卵球形，长约 0.9mm，有小瘤状突起。花期 4 ~ 6 月。

| **生境分布** | 生于溪边阴湿杂木林下。分布于重庆酉阳、涪陵、南川、永川等地。

| **资源情况** | 野生资源稀少。药材来源于野生。

| **采收加工** | 全年均可采收，洗净，多鲜用。

| **功能主治** | 清热解毒，消炎止痛。

| **用法用量** | 内服煎汤，30 ~ 60g。外用适量，鲜品捣敷；或捣汁搽。

荨麻科 Urticaceae 赤车属 Pellionia

蔓赤车
Pellionia scabra Benth.

| 药 材 名 | 蔓赤车（药用部位：全草。别名：毛赤车、入脸麻、接骨仙子）。

| 形态特征 | 亚灌木。茎直立或渐升，高 30 ～ 100cm，基部木质，通常分枝，上部被开展的糙毛。叶具短柄或近无柄；叶片草质，斜狭菱状倒披针形或斜狭长圆形，先端渐尖、长渐尖或尾状，基部在狭侧微钝，在宽侧宽楔形、圆形或耳形，边缘下部全缘，其上有少数小牙齿，上面被少数贴伏的短硬毛，沿中脉被短糙毛，下面被密或疏的短糙毛，钟乳体不明显或稍明显，密；半离基三出脉，或叶脉近羽状；托叶钻形。花序通常雌雄异株。雄花序为稀疏的聚伞花序；花序梗与花序分枝被密或疏的短毛；苞片条状披针形。雄花花被片 5，椭圆形，基部合生；花序梗密被短毛；苞片条形，被疏毛。

蔓赤车

雌花花被片狭长圆形，外面顶部有短或长的角状突起。瘦果近椭圆状球形。花期春、夏季。

| **生境分布** | 生于海拔 350 ~ 1200m 的溪边杂木林下。分布于重庆南川、璧山、江津、巴南等地。

| **资源情况** | 野生资源较少。药材来源于野生。

| **采收加工** | 全年均可采收，洗净，多鲜用。

| **功能主治** | 淡，凉。归肝、胃经。清热解毒，散瘀消肿，凉血止血。用于目赤肿痛，疟腮，带状疱疹，牙痛，扭挫伤，妇女闭经，疮疖肿痛，烫火伤，毒蛇咬伤，外伤出血。

| **用法用量** | 内服煎汤，30 ~ 60g。鲜品外用适量，捣敷；或捣汁搽。

荨麻科 Urticaceae 赤车属 *Pellionia*

绿赤车
Pellionia viridis C. H. Wright

| **药 材 名** | 狗骨节（药用部位：全草）。

| **形态特征** | 多年生草本或亚灌木。茎高 25 ~ 70cm，基部木质，分枝，无毛。叶互生，无毛；叶片草质，稍斜，狭长圆形或披针形，长 5 ~ 15cm，宽 1.6 ~ 5cm，先端渐尖或长渐尖，基部钝或圆形，对称，稍盾形，边缘下部全缘，其上有浅波状钝齿，钟乳体明显，密，长 0.2 ~ 0.4mm；不等离基三出脉，侧脉在狭侧 2 ~ 3，在宽侧 3 ~ 5；叶柄长 4 ~ 16mm；托叶钻形，长约 3.5mm。花序雌雄异株或同株。雄花序为聚伞花序，长 0.8 ~ 2.2cm；花序梗长 5 ~ 18mm，无毛；苞片三角形或条状披针形，长约 2mm，边缘被短睫毛。雄花花被片 5，船状椭圆形，长 1.6 ~ 2mm，基部合生，其他分生，外面先端之下有长 0.5 ~ 1mm 的角状突起，被疏毛；雄蕊 5；退化雌蕊极小，

绿赤车

近棒状。雌花序近球形，直径 3 ～ 5mm，有多数密集的花；花序梗长 1.5 ～ 5mm；苞片条形或狭条形，长 1 ～ 2mm。雌花花被片 5，不等大，狭长圆形或狭披针形，长 0.5 ～ 1mm，有 1 ～ 3 呈船形，外面先端之下有长 0.5 ～ 0.8mm 的角状突起，边缘被疏毛。瘦果狭卵球形，长约 1mm，有小瘤状突起。花期 6 ～ 8 月。

| 生境分布 |

生于海拔 650 ～ 1200m 的山沟边或林中。分布于重庆永川、璧山、巫溪、彭水、南川等地。

| 资源情况 |

野生资源较少。药材来源于野生。

| 采收加工 |

夏、秋季采收，洗净，鲜用或晒干。

| 功能主治 |

辛、苦，温。祛风除湿，通络止痛。用于风湿痹痛。

| 用法用量 |

内服煎汤，15 ～ 30g。

荨麻科 Urticaceae 冷水花属 Pilea

华中冷水花
Pilea angulata (Bl.) Bl. subsp. *latiuscula* C. J. Chen

| **药 材 名** | 华中冷水花（药用部位：全草。别名：冷箐草）。

| **形态特征** | 多年生草本，具匍匐地下茎。茎高 30 ~ 40cm，直径 2 ~ 4mm。叶近膜质，卵形或圆卵形，下部的常心形，长 3.5 ~ 10cm，宽 3 ~ 5cm，先端渐尖，基部心形，稀圆形；托叶薄膜质，褐色，长圆形，长 7 ~ 10mm，近宿存。花雌雄异株；雄花较小，长近 1mm，红色，花被片外面近先端几乎无短角状突起；宿存的雌花被片长仅及果实的 1/4。花期 6 ~ 7 月，果期 10 月。

| **生境分布** | 生于海拔 200 ~ 1500m 的溪谷阴湿杂木林下。分布于重庆巫山、巫溪、黔江、南川、北碚、涪陵、彭水等地。

华中冷水花

| **资源情况** | 野生资源一般。药材来源于野生。

| **采收加工** | 夏、秋季采收，鲜用或晒干。

| **功能主治** | 辛，温。清热利湿，活血止痛。用于风湿麻木，跌打肿痛。

| **用法用量** | 内服煎汤，9 ～ 20g。外用适量，捣敷。

| **附　　注** | 本种喜光，怕强光。喜温暖湿润，不耐寒，较耐阴。

荨麻科 Urticaceae 冷水花属 Pilea

花叶冷水花 *Pilea cadierei* Gagnep. et Guill.

| 药 材 名 | 花叶冷水花（药用部位：全草。别名：金边山羊血）。

| 形态特征 | 多年生草本，或半灌木，无毛。具匍匐根茎。茎肉质，下部多少木质化，高 15 ～ 40cm。叶多汁，干时变纸质，同对的近等大，倒卵形，长 2.5 ～ 6cm，宽 1.5 ～ 3cm，先端骤凸，基部楔形或钝圆，边缘自下部以上有数枚不整齐的浅牙齿或啮蚀状，上面深绿色，中央有 2 条（有时在边缘也有 2 条）间断的白斑，下面淡绿色，钟乳体梭形，长 0.3 ～ 0.5mm，两面明显；基出脉 3，其侧生 2 稍弧曲，伸达上部与邻近的侧脉环结，二级脉在上部约 3 对，明显，下部的不明显，外向的二级脉数对，在近边缘处环结；叶柄长 0.7 ～ 1.5cm；托叶草质，淡绿色，干时变棕色，长圆形，长 1 ～ 1.3cm，早落。花雌雄异株；雄花序头状，常成对生于叶腋，花序梗长 1.5 ～ 4cm，团伞花簇直

花叶冷水花

径 6 ~ 10mm；苞片外层的扁圆形，长约 3mm，内层的圆卵形，稍小。雄花倒梨形，长约 2.5mm，梗长 2 ~ 3mm；花被片 4，合生至中部，近兜状，外面近先端处有长角状突起，外面密布钟乳体，内面下部疏生绵毛；雄蕊 4；退化雌蕊圆锥形，不明显。雌花长约 1mm；花被片 4，近等长，略短于子房。花期 9 ~ 11 月。

| 生境分布 |

多栽培于公园、路边绿化带等。重庆各地均有分布。

| 资源情况 |

栽培资源丰富。药材来源于栽培。

| 采收加工 |

夏、秋季采收，鲜用或晒干。

| 功能主治 |

淡，凉。清热解毒，利尿。用于疔疮肿毒，小便不利。

| 用法用量 |

内服煎汤，9 ~ 20g。外用适量，捣敷。

| 附　注 |

本种喜温暖湿润气候，怕阳光暴晒。本种扦插繁殖的最佳基质为黄土与沙等量混合，插穗成活率高，生根多。

荨麻科 Urticaceae 冷水花属 Pilea

山冷水花 *Pilea japonica* (Maxim.) Hand.-Mazz.

| **药 材 名** | 苔水花（药用部位：全草。别名：日本冷水花、红水草）。

| **形态特征** | 草本。茎肉质，无毛，高（5 ~ ）30（ ~ 60）cm，不分枝或具分枝。叶对生，在茎顶部的叶密集成近轮生，同对的叶不等大，菱状卵形或卵形，稀三角状卵形或卵状披针形，长 1 ~ 6（ ~ 10）cm，宽 0.8 ~ 3（ ~ 5）cm，先端常锐尖，有时钝尖或粗尾状渐尖，基部楔形，稀近圆形或近截形，稍不对称，边缘被短睫毛，下部全缘，其余每侧有数枚圆锯齿或钝齿，下部的叶有时全缘，两面被极稀疏的短毛；基出脉 3，其侧生的 1 对弧曲，伸达叶中上部齿尖，或与最下部的侧脉在近边缘处环结，侧脉 2 ~ 3（ ~ 5）对，钟乳体细条形，长 0.3 ~ 0.4mm，在上面明显；叶柄纤细，长 0.5 ~ 2（ ~ 5）cm，光滑无毛；托叶膜质，淡绿色，长圆形，长 3 ~ 5mm，半宿存。花

山冷水花

单性，雌雄同株，常混生，或异株；雄聚伞花序具细梗，常紧缩成头状或近头状，长 1 ~ 1.5cm；雌聚伞花序具纤细的长梗，连同总梗长 1 ~ 3（~ 5）cm，团伞花簇常紧缩成头状或近头状，1 ~ 2 或数枚疏松排列于花枝上，花序轴近于无毛或被微柔毛；苞片卵形，长约 0.4mm。雄花具梗，在芽时倒卵形或倒圆锥形，长约 1mm；花被片 5，覆瓦状排列，合生至中部，倒卵形，内凹，在外面近先端处有短角，其中 2 较长；雄蕊 5；退化雌蕊明显，长圆锥状，长约 0.5mm。雌花具梗；花被片 5，近等大，长圆状披针形，与子房近等长，其中 2 ~ 3 在背面常有龙骨状突起，先端生稀疏短刚毛；子房卵形；退化雄蕊明显，鳞片状，长圆状披针形，在果时长约 0.8mm。瘦果卵形，稍扁，长 1 ~ 1.4mm，熟时灰褐色，外面有疣状突起，几乎被宿存花被包裹。花期 7 ~ 9 月，果期 8 ~ 11 月。

| **生境分布** | 生于海拔 500 ~ 800m 的山坡林下、山谷溪旁草丛中或石缝、树干长苔藓的阴湿处，常成片生长。分布于重庆綦江、长寿、南川、开州、武隆、城口等地。

| **资源情况** | 野生资源一般。药材来源于野生。

| **采收加工** | 夏、秋季采收，洗净，鲜用或晒干。

| **功能主治** | 甘，凉。清热解毒，利水通淋，止血。用于小便淋痛，尿血，喉痛，乳蛾，小儿胎毒，丹毒，带下，阴痒。

| **用法用量** | 内服煎汤，6 ~ 9g，鲜品 15 ~ 30g。

荨麻科 Urticaceae 冷水花属 Pilea

隆脉冷水花
Pilea lomatogramma Hand.-Mazz.

| 药 材 名 | 鼠舌草（药用部位：全草。别名：急尖冷水花、肥猪草）。

| 形态特征 | 多年生草本，无毛。具匍匐地下茎。茎稍肉质，高 10 ~ 25cm，下部方形，带红色，干时变棕褐色，分枝或不分枝。叶亚革质，椭圆形、狭卵形或卵形，有时宽菱状卵形或卵状披针形，下部的叶较小，不久脱落，先端锐尖或钝，基部圆形或宽楔形，边缘有圆齿状锯齿，齿有短尖头，上面墨绿色，干时灰绿色，下面淡绿色或带紫红色，两面极光滑无毛，钟乳体仅在上面近边缘和下面稍明显，梭形，在上面显著隆起，下面近压平，其侧出的 2 条稍弧曲；托叶小，宽三角形。雌雄同株或异株；雄花序聚伞状，雌聚伞花序密集，具短梗。雄花花被片 4，卵状长圆形，外面近先端有不明显的短角；雌花无梗，花被片 3，三角状卵形。瘦果长圆状

隆脉冷水花

卵形。花期 4 ~ 9 月，果期 6 ~ 10 月。

| **生境分布** | 生于海拔 1000 ~ 2000m 的山地杂木林下阴湿处。分布于重庆武隆、石柱、南川等地。

| **资源情况** | 野生资源较少。药材来源于野生。

| **采收加工** | 夏、秋季采收，洗净，鲜用或晒干。

| **功能主治** | 甘、苦，寒。祛瘀止痛，解毒敛疮。用于跌打损伤，烫火伤。

| **用法用量** | 内服煎汤，6 ~ 15g。外用适量，捣敷。

荨麻科 Urticaceae 冷水花属 Pilea

黄花冷水花 *Pilea longicaulis* Hand.-Mazz. var. *flaviflora* C. J. Chen

| 药 材 名 | 黄花冷水花（药用部位：全草）。

| 形态特征 | 草本，无毛。茎上部肉质，下部木质化，高50～80cm，干时淡绿色，浑圆。叶薄纸质，同对的不等大，椭圆状披针形、椭圆形，稀卵形，有时稍偏斜，长6～15cm，宽3～6cm，基部钝圆或宽楔形，先端渐尖或短尾状渐尖，近全缘或上部具极不明显浅齿或啮蚀状，干时两面淡绿色，有光泽，钟乳体两面明显，杆状，长0.3～0.5mm；基出脉3，在两面微隆起，其侧生的1对弧曲，伸达先端，侧脉超过10对，横向伸展，在两面均不明显，外向的二级脉在近边缘网结，不明显；叶柄长1～3cm；托叶草质，长圆形，长7～9mm，早落。花雌雄异株，雄聚伞花序密集，或紧缩成头状，成对生于叶腋。雄花具短梗，黄色，在芽时宽倒卵形；花被片4，合生至中部，椭圆形。

黄花冷水花

瘦果宽椭圆状卵形，扁平，几不偏斜，黄褐色，中央有 1 圈深紫红色的环带；宿存花紫褐色，椭圆形。花期 7 ～ 9 月，果期翌年 3 ～ 5 月。

| **生境分布** | 生于海拔 450 ～ 1500m 的林下阴湿处。分布于重庆武隆、江津、南川等地。

| **资源情况** | 野生资源较少。药材来源于野生，自采自用。

| **采收加工** | 夏、秋季采收，洗净，鲜用或晒干。

| **功能主治** | 利尿，祛风，除湿。

| **用法用量** | 内服煎汤，6 ～ 15g。

荨麻科 Urticaceae 冷水花属 *Pilea*

大叶冷水花
Pilea martinii (Lévl.) Hand.-Mazz.

| 药 材 名 | 到老嫩（药用部位：全草）。

| 形态特征 | 多年生草本。茎肉质，高 30 ~ 100cm，直径 3 ~ 10mm，节间下部有数条棱，在节间中部多少膨大，无毛或上部被短柔毛，单一或有分枝。叶近膜质，同对的常不等大，卵形、狭卵形或卵状披针形，两侧常不对称，长 7 ~ 20cm，宽 3.5 ~ 12cm，先端长渐尖，基部圆形或浅心形，稀钝形，边缘自基部直到先端尾部有锯齿状牙齿，上面绿色，疏生透明硬毛，下面浅绿色，无毛，或幼时有疏柔毛，后渐脱落，钟乳体条形，长约 0.3mm；基出脉 3，其侧出的 2 弧曲，伸达先端的齿尖，侧脉多数，近横展，整齐；叶柄长 1 ~ 8cm，无毛或上部被稀疏的短柔毛；托叶薄膜质，褐色，披针形，长 4 ~ 8mm，后脱落。花雌雄异株，有时雌雄同株；花序聚伞圆锥状，单生叶腋，

大叶冷水花

长 4 ~ 10cm，花序梗长 2 ~ 6cm，有时雌花序呈聚伞总状，长 1 ~ 2cm，具短的花序梗。雄花无梗或有短梗，淡红色，在芽时长约 1.2mm；花被片 4，长圆状卵形，其中 2 枚外面近先端有明显的短角；雄蕊 4；退化雌蕊小，圆锥状。雌花花被片 3，不等大，果时中间的 1 枚船形，长及果实的 1/2 ~ 2/3，侧生的 2 枚三角状卵形，比中间的 1 枚短 1 ~ 2 倍；退化雄蕊长圆形，比中间的 1 枚花被片稍短。瘦果狭卵形，先端歪斜，两侧微扁，长 1mm，熟时带绿褐色，光滑。花期 5 ~ 9 月，果期 8 ~ 10 月。

| **生境分布** | 生于海拔 600 ~ 1800m 的阴湿山地、沟旁或岩壁上。分布于重庆巫溪、城口、石柱、武隆、黔江、秀山、南川等地。

| **资源情况** | 野生资源较少。药材来源于野生，自采自用。

| **采收加工** | 夏、秋季采收，洗净，鲜用或晒干。

| **功能主治** | 淡，凉。清热解毒，祛瘀止痛，利尿消肿。用于无名肿毒，跌打骨折，小便不利，浮肿。

| **用法用量** | 内服煎汤，5 ~ 15g。外用适量，捣敷。

荨麻科 Urticaceae 冷水花属 Pilea

念珠冷水花 *Pilea monilifera* Hand.-Mazz.

| 药 材 名 | 念珠冷水花（药用部位：全草）。

| 形态特征 | 草本。具匍匐根茎。茎肉质，高 50 ~ 150cm，直径 4 ~ 8mm，无毛，节间多少膨大，单一或有少数分枝。叶近膜质，同对的不等大，椭圆形、卵状椭圆形，或卵状长圆形，常不对称，长 5 ~ 13cm，宽 3 ~ 7cm，先端渐尖或尾状渐尖，基部圆形或浅心形，边缘在基部全缘，在其以上有粗圆齿状锯齿或牙齿状锯齿，上面深绿色，疏生白色硬毛，下面浅绿色，无毛，钟乳体条形，长约 0.3mm，在下面较明显；基出脉 3，其侧出的 1 对弧曲，伸达近先端的齿尖，侧脉多数，整齐横向，细脉末端和近齿尖处有腺点；叶柄长 1 ~ 5cm，先端被短柔毛；托叶狭三角形，长 1 ~ 2mm，早落。雌雄异株或同株；雄花序单个生于叶腋，长 3 ~ 10cm，团伞花簇 2 ~ 8 稀疏着生于单一的序轴上，

念珠冷水花

呈串珠状排列，序轴无毛或疏生短柔毛；雌花序长 1 ~ 3.5cm，团伞花簇数个成串珠状着生于序轴上或密集排列成穗状，有时有少数分枝。雄花具梗，在芽时三角状卵形，长 2 ~ 2.5mm；花被片 4，不等大，三角状卵形，先端常收缩成喙状，基部内凹或膨大成兜状，大的 2 枚长 1.5 ~ 2mm，小的 2 枚长 1.2 ~ 1.5mm，有时近等大，中肋明显，外面有钟乳体，疏生短毛或无毛；雄蕊 4；退化雌蕊极小，不明显。雌花近无梗，长约 1mm；花被片 3，不等大，果时中间 1 枚近长圆状帽形，增厚，长 0.5 ~ 1mm，侧生 2 枚小，膜质，三角形，长约 0.2mm；退化雄蕊长圆形，长约 0.4mm。瘦果卵形，几不歪斜，扁，长约 1.8mm，熟时褐色，光滑，有稀疏的钟乳体。花期 6 ~ 8 月，果期 7 ~ 9 月。

| **生境分布** | 生于海拔 900 ~ 2400m 的山谷林下阴湿处。分布于重庆彭水、南川、丰都、石柱、巴南等地。

| **资源情况** | 野生资源较少。药材来源于野生，自采自用。

| **采收加工** | 夏、秋季采收，洗净，鲜用或晒干。

| **功能主治** | 清热解毒，利湿。

| **用法用量** | 内服煎汤，6 ~ 15g。

荨麻科 Urticaceae 冷水花属 Pilea

冷水花 *Pilea notata* C. H. Wright

| 药 材 名 | 冷水花（药用部位：全草。别名：青对节、水麻叶、土甘草）。

| 形态特征 | 多年生草本。具匍匐茎。茎肉质，纤细，中部稍膨大，高 25 ~ 70cm，直径 2 ~ 4mm，无毛，稀上部被短柔毛，密布条形钟乳体。叶纸质，同对的近等大，狭卵形、卵状披针形或卵形，长 4 ~ 11cm，宽 1.5 ~ 4.5cm，先端尾状渐尖或渐尖，基部圆形，稀宽楔形，边缘自下部至先端有浅锯齿，稀有重锯齿，上面深绿色，有光泽，下面浅绿色，钟乳体条形，长 0.5 ~ 0.6mm，两面密布，明显；基出脉 3，其侧出的 2 弧曲，伸达上部与侧脉环结，侧脉 8 ~ 13 对，稍斜展成网脉；叶柄纤细，长 1 ~ 7cm，常无毛，稀被短柔毛；托叶大，带绿色，长圆形，长 8 ~ 12mm，脱落。花雌雄异株；雄花序聚伞总状，长 2 ~ 5cm，有少数分枝，团伞花簇疏生花枝上；雌聚伞花序较短

冷水花

而密集。雄花具梗或近无梗，在芽时长约 1mm；花被片绿黄色，4 深裂，卵状长圆形，先端锐尖，外面近先端处有短角状突起；雄蕊 4，花药白色或带粉红色，花丝与药隔红色；退化雌蕊小，圆锥形。瘦果小，圆卵形，先端歪斜，长近 0.8mm，熟时绿褐色，有明显刺状小疣点突起；宿存花被片 3 深裂，等大，卵状长圆形，先端钝，长及果实的约 1/3。花期 6 ~ 9 月，果期 9 ~ 11 月。

| **生境分布** | 生于海拔 300 ~ 1500m 的山谷、溪旁或林下阴湿处。重庆各地均有分布。

| **资源情况** | 野生资源丰富。药材来源于野生，自产自销。

| **采收加工** | 花期前后采收，洗净，鲜用或晒干。

| **药材性状** | 本品根呈须状，表面棕褐色或灰棕色，质脆。茎红褐色，有分枝，具数条纵棱及纵沟。叶对生，完整者展平后呈阔椭圆形或椭圆形，长 4 ~ 11cm，宽 1.5 ~ 4.5cm，先端渐尖，基部楔形，边缘有稀锯齿，主脉 3，侧脉几乎与主脉成直角；叶柄长约 1.5cm，两面疏生短伏毛。花小，单性，雌雄异株。雄花花萼 4 深裂，雄蕊 4，与萼片对生；雌蕊退化。气微，味淡。

| **功能主治** | 淡、微苦，凉。清热利湿，消肿散结，健脾和胃，退黄。用于黄疸，消化不良，跌打损伤。

| **用法用量** | 内服煎汤，15 ~ 30g。外用适量，捣敷。孕妇慎服。

荨麻科 Urticaceae 冷水花属 Pilea

齿叶矮冷水花

Pilea peploides (Gaudich.) Hook. et Arn. var. *major* Wedd.

| **药 材 名** | 水石油菜（药用部位：全草。别名：虎牙草、地油仔、矮冷水花）。

| **形态特征** | 植物高 5 ~ 30cm，多分枝或几乎不分枝。叶菱状扁圆形、菱状圆形，有时近圆形或扇形，长（7 ~）10 ~ 21mm，宽（7 ~）11 ~ 23mm，先端圆形或钝，基部钝或近圆形，有时宽楔形，边缘在中部以上有明显或不明显浅牙齿，稀波状或全缘，二级脉在背面较明显。花序几乎无梗，呈簇生状，或具较短的花序梗，呈伞房状；雌花被片2。瘦果熟时深褐色，表面常有稀疏的细刺状突起。花期 4 ~ 5 月，果期 5 ~ 7 月。

| **生境分布** | 生于海拔 500 ~ 1600m 的山坡路边湿处或林下阴湿处石上。分布于重庆南岸、彭水、涪陵、江津、忠县、丰都、垫江、巴南、长寿、

齿叶矮冷水花

南川、北碚等地。

| **资源情况** | 野生资源一般。药材来源于野生，自采自用。

| **采收加工** | 全年均可采收，洗净，鲜用或晒干。

| **功能主治** | 淡、微辛，微寒。清热解毒，化痰止咳，祛风除湿，祛瘀止痛。用于咳嗽，哮喘，风湿痹痛，水肿，跌打损伤，骨折，痈疖肿毒，皮肤瘙痒，毒蛇咬伤。

| **用法用量** | 内服煎汤，6 ~ 9g，鲜品可用 30 ~ 60g；或浸酒。鲜品外用适量，捣敷；或浸酒涂。

荨麻科 Urticaceae 冷水花属 *Pilea*

透茎冷水花
Pilea pumila (L.) A. Gray

| 药 材 名 | 透茎冷水花（药用部位：全草或根茎。别名：美豆、直苎麻、肥肉草）。

| 形态特征 | 一年生草本。茎肉质，直立，高 5 ~ 50cm，无毛，分枝或不分枝。叶近膜质，同对的近等大，近平展，菱状卵形或宽卵形，长 1 ~ 9cm，宽 0.6 ~ 5cm，先端渐尖、短渐尖、锐尖或微钝（尤在下部的叶），基部常宽楔形，有时钝圆，边缘除基部全缘外，其上有牙齿或牙状锯齿，稀近全绿色，两面疏生透明硬毛，钟乳体条形，长约 0.3mm；基出脉 3，侧出的 1 对微弧曲，伸达上部与侧脉网结或达齿尖，侧脉数对，不明显，上部的几对常网结；叶柄长 0.5 ~ 4.5cm，上部近叶片基部常疏生短毛；托叶卵状长圆形，长 2 ~ 3mm，后脱落。花雌雄同株并常同序；雄花常生于花序的下部，花序蝎尾状，密集，生于几乎每个叶腋，长 0.5 ~ 5cm；雌花枝在果时增长。雄花具短

透茎冷水花

梗或无梗，在芽时倒卵形，长 0.6 ～ 1mm；花被片常 2，有时 3 ～ 4，近船形，外面近先端处有短角状突起；雄蕊 2（～ 4）；退化雌蕊不明显。雌花花被片 3，近等大，或侧生的 2 枚较大，中间的 1 枚较小，条形，在果时长不过果实或与果实近等长，而不育的雌花花被片更长；退化雄蕊在果时增大，椭圆状长圆形，长及花被片的一半。瘦果三角状卵形，扁，长 1.2 ～ 1.8mm，初时光滑，常有褐色或深棕色斑点，熟时色斑多少隆起。花期 6 ～ 8 月，果期 8 ～ 10 月。

| **生境分布** | 生于海拔 400 ～ 2200m 的山坡林下或岩石缝的阴湿处。分布于重庆綦江、酉阳、丰都、忠县、涪陵、南川、长寿、江津、北碚、沙坪坝、城口、巫山、奉节等地。

| **资源情况** | 野生资源较少。药材来源于野生，自采自用。

| **采收加工** | 夏、秋季采收，洗净，鲜用或晒干。

| **功能主治** | 甘，寒。清热，利尿，解毒。用于尿路感染，急性肾炎，子宫内膜炎，子宫脱垂，带下，跌打损伤，痈肿初起，蛇虫咬伤。

| **用法用量** | 内服煎汤，15 ～ 30g。外用适量，捣敷。

荨麻科 Urticaceae 冷水花属 Pilea

粗齿冷水花 *Pilea sinofasciata* C. J. Chen

| 药 材 名 | 紫绿麻（药用部位：全草。别名：紫绿草、宫麻、青药）。

| 形态特征 | 草本。茎肉质，高 25 ～ 100cm，有时上部被短柔毛，几乎不分枝。叶同对近等大，椭圆形、卵形、椭圆状披针形或长圆状披针形，稀卵形，长（2 ～）4 ～ 17cm，宽（1.5 ～）2 ～ 7cm，先端常长尾状渐尖，稀锐尖或渐尖，基部楔形或钝圆形，边缘在基部以上有粗大的牙齿或牙齿状锯齿；下部的叶常渐小，倒卵形或扇形，先端锐尖或近圆形，有数枚粗钝齿，上面沿着中脉常有 2 白斑带，疏生透明短毛，后渐脱落，下面近无毛或有时在脉上被短柔毛，钟乳体蠕虫形，长 0.2 ～ 0.3mm，不明显，常在下面围着细脉增大的结节点排成星状；基出脉 3，其侧生的 2 条与中脉成 20° ～ 30° 的夹角并伸达上部与邻近侧脉环结，侧脉下部的数对不明显，上部的 3 ～ 4 对明显

粗齿冷水花

增粗结成网状；叶柄长（0.5 ~ ）1 ~ 5cm，在其上部常被短毛，有时整个叶柄被短柔毛；托叶小，膜质，三角形，长约 2mm，宿存。花雌雄异株或同株；花序聚伞圆锥状，具短梗，长不过叶柄。雄花具短梗，在芽时长 1 ~ 1.5mm；花被片 4，合生至中下部，椭圆形，内凹，先端钝圆，其中 2 枚在外面近先端处有不明显的短角状突起，有时（尤其在花芽时）有较明显的短角；雄蕊 4；退化雌蕊小，圆锥状。雌花小，长约 0.5mm；花被片 3，近等大。瘦果圆卵形，先端歪斜，长约 0.7mm，成熟时外面常有细疣点；宿存花被片在下部合生，宽卵形，先端钝圆，边缘膜质，长及果实的约一半；退化雄蕊长圆形，长约 0.4mm。花期 6 ~ 7 月，果期 8 ~ 10 月。

| **生境分布** | 生于海拔 700 ~ 2500m 的山坡林下阴湿处。分布于重庆巫溪、南川、永川、巫山、丰都、秀山、合川等地。

| **资源情况** | 野生资源一般。药材来源于野生，自采自用。

| **采收加工** | 夏、秋季采收，鲜用或晒干。

| **功能主治** | 辛，平。清热解毒，活血祛风，理气止痛。用于高热，乳蛾肿痛，鹅口疮，跌打损伤，骨折，风湿痹痛。

| **用法用量** | 内服煎汤，5 ~ 15g。外用适量，捣敷。

荨麻科 Urticaceae 冷水花属 Pilea

翅茎冷水花 *Pilea subcoriacea* (Hand.-Mazz.) C. J. Chen

翅茎冷水花

| 药 材 名 |

翅茎冷水花（药用部位：全草）。

| 形态特征 |

多年生草本，近无毛。地下茎横走。茎高 20 ~ 70cm，肉质，带紫红色，常有数条波状膜质翅，几不分枝。叶同对的近等大，纸质，倒卵状长圆形，有时椭圆形，先端渐尖，基部圆形或钝形，稀微缺，边缘下部全缘，下部以上有圆齿状锯齿，上面深绿色，下面带紫红色或浅绿色，钟乳体极细；叶柄长 0.5 ~ 3.5cm；托叶薄膜质，褐色，心形。雌雄异株；雄花序聚伞圆锥状，具长梗，同花序梗常长过叶；雌花序多回二歧聚伞状，具短总梗。雄花具梗；花被片 4，合生至中部，长圆状卵形，先端几无短角；退化雌蕊小，圆锥状卵形。雌花小，具短梗或无；花被 3，增厚。瘦果近圆形或圆卵形，熟时表面有细疣点。花期 4 月，果期 5 ~ 6 月。

| 生境分布 |

生于海拔 850 ~ 1800m 的阴湿山地杂木林下。分布于重庆南川、巫溪、巫山、丰都、秀山、合川、永川等地。

| **资源情况** | 野生资源较少。药材来源于野生，自采自用。

| **采收加工** | 夏、秋季采收，鲜用或晒干。

| **功能主治** | 清热利尿。

| **用法用量** | 内服煎汤，6 ～ 15g。

荨麻科 Urticaceae 冷水花属 Pilea

疣果冷水花 *Pilea verrucosa* Hand.-Mazz.

| 药材名 | 疣果冷水花（药用部位：全草。别名：土甘草、铁杆水草、红水疳叶）。

| 形态特征 | 多年生草本，近无毛。根茎横走，常丛生。茎肉质，高 20 ~ 100cm，带红色，干时变褐色，下部常有棱，不分枝或分枝。叶近膜质至纸质，同对的近等大，椭圆形、椭圆状披针形、长圆状狭披针形，稀倒卵状长圆形，长 3 ~ 18cm，宽 1.8 ~ 5cm，先端渐尖至尾状渐尖，基部圆形或宽楔形，边缘有锯齿或圆齿状锯齿，上面深绿色，疏生透明粗毛，下面带紫红色或淡绿色，无毛，干时两面常变红褐色，钟乳体常细小，不明显，短杆状或纺锤形，长 0.1 ~ 0.2mm；基出脉 3，两面隆起，侧脉多数，横向结成网脉；叶柄长 1 ~ 7cm；托叶膜质，三角形，长约 1mm，宿存。雌雄异株；花序多回二歧聚伞状，有时雄花序聚伞圆锥状，成对生于叶腋；雄花序长 2 ~ 5cm，其中总花

疣果冷水花

梗长 1 ~ 2.5cm；雌花序具较短的梗，长
0.7 ~ 2cm，或有时近无梗，紧缩成簇生状。雄
花大，具短梗，在芽时长约 2mm；花被片 4，
卵形，先端锐尖，几乎无短角状突起；雄蕊 4；
退化雌蕊小，圆锥形。雌花近无梗；花被片 3，
近等大或中间的 1 枚较大，果时增厚，三角状
卵形，长为果实的 1/3；退化雄蕊鳞片状，长
圆形，较花被片稍短。瘦果圆卵形，先端偏斜，
双凸透镜状，长约 0.7mm，熟时有细疣状突起。
花期 4 ~ 5 月，果期 5 ~ 7 月。

| 生境分布 |

生于海拔 400 ~ 1600m 的山谷阴湿处。分布于
重庆北碚、开州、酉阳、南川等地。

| 资源情况 |

野生资源较少。药材来源于野生，自采自用。

| 采收加工 |

夏、秋季采收，洗净，鲜用或晒干。

| 功能主治 |

淡、微甘，凉。清热解毒，消肿。用于疮疖痈肿，
水肿。

| 用法用量 |

内服煎汤，6 ~ 15g。外用适量，鲜品捣敷。

荨麻科 Urticaceae 雾水葛属 Pouzolzia

红雾水葛 *Pouzolzia sanguinea* (Bl.) Merr.

| 药 材 名 | 大粘药（药用部位：根、叶。别名：玄麻、升麻、土升麻）。

| 形态特征 | 灌木，高 0.5 ~ 3m。小枝有浅纵沟，密或疏被贴伏或开展的短糙毛，偶尔顶部有数节无叶，只生团伞花序。叶互生；叶片薄纸质或纸质，狭卵形、椭圆状卵形或卵形，稀长圆形或披针形，长 2.6 ~ 11（~ 17）cm，宽 1.5 ~ 4（~ 9）cm，先端短渐尖至长渐尖，基部圆形、宽楔形或钝，边缘在基部之上有多数小牙齿，每侧 8 ~ 14（~ 19），两面均稍粗糙，均被短糙毛，毛通常贴伏，有时稍开展，在较密并贴伏时，叶下面带银灰色并有光泽，侧脉 2 对；叶柄长 0.4 ~ 1.2（~ 2.5）cm。团伞花序单性或两性，直径 2 ~ 6mm；苞片钻形或三角形，长 2.5 ~ 4mm。雄花花被片 4，船状椭圆形，长约 1.6mm，合生至中部，先端急尖，外面被糙毛；雄蕊 4，长约 2mm，花药长

红雾水葛

0.6mm；退化雌蕊狭倒卵形，长约 0.6mm，基部周围被白色柔毛。雌花花被宽椭圆形或菱形，长 0.8 ～ 1.2mm，先端约有小齿 3，外面被稍密的毛，果期长约 2mm；柱头长 0.8 ～ 1.5mm。瘦果卵球形，长约 1.6mm，淡黄白色。花期 4 ～ 8 月。

| **生境分布** | 生于海拔 250 ～ 1500m 的干燥山坡草地、灌丛中或林边。分布于重庆綦江、潼南、忠县、巫溪、九龙坡、南川、北碚、大足、璧山、江津等地。

| **资源情况** | 野生资源一般。药材来源于野生，自采自用。

| **采收加工** | 全年均可采收，洗净，鲜用或晒干。

| **功能主治** | 涩、微辛，凉。祛风除湿，舒筋活络，清热解毒。用于风湿痹痛，跌打损伤，乳痈，疮疖，热淋，湿热泄泻。

| **用法用量** | 内服煎汤，9 ～ 15g。外用适量，捣敷；或研末撒。

雾水葛
Pouzolzia zeylanica (L.) Benn.

| 药 材 名 | 雾水葛（药用部位：带根全草。别名：地消散、脓见消、啜脓膏）。

| 形态特征 | 多年生草本。茎直立或渐升，高 12 ~ 40cm，不分枝，通常在基部或下部有 1 ~ 3 对对生的长分枝，枝条不分枝或有少数极短的分枝，被短伏毛，或混有开展的疏柔毛。叶全部对生，或茎顶部的对生；叶片草质，卵形或宽卵形，长 1.2 ~ 3.8cm，宽 0.8 ~ 2.6cm，短分枝的叶很小，长约 6mm，先端短渐尖或微钝，基部圆形，全缘，两面被疏伏毛，或有时下面的毛较密，侧脉 1 对；叶柄长 0.3 ~ 1.6cm。团伞花序通常两性，直径 1 ~ 2.5mm；苞片三角形，长 2 ~ 3mm，先端骤尖，背面被毛。雄花有短梗；花被片 4，狭长圆形或长圆状倒披针形，长约 1.5mm，基部稍合生，外面被疏毛；雄蕊 4，长约 1.8mm，花药长约 0.5mm；退化雌蕊狭倒卵形，长约 0.4mm。雌花

雾水葛

花被椭圆形或近菱形，长约 0.8mm，先端有 2 小齿，外面密被柔毛，果期呈菱状卵形，长约 1.5mm；柱头长 1.2 ～ 2mm。瘦果卵球形，长约 1.2mm，淡黄白色，上部褐色，或全部黑色，有光泽。花期秋季。

| **生境分布** | 生于海拔 300 ～ 800m 的草地、田边、丘陵或低山灌丛及疏林中。分布于重庆石柱、开州、万州、忠县、南川、綦江、江津、铜梁、璧山、北碚、潼南、涪陵、武隆、合川、九龙坡等地。

| **资源情况** | 野生资源丰富。药材来源于野生，自产自销。

| **采收加工** | 全年均可采收，洗净，鲜用或晒干。

| **药材性状** | 本品根系细小，主茎短，分枝较多，疏被毛，红棕色。叶膜质而脆，易碎，叶柄纤细。气微，味淡。

| **功能主治** | 甘、淡，寒。清热解毒，消肿排脓，利水通淋。用于疮疡痈疽，乳痈，风火牙痛，痢疾，腹泻，小便淋痛，白浊。

| **用法用量** | 内服煎汤，15 ～ 30g。鲜品加倍。外用适量，捣敷；或捣汁含漱。疮疡无脓者勿用之，以免增痛。

荨麻科 Urticaceae 荨麻属 Urtica

荨麻
Urtica fissa E. Pritz.

| **药 材 名** | 荨麻（药用部位：全草。别名：螫麻、蝎子草、白活麻）、荨麻根（药用部位：根）。

| **形态特征** | 多年生草本。有横走的根茎。茎自基部多出，高 40 ~ 100cm，四棱形，密生刺毛和被微柔毛，分枝少。叶近膜质，宽卵形、椭圆形、五角形或近圆形，长 5 ~ 15cm，宽 3 ~ 14cm，先端渐尖或锐尖，基部截形或心形，边缘有 5 ~ 7 对浅裂片或掌状 3 深裂（此时每裂片又分出 2 ~ 4 对不整齐的小裂片），裂片自下向上逐渐增大，三角形或长圆形，长 1 ~ 5cm，先端锐尖或尾状，边缘有数枚不整齐的牙齿状锯齿，上面绿色或深绿色，疏生刺毛和糙伏毛，下面浅绿色，被稍密的短柔毛，在脉上被较密的短柔毛和刺毛，钟乳体杆状，稀近点状；基出脉 5，上面 1 对伸达中上部裂齿尖，侧脉 3 ~ 6 对；叶柄长 2 ~ 8cm，密生刺毛和微柔毛；托叶草质，绿色，2 枚在叶

荨麻

柄间合生，宽矩圆状卵形至矩圆形，长 10 ~ 20mm，先端钝圆，被微柔毛和钟乳体，有纵肋 10 ~ 12。雌雄同株，雌花序生于上部叶腋，雄花序生于下部叶腋，稀雌雄异株；花序圆锥状，具少数分枝，有时近穗状，长达 10cm，花序轴被微柔毛和疏生刺毛。雄花具短梗，在芽时直径约 1.4mm，开放后直径约 2.5mm；花被片 4，在中下部合生，裂片常矩圆状卵形，外面疏生微柔毛；退化雌蕊碗状，无柄，常白色透明。雌花小，几乎无梗。瘦果近圆形，稍双凸透镜状，长约 1mm，表面有带褐红色的细疣点；宿存花被片 4，内面 2 近圆形，与果近等大，外面 2 近圆形，较内面的短约 4 倍，边缘薄，外面被细硬毛。花期 8 ~ 10月，果期 9 ~ 11 月。

| 生境分布 | 生于海拔 200 ~ 2000m 的山坡、路旁或住宅旁半阴湿处。重庆各地均有分布。

| 资源情况 | 野生资源丰富。药材来源于野生，自产自销。

| 采收加工 | 荨麻：夏、秋季采收，切段，晒干。
荨麻根：夏、秋季采挖，除去杂质，洗净，晒干或鲜用。

| 药材性状 | 荨麻：本品多切成短段，长短不等。茎长 1.4 ~ 3.8cm，直径 1.5 ~ 4mm，绿色至红紫色，有钝棱，疏生螫毛和短柔毛，节上有对生叶。叶绿色，皱缩，易碎，叶片具 5 ~ 7 对掌状浅裂片，裂片具三角状粗锯齿。花序穗状，皱缩，数个腋生，具短总梗。瘦果密集，宽卵形，稍扁，长约 1.5mm。体轻，质软。气微，味淡、微辛。

| 功能主治 | 荨麻：苦、辛，温；有毒。祛风通络，平肝定惊，消积通便，解毒。用于风湿痹痛，产后抽风，小儿惊风，小儿麻痹后遗症，高血压，消化不良，大便不通，荨麻疹，跌打损伤，蛇虫咬伤。
荨麻根：苦、辛，温；有小毒。祛风，活血，止痛。用于风湿疼痛，荨麻疹，湿疹，高血压。

| 用法用量 | 荨麻：内服煎汤，5 ~ 10g。外用适量，捣汁擦；或捣烂外敷；或煎汤洗。内服不宜过量；脾胃虚弱者慎服。
荨麻根：内服煎汤，15 ~ 30g；或浸酒。外用适量，煎汤洗。本品有毒，过量服用，可致剧烈呕吐，腹痛，头晕，心悸，以至虚脱。

| 附　注 | 本种喜温喜湿，对土壤要求不严。

荨麻科 Urticaceae 荨麻属 Urtica

齿叶荨麻

Urtica laetevirens Maxim. subsp. *dentata* (Hand.-Mazz.) C. J. Chen

齿叶荨麻

药材名

齿叶荨麻（药用部位：全草）。

形态特征

本种同原亚种宽叶荨麻极近似，主要区别在于叶心形，有时茎上部的叶狭卵形，稀披针形，侧脉和外向二级脉在近边缘常网结。花期 6 ～ 8 月，果期 8 ～ 10 月。

生境分布

生于阴湿林缘或路旁。分布于重庆南川、丰都、石柱、秀山等地。

资源情况

野生资源一般。药材来源于野生。

采收加工

夏、秋季采收，切段，晒干。

功能主治

苦、辛，温；有毒。祛风通络，平肝定惊，消积通便，解毒。用于风湿痹痛，产后抽风，小儿惊风，小儿麻痹后遗症，高血压，消化不良，大便不通，荨麻疹，跌打损伤，蛇虫咬伤。

| **用法用量** |　内服煎汤，5 ~ 10g。外用适量，捣汁擦；或捣烂外敷；或煎汤洗。

| **附　　注** |　在 FOC 中，本种被修订为宽叶荨麻 *Urtica laetevirens* Maxim.。

山龙眼科 Proteaceae 银桦属 Grevillea

银桦

Grevillea robusta A. Cunn. ex R. Br.

银桦

药材名

银桦（药用部位：叶、花。别名：凤尾七、银橡树）。

形态特征

乔木，高 10 ~ 25m。树皮暗灰色或暗褐色，具浅皱纵裂；嫩枝被锈色绒毛。叶长 15 ~ 30cm，2 回羽状深裂，裂片 7 ~ 15 对，上面无毛或被稀疏丝状绢毛，下面被褐色绒毛和银灰色绢状毛，边缘背卷；叶柄被绒毛。总状花序，长 7 ~ 14cm，腋生，或排成少分枝的顶生圆锥花序，花序梗被绒毛；花梗长 1 ~ 1.4cm；花橙色或黄褐色，花被管长约 1cm，顶部卵球形，下弯；花药卵球状；花盘半环状，子房具子房柄，花柱顶部圆盘状，稍偏于一侧，柱头锥状。果实卵状椭圆形，稍偏斜，果皮革质，黑色，宿存花柱弯；种子长盘状，边缘具窄薄翅。花期 3 ~ 5 月，果期 6 ~ 8 月。

生境分布

多见于庭院栽培。分布于重庆綦江、南川、南岸、开州、万州、涪陵、武隆、长寿、巴南、北碚、江津等地。

| **资源情况** | 广泛栽培于庭院或街道。药材来源于栽培，自采自用。 |

| **功能主治** | 清热利气，活血止痛。用于跌打损伤。 |

| **附　　注** | 本种喜光，喜温暖气候，不耐重霜及 - 4℃以下低温，较耐干旱，在深厚肥沃、疏松、排水良好、微酸性的砂壤土中生长良好，不适宜在坚硬、砾质或黏土地中生长。 |

█ 铁青树科 █ Olacaceae █ 青皮木属 █ *Schoepfia*

青皮木 *Schoepfia jasminodora*. Sieb. et Zucc.

| 药 材 名 | 脆骨风（药用部位：全株或根、树皮、叶。别名：茶条树、碎骨风、羊脆骨）。

| 形态特征 | 落叶小乔木或灌木，高 3 ~ 14m。树皮灰褐色；具短枝，新枝自去年生短枝上抽出，嫩时红色，老枝灰褐色，小枝干后栗褐色。叶纸质，卵形或长卵形，长 3.5 ~ 7（~ 10）cm，宽 2 ~ 4.5（~ 5）cm，先端近尾状或长尖，基部圆形，稀微凹或宽楔形，叶上面绿色，背面淡绿色，干后上面黑色，背面淡黄褐色；侧脉每边 4 ~ 5，略呈红色；叶柄长 2 ~ 3mm，红色。花无梗，（2 ~）3 ~ 9 排成穗状花序状的螺旋状聚伞花序，花序长 2 ~ 6cm，总花梗长 1 ~ 2.5cm，红色，果时可增长到 4 ~ 5cm；花萼筒杯状，上端有小萼齿 4 ~ 5；无副萼，花冠钟形或宽钟形，白色或浅黄色，长 5 ~ 7mm，宽 3 ~ 4mm，先

青皮木

端具小裂齿 4 ～ 5，裂齿长三角形，长 1 ～ 2mm，外卷；雄蕊着生于花冠管上，花冠内面着生雄蕊处的下部各有 1 束短毛；子房半埋在花盘中，下部 3 室，上部 1 室，每室具 1 胚珠；柱头通常伸出花冠管外。果实椭圆形或长圆形，长 1 ～ 1.2cm，直径 5 ～ 8mm，成熟时几全部被增大成壶状的花萼筒所包围，增大的花萼筒外部紫红色，基部被略膨大的"基座"所承托。花叶同放。花期 3 ～ 5 月，果期 4 ～ 6 月。

| **生境分布** | 生于海拔 1000 ～ 2600m 的山谷、沟边、山坡、路旁的密林或疏林中。分布于重庆城口、巫溪、巫山、奉节、石柱、南川、江津、彭水等地。

| **资源情况** | 野生资源一般。药材来源于野生。

| **采收加工** | 全年均可采收根及树皮，切片，晒干。夏、秋季采集叶，鲜用或晒干。夏、秋季采收全株，洗净，切段，晒干。

| **功能主治** | 甘、微涩，平。归肝、肾经。祛风除湿，散瘀止痛。用于风湿痹痛，腰痛，产后腹痛，跌打损伤。

| **用法用量** | 内服煎汤，30 ～ 60g。外用适量，鲜叶捣敷。

檀香科 Santalaceae 百蕊草属 Thesium

百蕊草 *Thesium chinense* Turcz.

| 药 材 名 | 百蕊草（药用部位：全草。别名：百乳草、地石榴、草檀）、百蕊草根（药用部位：根）。

| 形态特征 | 多年生柔弱草本，高 15 ~ 40cm，全株多少被白粉，无毛。茎细长，簇生，基部以上疏分枝，斜升，有纵沟。叶线形，长 1.5 ~ 3.5cm，宽 0.5 ~ 1.5mm，先端急尖或渐尖，具单脉。花单一，5 基数，腋生；花梗短或很短，长 3 ~ 3.5mm；苞片 1，线状披针形；小苞片 2，线形，长 2 ~ 6mm，边缘粗糙；花被绿白色，长 2.5 ~ 3mm，花被管呈管状，花被裂片先端锐尖，内弯，内面的微毛不明显；雄蕊不外伸；子房无柄，花柱很短。坚果椭圆形或近球形，长或宽 2 ~ 2.5mm，淡绿色，表面有明显、隆起的网脉，先端的宿存花被近球形，长约 2mm；果柄长 3.5mm。花期 4 ~ 5 月，果期 6 ~ 7 月。

百蕊草

| **生境分布** | 生于海拔 400 ~ 1600m 的荫蔽湿润或潮湿的小溪边、田野、草甸，也见于草甸与枥树林的石砾坡地上。分布于重庆丰都、巫溪、云阳、垫江、武隆、黔江、酉阳、秀山、南川等地。

| **资源情况** | 野生资源较少。药材来源于野生，自采自用。

| **采收加工** | 百蕊草：春、夏季采挖，除去泥土，晒干。
百蕊草根：夏、秋季采挖，洗净，晒干。

| **药材性状** | 百蕊草：本品多分枝，长 20 ~ 40cm。根圆锥形，直径 0.1 ~ 0.4cm；表面棕黄色，有纵皱纹，具细支根。茎丛生，纤细，长 12 ~ 30cm，暗黄绿色，具纵棱；质脆，易折断，断面中空。叶互生，线状披针形，长 1 ~ 3cm，宽 0.5 ~ 1.5mm，灰绿色。小花单生于叶腋，近无梗。坚果近球形，直径约 0.2cm，表面灰黄色，有网状雕纹及宿存叶状小苞片 2。气微，味淡。

| **功能主治** | 百蕊草：辛、微苦，寒。归肺、脾、肾经。清热，利湿，解毒。用于风热感冒，肺痈，乳蛾，泌尿系感染，遗精，淋巴结结核，疖肿。
百蕊草根：微苦、辛，平。行气活血，通乳。用于月经不调，乳汁不下。

| **用法用量** | 百蕊草：内服煎汤，9 ~ 30g。外用适量，研末调敷。
百蕊草根：内服煎汤，3 ~ 10g。

檀香科 Santalaceae　百蕊草属 Thesium

急折百蕊草

Thesium refractum C. A. Mey.

| 药 材 名 | 九仙草（药用部位：全草或根。别名：九龙草、珍珠草、酒仙草）。

| 形态特征 | 多年生草本，高 20 ～ 40cm。根茎直，颇粗壮。茎有明显的纵沟。叶线形，长 3 ～ 5cm，宽 2 ～ 2.5mm，先端常钝，基部收狭不下延，无柄，两面粗糙，通常单脉。总状花序腋生或顶生；花白色，长 5 ～ 6mm；总花梗呈 "之" 字形曲折；花梗长 5 ～ 7mm，细长，有棱，花后外倾并渐反折；苞片 1，长 6 ～ 8mm，叶状，开展；小苞片 2；花被筒状或阔漏斗状，上部 5 裂，裂片线状披针形；雄蕊 5，内藏；子房柄很短，花柱圆柱状，不外伸。坚果椭圆形或卵形，长 3mm，直径 2 ～ 2.5mm，表面有 5 ～ 10 不很明显的纵脉（或棱），纵棱偶分叉，宿存花被长 1.5cm；果柄长达 1cm，果熟时反折。花期 7 月，果期 9 月。

急折百蕊草

| 生境分布 | 生于草甸或多砂砾的坡地。分布于重庆万州、巫溪、巫山、奉节、开州等地。

| 资源情况 | 野生资源一般。药材来源于野生。

| 采收加工 | 夏、秋季采收，晒干。

| 功能主治 | 辛、微苦，凉。归肺、肝、脾经。解表清热，祛风止痉。用于感冒，中暑，小儿肺炎，惊风。

| 用法用量 | 内服煎汤，6 ~ 12g。

桑寄生科 Loranthaceae 梨果寄生属 Scurrula

红花寄生 *Scurrula parasitica* L.

红花寄生

药材名

红花寄生（药用部位：带叶茎枝。别名：红花寄、柏寄生、桃树寄生）。

形态特征

灌木，高 0.5 ~ 1m。嫩枝、叶密被锈色星状毛，稍后毛全脱落，枝和叶变无毛，小枝灰褐色，具皮孔。叶对生或近对生，厚纸质，卵形至长卵形，长 5 ~ 8cm，宽 2 ~ 4cm，先端钝，基部阔楔形；侧脉 5 ~ 6 对，两面均明显；叶柄长 5 ~ 6mm。总状花序，1 ~ 2（~ 3）腋生或生于小枝已落叶腋部，各部分均被褐色毛，花序梗和花序轴共长 2 ~ 3mm，具花 3 ~ 5（~ 6），花红色，密集；花梗长 2 ~ 3mm；苞片三角形，长约 1mm；花托陀螺状，长 2 ~ 2.5mm；副萼环状，全缘；花冠花蕾时管状，长 2 ~ 2.5cm，稍弯，下半部膨胀，顶部椭圆状，开花时顶部 4 裂，裂片披针形，长 5 ~ 8mm，反折；花丝长 2 ~ 3mm，花药长 1.5 ~ 2mm；花柱线状，柱头头状。果梨形，长约 10mm，直径约 3mm，下半部骤狭成长柄状，红黄色，果皮平滑。花果期 10 月至翌年 1 月。

| **生境分布** | 生于海拔 220 ~ 1000m 的沿江地区或山地常绿阔叶林中，寄生于柚树、橘树、柠檬、黄皮、桃树、梨树或山茶科、大戟科、夹竹桃科、榆科、无患子科或马桑科等植物上，稀寄生云南油杉、干香柏上。分布于重庆酉阳、云阳、南川、巴南、大足、奉节、北碚等地。 |

| **资源情况** | 野生资源稀少。药材主要来源于野生。 |

| **采收加工** | 全年均可采收，切片，晒干。 |

| **药材性状** | 本品茎枝圆柱形，多分枝，长 3 ~ 5cm，直径约 1cm，细枝和枝梢直径 2 ~ 3mm；表面粗糙，老枝红褐色或深褐色，小枝及枝梢赭红色，幼枝有的有棕褐色星状毛，表面有众多点状、黄褐色或灰褐色横向皮孔及不规则、粗而密的纵纹；质坚脆，易折断，断面不平坦，皮部菲薄，赭褐色，易与木部分离，木部宽阔，淡黄色或土黄色，有放射状纹理，髓部深黄色。叶对生或近对生，易脱落；叶片多破碎卷缩，完整者卵形至长卵形，长 5 ~ 8cm，宽 2 ~ 4cm，黄褐色或茶褐色，侧脉明显，两面均光滑无毛，全缘，厚纸质而脆，嫩叶有的有棕褐色星状毛；叶柄长约 5mm。有的有未脱落的花、果，花蕾管状，顶部长圆形，急尖，开放时，先端 4 裂，裂片反折，可见雄蕊 4 及花柱。果实梨形，先端钝圆，下半部渐狭成长柄状。气清香，味微涩而苦。 |

| **功能主治** | 辛、苦，平。祛风湿，强筋骨，活血解毒。用于风湿痹痛，腰膝酸痛，胃痛，乳少，跌打损伤，疮疡肿毒。 |

| **用法用量** | 内服煎汤，30 ~ 60g。外用适量，嫩枝叶捣敷。 |

桑寄生科 Loranthaceae 钝果寄生属 Taxillus

毛叶钝果寄生
Taxillus nigrans (Hance) Danser

| **药 材 名** | 桑寄生（药用部位：带叶茎枝。别名：桑上寄生、寄生树、寄生草）。

| **形态特征** | 灌木，高 0.5 ～ 1.5m。嫩枝、叶、花序和花均密被灰黄色、黄褐色
或褐色的叠生星状毛和星状毛；小枝灰褐色或暗黑色，无毛，具散
生皮孔。叶对生或互生，革质，长椭圆形、长圆形或长卵形，长 6 ～ 8.5
（～ 11）cm，宽 3 ～ 4（～ 5）cm，先端圆钝或急尖，基部楔形至
圆形，上面无毛，干后暗黑色或黄褐色，下面被绒毛；侧脉 4 ～ 5 对，
在叶上面稍凸起；叶柄长 5 ～ 8mm，被绒毛。总状花序 1 ～ 3（～ 5）
簇生叶腋或小枝已落叶腋部，具花 2 或 3 ～ 5，密集排列成伞形，
总花梗和花序轴共长 2 ～ 3（～ 4）mm；花梗长 1 ～ 1.5mm；苞片
三角形，长约 1mm；花红黄色，花托卵球形，长约 2mm；副萼环状，
全缘，稍内卷；花冠花蕾时管状，长 1.2 ～ 1.8cm，微弯或近直立，

毛叶钝果寄生

花冠管稍膨胀，顶部卵球形，裂片 4，匙形，长 4 ~ 6mm，稍开展或反折；花丝长 1.5 ~ 3mm，花药长约 1.5mm；花柱线状，柱头头状。果实椭圆形，长约 7mm，直径约 4mm，两端圆钝，淡黄色，果皮粗糙，被疏生星状毛；果序梗长 3 ~ 5mm，果梗长 2 ~ 3mm。花期 8 ~ 11 月，果期翌年 4 ~ 5 月。

| 生境分布 | 生于海拔 500 ~ 1900m 的山地、丘陵或河谷盆地阔叶林中，寄生于樟树、桑树、油茶或栎属、柳属植物上。分布于重庆梁平、城口、巫山、巫溪、石柱、南川、合川、璧山、铜梁、江津、北碚等地。

| 资源情况 | 野生资源一般。药材来源于野生。

| 采收加工 | 冬季至翌年春季采割，除去粗茎，切段，干燥或蒸后干燥。

| 功能主治 | 苦、甘，平。归肝、肾经。补肝肾，强筋骨，祛风湿，安胎。用于腰膝酸痛，筋骨痿弱，肢体偏枯，风湿痹痛，头昏目眩，胎动不安，崩漏下血。

| 用法用量 | 内服煎汤，10 ~ 15g；或入丸、散；或浸酒；或捣汁服。外用适量，捣烂外敷。

| 附　　注 | 本种为"桑寄生"品种之一，民间以寄生于桑树的疗效为佳。

桑寄生科 Loranthaceae 钝果寄生属 Taxillus

桑寄生
Taxillus sutchuenensis (Lecomte) Danser

桑寄生

| 药 材 名 |

贵州桑寄生（药用部位：带叶茎枝。别名：桑寄生、桑上寄生、寄生树）。

| 形态特征 |

灌木，高 0.5 ~ 1m。嫩枝、叶密被褐色或红褐色星状毛，有时被散生叠生星状毛；小枝黑色，无毛，具散生皮孔。叶近对生或互生，革质，卵形、长卵形或椭圆形，长 5 ~ 8cm，宽 3 ~ 4.5cm，先端圆钝，基部近圆形，上面无毛，下面被绒毛；侧脉 4 ~ 5 对，在叶上面明显；叶柄长 6 ~ 12mm，无毛。总状花序 1 ~ 3 生于小枝已落叶腋部或叶腋，具花（2 ~ ）3 ~ 4（~ 5），密集成伞形，花序和花均密被褐色星状毛，总花梗和花序轴共长 1 ~ 2（~ 3）mm；花梗长 2 ~ 3mm；苞片卵状三角形，长约 1mm；花红色，花托椭圆形，长 2 ~ 3mm；副萼环状，具 4 齿；花冠花蕾时管状，长 2.2 ~ 2.8cm，稍弯，下半部膨胀，顶部椭圆形，裂片 4，披针形，长 6 ~ 9mm，反折，开花后毛变稀疏；花丝长约 2mm，花药长 3 ~ 4mm，药室常具横隔；花柱线状，柱头圆锥状。果实椭圆形，长 6 ~ 7mm，直径 3 ~ 4mm，两端均圆钝，黄绿色，果皮具颗粒状体，被疏毛。花期 6 ~ 8 月。

生境分布	生于海拔 500 ~ 1900m 的山地阔叶林中，寄生于桑树、梨树、李树、梅树、油茶、厚皮香、漆树、核桃或栎属、柯属、水青冈属、桦属、榛属等植物上。分布于重庆城口、巫山、奉节、石柱、南川、江津、北碚、丰都、涪陵、长寿、开州、璧山等地。

资源情况	野生资源较少。药材来源于野生，自产自销。

采收加工	全年均可采收，干燥。

药材性状	本品茎枝呈圆柱形，长 3 ~ 4cm，直径 0.2 ~ 1cm；表面黑褐色或棕褐色，具细纵纹，有点状突起的棕色皮孔及脱落侧枝痕，嫩枝可见棕红色或黄褐色绒毛；质坚硬，折断面不平坦，皮部棕褐色，易与木部分离，木部淡红棕色。叶对生或近对生，易脱落，完整者长椭圆形或长卵形，长 5 ~ 8cm，宽 3 ~ 4.5cm，表面褐色，无毛，嫩叶下表面红褐色并密被绒毛，先端钝圆或略尖，基部圆形或宽楔形，全缘，革质，叶柄长 0.6 ~ 1.2cm。有的具未脱落的花、果，果实长圆形。气微，味涩。

功能主治	苦、甘，平。归肝、肾经。补肝肾，强筋骨，祛风湿，安胎。用于肾虚腰痛，腰膝酸软，筋骨无力，风湿痹痛，妊娠漏血，胎动不安，高血压。

用法用量	内服煎汤，9 ~ 15g。

桑寄生科 Loranthaceae 槲寄生属 Viscum

扁枝槲寄生
Viscum articulatum Burm. f.

| 药 材 名 | 扁枝槲寄生（药用部位：带叶茎枝。别名：枫香寄生、螃蟹夹、栗寄生）。

| 形态特征 | 亚灌木，高 0.3 ~ 0.5m，直立或披散。茎基部近圆柱形，枝和小枝均扁平；枝交叉对生或二歧分枝，节间长 1.5 ~ 2.5cm，宽 2 ~ 3mm，稀长 3 ~ 4cm，宽 3.5mm，干后边缘薄，具纵肋 3，中肋明显。叶退化成鳞片状。聚伞花序 1 ~ 3 腋生，总花梗几无，总苞舟形，长约 1.5mm；具花 1 ~ 3，中央 1 为雌花，侧生的为雄花，通常仅具 1 雌花或 1 雄花。雄花花蕾时球形，长 0.5 ~ 1mm，萼片 4；花药圆形，贴生于萼片下半部。雌花花蕾时椭圆形，长 1 ~ 1.5mm，基部具环状苞片；花托卵球形；萼片 4，三角形，长约 0.5mm；柱头垫状。果实球形，直径 3 ~ 4mm，白色或青白色，果皮平滑。花果期几全年。

扁枝槲寄生

| **生境分布** | 生于海拔 250 ~ 1700m 的山地阔叶林中，常寄生于壳斗科、大戟科、樟科、檀香科植物上。分布于重庆忠县、巫山、奉节等地。 |

| **资源情况** | 野生资源稀少。药材来源于野生，自产自销。 |

| **采收加工** | 冬季至翌年春季采割，除去粗茎，切段，干燥。 |

| **药材性状** | 本品茎基部圆柱形，两侧各具 1 棱，常二歧或三歧叉状分枝，节膨大，小枝节间呈扁平圆柱形，边缘薄，上端稍宽，基部渐窄，节间长 1.5 ~ 2.5cm；表面黄绿色或黄棕色，具纵肋 3，中肋明显；体轻，质韧，不易折断，断面不平坦，黄白色，髓部常呈狭缝状。叶呈鳞片状，易脱落，无柄。气微，味微苦。 |

| **功能主治** | 苦，平。归肝、肾经。祛风湿，补肝肾，强筋骨，安胎。用于风湿痹痛，腰膝酸软，胎动不安。 |

| **用法用量** | 内服煎汤，9 ~ 15g。 |

桑寄生科 Loranthaceae 槲寄生属 Viscum

槲寄生

Viscum coloratum (Kom.) Nakai

槲寄生

药材名

槲寄生（药用部位：带叶茎枝。别名：黄寄生、北寄生、寄生）。

形态特征

灌木，高 0.3 ~ 0.8m。茎、枝均圆柱形，二歧或三歧，稀多歧分枝，节稍膨大，小枝节间长 5 ~ 10cm，直径 3 ~ 5mm，干后具不规则皱纹。叶对生，稀 3 叶轮生，厚革质或革质，长椭圆形至椭圆状披针形，长 3 ~ 7cm，宽 0.7 ~ 1.5（~ 2）cm，先端圆形或圆钝，基部渐狭；基出脉 3 ~ 5；叶柄短。雌雄异株；花序顶生或腋生茎叉状分枝处。雄花序聚伞状，总花梗几无或长达 5mm，总苞舟形，长 5 ~ 7mm，通常具花 3，中央的花具 2 苞片或无。雄花花蕾时卵球形，长 3 ~ 4mm，萼片 4，卵形；花药椭圆形，长 2.5 ~ 3mm。雌花序聚伞式穗状，总花梗长 2 ~ 3mm 或几无，具花 3 ~ 5，顶生的花具 2 苞片或无，交叉对生的花各具 1 苞片；苞片阔三角形，长约 1.5mm，初具细缘毛，稍后变全缘。雌花花蕾时长卵球形，长约 2mm；花托卵球形，萼片 4，三角形，长约 1mm；柱头乳头状。果实球形，直径 6 ~ 8mm，具宿存花柱，成熟时淡黄色或橙红色，果皮平滑。花期

4 ~ 5 月，果期 9 ~ 11 月。

| 生境分布 | 生于海拔 500 ~ 2000m 的阔叶林中，寄生于榆树、柳树、杨树、桦树、梨树、李树、苹果、枫杨、赤杨、椴属等植物上。重庆各地均有分布。

| 资源情况 | 野生资源稀少。药材来源于野生，自产自销。

| 采收加工 | 冬季至翌年春季采割，除去粗茎，切段，干燥或蒸后干燥。

| 药材性状 | 本品茎枝呈圆柱形，2 ~ 5 叉状分枝，长约 30cm，直径 0.3 ~ 1cm；表面黄绿色、金黄色或黄棕色，有纵皱纹，节膨大，节上有分枝或枝痕；体轻，质脆，易折断，断面不平坦，皮部黄色，木部色较浅，射线放射状，髓部常偏向一边。叶对生于枝梢，易脱落，无柄；叶片呈长椭圆状披针形，长 2 ~ 7cm，宽 0.5 ~ 1.5cm，先端钝圆，基部楔形，全缘，表面黄绿色，有细皱纹，主脉 5 出，中间 3 条明显，革质。浆果球形，皱缩。无臭，味微苦，嚼之有黏性。

| 功能主治 | 苦，平。归肝、肾经。祛风湿，补肝肾，强筋骨，安胎。用于风湿痹痛，腰膝酸软，筋骨无力，崩漏，妊娠漏血，胎动不安，头晕目眩。

| 用法用量 | 内服煎汤，9 ~ 15g。

桑寄生科 Loranthaceae 槲寄生属 *Viscum*

棱枝槲寄生
Viscum diospyrosicolum Hayata

| 药 材 名 | 柿寄生（药用部位：带叶茎枝。别名：万寿木寄生、桑寄生、椰风）。

| 形态特征 | 亚灌木，高 0.3 ~ 0.5m，直立或披散。枝交叉对生或二歧分枝，位于茎基部或中部以下的节间近圆柱形，小枝节间稍扁平，长 1.5 ~ 2.5（~ 3.5）cm，宽 2 ~ 2.5mm，干后具明显的纵肋 2 ~ 3。幼苗期具叶 2 ~ 3 对，叶片薄革质，椭圆形或长卵形，长 1 ~ 2cm，宽 3.5 ~ 6mm，先端钝，基部狭楔形，基出脉 3；成长植株的叶退化呈鳞片状。聚伞花序，1 ~ 3 腋生，总花梗几无；总苞舟形，长 1 ~ 1.5mm，具花 1 ~ 3；3 花时中央 1 为雌花，侧生的为雄花，通常仅具 1 雌花或雄花。雄花花蕾时卵球形，长 1 ~ 1.5mm，萼片 4，三角形；花药圆形，贴生于萼片下半部。雌花花蕾时椭圆形，长 1.5 ~ 2mm，基部具环状苞片或无；花托椭圆形；萼片 4，三角形，长约 0.5mm；

棱枝槲寄生

柱头乳头状。果实椭圆形或卵球形，长 4 ~ 5mm，直径 3 ~ 4mm，黄色或橙色，果皮平滑。花果期 4 ~ 12 月。

| **生境分布** | 生于海拔 500 ~ 2100m 的平原或山地常绿阔叶林中。分布于重庆巫山、巫溪、奉节、石柱、南川、城口等地。

| **资源情况** | 野生资源较少。药材来源于野生，自采自用。

| **采收加工** | 夏、秋季间采收，扎成束，晾干。

| **功能主治** | 苦，平。归肝、肺、胃经。祛风湿，强筋骨，止咳，消肿，降压。用于风湿痹痛，腰腿酸痛，咳嗽，咯血，胃痛，胎动不安，疮疖，高血压。

| **用法用量** | 内服煎汤，9 ~ 15g，大剂量可用至 60g；或浸酒、炖肉。外用适量，研末调敷。

蛇菰科 Balanophoraceae 蛇菰属 Balanophora

筒鞘蛇菰 *Balanophora involucrata* Hook. f.

| 药 材 名 | 寄生黄（药用部位：全草。别名：鹿仙草、见根生、地杨梅）。

| 形态特征 | 草本，高 5 ~ 15cm。根茎肥厚，干时脆壳质，近球形，不分枝或偶分枝，直径 2.5 ~ 5.5cm，黄褐色，很少呈红棕色，表面密集颗粒状小疣瘤和浅黄色或黄白色星芒状皮孔，先端裂鞘 2 ~ 4 裂，裂片呈不规则三角形或短三角形，长 1 ~ 2cm。花茎长 3 ~ 10cm，直径 0.6 ~ 1cm，大部呈红色，很少呈黄红色；鳞苞片 2 ~ 5，轮生，基部联合成筒鞘状，先端离生，呈撕裂状，常包着花茎至中部。花雌雄异株（序）；花序均呈卵球形，长 1.4 ~ 2.4cm，直径 1.2 ~ 2cm；雄花较大，直径约 4mm，3 基数；花被裂片卵形或短三角形，宽不到 2mm，开展；聚药雄蕊无柄，呈扁盘状，花药横裂；具短梗；雌花子房卵圆形，有细长的花柱和子房柄；附属体倒圆锥形，先端

筒鞘蛇菰

截形或稍圆形，长 0.7mm。花期 7 ～ 8 月。

| **生境分布** | 生于海拔 1200 ～ 2800m 的云杉、铁杉或栎木林中，常寄生于杜鹃属植物上。分布于重庆巫山、巫溪、云阳、开州、南川等地。

| **资源情况** | 野生资源较少。药材来源于野生。

| **采收加工** | 秋季采收，除去泥土、杂质，晒干或鲜用。

| **功能主治** | 苦、涩，寒。归肺、胃、肝经。润肺止咳，行气健胃，清热利湿，凉血止血，补肾涩精。用于肺热咳嗽，脘腹疼痛，黄疸，痔疮肿痛，跌打损伤，咯血，月经不调，崩漏，外伤出血，头晕，遗精。

| **用法用量** | 内服煎汤，9 ～ 15g；或炖肉、浸酒。

蛇菰科 Balanophoraceae 蛇菰属 Balanophora

多蕊蛇菰 *Balanophora polyandra* Griff.

| 药 材 名 | 通天蜡烛（药用部位：全草。别名：土苁蓉、木菌子）。

| 形态特征 | 草本，高 5 ~ 25cm，全株带红色至橙黄色。根茎块状，常分枝，直径 2 ~ 3.5cm，表面有纵纹，密被颗粒状小疣瘤并疏生带灰白色的星芒状小皮孔。花茎深红色，长 2.8 ~ 8cm；鳞苞片 4 ~ 12，卵状长圆形，在花茎下部的旋生，在花茎上部的互生，先端略圆形。花雌雄异株（序）；雄花序圆柱状，长 12 ~ 15cm；雄花两侧对称，花被裂片 6，开展，直径约 1cm；聚药雄蕊近圆盘状，中央呈脐状突起，花药短裂，分裂为 20 ~ 60 小药室；雌花序卵圆形或长圆状卵形；子房呈伸长的卵形，花柱丝状；附属体倒圆锥形或近棍棒状，长 7 ~ 8mm，宽约 4mm。花期 8 ~ 10 月。

多蕊蛇菰

| **生境分布** | 生于海拔 1000 ～ 1250m 的山坡密林下。分布于重庆黔江、巫溪、奉节、开州、南川、城口、巫山等地。 |

| **资源情况** | 野生资源较少。药材来源于野生，自采自用。 |

| **采收加工** | 秋季采收，洗净，鲜用或晒干。 |

| **功能主治** | 苦、微涩，平。清热解毒，滋阴养血，止血。用于淋病，梅毒，血虚，出血。 |

| **用法用量** | 内服煎汤，9 ～ 15g。 |

| 蓼科 | Polygonaceae | 金线草属 | *Antenoron*

金线草
Antenoron filiforme (Thunb.) Rob. et Vaut.

| **药 材 名** | 金线草（药用部位：全草。别名：蓼子七、化血七、大蓼子）、金线草根（药用部位：根茎。别名：海根、蓼子七、土三七）。

| **形态特征** | 多年生草本。根茎粗壮。茎直立，高 50 ~ 80cm，被糙伏毛，有纵沟，节部膨大。叶椭圆形或长椭圆形，长 6 ~ 15cm，宽 4 ~ 8cm，先端短渐尖或急尖，基部楔形，全缘，两面均被糙伏毛；叶柄长 1 ~ 1.5cm，被糙伏毛；托叶鞘筒状，膜质，褐色，长 5 ~ 10mm，具短缘毛。总状花序呈穗状，通常数个，顶生或腋生，花序轴延伸，花排列稀疏；花梗长 3 ~ 4mm；苞片漏斗状，绿色，边缘膜质，具缘毛；花被 4 深裂，红色，花被片卵形，果时稍增大；雄蕊 5；花柱 2，果时伸长，硬化，长 3.5 ~ 4mm，先端呈钩状，宿存，伸出花被之外。瘦果卵形，双凸镜状，褐色，有光泽，长约 3mm，包于宿存花被内。花期 7 ~ 8 月，果期 9 ~ 10 月。

金线草

| **生境分布** | 生于海拔 150 ～ 2200m 的山地林缘、山谷路旁阴湿地。分布于重庆黔江、彭水、丰都、忠县、酉阳、南川、涪陵、武隆、奉节、城口、巫溪、云阳、开州、梁平等地。 |

| **资源情况** | 野生资源丰富。药材来源于野生，自产自销。 |

| **采收加工** | 金线草：夏、秋季采收，晒干或鲜用。
金线草根：夏、秋季采挖，洗净，晒干或鲜用。 |

| **药材性状** | 金线草：本品根茎为不规则结节状条块，长 2 ～ 15cm，节部略膨大；表面红褐色，有细纵皱纹，并具众多根痕及须根，先端有茎痕或茎残基；质坚硬，不易折断，断面不平坦，粉红色，髓部色稍深。茎呈圆柱形，不分枝或上部分枝，有长糙伏毛。叶多卷曲，具柄；叶片展开后呈宽卵形或椭圆形，先端短渐尖或急尖，基部楔形或近圆形；托叶鞘膜质，筒状，先端截形，有条纹，叶两面及托叶鞘均被长糙伏毛。气微，味涩、微苦。 |

| **功能主治** | 金线草：辛、苦，凉；有小毒。凉血止血，清热利湿，散瘀止痛。用于咯血，吐血，便血，血崩，泄泻，痢疾，胃痛，经期腹痛，产后血瘀腹痛，跌打损伤，风湿痹痛，瘰疬，痈肿。
金线草根：苦、辛，微寒。凉血止血，散瘀止痛，清热解毒。用于咳嗽咯血，吐血，崩漏，月经不调，痛经，脘腹疼痛，泄泻，痢疾，跌打损伤，风湿痹痛，瘰疬，痈疽肿毒，烫火伤，毒蛇咬伤。 |

| **用法用量** | 金线草：内服煎汤，9 ～ 30g。外用适量，煎汤洗或捣敷。孕妇慎服。
金线草根：内服煎汤，15 ～ 30g；亦可泡酒或炖肉服。外用适量，捣敷；或磨汁涂。孕妇慎服。 |

蓼科 Polygonaceae 荞麦属 *Fagopyrum*

荞麦
Fagopyrum esculentum Moench

| **药 材 名** | 荞麦（药用部位：果实、种子。别名：花麦、乌麦、莜麦）、荞麦花粉（药用部位：花粉）、荞麦秸（药用部位：茎叶）、荞麦叶（药用部位：叶）。

| **形态特征** | 一年生草本。茎直立，高 30 ~ 90cm，上部分枝，绿色或红色，具纵棱，无毛或于一侧沿纵棱具乳头状突起。叶三角形或卵状三角形，长 2.5 ~ 7cm，宽 2 ~ 5cm，先端渐尖，基部心形，两面沿叶脉具乳头状突起；下部叶具长叶柄，上部较小近无梗；托叶鞘膜质，短筒状，长约 5mm，先端偏斜，无缘毛，易破裂脱落。花序总状或伞房状，顶生或腋生，花序梗一侧具小突起；苞片卵形，长约 2.5mm，绿色，边缘膜质，每苞内具 3 ~ 5 花；花梗比苞片长，无关节；花被 5 深裂，白色或淡红色，花被片椭圆形，长 3 ~ 4mm；雄蕊 8，比花被短，

荞麦

花药淡红色；花柱3，柱头头状。瘦果卵形，具3锐棱，先端渐尖，长5～6mm，暗褐色，无光泽，比宿存花被长。花期5～9月，果期6～10月。

| 生境分布 | 生于荒地、路边，亦有栽培。分布于重庆城口、丰都、奉节等地。

| 资源情况 | 野生资源丰富，药材主要来源于栽培，外销内用。

| 采收加工 | 荞麦：霜降前后果实（种子）成熟时收割，打下果实（种子），晒干。

荞麦花粉：春、秋季采收经蜜蜂采集后形成的花粉团，干燥。

荞麦秸：夏、秋季采收，洗净，鲜用或晒干。

荞麦叶：夏、秋季采收，洗净，鲜用或晒干。

| **药材性状** | 荞麦：本品果实呈卵形或三角形，长 5 ~ 6 mm，先端渐尖，具 3 棱，基部有宿萼，黑褐色。内有种子 1，具中轴胚；子叶发达，并合一起，呈 "S" 形弯曲，胚乳富含淀粉。无臭，味淡，嚼之有黏性。

荞麦花粉：本品呈扁圆形、椭圆形或不规则团块状，黄色至黄褐色。气特殊，味微苦。

荞麦秸：本品茎枝长短不一，多分枝，绿褐色或黄褐色，节间有细条纹，节部略膨大；断面中空。叶多皱缩或破碎，完整者展开后呈三角形或卵状三角形，长 2.5 ~ 7cm，宽 2 ~ 5cm，先端狭渐尖，基部心形，叶耳三角状，具尖头，全缘，两面无毛，纸质；叶柄长短不一；有的可见托叶鞘筒状，先端截形或斜截形，褐色，膜质。气微，味淡、微涩。

| **功能主治** | 荞麦：甘，凉。归脾、胃、大肠经。开胃宽肠，下气消积。用于绞肠痧，肠胃积滞，慢性泄泻，噤口痢，赤游丹毒，痈疽，瘰疬，烫火伤。

荞麦花粉：甘，平。归心、肝经。养心安神，理气健脾，活血化瘀。用于心悸怔忡，失眠多梦，脾虚腹胀，高血脂，高血压。

荞麦秸：酸，寒。下气消积，清热解毒，止血，降压。用于噎食，消化不良，痢疾，带下，痈肿，烫伤，咯血，紫癜，高血压，糖尿病并发视网膜炎。

荞麦叶：酸，寒。利耳目，下气，止血，降压。用于眼目昏糊，耳鸣重听，嗳气，紫癜，高血压。

| **用法用量** | 荞麦：内服煎汤，9 ~ 15g。外用适量。本品不宜久服。脾胃虚寒者禁用。

荞麦花粉：内服煎汤，3 ~ 6g。

荞麦秸：内服煎汤，10 ~ 15g。外用适量，烧灰淋汁熬膏涂；或研末调敷。脾胃虚寒者慎服。

荞麦叶：内服煎汤，5 ~ 10g，鲜品30 ~ 60g。不宜生食、多食。脾胃虚寒者慎服。

| **附　　注** | 本种是短日性植物，喜凉爽湿润气候，不耐高温旱风，畏霜冻。生长迅速，吸肥力强，适于新垦地种植，土壤适宜 pH 6 ~ 7，碱性较重的土壤不宜种植。

蓼科 Polygonaceae 荞麦属 *Fagopyrum*

细柄野荞麦 *Fagopyrum gracilipes* (Hemsl.) Damm. ex Diels

细柄野荞麦

| 药 材 名 |

细柄野荞麦（药用部位：全草。别名：野荞麦）、细柄野荞麦种子（药用部位：种子）。

| 形态特征 |

一年生草本。茎直立，高 20 ~ 70cm，自基部分枝，具纵棱，疏被短糙伏毛；叶卵状三角形，长 2 ~ 4cm，宽 1.5 ~ 3cm，先端渐尖，基部心形，两面疏生短糙伏毛，下部叶叶柄长 1.5 ~ 3cm，被短糙伏毛，上部叶叶柄较短或近无梗；托叶鞘膜质，偏斜，长 4 ~ 5mm，先端尖。花序总状，极稀疏，间断，长 2 ~ 4cm，花序梗细弱，俯垂；苞片漏斗状，上部近缘膜质，中、下部草质，绿色，每苞内具 2 ~ 3 花，花梗细弱，长 2 ~ 3mm，比苞片长，顶部具关节；花被 5 深裂，果时花被稍增大；雄蕊 8，比花被短；花柱 3，柱头头状。瘦果宽卵形，长约 3mm，具 3 锐棱，有时沿棱生狭翅，有光泽，突出花被之外。花期 6 ~ 9 月，果期 8 ~ 10 月。

| 生境分布 |

生于海拔 300 ~ 1800m 的山坡草地、山谷湿地、田埂、路旁。分布于重庆丰都、忠县、云阳、南川、江津、武隆、石柱、涪陵等地。

| **资源情况** | 野生资源较少。药材来源于野生，自产自销。

| **采收加工** | 细柄野荞麦：夏、秋季采收，洗净，鲜用或晒干。
细柄野荞麦种子：霜降前后种子成熟时收割，打下种子，晒干。

| **功能主治** | 细柄野荞麦：清热解毒，活血散瘀，健脾利湿。
细柄野荞麦种子：开胃，宽肠。

| **用法用量** | 细柄野荞麦：内服煎汤，10 ~ 15g。外用适量，烧灰淋汁熬膏涂；或研末调敷。
细柄野荞麦种子：内服煎汤，9 ~ 15g

蓼科 Polygonaceae 荞麦属 Fagopyrum

苦荞麦 *Fagopyrum tataricum* (L.) Gaertn.

| 药 材 名 | 苦荞头（药用部位：根、根茎。别名：荞叶七、荞麦七）、荞麦花粉（药用部位：花粉）。

| 形态特征 | 一年生草本。茎直立，高 30～70cm，分枝，绿色或微呈紫色，有细纵棱，一侧具乳头状突起。叶宽三角形，长 2～7cm，两面沿叶脉具乳头状突起；下部叶具长叶柄，上部叶较小，具短柄；托叶鞘偏斜，膜质，黄褐色，长约 5mm。花序总状，顶生或腋生，花排列稀疏；苞片卵形，长 2～3mm，每苞内具 2～4 花，花梗中部具关节；花被 5 深裂，白色或淡红色，花被片椭圆形，长约 2mm；雄蕊8，比花被短；花柱 3，短，柱头头状。瘦果长卵形，长 5～6mm，具 3 棱及 3 纵沟，上部棱角锐利，下部圆钝有时具波状齿，黑褐色，无光泽，比宿存花被长。花期 6～9 月，果期 8～10 月。

苦荞麦

| **生境分布** | 生于海拔 300 ~ 1500m 的田边、路旁、山坡、河谷。分布于重庆秀山、江津、黔江、南川、合川、永川、万州、开州、奉节等地。 |

| **资源情况** | 野生资源较少。药材来源于野生，自产自销。 |

| **采收加工** | 苦荞头：8 ~ 10 月采收，晒干。
荞麦花粉：春、秋季采收经蜜蜂采集后形成的花粉团，干燥。 |

| **药材性状** | 荞麦花粉：本品呈扁圆形、椭圆形或不规则团块状，黄色至黄褐色。气特殊，味微苦。 |

| **功能主治** | 苦荞头：苦、甘，平；有小毒。归脾、胃、大肠经。健脾行滞，理气止痛，解毒消肿。用于胃脘胀痛，消化不良，痢疾，腰腿痛，跌打损伤，痈肿恶疮，狂犬咬伤。
荞麦花粉：甘，平。归心、肝经。养心安神，理气健脾，活血化瘀。用于心悸怔忡，失眠多梦，脾虚腹胀，高血脂，高血压。 |

| **用法用量** | 苦荞头：内服煎汤，10 ~ 15g；研末或浸酒。外用适量，捣敷。不宜多食。脾胃虚弱者慎服。
荞麦花粉：内服煎汤，3 ~ 6g。 |

| **附　注** | 本种耐阴喜光，喜生于湿润山区的阳坡。适宜于肥沃、疏松的冲积土或砂壤土中生长。 |

蓼科 Polygonaceae 何首乌属 Fallopia

卷茎蓼

Fallopia convolvulus (L.) A. Love

| 药 材 名 | 卷茎蓼（药用部位：全草。别名：烙铁头、荞麦葛）、卷茎蓼根（药用部位：根）。

| 形态特征 | 一年生草本。茎缠绕，长 1 ~ 1.5m，具纵棱，自基部分枝，具小突起。叶卵形或心形，长 2 ~ 6cm，宽 1.5 ~ 4cm，先端渐尖，基部心形，两面无毛，下面沿叶脉具小突起，全缘，具小突起；叶柄长 1.5 ~ 5cm，沿棱具小突起；托叶鞘膜质，长 3 ~ 4mm，偏斜，无缘毛。花序总状，腋生或顶生，花稀疏，下部间断，有时成花簇，生于叶腋；苞片长卵形，先端尖，每苞具 2 ~ 4 花；花梗细弱，比苞片长，中上部具关节；花被 5 深裂，淡绿色，边缘白色，花被片长椭圆形，外面 3 背部具龙骨状突起或狭翅，被小突起；果时稍增大，雄蕊 8，比花被短；花柱 3，极短，柱头头状。瘦果椭圆形，具 3 棱，长 3 ~ 3.5mm，

卷茎蓼

黑色，密被小颗粒，无光泽，包于宿存花被内。花期 5 ~ 8 月，果期 6 ~ 9 月。

| **生境分布** | 生于山坡草地、山谷灌丛、沟边湿地。分布于重庆巫山等地。

| **资源情况** | 野生资源稀少。药材来源于野生。

| **采收加工** | 卷茎蓼：夏、秋季采收，洗净，晒干。
卷茎蓼根：8 ~ 10 月采收，晒干。

| **功能主治** | 卷茎蓼：辛，温。健脾消食。用于消化不良，腹泻。
卷茎蓼根：健胃，止咳，镇痛，解毒。用于肺痨咯血，顿咳，胃气痛。

| **用法用量** | 卷茎蓼：内服煎汤，6 ~ 12g。
卷茎蓼根：内服煎汤，10 ~ 15g；研末或浸酒。外用适量，捣敷。不宜多食。
脾胃虚弱者慎服。

蓼科 Polygonaceae 何首乌属 Fallopia

何首乌
Fallopia multiflora (Thunb.) Harald.

| 药 材 名 | 何首乌（药用部位：块根。别名：首乌、马肝石、赤首乌）、首乌藤（药用部位：藤茎。别名：夜交藤、棋藤、首乌藤）、何首乌叶（药用部位：叶）。

| 形态特征 | 多年生草本。块根肥厚，长椭圆形，黑褐色。茎缠绕，长 2 ~ 4m，多分枝，具纵棱，无毛，微粗糙，下部木质化。叶卵形或长卵形，长 3 ~ 7cm，宽 2 ~ 5cm，先端渐尖，基部心形或近心形，两面粗糙，全缘；叶柄长 1.5 ~ 3cm；托叶鞘膜质，偏斜，无毛，长 3 ~ 5mm。花序圆锥状，顶生或腋生，长 10 ~ 20cm，分枝开展，具细纵棱，沿棱密被小突起；苞片三角状卵形，具小突起，先端尖，每苞内具 2 ~ 4 花；花梗细弱，长 2 ~ 3mm，下部具关节，果时延长；花被 5 深裂，白色或淡绿色，花被片椭圆形，大小不相等，外面 3 较大，

何首乌

背部具翅，果时增大，花被果时近圆形，直径 6 ～ 7mm；雄蕊 8，花丝下部较宽；花柱 3，极短，柱头头状。瘦果卵形，具 3 棱，长 2.5 ～ 3mm，黑褐色，有光泽，包于宿存花被内。花期 8 ～ 9 月，果期 9 ～ 10 月。

| **生境分布** | 生于海拔 150 ～ 2200m 的草坡、路边、山坡石隙或灌丛中。重庆各地均有分布。

| **资源情况** | 野生资源丰富。药材主要来源于野生，外销内用。

| **采收加工** | 何首乌：秋、冬季叶枯萎时采挖，削去两端，洗净，切块，干燥。
首乌藤：秋、冬季采割，除去残叶，捆成把或趁鲜切段，干燥。

何首乌叶：夏、秋季采收，鲜用。

| **药材性状** | 何首乌：本品呈团块状或不规则纺锤形，长 6 ～ 15cm，直径 4 ～ 12cm。表面红棕色或红褐色，皱缩不平，有浅沟，并有横长皮孔及细根痕。体重，质坚实，不易折断，断面浅黄棕色或浅红棕色，显粉性，皮部有 4 ～ 11 个类圆形异型维管束环列，形成云锦状花纹，中央木部较大，有的呈木心。气微，味微苦而甘、涩。
首乌藤：本品呈长圆柱形，稍扭曲，具分枝，长短不一，直径 4 ～ 7mm。表面紫红色或紫褐色，粗糙，具扭曲的纵皱纹，节部略膨大，有侧枝痕，外皮菲薄，可剥离。质脆，易折断，断面皮部紫红色，木部黄白色或淡棕色，导管孔明显，髓部疏松，类白色。切段者呈圆柱形，外表面紫红色或紫褐色。气微，味微苦、涩。

| **功能主治** | 何首乌：苦、甘、涩，微温。归肝、心、肾经。解毒，消痈，截疟，润肠通便。用于疮痈，瘰疬，风疹瘙痒，久疟体虚，肠燥便秘。
首乌藤：甘，平。归心、肝经。养血安神，祛风通络。用于失眠多梦，血虚身痛，风湿痹痛，风疹瘙痒，皮肤瘙痒。

何首乌叶：微苦，平。解毒散结，杀虫止痒。用于疮疡，瘰疬，疥癣。

| **用法用量** | 何首乌：内服煎汤，3 ～ 6g。
首乌藤：9 ～ 15g；外用适量，煎汤洗患处。

何首乌叶：外用适量，捣敷；或煎汤洗。

| **附　　注** | 本种喜温暖潮湿气候。忌干燥和积水，以土层深厚、疏松肥沃、排水良好、腐殖质丰富的砂壤土栽培为宜。黏土不宜种植。通过种子和扦插繁殖。

蓼科 Polygonaceae 何首乌属 Fallopia

毛脉蓼

Fallopia multiflora (Thunb.) Harald. var. *ciliinervis* (Nakai) A. J. Li

药 材 名	红药子（药用部位：块根。别名：朱砂七、红药、赤药）。
形态特征	本种与原变种何首乌的区别在于叶下面沿叶脉具乳头状突起。
生境分布	生于海拔 200 ～ 2700m 的山谷灌丛、山坡石缝。分布于重庆潼南、丰都、黔江、武隆、城口、巫溪、云阳、开州、彭水、酉阳、南川等地。
资源情况	野生资源较丰富。药材主要来源于野生。
采收加工	全年均可采收，除去茎叶、须根，洗净，切片，晒干。
药材性状	本品呈不规则块状或略呈圆柱形，长 8 ～ 15cm，直径 3 ～ 7cm。表面棕黄色，根头部有多数疙瘩状茎基。质坚硬，难折断，断面深黄色，

毛脉蓼

木部浅黄色，呈环状，近髓部有分散的木质束。气微，味苦。

| **功能主治** | 苦、微涩，凉。归肺、大肠、肝经。清热解毒，凉血止血。用于胃肠炎，细菌性痢疾，扁桃体炎，月经不调。外用于外伤出血，烫火伤，痈疖。

| **用法用量** | 内服煎汤，3 ~ 5g；研粉，1 ~ 2g。外用适量，研粉敷。孕妇慎服。少数病人服后有腹胀、恶心、呕吐、手麻、头晕等反应，不宜过量服用，反应严重者应停服。

| **附　　注** | 在 FOC 中，本种被修订为毛脉首乌 *Fallopia multiflora* var. *ciliinervis* (Nakai) Yonekura & H. Ohashi。

蓼科 Polygonaceae 竹节蓼属 Homalocladium

竹节蓼 *Homalocladium platycladum* (F. Muell.) Bailey

药 材 名	竹节蓼（药用部位：全草。别名：扁竹蓼、观音竹、鸡爪蜈蚣）。
形态特征	多年生草本，高 1 ~ 3m。茎基部圆柱形，木质化，上部枝扁平，呈带状，宽 7 ~ 12mm，深绿色，具光泽，有明显的细线条，节处略收缩。叶互生，多生于新枝上；无柄；托叶鞘退化成线状，分枝基部较宽，先端锐尖；叶片菱状卵形，长 4 ~ 20mm，宽 2 ~ 10mm，先端渐尖，基部楔形，全缘或在近基部有 1 对锯齿。花小，两性，簇生节上，具纤细柄；苞片膜质，淡黄棕色；花被 5 深裂，淡绿色，后变红色；雄蕊 6 ~ 7，花丝扁，花药白色，比花被短；雌蕊 1，花柱短，具 3，柱头分叉。瘦果三角形，平滑，包于肉质、紫红色或淡紫色的花被内，呈浆果状。花期 9 ~ 10 月，果期 10 ~ 11 月。

竹节蓼

| 生境分布 |

多栽培于庭院。分布于重庆丰都、涪陵、石柱、黔江、彭水、酉阳、秀山、南川、大足、璧山、江津、铜梁、永川、荣昌等地。

| 资源情况 |

多为庭院栽培，无野生资源。药材来源于栽培，自采自用。

| 采收加工 |

全年均可采收，晒干或鲜用。

| 药材性状 |

本品带叶茎枝平滑无毛。枝扁平，宽 7 ~ 12mm，节明显，节间长 1 ~ 2cm；表面有细密平行条纹，浅绿色或褐绿色；质柔韧。叶菱状卵形，长 0.4 ~ 2cm，宽 0.2 ~ 1cm，先端长渐尖，基部楔形，全缘；叶柄极短；托叶鞘退化为 1 横线条纹。气微，味微涩。

| 功能主治 |

甘、淡，平。归肝、肺经。清热解毒，去瘀消肿。用于痈疽肿毒，跌打损伤，蛇虫咬伤。

| 用法用量 |

内服煎汤，15 ~ 30g，鲜品 60 ~ 120g。外用适量，捣敷。

| 附　注 |

本种喜温暖、湿润及通风良好的环境，不耐寒。土壤以排水良好的砂壤土最为适宜。

蓼科 Polygonaceae 山蓼属 Oxyria

山蓼
Oxyria digyna (L.) Hill.

山蓼

| 药 材 名 |

酸浆菜（药用部位：全草。别名：鹿蹄叶）。

| 形态特征 |

多年生草本，高 15 ～ 40cm。茎直立。基生叶有长柄；叶片肾形或近圆形，长 1.5 ～ 3cm，宽 2 ～ 4cm，先端圆钝，基部宽心形，全缘，无毛；茎上的叶通常退化，仅存膜质托叶鞘，有时有 1 ～ 2 小叶。花序圆锥状，顶生，长 10 ～ 20cm；花梗细长，中下部有关节；花两性，2 ～ 6 簇生于 1 膜质苞内，淡绿色；花被 4，成 2 轮，果时内轮花被片稍增大，倒卵形，外轮花被片较小；雄蕊 6，与花被片近等长；花柱 2，柱头画笔头状，弯向两侧。瘦果扁平，边缘有膜质翅，先端凹陷，翅淡红色。花果期 6 ～ 8 月。

| 生境分布 |

生于海拔 1700 ～ 2300m 的高山地区、山坡草地或山谷。分布于重庆璧山、巫山、江津、武隆、南川等地。

| 资源情况 |

野生资源一般。药材主要来源于野生。

| **采收加工** | 夏、秋季间采收，洗净，晒干。

| **功能主治** | 酸，凉。归肝经。清热利湿，疏肝。用于肝气不舒，肝炎，坏血病。

| **用法用量** | 内服煎汤，10 ～ 15g。

蓼科 Polygonaceae 山蓼属 Oxyria

中华山蓼 *Oxyria sinensis* Hemsl.

| 药 材 名 | 红马蹄乌（药用部位：根。别名：蓼子七）。

| 形态特征 | 多年生草本，高 30 ~ 50cm。根茎粗壮，木质，直径 0.7 ~ 2cm。茎直立，通常数条，自根茎发出，具深纵沟，密生短硬毛。无基生叶；茎生叶叶片圆心形或肾形，长 3 ~ 4cm，宽 4 ~ 5cm，近肉质，先端圆钝，基部宽心形，边缘呈波状，上面无毛，下面沿叶脉疏生短硬毛，基出脉 5；叶柄粗壮，长 4 ~ 9cm，密生短硬毛；托叶鞘膜质，筒状，松散，具数条纵脉。花序圆锥状，分枝密集，粗壮；苞片膜质，褐色，每苞内具 5 ~ 8 花；花梗细弱，长 4 ~ 6mm，中下部具关节；花单性，雌雄异株，花被片 4，果时内轮 2 片增大，狭倒卵形，紧贴果实，外轮 2，反折；雄蕊 6，花药长圆形，花丝下部较宽；子房卵形，双凸镜状，花柱 2，柱头画笔状。瘦果宽卵形，双凸镜状，

中华山蓼

两侧边缘具翅，连翅呈圆形，直径 6 ～ 8mm；翅薄膜质，淡红色，边缘具不规则的小齿。花期 4 ～ 5 月，果期 5 ～ 6 月。

| **生境分布** | 栽培于保存圃，或逸为野生。分布于重庆南川等地。

| **资源情况** | 野生和栽培资源均稀少。药材主要来源于栽培。

| **采收加工** | 夏、秋季间采挖，洗净，晒干。

| **功能主治** | 甘、涩，平。归肝、脾经。舒筋活络，活血止痛，收涩止痢。用于跌打损伤，腰腿痛，痢疾，脱肛。

| **用法用量** | 内服煎汤，6 ～ 15g；或浸酒。

蓼科 Polygonaceae 蓼属 Polygonum

萹蓄

Polygonum aviculare L.

| **药 材 名** | 萹蓄（药用部位：地上部分。别名：扁竹、粉节草、百节草）。 |

| **形态特征** | 一年生草本。茎平卧、上升或直立，高 10 ~ 40cm，自基部多分枝，具纵棱。叶椭圆形、狭椭圆形或披针形，长 1 ~ 4cm，宽 3 ~ 12mm，先端钝圆或急尖，基部楔形，全缘，两面无毛，下面侧脉明显；叶柄短或近无柄，基部具关节；托叶鞘膜质，下部褐色，上部白色，撕裂脉明显。花单生或数朵簇生叶腋，遍布于植株；苞片薄膜质；花梗细，顶部具关节；花被 5 深裂，花被片椭圆形，长 2 ~ 2.5mm，绿色，边缘白色或淡红色；雄蕊 8，花丝基部扩展；花柱 3，柱头头状。瘦果卵形，具 3 棱，长 2.5 ~ 3mm，黑褐色，密被由小点组成的细条纹，无光泽，与宿存花被近等长或稍超过。花期 5 ~ 7 月，果期 6 ~ 8 月。 |

萹蓄

| **生境分布** | 生于海拔 250 ~ 2790m 的田边路旁、沟边湿地。重庆各地均有分布。

| **资源情况** | 野生资源丰富。药材来源于野生，自产自销。

| **采收加工** | 夏季叶茂盛时采收，除去根和杂质，晒干。

| **药材性状** | 本品茎呈圆柱形而略扁，有分枝，长 15 ~ 40cm，直径 0.2 ~ 0.3cm；表面灰绿色或棕红色，有细密微凸起的纵纹；节部稍膨大，有浅棕色膜质托叶鞘，节间长约 3cm；质硬，易折断，断面髓部白色。叶互生，近无柄或具短柄；叶片多脱落或皱缩破碎，完整者展平后呈披针形，全缘，两面均呈棕绿色或灰绿色。气微，味微苦。

| **功能主治** | 苦，微寒。归膀胱经。利尿通淋，杀虫，止痒。用于热淋涩痛，小便短赤，虫积腹痛，皮肤湿疹，阴痒带下。

| **用法用量** | 内服煎汤，9 ~ 15g。外用适量，煎汤洗患处。

| **附 注** | （1）本种对气候的适应性强，在寒冷山区或温暖平坝都能生长。以排水良好的砂壤土栽培为好。
（2）重庆、四川等地作萹蓄用植物有：多茎萹蓄 *Polygonum aviculare* L. var. *vegetum* Ledeb.，又称大萹蓄、异叶蓼；习见蓼 *Pulygonum plebeium* R. Br.，又称小萹蓄、腋花蓼。

蓼科 Polygonaceae 蓼属 Polygonum

头花蓼
Polygonum capitatum Buch.-Ham. ex D. Don

| 药 材 名 | 头花蓼（药用部位：全草或地上部分。别名：石莽草、铜矿草、太阳草）。

| 形态特征 | 多年生草本。茎匍匐，丛生，基部木质化，节部生根，节间比叶片短，多分枝，疏生腺毛或近无毛；一年生枝近直立，具纵棱，疏生腺毛。叶卵形或椭圆形，长 1.5 ~ 3cm，宽 1 ~ 2.5cm，先端尖，基部楔形，全缘，边缘被腺毛，两面疏生腺毛，上面有时具黑褐色新月形斑点；叶柄长 2 ~ 3mm，基部有时具叶耳；托叶鞘筒状，膜质，长 5 ~ 8mm，松散，被腺毛，先端截形，有缘毛。花序头状，直径 6 ~ 10mm，单生或成对，顶生；花序梗被腺毛；苞片长卵形，膜质；花梗极短；花被 5 深裂，淡红色，花被片椭圆形，长 2 ~ 3mm；雄蕊 8，比花被短；花柱 3，中下部合生，与花被近等长；柱头头状。瘦果长卵形，

头花蓼

具 3 棱, 长 1.5 ~ 2mm, 黑褐色, 密生小点, 微有光泽, 包于宿存花被内。花期 6 ~ 9 月, 果期 8 ~ 10 月。

| **生境分布** | 生于海拔 600 ~ 1500m 的山坡、沟边、田边阴湿处或岩石缝中。分布于重庆綦江、永川、秀山、璧山、江津、北碚、巫山、石柱、南川等地。

| **资源情况** | 野生资源较少。药材来源于野生, 自产自销。

| **采收加工** | 春、夏、秋季采收, 鲜用或晾干。

| **药材性状** | 本品茎呈圆柱形, 红褐色, 节处略膨大并有柔毛, 断面中空。叶互生, 多皱缩, 完整者展平后呈椭圆形, 长 1.5 ~ 3cm, 宽 1 ~ 2cm, 先端钝尖, 基部楔形, 全缘, 具红色缘毛, 上表面绿色, 常有 "人" 字形红晕, 下表面绿色带紫红色, 两面均被褐色疏柔毛; 叶柄短或近无柄, 基部有草质耳状片; 托叶鞘筒状, 膜质。花序头状, 顶生或腋生, 花被 5 裂, 雄蕊 8。瘦果卵形, 具 3 棱, 黑色。气微, 味微苦、涩。

| **功能主治** | 苦、辛, 凉。归肾、膀胱经。 清热利湿, 解毒散瘀, 利尿通淋。用于痢疾, 肾盂肾炎, 膀胱炎, 尿路结石, 盆腔炎, 前列腺炎, 风湿痛, 跌打损伤, 疮疡湿疹。

| **用法用量** | 内服煎汤, 15 ~ 30g。外用适量, 捣敷或煎汤洗。无实热者忌用。

| **附 注** | 本种喜凉爽气候, 适应性强, 较耐寒。对土壤要求不严, 适宜生长于背风向阳, 肥沃, 透水、透气性较好的砂壤土中。

蓼科 Polygonaceae 蓼属 Polygonum

火炭母
Polygonum chinense L.

| 药 材 名 | 火炭母（药用部位：全草或地上部分。别名：火炭母草、黄鳝藤、晕药）、火炭母根（药用部位：根）。

| 形态特征 | 多年生草本，基部近木质。根茎粗壮。茎直立，高 70 ~ 100cm，通常无毛，具纵棱，多分枝，斜上。叶卵形或长卵形，长 4 ~ 10cm，宽 2 ~ 4cm，先端短渐尖，基部截形或宽心形，全缘，两面无毛，有时下面沿叶脉疏生短柔毛；下部叶具叶柄，叶柄长 1 ~ 2cm，通常基部具叶耳，上部叶近无柄或抱茎；托叶鞘膜质，无毛，长 1.5 ~ 2.5cm，具脉纹，先端偏斜，无缘毛。花序头状，通常数个排成圆锥状，顶生或腋生，花序梗被腺毛；苞片宽卵形，每苞内具 1 ~ 3 花；花被 5 深裂，白色或淡红色，裂片卵形，果时增大，呈肉质，蓝黑色；雄蕊 8，比花被短；花柱 3，中下部合生。瘦果宽卵形，

火炭母

具 3 棱，长 3 ～ 4mm，黑色，无光泽，包于宿存的花被。花期 7 ～ 9 月，果期 8 ～ 10 月。

| **生境分布** | 生于海拔 330 ～ 2400m 的山谷湿地、山坡草地。重庆各地均有分布。

| **资源情况** | 野生资源丰富。药材来源于野生，自产自销。

| **采收加工** | 火炭母：夏、秋季采挖，除去泥沙，干燥。

火炭母根：夏、秋季采挖，鲜用或晒干。

| **药材性状** | 火炭母：本品根呈须状，褐色。茎扁圆柱形，有分枝，长 30 ～ 100cm，节稍膨大，下部节上有须根；表面淡绿色或紫褐色，无毛，有细棱；质脆，易折断，断面灰黄色，多中空。叶互生，多卷缩破碎，完整者展平后呈卵状矩圆形，长 5 ～ 10cm，宽 2 ～ 4cm；先端渐尖，基部截形或稍圆，全缘，上表面暗绿色，下表面色较浅，两面近无毛；托叶鞘筒状，膜质，先端偏斜。无臭，味酸、微涩。

| **功能主治** | 火炭母：酸、涩，凉。归肺、肝、脾、大肠经。清热解毒，利湿止痒，明目退翳。用于痢疾，肠炎，扁桃体炎，咽喉炎。外用于角膜云翳，子宫颈炎，霉菌性阴道炎，皮炎，湿疹。

火炭母根：辛、甘，平。补益脾肾，平降肝阳，清热解毒，活血消肿。用于体虚乏力，耳鸣耳聋，头目眩晕，带下，乳痈，肺痈，跌打损伤。

| **用法用量** | 火炭母：内服煎汤，15 ～ 30g。外用适量。

火炭母根：内服煎汤，9 ～ 15g。外用适量，研末调敷。

| **附　　注** | 本种喜温暖湿润环境，适宜生长于疏松、肥沃的腐叶土中。

蓼科 Polygonaceae 蓼属 Polygonum

蓼子草

Polygonum criopolitanum Hance

| 药 材 名 | 蓼子草（药用部位：全草。别名：小莲蓬、细叶一枝莲）。

| 形态特征 | 一年生草本。茎自基部分枝，平卧，丛生，节部生根，高
10 ~ 15cm，被长糙伏毛及稀疏的腺毛。叶狭披针形或披针形，长
1 ~ 3cm，宽3 ~ 8mm，先端急尖，基部狭楔形，两面被糙伏毛，
边缘具缘毛及腺毛；叶柄极短或近无柄；托叶鞘膜质，密被糙伏毛，
先端截形，具长缘毛。花序头状，顶生，花序梗密被腺毛；苞片卵形，
长2 ~ 2.5mm，密生糙伏毛，具长缘毛，每苞内具1花；花梗比苞
片长，密被腺毛，顶部具关节；花被5深裂，淡紫红色，花被片卵形，
长3 ~ 4mm；雄蕊5，花药紫色；花柱2，中上部合生。瘦果椭圆形，
双凸镜状，长约2.5mm，有光泽，包于宿存花被内。花期7 ~ 11月，
果期9 ~ 12月。

蓼子草

| **生境分布** | 生于海拔 160 ～ 900m 的河滩沙地、沟边湿地。分布于重庆万州、秀山、彭水、长寿、綦江、大足、巫山等地。

| **资源情况** | 野生资源一般。药材来源于野生。

| **采收加工** | 夏、秋季采收，鲜用或晒干。

| **功能主治** | 微苦、辛，平。祛风解表，清热解毒。用于感冒发热，毒蛇咬伤。

| **用法用量** | 内服煎汤，15 ～ 30g。外用适量，鲜品捣敷。

蓼科 Polygonaceae 蓼属 Polygonum

稀花蓼
Polygonum dissitiflorum Hemsl.

| 药 材 名 | 稀花蓼（药用部位：全草。别名：白回归、连牙刺）。

| 形态特征 | 一年生草本。茎直立或下部平卧，分枝，具稀疏的倒生短皮刺，通常疏生星状毛，高 70 ~ 100cm。叶卵状椭圆形，长 4 ~ 14cm，宽 3 ~ 7cm，先端渐尖，基部戟形或心形，边缘具短缘毛，上面绿色，疏生星状毛及刺毛，下面淡绿色，疏生星状毛，沿中脉具倒生皮刺；叶柄长 2 ~ 5cm，通常被星状毛及倒生皮刺；托叶鞘膜质，长 0.6 ~ 1.5cm，偏斜，具短缘毛。花序圆锥状，顶生或腋生，花稀疏，间断；花序梗细，紫红色，密被紫红色腺毛；苞片漏斗状，包围花序轴，长 2.5 ~ 3mm，绿色，具缘毛，每苞内具 1 ~ 2 花；花梗无毛，与苞片近等长；花被 5 深裂，淡红色，花被片椭圆形，长约 3mm；雄蕊 7 ~ 8，比花被短；花柱 3，中下部合生。瘦果近球形，先端微

稀花蓼

具 3 棱，暗褐色，长 33.5mm，包于宿存花被内。花期 6 ～ 8 月，果期 7 ～ 9 月。

| **生境分布** | 生于海拔 140 ～ 1500m 的河边湿地、山谷草丛。分布于重庆綦江、丰都、城口、巫溪、巫山、万州等地。

| **资源情况** | 野生资源较少。药材来源于野生，自产自销。

| **采收加工** | 花期采收，鲜用或晾干。

| **功能主治** | 清热解毒，利湿。用于急、慢性肝炎，小便淋痛，毒蛇咬伤。

| **用法用量** | 内服煎汤，30 ～ 60g。外用适量，捣敷。

蓼科 Polygonaceae 蓼属 Polygonum

水蓼
Polygonum hydropiper L.

水蓼

药材名

蓼子草（药用部位：全草。别名：水蓼、水辣蓼、川蓼）、蓼实（药用部位：果实。别名：蓼子、水蓼子）、水蓼根（药用部位：根）。

形态特征

一年生草本，高 40 ~ 70cm。茎直立，多分枝，无毛，节部膨大。叶披针形或椭圆状披针形，长 4 ~ 8cm，宽 0.5 ~ 2.5cm，先端渐尖，基部楔形，全缘，具缘毛，两面无毛，被褐色小点，有时沿中脉被短硬伏毛，具辛辣味，叶腋具闭花受精花；叶柄长 4 ~ 8mm；托叶鞘筒状，膜质，褐色，长 1 ~ 1.5cm，疏生短硬伏毛，先端截形，具短缘毛，通常托叶鞘内藏有花簇。总状花序呈穗状，顶生或腋生，长 3 ~ 8cm，通常下垂，花稀疏，下部间断；苞片漏斗状，长 2 ~ 3mm，绿色，边缘膜质，疏生短缘毛，每苞内具 3 ~ 5 花；花梗比苞片长；花被 5 深裂，稀 4 裂，绿色，上部白色或淡红色，被黄褐色透明腺点，花被片椭圆形，长 3 ~ 3.5mm；雄蕊 6，稀 8，比花被短；花柱 2 ~ 3，柱头头状。瘦果卵形，长 2 ~ 3mm，双凸镜状或具 3 棱，密被小点，黑褐色，无光泽，包于宿存花被内。花期 5 ~ 9 月，果期 6 ~ 10 月。

| 生境分布 | 生于海拔 250 ~ 1500m 的河滩、水沟边、山谷湿地。重庆各地均有分布。

| 资源情况 | 野生资源丰富。药材来源于野生，自产自销。

| 采收加工 | 蓼子草：夏、秋季花开时采挖，除去杂质，鲜用或晒干。

蓼实：秋季果实成熟时采收，除去杂质，阴干。

水蓼根：秋季花开时采挖，洗净，鲜用或晒干。

| 药材性状 | 蓼子草：本品根呈须状，表面紫褐色。茎圆柱形，无毛，有分枝，长 30 ~ 70cm；表面灰绿色或棕红色，有细棱线，节膨大；质脆，易折断，断面浅黄色，中空。叶互生，有短柄；叶片皱缩或破碎，完整者展平后呈披针形或卵状披针形，长 4 ~ 8cm，宽 0.7 ~ 1.5cm，浅绿色或褐绿色，先端渐尖，基部楔形，全缘，两面有棕黑色斑点及细小半透明腺点，无毛或中脉及叶缘有刺状伏毛；托叶鞘筒状，长 0.8 ~ 1.1cm，疏生睫毛或无毛。总状花序顶生或腋生，长 3 ~ 8cm，稍弯曲，下部间断着花；苞片漏斗状，疏生睫毛或无毛，花被 5 裂，淡绿色，密被腺点；雄蕊 6 ~ 8；花柱 2 ~ 3，基部合生。瘦果卵形，双凸镜状或三棱状，直径约 0.2cm，有小点，暗褐色。气微，味辛、辣。

| 功能主治 | 蓼子草：辛，温；有小毒。归大肠经。除湿，化滞。用于痢疾，肠炎，食滞。外用于皮肤瘙痒，灭蛆。

蓼实：辛，温。化湿利水，破瘀散结，解毒。用于吐泻腹痛，水肿，小便不利，癥积痞胀，痈肿疮疡，瘰疬。

水蓼根：辛，温。活血调经，健脾利湿，解毒消肿。用于月经不调，小儿疳积，痢疾，肠炎，疟疾，跌打肿痛，蛇虫咬伤。

| 用法用量 | 蓼子草：内服煎汤，15 ~ 30g，鲜品 30 ~ 60g。外用适量，煎汤涂患处。孕妇忌服。

蓼实：内服煎汤，6 ~ 15g；或研末；或绞汁。外用适量，煎汤浸洗；或研末调敷。体虚气弱者及孕妇禁服。

水蓼根：内服煎汤，15 ~ 20g；或泡酒。外用适量，鲜品捣敷；或煎汤洗。

| 附　注 | 本种喜半阴的潮湿环境，适宜生长于肥沃的黏土或砂土中。

蚕茧草
Polygonum japonicum Meisn.

蚕茧草

| 药 材 名 |

蚕茧草（药用部位：全草。别名：小蓼子草、蓼子草、紫蓼）。

| 形态特征 |

多年生草本。根茎横走。茎直立，淡红色，无毛有时具稀疏的短硬伏毛，节部膨大，高50～100cm。叶披针形，近薄革质，坚硬，长7～15cm，宽1～2cm，先端渐尖，基部楔形，全缘，两面疏生短硬伏毛，中脉上毛较密，边缘具刺状缘毛；叶柄短或近无柄；托叶鞘筒状，膜质，长1.5～2cm，被硬伏毛，先端截形，缘毛长1～1.2cm。总状花序呈穗状，长6～12cm，顶生，通常数个再集成圆锥状；苞片漏斗状，绿色，上部淡红色，具缘毛，每苞内具3～6花；花梗长2.5～4mm；雌雄异株，花被5深裂，白色或淡红色，花被片长椭圆形，长2.5～3mm；雄花雄蕊8，雄蕊比花被长；雌花花柱2～3，中下部合生，花柱比花被长。瘦果卵形，具3棱或双凸镜状，长2.5～3mm，黑色，有光泽，包于宿存花被内。花期8～10月，果期9～11月。

生境分布	生于海拔 220 ~ 1700m 的水沟或路旁草丛中。分布于重庆垫江、綦江、云阳、南川、九龙坡、北碚、长寿等地。
资源情况	野生资源较少。药材来源于野生，自采自用。
采收加工	花期采收，鲜用或晾干。

药材性状	本品茎枝圆柱形，上部或有分枝；表面棕褐色，无毛；断面中空。叶皱缩，易破碎，亚革质，长椭圆状披针形或披针形，长 6 ~ 12cm，宽 1 ~ 1.5cm，先端渐尖，基部楔形，两面均被短伏毛；托叶鞘筒状，褐色，膜质，先端截形，有长缘毛。花序穗状，圆柱形，常 2 ~ 3，间或单个着生枝端；花被白色或黄白色，长 2.5 ~ 3mm。瘦果卵圆形，两面凸出，黑色，有光泽，包被于宿存花被内。气微，味微涩。

功能主治	辛，温。解毒，止痛，透疹。用于疮疡肿痛，诸虫咬伤，腹泻，痢疾，腰膝寒痛，麻疹透发不畅。
用法用量	内服煎汤，9 ~ 15g。外用适量，捣敷。

蓼科 Polygonaceae 蓼属 *Polygonum*

愉悦蓼
Polygonum jucundum Meisn.

| **药 材 名** | 愉悦蓼（药用部位：全草）。

| **形态特征** | 一年生草本。茎直立，基部近平卧，多分枝，无毛，高
60～90cm。叶椭圆状披针形，长6～10cm，宽1.5～2.5cm，两面
疏生硬伏毛或近无毛，先端渐尖，基部楔形，全缘，具短缘毛；叶
柄长3～6mm；托叶鞘膜质，淡褐色，筒状，0.5～1cm，疏生硬
伏毛，先端截形，缘毛长5～11mm。总状花序呈穗状，顶生或腋生，
长3～6cm，花排列紧密；苞片漏斗状，绿色，缘毛长1.5～2mm，
每苞内具3～5花；花梗长4～6mm，明显比苞片长；花被5深裂，
花被片长圆形，长2～3mm；雄蕊7～8；花柱3，下部合生，柱
头头状。瘦果卵形，具3棱，黑色，有光泽，长约2.5mm，包于宿
存花被内。花期8～9月，果期9～11月。

愉悦蓼

| **生境分布** | 生于海拔 300 ～ 2000m 的山坡草地、山谷路旁或沟边湿地。分布于重庆綦江、涪陵、奉节、酉阳、忠县、南川、长寿、巴南、荣昌等地。 |

| **资源情况** | 野生资源一般。药材主要来源于野生。 |

| **采收加工** | 夏、秋季采收，晒干。 |

| **功能主治** | 清热解毒，利尿。用于泄泻。 |

| **用法用量** | 内服煎汤，3 ～ 10g。 |

蓼科 Polygonaceae 蓼属 Polygonum

酸模叶蓼
Polygonum lapathifolium L.

| 药 材 名 | 鱼蓼（药用部位：全草。别名：蓼子草、旱苗蓼、辣蓼）。

| 形态特征 | 一年生草本，高 40 ~ 90cm。茎直立，具分枝，无毛，节部膨大。叶披针形或宽披针形，长 5 ~ 15cm，宽 1 ~ 3cm，先端渐尖或急尖，基部楔形，上面绿色，常有 1 大的黑褐色新月形斑点，两面沿中脉被短硬伏毛，全缘，边缘具粗缘毛；叶柄短，被短硬伏毛；托叶鞘筒状，长 1.5 ~ 3cm，膜质，淡褐色，无毛，具多数脉，先端截形，无缘毛，稀具短缘毛。总状花序呈穗状，顶生或腋生，近直立，花紧密，通常由数个花穗再组成圆锥状，花序梗被腺体；苞片漏斗状，边缘具稀疏短缘毛；花被淡红色或白色，4（~ 5）深裂，花被片椭圆形，外面两面较大，脉粗壮，先端分叉，外弯；雄蕊通常 6。瘦果宽卵形，双凹，长 2 ~ 3mm，黑褐色，有光泽，包于宿存花被内。

酸模叶蓼

花期 6 ~ 8 月，果期 7 ~ 9 月。

| **生境分布** | 生于海拔 200 ~ 1600m 的路旁湿地、沟渠水边。分布于重庆綦江、大足、潼南、合川、忠县、黔江、万州、城口、石柱、北碚、永川、巴南、荣昌、巫溪、巫山、涪陵、南川等地。

| **资源情况** | 野生资源丰富。药材来源于野生，自产自销。

| **采收加工** | 夏、秋季间采收，晒干。

| **药材性状** | 本品茎呈圆柱形，褐色或浅绿色，无毛，常具紫色斑点。叶片卷曲，展平后呈披针形或长圆状披针形，长 5 ~ 15cm，宽 1 ~ 3cm，先端渐尖，基部楔形，主脉及叶缘具刺伏毛；托叶鞘筒状，膜质，无毛。花序圆锥状，由数个花穗组成；苞片漏斗状，内具数花；花被通常 4 裂，淡绿色或粉红色，具腺点；雄蕊 6，花柱 2，向外弯曲。瘦果卵圆形，侧扁，两面微凹，黑褐色，有光泽，直径 2 ~ 3mm，包于宿存花被内。气微，味微涩。

| **功能主治** | 辛、苦，微温。解毒，除湿，活血。用于疮疡肿痛，瘰疬，腹泻，痢疾，湿疹，疳积，风湿痹痛，跌打损伤，月经不调。

| **用法用量** | 内服煎汤，3 ~ 10g。外用适量，捣敷；或煎汤洗。

蓼科 Polygonaceae 蓼属 *Polygonum*

绵毛酸模叶蓼 *Polygonum lapathifolium* L.var. *salicifolium* Sibth.

| **药 材 名** | 辣蓼草（药用部位：全草。别名：绵毛蓼、柳叶蓼、辣蓼）。

| **形态特征** | 本种与原变种酸模叶蓼的区别在于叶下面密生白色绵毛。

| **生境分布** | 生于海拔 200 ～ 1600m 的田边、路旁、水边、荒地或沟边湿地。分布于重庆城口、巫溪、巫山、黔江、石柱、万州、涪陵、南川、北碚等地。

| **资源情况** | 野生资源较少。药材来源于野生，自产自销。

| **采收加工** | 夏、秋季间采收，晾干。

| **药材性状** | 本品茎直径约 6mm；表面具紫红色斑点。叶上面中央常有黑褐色新

绵毛酸模叶蓼

月形斑点，无毛或稀被白色绵毛，下面密被白色绵毛，有腺点；托叶鞘无缘毛。圆锥花序，花密生；花被 4 裂，有腺点。气微，味辛、辣。以叶多、带花、味辛辣浓烈者为佳。

| 功能主治 | 辛，温。解毒，健脾，化湿，活血，截疟。用于疮疡肿痛，暑湿腹泻，肠炎，痢疾，小儿疳积，跌打伤痛，疟疾。

| 用法用量 | 内服煎汤，10 ～ 20g。

蓼科 Polygonaceae 蓼属 Polygonum

长鬃蓼
Polygonum longisetum De Br.

| **药材名** | 白辣蓼（药用部位：全草。别名：蓼子草、马蓼、假长尾叶蓼）。

| **形态特征** | 一年生草本。茎直立，上升或基部近平卧，自基部分枝，高 30 ～ 60cm，无毛，节部稍膨大。叶披针形或宽披针形，长 5 ～ 13cm，宽 1 ～ 2cm，先端急尖或狭尖，基部楔形，上面近无毛，下面沿叶脉被短伏毛，边缘被缘毛；叶柄短或近无柄；托叶鞘筒状，长 7 ～ 8mm，疏生柔毛，先端截形，缘毛长 6 ～ 7mm。总状花序呈穗状，顶生或腋生，细弱，下部间断，直立，长 2 ～ 4cm；苞片漏斗状，无毛，边缘具长缘毛，每苞内具 5 ～ 6 花；花梗长 2 ～ 2.5mm，与苞片近等长；花被 5 深裂，淡红色或紫红色，花被片椭圆形，长 1.5 ～ 2mm；雄蕊 6 ～ 8；花柱 3，中下部合生，柱头头状。瘦果宽卵形，具 3 棱，黑色，有光泽，长约 2mm，包于宿存花被内。花期 6 ～ 8，

长鬃蓼

果期 7 ~ 9 月。

| **生境分布** | 生于海拔 160 ~ 2500m 的山谷水边、河边草地。分布于重庆黔江、潼南、江津、奉节、丰都、云阳、长寿、涪陵、北碚、忠县、武隆、垫江、大足、合川、荣昌等地。

| **资源情况** | 野生资源丰富。药材来源于野生，自产自销。

| **采收加工** | 夏、秋季间采收，晾干。

| **功能主治** | 辛，温。归大肠经。解毒，除湿。用于肠炎，细菌性痢疾，无名肿毒，阴疽，瘰疬，毒蛇咬伤，风湿痹痛。

| **用法用量** | 内服煎汤，9 ~ 30g。外用适量，捣敷；或煎汤洗。

蓼科 Polygonaceae 蓼属 Polygonum

尼泊尔蓼 *Polygonum nepalense* Meisn.

| **药 材 名** | 猫儿眼睛（药用部位：全草。别名：小猫眼、野荞子、野荞莱）。

| **形态特征** | 一年生草本。茎外倾或斜上，自基部多分枝，无毛或在节部疏生腺毛，高 20 ~ 40cm。茎下部叶卵形或三角状卵形，长 3 ~ 5cm，宽 2 ~ 4cm，先端急尖，基部宽楔形，沿叶柄下延成翅，两面无毛或疏被刺毛，疏生黄色透明腺点，茎上部较小；叶柄长 1 ~ 3cm，或近无柄，抱茎；托叶鞘筒状，长 5 ~ 10mm，膜质，淡褐色，先端斜截形，无缘毛，基部被刺毛。花序头状，顶生或腋生，基部常具 1 叶状总苞片，花序梗细长，上部被腺毛；苞片卵状椭圆形，通常无毛，边缘膜质，每苞内具 1 花；花梗比苞片短；花被通常 4 裂，淡紫红色或白色，花被片长圆形，长 2 ~ 3mm，先端圆钝；雄蕊 5 ~ 6，与花被近等长，花药暗紫色；花柱 2，下部合生，柱头头状。

尼泊尔蓼

瘦果宽卵形，双凸镜状，长 2 ~ 2.5mm，黑色，密生洼点，无光泽，包于宿存花被内。花期 5 ~ 8 月，果期 7 ~ 10 月。

| **生境分布** | 生于海拔 200 ~ 2200m 的山坡草地、山谷路旁。重庆各地均有分布。

| **资源情况** | 野生资源丰富。药材来源于野生，自产自销。

| **采收加工** | 夏、秋季间采收，晾干。

| **功能主治** | 苦、酸，寒。清热解毒，除湿通络。用于咽喉肿痛，目赤，牙龈肿痛，赤白痢，风湿痹痛。

| **用法用量** | 内服煎汤，9 ~ 15g。

蓼科 Polygonaceae 蓼属 Polygonum

红蓼
Polygonum orientale L.

红蓼

药材名

水红花子（药用部位：果实。别名：水荭子、荭草实、川蓼子）、荭草（药用部位：果穗、带叶茎枝。别名：天蓼、大蓼、蓼草）、荭草根（药用部位：根茎。别名：水红花根、红蓼根）、荭草花（药用部位：花序。别名：水荭花、何草花、狗尾巴花）。

形态特征

一年生草本。茎直立，粗壮，高 1 ~ 2m，上部多分枝，密被开展的长柔毛。叶宽卵形、宽椭圆形或卵状披针形，长 10 ~ 20cm，宽 5 ~ 12cm，先端渐尖，基部圆形或近心形，微下延，全缘，密生缘毛，两面密生短柔毛，叶脉上密生长柔毛；叶柄长 2 ~ 10cm，被开展的长柔毛；托叶鞘筒状，膜质，长 1 ~ 2cm，被长柔毛，具长缘毛，通常沿先端具草质、绿色的翅。总状花序呈穗状，顶生或腋生，长 3 ~ 7cm，花紧密，微下垂，通常数个再组成圆锥状；苞片宽漏斗状，长 3 ~ 5mm，草质，绿色，被短柔毛，边缘具长缘毛，每苞内具 3 ~ 5 花；花梗比苞片长；花被 5 深裂，淡红色或白色，花被片椭圆形，长 3 ~ 4mm；雄蕊 7，比花被长；花盘明显；花柱 2，中下部合生，比花被长，柱头头状。

瘦果近圆形，双凹，直径 3 ~ 3.5mm，黑褐色，有光泽，包于宿存花被内。花期 6 ~ 9 月，果期 8 ~ 10 月。

| **生境分布** | 生于海拔 300 ~ 2100m 的路旁、水边湿地，亦有栽培。分布于重庆江津、长寿、彭水、忠县、铜梁、云阳、酉阳、南川、巫溪、巫山、梁平等地。

| **资源情况** | 野生资源较少，亦有零星栽培。药材来源于野生和栽培。

| **采收加工** | 水红花子：秋季果实成熟时割取果穗，晒干，打下果实，除去杂质。

荭草：夏、秋季采收，晒干。

荭草根：夏、秋季采挖，洗净，晒干或鲜用。

荭草花：夏季花开时采收，鲜用或晒干。

| **药材性状** | 水红花子：本品呈扁圆形，直径 2 ~ 3.5mm，厚 1 ~ 1.5mm。表面棕黑色，有的红棕色，有光泽，两面微凹，中部略有纵向隆起。先端有凸起的柱基，基部有浅棕色略凸起的果梗痕，有的有膜质花被残留。质硬。气微，味淡。

荭草：本品茎呈圆柱形，密被黄色长硬毛，表面绿色或棕色，断面有髓或中空。叶互生，卵形或宽卵形，长 3 ~ 15cm，宽 2 ~ 8cm，多皱缩破碎，褐绿色，先端渐尖，基部近圆形，全缘，两面疏生长毛，具圆筒状松弛抱茎的托叶鞘。总状花序顶生或腋生，花被淡红色或白色，5 深裂。瘦果近圆形，扁平，直径 0.2 ~ 0.35cm，厚 0.1 ~ 0.15cm；表面棕黑色，有的红棕色，有光泽，两面微凹，基部有浅棕色略凸起的果梗痕；质硬。气微，味辛。

| **功能主治** | 水红花子：咸，微寒。散血消癥，消积止痛。用于癥瘕痞块，瘿瘤肿痛，食积不消，胃脘胀痛。

荭草：有小毒。清热解毒，祛风除湿，活血消肿。用于风湿性关节炎，冠心病，心胃气痛，疝气，脚气，疮肿。

荭草根：有毒。清热解毒，除湿通络，生肌敛疮。用于痢疾，肠炎，水肿，脚气，风湿痹痛，跌打损伤，荨麻疹，疮痈肿痛或久溃不敛。

荭草花：行气活血，消积，止痛。用于头痛，心胃气痛，腹中痞积，痢疾，小儿疳积。

| **用法用量** | 水红花子：内服煎汤，15 ~ 30g。外用适量，熬膏敷患处。

荭草：内服煎汤，9 ~ 15g。外用适量，研末敷或煎汤洗。孕妇禁服。

荭草根：内服煎汤，9 ~ 15g。外用适量，煎汤洗。

荭草花：内服煎汤，3 ~ 6g；或研末、熬膏。外用适量，熬膏贴。

蓼科 Polygonaceae 蓼属 *Polygonum*

草血竭
Polygonum paleaceum Wall. ex Hook. f.

| 药 材 名 | 草血竭（药用部位：根茎。别名：草血结、土血竭、一口血）。

| 形态特征 | 多年生草本。根茎肥厚，弯曲，直径 2 ~ 3cm，黑褐色。茎直立，高 40 ~ 60cm，不分枝，无毛，具细条棱，单生或 2 ~ 3 自根茎生出。基生叶革质，狭长圆形或披针形，长 6 ~ 18cm，宽 2 ~ 3cm，先端急尖或微渐尖，基部楔形，稀近圆形，全缘，脉端增厚，微外卷，上面绿色，下面灰绿色，两面无毛，叶柄长 5 ~ 15cm；茎生叶披针形，较小，具短柄，最上部的叶为线形；托叶鞘筒状，膜质，下部绿色，上部褐色，开裂，无缘毛。总状花序呈穗状，长 4 ~ 6cm，直径 0.8 ~ 1.2cm，紧密；苞片卵状披针形，膜质，先端长渐尖；花梗细弱，长 4 ~ 5mm，开展，比苞片长；花被 5 深裂，淡红色或白色，花被片椭圆形，长 2 ~ 2.5mm；雄蕊 8；花柱 3，柱头头状。

草血竭

瘦果卵形，具 3 锐棱，有光泽，长约 2.5mm，包于宿存花被内。花期 7 ~ 8 月，果期 9 ~ 10 月。

| **生境分布** | 生于海拔 1000 ~ 2700m 的山坡草地、林缘。分布于重庆城口、巫溪、南川、奉节、开州、巫山等地。

| **资源情况** | 野生资源较少。药材来源于野生，自产自销。

| **采收加工** | 秋季采挖，除去茎叶和须根，晒干。

| **药材性状** | 本品根茎扁圆柱形，常弯曲，两端略尖，一面隆起，另一面微有凹槽，长 2 ~ 6cm，直径 0.8 ~ 2cm。表面紫褐色至黑褐色，具密粗环纹，并有残留细根及根痕。质硬，不易折断，折断面不平坦，红棕色或灰棕色，维管束点 25 ~ 40，断续排列成环。气微，味涩、微苦。

| **功能主治** | 苦、辛、涩，寒。归肝、心、胃、小肠经。活血止血，止痛。用于慢性胃炎，胃、十二指肠溃疡，癥瘕积聚，月经不调，跌打损伤，外伤出血及因血瘀气滞而疼痛。

| **用法用量** | 内服煎汤，10 ~ 15g。外用研末浸酒，适量调敷。

| **附　　注** | 本种喜凉爽、向阳的环境。土壤以肥沃深厚、排水良好的腐殖质土为好。一般通过分株繁殖。

蓼科 Polygonaceae 蓼属 Polygonum

杠板归 *Polygonum perfoliatum* L.

| **药 材 名** | 杠板归（药用部位：地上部分。别名：扛板归、猫抓刺、蛇牙草）、扛板归根（药用部位：根。别名：杠板归根、河白草根）。

| **形态特征** | 一年生草本。茎攀缘，多分枝，长 1 ～ 2m，具纵棱，沿棱具稀疏的倒生皮刺。叶三角形，长 3 ～ 7cm，宽 2 ～ 5cm，先端钝或微尖，基部截形或微心形，薄纸质，上面无毛，下面沿叶脉疏生皮刺；叶柄与叶片近等长，具倒生皮刺，盾状着生于叶片的近基部；托叶鞘叶状，草质，绿色，圆形或近圆形，穿叶，直径 1.5 ～ 3cm。总状花序呈短穗状，不分枝，顶生或腋生，长 1 ～ 3cm；苞片卵圆形，每苞片内具花 2 ～ 4；花被 5 深裂，白色或淡红色，花被片椭圆形，长约 3mm，果时增大，呈肉质，深蓝色；雄蕊 8，略短于花被；花柱 3，中上部合生；柱头头状。瘦果球形，直径 3 ～ 4mm，黑色，

杠板归

有光泽，包于宿存花被内。花期 6 ~ 8 月，果期 7 ~ 10 月。

| **生境分布** | 生于海拔 300 ~ 2300m 的田边、路旁、山谷湿地、山谷灌丛中或沟边。重庆各地均有分布。

| **资源情况** | 野生资源丰富。药材来源于野生，自产自销。

| **采收加工** | 杠板归：夏季花开时采割，晒干。

扛板归根：夏季采挖，除去泥土，鲜用或晒干。

| **药材性状** | 杠板归：本品茎略呈方柱形，有棱角，多分枝，直径可达 0.2cm；表面紫红色或紫棕色，棱角上有倒生钩刺，节略膨大，节间长 2 ~ 6cm，断面纤维性，黄白色，有髓或中空。叶互生，有长柄，盾状着生；叶片多皱缩，展平后呈近等边三角形，灰绿色至红棕色，下表面叶脉和叶柄均有倒生钩刺；托叶鞘包于茎节上或脱落。短穗状花序顶生或生于上部叶腋，苞片圆形，花小，多萎缩或脱落。气微，茎味淡，叶味酸。

| **功能主治** | 杠板归：酸，微寒。归肺、膀胱经。清热解毒，利水消肿，止咳。用于咽喉肿痛，肺热咳嗽，小儿顿咳，水肿尿少，湿热泻痢，湿疹，疔肿，蛇虫咬伤。

扛板归根：酸、苦，平。解毒消肿。用于对口疮，痔疮，肛瘘。

| **用法用量** | 杠板归：内服煎汤，15 ~ 30g。外用适量，煎汤熏洗。体质虚弱者及孕妇慎服。

扛板归根：内服煎汤，9 ~ 15g；鲜品 15 ~ 30g。外用适量，捣敷。

| **附　注** | 本种喜温暖、向阳环境，土壤以较肥沃的夹砂土为好。主要通过种子繁殖。

蓼科 Polygonaceae 蓼属 *Polygonum*

春蓼
Polygonum persicaria L.

| 药 材 名 | 马蓼（药用部位：全草。别名：桃叶蓼、大蓼、墨记草）。

| 形态特征 | 一年生草本。茎直立或上升，分枝或不分枝，疏生柔毛或近无毛，高 40 ~ 80cm。叶披针形或椭圆形，长 4 ~ 15cm，宽 1 ~ 2.5cm，先端渐尖或急尖，基部狭楔形，两面疏生短硬伏毛，下面中脉上毛较密，上面近中部有时具黑褐色斑点，边缘具粗缘毛；叶柄长 5 ~ 8mm，被硬伏毛；托叶鞘筒状，膜质，长 1 ~ 2cm，疏生柔毛，先端截形，缘毛长 1 ~ 3mm。总状花序呈穗状，顶生或腋生，较紧密，长 2 ~ 6cm，通常数个再集成圆锥状，花序梗具腺毛或无毛；苞片漏斗状，紫红色，具缘毛，每苞内含 5 ~ 7 花；花梗长 2.5 ~ 3mm，花被通常 5 深裂，紫红色，花被片长圆形，长 2.5 ~ 3mm，脉明显；雄蕊 6 ~ 7；花柱 2，偶 3，中下部合生。瘦果近圆形或卵形，双凸

春蓼

镜状，稀具 3 棱，长 2 ～ 2.5mm，黑褐色，平滑，有光泽，包于宿存花被内。花期 6 ～ 9 月，果期 7 ～ 10 月。

| **生境分布** | 生于海拔 1800m 以下的沟边湿地。分布于重庆丰都、武隆、黔江、南川、城口、巫溪、奉节、石柱、垫江、忠县、云阳、酉阳、涪陵、长寿、九龙坡等地。

| **资源情况** | 野生资源丰富。药材来源于野生，自产自销。

| **采收加工** | 6 ～ 9 月花期采收，晒干。

| **功能主治** | 辛、苦，温。归肺、脾、大肠经。发汗除湿，消食，杀虫。用于风寒感冒，风寒湿痹，伤食泄泻，肠道寄生虫病。

| **用法用量** | 内服煎汤，6 ～ 12g。

蓼科 Polygonaceae 蓼属 Polygonum

习见蓼
Polygonum plebeium R. Br.

| 药 材 名 | 小萹蓄（药用部位：全草。别名：姑巴草、扁竹、水米草）。

| 形态特征 | 一年生草本。茎匍匐状，多分枝，长 15 ~ 30cm；枝披散，柔弱，平滑或具白色略粗糙的线条，节间通常短于叶。叶互生，无柄；托叶鞘膜质透明，边缘撕裂状；叶线形、狭长圆形或稍匙形，较小，长 6 ~ 18mm，宽 2 ~ 5mm，先端钝，基部渐狭成一短柄。花极小，具短柄，1 ~ 3 簇生于托叶鞘内；花被长不及 2mm，5 深裂，裂片绿色，边缘白色；雄蕊 5，中部以下与花被合生，较花被短；花柱 3。瘦果卵形，有 3 棱。花果期 5 ~ 6 月。

| 生境分布 | 生于 1300m 以下的原野、荒地、路旁。分布于重庆垫江、大足、石柱、丰都、云阳、涪陵、长寿、忠县、九龙坡、荣昌、巫溪、巫山、万州、南川、北碚等地。

习见蓼

｜资源情况｜

野生资源丰富。药材主要来源于野生。

｜采收加工｜

花开时采收，晒干。

｜药材性状｜

本品长 15 ～ 30cm。主根明显，黄棕色。茎圆柱形，细弱，多分枝，直径 1 ～ 2mm；表面污绿色至灰棕色，具细纵纹，节膨大，节间长 0.3 ～ 2cm。叶互生，条形、狭倒卵形或披针形，长 0.6 ～ 1.8cm，宽 2 ～ 5mm，先端钝，基部具关节，渐狭成短柄状，全缘；中脉明显，向背面凸起；托叶鞘膜质而透明，先端撕裂状。花小，具短梗，1 ～ 3 簇生叶腋。瘦果卵形，具 3 棱，黑褐色，平滑而有光泽，长不及 2mm，包藏于宿存花被内。气微，味淡。

｜功能主治｜

苦，凉。归膀胱经。利尿通淋，清热解毒，化湿杀虫。用于热淋，石淋，黄疸，痢疾，恶疮疥癣，外阴湿痒，蛔虫病。

｜用法用量｜

内服煎汤，9 ～ 15g，鲜品 30 ～ 60g；或捣汁饮。外用适量，捣敷；或煎汤洗。

丛枝蓼
Polygonum posumbu Buch.-Ham. ex D. Don

| 药 材 名 | 丛枝蓼（药用部位：全草）。

| 形态特征 | 一年生草本。茎细弱，无毛，具纵棱，高 30 ~ 70cm，下部多分枝，外倾。叶卵状披针形或卵形，长 3 ~ 6（~ 8）cm，宽 1 ~ 2（~ 3）cm，先端尾状渐尖，基部宽楔形，纸质，两面疏生硬伏毛或近无毛，下面中脉稍凸出，边缘具缘毛；叶柄长 5 ~ 7mm，被硬伏毛；托叶鞘筒状，薄膜质，长 4 ~ 6mm，被硬伏毛，先端截形，缘毛粗壮，长 7 ~ 8mm。总状花序呈穗状，顶生或腋生，细弱，下部间断，花稀疏，长 5 ~ 10cm；苞片漏斗状，无毛，淡绿色，边缘具缘毛，每苞片内含 3 ~ 4 花；花梗短，花被 5 深裂，淡红色，花被片椭圆形，长 2 ~ 2.5mm；雄蕊 8，比花被短；花柱 3，下部合生，柱头头状。瘦果卵形，具 3 棱，长 2 ~ 2.5mm，黑褐色，有光泽，包于宿存花

丛枝蓼

被内。花期 6 ~ 9 月，果期 7 ~ 10 月。

| **生境分布** | 生于海拔 200 ~ 1600m 的山坡林下、山谷水边。分布于重庆北碚、大足、合川、忠县、永川、长寿、奉节、南岸、荣昌、沙坪坝、黔江、彭水、南川、江津、铜梁等地。

| **资源情况** | 野生资源丰富。药材主要来源于野生。

| **采收加工** | 夏、秋季花盛时采收，洗净，干燥。

| **药材性状** | 本品长 20 ~ 80cm。根须状，表面灰棕色或棕褐色。茎直径约 3mm，基部圆柱形，上部类方形，多分枝；表面灰绿色、浅棕色或红紫色，有棱线，节膨大；质脆，较易折断，断面灰绿色或黄白色，中空。叶互生，叶柄极短，其上疏生短刺毛；叶片皱缩或破碎，完整者呈披针形，长 3.5 ~ 11cm，宽 0.6 ~ 1.4cm，全缘，灰绿色或浅棕黄色，两面近无毛，叶缘疏被短糙伏毛；托叶鞘筒状，膜质，长 5 ~ 9mm，睫毛长 4 ~ 10mm。穗状花序长 2 ~ 5cm，花簇间断，浅红紫色或淡红色；苞片钟状，缘毛长 1 ~ 3.5mm；花被 5 裂，灰白色或淡红色。气微，味淡。

| **功能主治** | 辛，平。归肝、大肠经。清热燥湿，健脾消疳，活血调经，解毒消肿。用于泄泻，痢疾，疳积，月经不调，湿疹，脚癣，毒蛇咬伤。

| **用法用量** | 内服煎汤，15 ~ 30g。外用适量，捣敷或煎汤洗。

蓼科 Polygonaceae 蓼属 Polygonum

羽叶蓼

Polygonum runcinatum Buch.-Ham. ex D. Don

| 药 材 名 | 赤胫散（药用部位：全草。别名：土竭力、花蝴蝶、花脸荞）。

| 形态特征 | 多年生草本。具根茎。茎近直立或上升，高 30 ~ 60cm，具纵棱，被毛或近无毛，节部通常被倒生伏毛。叶羽裂，长 4 ~ 8cm，宽 2 ~ 4cm，顶生裂片较大，三角状卵形，先端渐尖，侧生裂片 1 ~ 3 对，两面疏生糙伏毛，具短缘毛；下部叶叶柄具狭翅，基部有耳，上部叶叶柄较短或近无柄；托叶鞘膜质，筒状，松散，长约 1cm，被柔毛，先端截形，具缘毛。花序头状，紧密，直径 1 ~ 1.5cm，顶生通常成对，花序梗被腺毛；苞片长卵形，边缘膜质；花梗细弱，比苞片短；花被 5 深裂，淡红色或白色，花被片长卵形，长 3 ~ 3.5mm；雄蕊通常 8，比花被短，花药紫色；花柱 3，中下部合生。瘦果卵形，具 3 棱，长 2 ~ 3mm，黑褐色，无光泽，包于宿存花被内。花期 4 ~ 8 月，

羽叶蓼

果期 6 ~ 10 月。

| **生境分布** | 生于海拔 1000 ~ 2500m 的山坡草地、山谷路旁。分布于重庆巫山、巫溪、奉节、黔江、石柱、万州、云阳、南川等地。

| **资源情况** | 野生资源一般。药材主要来源于野生。

| **采收加工** | 夏、秋季采收，扎把，晒干或鲜用。

| **药材性状** | 本品根茎纤细，红褐色，节部肿大，有众多须根。茎圆柱形，细弱，稍扁，上部略有分枝，淡绿色或略带红褐色，有毛或近无毛；断面中空。叶卵形、长卵形或三角状卵形，长 5 ~ 8cm，宽 3 ~ 4cm，先端渐尖，基部近截形或微心形，并下延至叶柄，且于两侧常形成向内凹的 1 ~ 3 对圆形裂片，上面有三角形暗紫色斑纹；托叶鞘筒状，膜质，褐色。花序顶生，由数个头状花序组成；花被白色或粉红色。气微，味微涩。

| **功能主治** | 苦、酸、涩，平。清热解毒，活血舒筋。用于痢疾，泄泻，带下，经闭，痛经，乳痈，疮疖，无名肿毒，毒蛇咬伤，跌打损伤，劳伤腰痛。

| **用法用量** | 内服煎汤，9 ~ 15g，鲜品 15 ~ 30g；或泡酒。外用适量，鲜品捣敷；或研末调敷；或醋磨搽；或煎汤熏洗。

| **附   注** | 本种喜阴湿，能耐寒。栽培宜选择疏松、肥沃、排水良好的土壤。

蓼科 Polygonaceae 蓼属 Polygonum

赤胫散
Polygonum runcinatum Buch.-Ham. ex D. Don var. *sinense* Hemsl.

赤胫散

| 药 材 名 |

赤胫散（药用部位：全草。别名：土竭力、花蝴蝶、花脸荞）。

| 形态特征 |

本种与原变种羽叶蓼的区别在于头状花序较小，直径 5 ~ 7mm，数个再集成圆锥状；叶基部通常具 1 对裂片，两面无毛或疏生短糙伏毛。

| 生境分布 |

生于海拔 1000 ~ 2500m 的山坡林下、山谷草地。分布于重庆城口、云阳、巫溪、丰都、奉节、南川、石柱、万州、秀山等地。

| 资源情况 |

野生资源丰富。药材主要来源于野生。

| 采收加工 |

夏、秋季采收，扎把，晒干或鲜用。

| 功能主治 |

苦、微酸、涩，平。清热解毒，活血舒筋。用于痢疾，泄泻，带下，经闭，痛经，乳痈，疮疖，无名肿毒，毒蛇咬伤，跌打损伤，劳伤腰痛。

| **用法用量** | 内服煎汤，9 ~ 15g，鲜品 15 ~ 30g；或泡酒。外用适量，鲜品捣敷；或研末调敷；或醋磨搽；或煎汤熏洗。

| **附　　注** | 本种喜阴湿，耐寒。栽培宜选疏松、肥沃、排水良好的土壤。

蓼科 Polygonaceae 蓼属 Polygonum

箭叶蓼
Polygonum sieboldii Meisn.

| 药 材 名 | 雀翘（药用部位：全草。别名：走游草、钩钩草、去母）、雀翘实（药用部位：果实）。

| 形态特征 | 一年生草本。茎基部外倾，上部近直立，有分枝，无毛，四棱形，沿棱具倒生皮刺。叶宽披针形或长圆形，长2.5～8cm，宽1～2.5cm，先端急尖，基部箭形，上面绿色，下面淡绿色，两面无毛，下面沿中脉具倒生短皮刺，全缘，无缘毛；叶柄长1～2cm，具倒生皮刺；托叶鞘膜质，偏斜，无缘毛，长0.5～1.3cm。花序头状，通常成对，顶生或腋生，花序梗细长，疏生短皮刺；苞片椭圆形，先端急尖，背部绿色，边缘膜质，每苞内具2～3花；花梗短，长1～1.5mm，比苞片短；花被5深裂，白色或淡紫红色，花被片长圆形，长约3mm；雄蕊8，比花被短；花柱3，中下部合生。瘦果宽卵形，具3棱，

箭叶蓼

黑色，无光泽，长约 2.5mm，包于宿存花被内。
花期 6 ~ 9 月，果期 8 ~ 10 月。

| 生境分布 |

生于海拔 120 ~ 1500m 的山谷、沟旁、水边。
分布于重庆巫溪、丰都、石柱、武隆、彭水、江津、
南川等地。

| 资源情况 |

野生资源一般。药材主要来源于野生。

| 采收加工 |

雀翘：夏、秋季采收，扎成束，鲜用或阴干。
雀翘实：夏、秋季果实成熟时采收，除去杂质，
晒干。

| 功能主治 |

雀翘：辛、苦，平。祛风除湿，清热解毒。用
于风湿关节疼痛，疮痛疖肿，泄泻，痢疾，毒
蛇咬伤。
雀翘实：咸，平。益气，明目。用于气虚视物不清。

| 用法用量 |

雀翘：内服煎汤，6 ~ 15g，鲜品 15 ~ 30g；
或捣汁饮。外用适量，煎汤熏洗；或鲜品捣敷。
雀翘实：内服煎汤，3 ~ 9g。

| 附 注 |

在 FOC 中，本种的拉丁学名被修订为 *Polygonum sagittatum* Linnaeus。

蓼科 Polygonaceae 蓼属 Polygonum

支柱蓼
Polygonum suffultum Maxim.

| **药 材 名** | 红三七（药用部位：根茎。别名：算盘七、九龙盘、九牛造）。

| **形态特征** | 多年生草本。根茎粗壮，通常呈念珠状，黑褐色，茎直立或斜上，细弱，上部分枝或不分枝，通常数条自根茎发出，高 10 ~ 40cm，基生叶卵形或长卵形，长 5 ~ 12cm，宽 3 ~ 6cm，先端渐尖或急尖，基部心形，全缘，疏生短缘毛，两面无毛或疏生短柔毛，叶柄长 4 ~ 15cm；茎生叶卵形，较小具短柄，最上部的叶无柄，抱茎；托叶鞘膜质，筒状，褐色，长 2 ~ 4cm，先端偏斜，开裂，无缘毛。总状花序呈穗状，紧密，顶生或腋生，长 1 ~ 2cm；苞片膜质，长卵形，先端渐尖，长约 3mm，每苞内具 2 ~ 4 花；花梗细弱，长 2 ~ 2.5mm，比苞片短；花被 5 深裂，白色或淡红色，花被片倒卵形或椭圆形，长 3 ~ 3.5mm；雄蕊 8，比花被长；花柱 3，基部合生，柱头头状。

支柱蓼

瘦果宽椭圆形，具 3 锐棱，长 3.5 ～ 4mm，黄褐色，有光泽，稍长于宿存花被。花期 6 ～ 7 月，果期 7 ～ 10 月。

| 生境分布 | 生于 800 ～ 2000m 的中山区林下或潮湿地方，常见于黄沙泥中。分布于重庆秀山、巫山、城口、南川、奉节、武隆、开州、石柱、巫溪、万州等地。

| 资源情况 | 野生资源一般。药材来源于野生。

| 采收加工 | 秋季采挖，除去须根及杂质，洗净，晾干。

| 药材性状 | 本品呈结节状，平直或稍弯曲，长 2 ～ 9cm，直径 0.5 ～ 2cm。表面紫褐色或棕褐色，有 6 ～ 10 节，每节呈扁球形，外被残存叶基，并有残留细根及点状根痕。有时两节之间明显变细延长，习称"过江枝"。质硬，易折断，折断面近圆形，浅粉红色或灰黄色，近边缘处有 12 ～ 30 黄白色维管束，排成断续的环状。气微，味涩。

| 功能主治 | 苦、涩，凉。归肝、脾经。止血止痛，活血调经，除湿清热。用于跌打伤痛，外伤出血，吐血，便血，崩漏，月经不调，带下，湿热下痢，痈疮。

| 用法用量 | 内服煎汤，9 ～ 15g；研末，6 ～ 9g；或浸酒。外用适量，研末调敷。

蓼科 Polygonaceae 蓼属 Polygonum

戟叶蓼

Polygonum thunbergii Sieb. et Zucc.

| **药 材 名** | 水麻芳（药用部位：全草。别名：小麻芳、藏氏蓼、凹叶蓼）。

| **形态特征** | 一年生草本。茎直立或上升，具纵棱，沿棱具倒生皮刺，基部外倾，节部生根，高 30 ～ 90cm。叶戟形，长 4 ～ 8cm，宽 2 ～ 4cm，先端渐尖，基部截形或近心形，两面疏生刺毛，极少被稀疏的星状毛，边缘具短缘毛，中部裂片卵形或宽卵形，侧生裂片较小，卵形；叶柄长 2 ～ 5cm，具倒生皮刺，通常具狭翅；托叶鞘膜质，边缘具叶状翅，翅近全缘，具粗缘毛。花序头状，顶生或腋生，分枝，花序梗被腺毛及短柔毛；苞片披针形，先端渐尖，边缘具缘毛，每苞内具 2 ～ 3 花；花梗无毛，比苞片短，花被 5 深裂，淡红色或白色，花被片椭圆形，长 3 ～ 4mm；雄蕊 8，成 2 轮，比花被短；花柱 3，中下部合生，柱头头状。瘦果宽卵形，具 3 棱，黄褐色，无光泽，

戟叶蓼

长 3 ~ 3.5mm，包于宿存花被内。花期 7 ~ 9 月，果期 8 ~ 10 月。

| **生境分布** | 生于海拔 90 ~ 2400m 的山谷湿地、山坡草丛。分布于重庆綦江、彭水、城口、石柱、武隆、巫溪、秀山、南川等地。

| **资源情况** | 野生资源一般。药材主要来源于野生。

| **采收加工** | 夏季采收，鲜用或晒干。

| **功能主治** | 苦、辛，寒。祛风清热，活血止痛。用于风热头痛，咳嗽，瘰疬，痢疾，跌打伤痛，干血痨。

| **用法用量** | 内服煎汤，9 ~ 15g。外用适量，研末调敷。

蓼科 Polygonaceae 蓼属 Polygonum

粘蓼
Polygonum viscoferum Mak.

粘蓼

药材名

粘蓼（药用部位：全草）。

形态特征

一年生草本。茎直立，30～70cm，通常自基部分枝，节间上部被柔毛。叶披针形或宽披针形，长4～10cm，宽1～2cm，先端渐尖，基部圆形或楔形，边缘具长缘毛，两面疏生糙硬毛，中脉上的毛较密；叶柄极短或近无柄；托叶鞘筒状，膜质，长6～12mm，被长糙硬毛，先端截形，具长缘毛。总状花序呈穗状，细弱，顶生或腋生，长4～7cm，通常数个再组成圆锥状；花稀疏或密生，下部间断，花序梗无毛，疏生分泌黏液的腺体；苞片漏斗状，绿色，无毛，边缘膜质，具缘毛，每苞内含花3～5；花梗比苞片长；花被4～5深裂，淡绿色，花被片椭圆形，长1～1.5mm；雄蕊7～8，比花被短；花柱3，中下部合生。瘦果椭圆形，具3棱，黑褐色，平滑，有光泽，长约1.5mm，包于宿存花被内。花期7～9月，果期8～10月。

生境分布

生于海拔500～1800m的路旁湿地、山谷水边、山坡阴处。分布于重庆城口、巫山、奉节、南川、万州等地。

| **资源情况** | 野生资源较少。药材来源于野生。

| **功能主治** | 清热利尿。

| **用法用量** | 内服煎汤，适量。

蓼科 Polygonaceae 蓼属 Polygonum

珠芽蓼 *Polygonum viviparum* L.

珠芽蓼

药材名

珠芽蓼（药用部位：根茎。别名：蝎子七、红蝎子七、朱砂七）。

形态特征

多年生草本。根茎粗壮，弯曲，黑褐色，直径 1 ~ 2cm。茎直立，高 15 ~ 60cm，不分枝，通常 2 ~ 4 自根茎发出。基生叶长圆形或卵状披针形，长 3 ~ 10cm，宽 0.5 ~ 3cm，先端尖或渐尖，基部圆形、近心形或楔形，两面无毛，边缘脉端增厚。外卷，具长叶柄；茎生叶较小，披针形，近无柄；托叶鞘筒状，膜质，下部绿色，上部褐色，偏斜，开裂，无缘毛。总状花序呈穗状，顶生，紧密，下部生珠芽；苞片卵形，膜质，每苞内具 1 ~ 2 花；花梗细弱；花被 5 深裂，白色或淡红色，花被片椭圆形，长 2 ~ 3mm；雄蕊 8，花丝不等长；花柱 3，下部合生，柱头头状。瘦果卵形，具 3 棱，深褐色，有光泽，长约 2mm，包于宿存花被内。花期 5 ~ 7 月，果期 7 ~ 9 月。

生境分布

生于海拔 1200 ~ 2500m 的高山草原阴湿地或沟溪边。分布于重庆奉节、开州、巫溪、巫山、城口、南川等地。

| **资源情况** | 野生资源一般。药材主要来源于野生。

| **采收加工** | 秋季采挖,除去茎叶、细根、泥沙,晒干。

| **药材性状** | 本品呈扁圆柱形或团块状,常弯曲成虾状,长 2 ~ 5cm,直径 0.3 ~ 1.5cm。表面呈棕褐色,稍粗糙,可见较密的环节及根痕;一面隆起,另一面较平坦或略具凹槽;有时先端具棕褐色叶鞘残基。质较硬,折断面平坦,灰棕色或紫红色;白色点状维管束排列成断续的环状。气微,味苦、涩。

| **功能主治** | 苦、涩、微甘,温。止泻,健胃,调经。用于胃病,消化不良,腹泻,月经不调、崩漏等。

| **用法用量** | 内服煎汤,6 ~ 15g;或浸酒。外用适量,研末撒或调敷;或磨汁涂;或鲜品捣敷。

虎杖

蓼科 Polygonaceae 虎杖属 *Reynoutria*

虎杖
Reynoutria japonica Houtt.

药材名

虎杖（药用部位：根茎、根。别名：土地榆、花斑竹、酸汤杆）、虎杖枝叶（药用部位：叶、带叶嫩枝）。

形态特征

多年生草本。根茎粗壮，横走。茎直立，高1 ~ 2m，粗壮，空心，具明显的纵棱，具小突起，无毛，散生红色或紫红斑点。叶宽卵形或卵状椭圆形，长5 ~ 12cm，宽4 ~ 9cm，近革质，先端渐尖，基部宽楔形、截形或近圆形，全缘，疏生小突起，两面无毛，沿叶脉具小突起；叶柄长1 ~ 2cm，具小突起；托叶鞘膜质，偏斜，长3 ~ 5mm，褐色，具纵脉，无毛，先端截形，无缘毛，常破裂，早落。花单性，雌雄异株，花序圆锥状，长3 ~ 8cm，腋生；苞片漏斗状，长1.5 ~ 2mm，先端渐尖，无缘毛，每苞内具2 ~ 4花；花梗长2 ~ 4mm，中下部具关节；花被5深裂，淡绿色；雄花花被片具绿色中脉，无翅，雄蕊8，比花被长；雌花花被片外面3背部具翅，果时增大，翅扩展下延，花柱3，柱头流苏状。瘦果卵形，具3棱，长4 ~ 5mm，黑褐色，有光泽，包于宿存花被内。花期8 ~ 9月，果期9 ~ 10月。

| **生境分布** | 生于海拔 140 ～ 2000m 的山谷溪边、山坡灌丛、路旁、田边湿地。重庆各地均有分布。 |

| **资源情况** | 野生资源丰富。药材来源于野生，自产自销。 |

| **采收加工** | 虎杖：春、秋季采挖，除去须根，洗净，趁鲜切短段或厚片，晒干。
虎杖枝叶：夏季采摘成熟叶或带叶嫩枝，晒干。 |

| **药材性状** | 虎杖：本品多为圆柱形短段或不规则厚片，长 1 ～ 7cm，直径 0.5 ～ 2.5cm。外皮棕褐色，有纵皱纹及须根痕，切面皮部较薄，木部宽广，棕黄色，射线放射状，皮部与木部较易分离。根茎髓中有隔或呈空洞状。质坚硬。气微，味微苦、涩。
虎杖枝叶：本品小枝中空，表皮散生红色或紫红色（干后棕红色）的斑点。单叶互生，叶片宽卵形或卵状椭圆形，长 5 ～ 12cm，宽 3 ～ 9cm；先端短尖，全缘或微波状，基部圆形或阔楔形，叶柄长 1 ～ 2cm，略被短毛；托叶鞘筒状抱茎，膜质，棕褐色，常脱落。偶见腋生圆锥花序；瘦果椭圆形，具 3 棱，黑褐色。气微，味淡。 |

| **功能主治** | 虎杖：微苦，微寒。归肝、胆、肺经。利湿退黄，清热解毒，散瘀止痛，止咳化痰。用于湿热黄疸，淋浊，带下，风湿痹痛，痈肿疮毒，烫火伤，经闭，癥瘕，跌打损伤，肺热咳嗽。
虎杖枝叶：苦、微涩，寒。归肝经。平肝潜阳，祛痰息风。用于肝阳上亢，血压偏高，头晕头昏。 |

| **用法用量** | 虎杖：内服煎汤，9 ～ 15g。外用适量，制成煎液或油膏涂敷。孕妇慎用。
虎杖枝叶：内服煎汤，6 ～ 12g。 |

| **附　注** | 本种喜温和湿润气候，耐寒、耐涝。对土壤要求不严，但以疏松、肥沃的土壤栽培为好。通过种子和分根繁殖。 |

蓼科 Polygonaceae 大黄属 Rheum

药用大黄 *Rheum officinale* Baill.

药用大黄

| 药 材 名 |

大黄（药用部位：根、根茎。别名：川军）、大黄茎（药用部位：地上茎、嫩苗）。

| 形态特征 |

高大草本，高 1.5 ~ 2m。根及根茎粗壮，内部黄色。茎粗壮，基部直径 2 ~ 4cm，中空，具细沟棱，被白色短毛，上部及节部较密。基生叶大型，叶片近圆形，稀极宽卵圆形，直径 30 ~ 50cm，或长稍大于宽，先端近急尖形，基部近心形，掌状浅裂，裂片大齿状三角形，基出脉 5 ~ 7，叶上面光滑无毛，偶在脉上被疏短毛，下面具淡棕色短毛；叶柄粗圆柱状，与叶片等长或稍短，具楞棱线，被短毛；茎生叶向上逐渐变小，上部叶腋具花序分枝；托叶鞘宽大，长可达 15cm，初时抱茎，后开裂，内面光滑无毛，外面密被短毛。大型圆锥花序，分枝开展，花 4 ~ 10 成簇互生，绿色到黄白色；花梗细长，长 3 ~ 3.5mm，关节在中下部；花被片 6，内、外轮近等大，椭圆形或稍窄椭圆形，长 2 ~ 2.5mm，宽 1.2 ~ 1.5mm，边缘稍不整齐；雄蕊 9，不外露；花盘薄，瓣状；子房卵形或卵圆形，花柱反曲，柱头圆头状。果实长圆状椭圆形，长 8 ~ 10mm，宽 7 ~ 9mm，先端圆，中央微下凹，基部浅心形，翅宽约 3mm，纵脉靠近翅的边缘；种子宽卵形。花期 5 ~ 6 月，果期 8 ~ 9 月。

| 生境分布 | 生于海拔 1200 ~ 2700m 的高山灌丛中或山地。分布于重庆黔江、彭水、丰都、忠县、南川、云阳、武隆、巫溪、城口、石柱、酉阳等地。

| 资源情况 | 野生资源一般。药材主要来源于栽培。

| 采收加工 | 大黄：初冬挖取 3 年以上生的根茎。先把地上部分割去，挖开四周泥土，把根从根茎上割下，分别加工。

大黄茎：8 ~ 9 月种子成熟后采挖全株，割取地上茎；春季采摘嫩苗，洗净，鲜用或晒干。

| 药材性状 | 大黄：本品呈类圆柱形、圆锥形、卵圆形或不规则块状，长 3 ~ 17cm，直径 3 ~ 10cm。除尽外皮者表面黄棕色至红棕色，有的可见类白色网状纹理及星点（异型维管束）散在，残留的外皮棕褐色，多具绳孔及粗皱纹。质坚实，有的中心稍松软，断面淡红棕色或黄棕色，显颗粒性；根茎髓部宽广，有星点环列或散在；根木部发达，具放射状纹理，形成层环明显，无星点。气清香，味苦而微涩，嚼之黏牙，有砂粒感。

| 功能主治 | 大黄：苦，寒。攻积滞，清湿热，泻火，凉血，祛瘀，解毒。用于食积便秘，热结胸痞，湿热泻痢，黄疸，淋病，水肿腹满，小便不利，目赤，咽喉肿痛，口舌生疮，胃热呕吐，吐血，咯血，衄血，便血，尿血，蓄血，经闭，产后瘀滞腹痛，癥瘕积聚，跌打损伤，热毒痈疡，丹毒，烫伤。

大黄茎：苦、酸，寒。泻火，通便。用于实热便秘。

| 用法用量 | 大黄：内服煎汤，3 ~ 12g；或研末，0.5 ~ 2g；或入丸、散。外用适量，研末调敷或煎汤洗、涂。脾胃虚寒，血虚气弱，妇女胎前、产后、月经期及哺乳期均慎服。

大黄茎：内服煎汤，5 ~ 10g；或生吃。不宜多食。

| 附　注 | 本种喜冷凉气候，耐寒，忌高温。栽培宜选择土层深厚、富含腐殖质、排水良好的壤土或砂壤土。忌连作，需经 4 ~ 5 年后再种。

■ 蓼科 Polygonaceae ■ 大黄属 Rheum

掌叶大黄 *Rheum palmatum* L.

掌叶大黄

| 药 材 名 |

大黄（药用部位：根、根茎。别名：将军、川军、蜀大黄）、大黄茎（药用部位：地上茎、嫩苗）。

| 形态特征 |

高大粗壮草本，高 1.5 ~ 2m。根及根茎粗壮木质。茎直立中空。叶片长、宽近相等，长 40 ~ 60cm，有时长稍大于宽，先端窄渐尖或窄急尖，基部近心形，通常成掌状半 5 裂，每 1 大裂片又分为近羽状的窄三角形小裂片，基出脉多为 5，叶上面粗糙到被乳突状毛，下面及边缘密被短毛；叶柄粗壮，圆柱状，与叶片近等长，密被锈乳突状毛；茎生叶向上渐小，叶柄亦渐短；托叶鞘大，长达 15cm，内面光滑，外表粗糙。大型圆锥花序，分枝较聚拢，密被粗糙短毛；花小，通常为紫红色，有时黄白色；花梗长 2 ~ 2.5mm，关节位于中部以下；花被片 6，外轮 3 较窄小，内轮 3 较大，宽椭圆形到近圆形，长 1 ~ 1.5mm；雄蕊 9，不外露；花盘薄，与花丝基部粘连；子房菱状宽卵形，花柱略反曲，柱头头状。果实矩圆状椭圆形到矩圆形，长 8 ~ 9mm，宽 7 ~ 7.5mm，两端均下凹，翅宽约 2.5mm，纵脉靠近翅的边缘；种子宽卵形，棕黑色。果期果序的分枝直而聚拢。花期 6 月，果期 8 月。

| 生境分布 | 生于海拔 1200 ～ 2700m 的山地。分布于重庆巫山、城口、云阳、开州、巫溪、丰都、石柱、南川等地。

| 资源情况 | 野生资源一般。药材主要来源于栽培。

| 采收加工 | 大黄：秋末茎叶枯萎或翌年春季发芽前采挖，除去细根，刮去外皮，切瓣或段，绳穿成串干燥或直接干燥。

大黄茎：8 ～ 9 月种子成熟后采挖全株，割取地上茎；春季采摘嫩苗，洗净，鲜用或晒干。

| 药材性状 | 大黄：本品呈类圆柱形、圆锥形、卵圆形或不规则块状，长 3 ～ 17cm，直径 3 ～ 10cm。除尽外皮者表面黄棕色至红棕色，有的可见类白色网状纹理及星点（异型维管束）散在，残留的外皮棕褐色，多具绳孔及粗皱纹。质坚实，有的中心稍松软，断面淡红棕色或黄棕色，显颗粒性；根茎髓部宽广，有星点环列或散在；根木部发达，具放射状纹理，形成层环明显，无星点。气清香，味苦而微涩，嚼之黏牙，有砂粒感。

| 功能主治 | 大黄：苦，寒。归脾、胃、大肠、肝、心包经。泻下攻积，清热泻火，凉血解毒，逐瘀通经，利湿退黄。用于实热积滞便秘，血热吐衄，目赤咽肿，痈肿疔疮，肠痈腹痛，瘀血经闭，产后瘀阻，跌打损伤，湿热痢疾，黄疸尿赤，淋证，水肿。外用于烫火伤。

大黄茎：苦、酸，寒。泻火，通便。用于实热便秘。

| 用法用量 | 大黄：内服煎汤，3 ～ 15g。外用适量，研末敷于患处。孕期、月经期、哺乳期妇女慎用。

大黄茎：内服煎汤，5 ～ 10g；或生吃。不宜多食。

| 附　　注 | 本种喜冷凉气候，耐寒，忌高温。以土层深厚、富含腐殖质、排水良好的壤土或砂壤土栽培为最好，黏重酸性土和低洼积水地区不宜栽种。忌连作，需经 4 ～ 5 年后再种。可通过种子繁殖，也可通过子芽（母株根茎上的芽）繁殖。

蓼科 Polygonaceae 酸模属 Rumex

酸模
Rumex acetosa L.

酸模

药材名

酸模（药用部位：根。别名：山大黄、当药、山羊蹄）、酸模叶（药用部位：茎叶）。

形态特征

多年生草本，高达 1m。根为肉质须根，黄色。茎直立，通常不分枝，无毛，或稍被毛，具纵沟纹，中空。单叶互生；叶片卵状长圆形，长 5 ~ 15cm，宽 2 ~ 5cm，先端钝或尖，基部箭形或近戟形，全缘，有时略呈波状，上面无毛，下面及叶缘常具乳头状突起；茎上部叶较窄小，披针形，具短柄，或无柄且抱茎，基生叶有长柄；托叶鞘膜质，筒状，破裂。花单性，雌雄异株；花序顶生，狭圆锥状，分枝稀，花数朵簇生；雄花花被片 6，椭圆形，排成 2 轮，内轮花被片长约 3mm，外轮稍狭小；雄蕊 6，花丝甚短；雌花的外轮花被片反折向下紧贴花梗，内轮花被片直立，花后增大包被果实，直径约 5mm，圆形，全缘，各有 1 不明显的瘤状突起；子房三棱形，柱头 3，画笔状，紫红色。瘦果三棱形，黑色，有光泽。花期 5 ~ 6月，果期 7 ~ 8月。

| 生境分布 | 生于路边、山坡及湿地。重庆各地均有分布。

| 资源情况 | 野生资源较丰富。药材主要来源于野生。

| 采收加工 | 夏季采收，洗净，晒干或鲜用。

| 药材性状 | 酸模：本品粗短，先端有残留的茎基，常数条相聚簇生；根稍肥厚，长 3.5 ~ 7cm，直径 1 ~ 6mm。表面棕紫色或棕色，有细纵皱纹。质脆，易折断，断面棕黄色，粗糙，纤维性。气微，味微苦、涩。

酸模叶：本品多皱缩，完整者展平后基生叶有长柄，长可达 15cm；茎生叶无柄或抱茎；叶片卵状长圆形，长 5 ~ 15cm，宽 2 ~ 5cm，先端钝或微尖，基部箭形或近戟形，全缘或微呈波状，表面不甚光滑，枯绿色；托叶鞘膜质，斜截形。气微，味苦、酸、涩。

| 功能主治 | 酸模：酸、微苦，寒。凉血止血，泻热通便，利尿，杀虫。用于吐血，便血，月经过多，热痢，目赤，便秘，小便不通，淋浊，恶疮，疥癣，湿疹等。

酸模叶：酸、微苦，寒。泻热通秘，利尿，凉血止血，解毒。用于便秘，小便不利，内痔出血，疮疡，丹毒，疥癣，湿疹，烫伤。

| 用法用量 | 酸模：内服煎汤，9 ~ 15g；或捣汁。外用适量，捣敷。

酸模叶：内服煎汤，15 ~ 30g。外用适量，捣敷；或研末调涂。

蓼科 Polygonaceae 酸模属 Rumex

小酸模 *Rumex acetosella* L.

| 药 材 名 | 小酸模（药用部位：根、叶或全草）。

| 形态特征 | 多年生草本。根茎横走，木质化。茎数条自根茎发出，高 15 ～ 35cm，直立或上升，细弱，具沟槽，通常自中上部分枝。茎下部叶戟形，中裂片披针形或线状披针形，长 2 ～ 4cm，宽 3 ～ 6（～ 10）mm，先端急尖，基部两侧的裂片伸展或向上弯曲，全缘，两面无毛，叶柄长 2 ～ 5cm；茎上部叶较小，叶柄短或近无柄；托叶鞘膜质，白色，常破裂。花序圆锥状，顶生，疏松，花单性，雌雄异株；花梗长 2 ～ 2.5mm，无关节；花簇具 2 ～ 7 花；雄花内花被片椭圆形，长约 1.5mm，外花被片披针形，较小，雄蕊 6；雌花内花被片果时不增大或稍增大，卵形，长 1.5 ～ 1.8mm，先端急尖，基部圆形，具网脉，无小瘤，外花被片披针形，长约 1mm，

小酸模

果时不反折。瘦果宽卵形，具 3 棱，长 1 ～ 1.5mm，黄褐色，有光泽。花期 6 ～ 7 月，果期 7 ～ 8 月。

| **生境分布** | 栽培于房前屋后，或逸为野生。分布于重庆南川、丰都、酉阳等地。

| **资源情况** | 野生和栽培资源均稀少。药材主要来源于栽培。

| **采收加工** | 夏季采收，洗净，晒干或鲜用。

| **功能主治** | 清热解毒，凉血活血，利尿通便，杀虫。用于肠炎，痢疾，黄疸，便秘，尿路结石，内出血，维生素 C 缺乏症，发热，目赤肿痛，肺结核，疥癣疮疡，湿疹，神经性皮炎，皮肤癌，乳腺癌，内脏肿瘤。

| **用法用量** | 内服煎汤，9 ～ 15g。

蓼科 Polygonaceae 酸模属 Rumex

皱叶酸模 *Rumex crispus* L.

皱叶酸模

药材名

牛耳大黄（药用部位：根。别名：火风棠、牛耳大黄根、土大黄）、牛耳大黄叶（药用部位：叶）。

形态特征

多年生草本。根粗壮，黄褐色。茎直立，高50～120cm，不分枝或上部分枝，具浅沟槽。基生叶披针形或狭披针形，长10～25cm，宽2～5cm，先端急尖，基部楔形，边缘皱波状；茎生叶较小，狭披针形；叶柄长3～10cm；托叶鞘膜质，易破裂。花序狭圆锥状，花序分枝近直立或上升；花两性；淡绿色；花梗细，中下部具关节，关节果时稍膨大；花被片6，外花被片椭圆形，长约1mm，内花被片果时增大，宽卵形，长4～5mm，网脉明显，先端稍钝，基部近截形，近全缘，全部具小瘤，稀1具小瘤，小瘤卵形，长1.5～2mm。瘦果卵形，先端急尖，具3锐棱，暗褐色，有光泽。花期5～6月，果期6～7月。

生境分布

生于沟谷、河岸或湿地。分布于重庆大足、酉阳、云阳、忠县、城口、巫溪、武隆、南川等地。

| **资源情况** | 野生资源一般。药材主要来源于野生。

| **采收加工** | 牛耳大黄：4～5月采挖，洗净，晒干或鲜用。
牛耳大黄叶：4～5月采摘，晒干或鲜用

| **药材性状** | 牛耳大黄：本品呈不规则圆锥状条形，长10～20cm，粗达2.5cm，单根或于中段有数个分枝。根头先端具干枯的茎基，其周围可见多数片状棕色的干枯叶基。表面棕色至深棕色，有不规则纵皱纹及多数近圆形的须根痕。质硬，断面黄棕色，纤维性。气微，味苦。
牛耳大黄叶：本品呈枯绿色，皱缩，展平后基生叶具长叶柄，叶片薄纸质，披针形至长圆形，长16～22cm，宽1.5～4cm，基部多为楔形；茎生叶较小，叶柄较短，叶片多长披针形，先端急尖，基部圆形、截形或楔形，边缘波状皱褶，两面无毛；托叶鞘筒状，膜质。气微，味苦、涩。

| **功能主治** | 牛耳大黄：苦，寒。归心、肝、大肠经。清热解毒，凉血止血，通便杀虫。用于急、慢性肝炎，肠炎，痢疾，慢性气管炎，吐血，衄血，便血，崩漏，热结便秘，痈疽肿毒，疥癣，秃疮。
牛耳大黄叶：清热通便，止咳。用于热结便秘，咳嗽，痈肿疮毒。

| **用法用量** | 牛耳大黄：内服煎汤，10～15g，鲜品30～60g；或捣汁饮。外用适量，捣敷；或研末调搽；或煎汤洗。脾胃虚寒、食少便溏者禁服。
牛耳大黄叶：内服煎汤；或作菜食。外用适量，捣敷。

蓼科 Polygonaceae 酸模属 Rumex

齿果酸模 *Rumex dentatus* L.

| **药 材 名** | 齿果牛耳大黄（药用部位：根。别名：牛舌草、羊蹄、齿甲羊蹄）。

| **形态特征** | 一年生草本。茎直立，高30～70cm，自基部分枝，枝斜上，具浅沟槽。茎下部叶长圆形或长椭圆形，长4～12cm，宽1.5～3cm，先端圆钝或急尖，基部圆形或近心形，边缘浅波状；茎生叶较小；叶柄长1.5～5cm。花序总状，顶生和腋生，数个组成圆锥状花序，长达35cm，多花，轮状排列，花轮间断；花梗中下部具关节；外花被片椭圆形，长约2mm；内花被片果时增大，三角状卵形，长3.5～4mm，宽2～2.5mm，先端急尖，基部近圆形，网纹明显，全部具小瘤，小瘤长1.5～2mm，边缘每侧具2～4刺状齿，齿长1.5～2mm。瘦果卵形，具3锐棱，长2～2.5mm，两端尖，黄褐色，有光泽。花期5～6月，果期6～7月。

齿果酸模

| 生境分布 |

生于海拔 200 ~ 1800m 的山坡路旁或沟边草丛中。分布于重庆奉节、丰都、石柱、巫溪、潼南、铜梁、涪陵、綦江、云阳、北碚、巫溪、巴南、九龙坡等地。

| 资源情况 |

野生资源丰富。药材主要来源于野生。

| 采收加工 |

4 ~ 5 月采挖，洗净，晒干或鲜用。

| 药材性状 |

本品呈不规则圆锥状条形，长 10 ~ 20cm，直径达 2.5cm，单根或于中段有数个分枝。根头先端具干枯的茎基，其周围可见多数片状棕色的干枯叶基。表面棕色至深棕色，有不规则纵皱纹及多数近圆形须根痕。质硬，断面黄棕色，纤维性。气微，味苦。

| 功能主治 |

清热解毒，凉血止血，通便。用于肠炎，痢疾，月经过多，血崩，咯血，衄血，便秘。外用于湿疹，疮疡肿毒。

| 用法用量 |

内服煎汤，9 ~ 15g；或研末，6 ~ 9g；或浸酒。外用适量，研末调敷。

蓼科 Polygonaceae 酸模属 Rumex

戟叶酸模 *Rumex hastatus* D. Don

| 药 材 名 | 大酸浆草（药用部位：全草或根。别名：大酸酸、草麻黄、细叶酸模）。

| 形态特征 | 灌木，高 50 ～ 90cm。老枝木质，暗紫褐色，具沟槽；一年生枝草质，绿色，具浅沟槽，无毛。叶互生或簇生，戟形，近革质，长 1.5 ～ 3cm，宽 1.5 ～ 2mm，中裂片线形或狭三角形，先端尖，两侧裂片向上弯曲；叶柄与叶片等长或比叶片长。花序圆锥状，顶生，分枝稀疏；花梗细弱，中下部具关节；花杂性，花被片 6，成 2 轮；雄花具雄蕊 6；雌花的外花被片椭圆形，果时反折，内花被片果时增大，圆形或肾状圆形，膜质，半透明，淡红色，先端圆钝或微凹，基部深心形，近全缘，基部具极小瘤。瘦果卵形，具 3 棱，长约 2mm，褐色，有光泽。花期 4 ～ 5 月，果期 5 ～ 6 月。

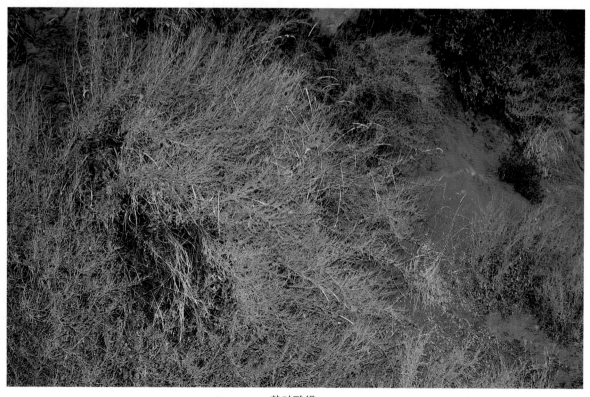

戟叶酸模

| **生境分布** | 生于海拔 600 ～ 2200m 的砂质荒坡、山坡阳处。分布于重庆南川等地。

| **资源情况** | 野生资源较少。药材主要来源于野生。

| **采收加工** | 夏、秋季采根或全草，洗净，晾干或鲜用。

| **药材性状** | 本品根细长圆柱形，弯曲，偶有分枝；长达 30cm，直径 0.5 ～ 1.5cm；断面木质性，棕黄色，味苦。茎多分枝，节部微膨大；表面有纵纹。叶柄纤细；叶片戟状分叉，狭窄，长 1.5 ～ 3cm，宽 1.5 ～ 2mm。总状花序密集，小花黄色至淡红色。翅果三棱形。气微，味苦、涩。

| **功能主治** | 酸、涩、微辛，温。发汗解表，祛风除湿，止咳，止血。用于感冒，头痛，风湿关节痛，咳喘，跌打损伤，崩漏。

| **用法用量** | 内服煎汤，15 ～ 30g；或泡酒。外用适量，煎汤熏洗；或捣敷；或研末敷。

| **附　注** | 本种是一种天然抗氧化剂和天然保健原料，因此，在医学及食品营养学等领域被广泛应用，具有广阔的市场前景。

蓼科 Polygonaceae 酸模属 Rumex

羊蹄
Rumex japonicus Houtt.

| 药 材 名 | 羊蹄（药用部位：根。别名：羊蹄大黄、土大黄、牛舌根）、羊蹄叶（药用部位：叶）。

| 形态特征 | 多年生草本。茎直立，高 50 ~ 100cm，上部分枝，具沟槽。基生叶长圆形或披针状长圆形，长 8 ~ 25cm，宽 3 ~ 10cm，先端急尖，基部圆形或心形，边缘微波状，下面沿叶脉具小突起；茎上部叶狭长圆形；叶柄长 2 ~ 12cm；托叶鞘膜质，易破裂。花序圆锥状，花两性，多花轮生；花梗细长，中下部具关节；花被片 6，淡绿色，外花被片椭圆形，长 1.5 ~ 2mm，内花被片果时增大，宽心形，长 4 ~ 5mm，先端渐尖，基部心形，网脉明显，边缘具不整齐的小齿，齿长 0.3 ~ 0.5mm，全部具小瘤，小瘤长卵形，长 2 ~ 2.5mm。瘦果宽卵形，具 3 锐棱，长约 2.5mm，两端尖，暗褐色，有光泽。花

羊蹄

期 5 ~ 6 月，果期 6 ~ 7 月。

| **生境分布** | 生于海拔 300 ~ 2250m 的山野、路旁、湿地。重庆各地均有分布。

| **资源情况** | 野生资源较丰富。药材主要来源于野生。

| **采收加工** | 羊蹄：栽种 2 年后，秋季当地上叶变黄时，挖出根部，洗净，鲜用或切片晒干。
羊蹄叶：夏、秋季采收，洗净，鲜用或晒干。

| **药材性状** | 羊蹄：本品类圆锥形，长 6 ~ 18cm，直径 0.8 ~ 1.8cm；根头部有残留茎基及支根痕。表面棕灰色，具纵皱纹及横向凸起的皮孔样疤痕。质硬，易折断，断面灰黄色，颗粒状。气特殊，味微苦、涩。
羊蹄叶：本品呈枯绿色，皱缩，展平后基生叶具较长叶柄，叶片长圆形至长圆状披针形，长 16 ~ 22cm，宽 4 ~ 9cm，先端急尖，基部圆形或微心形，边缘微波状皱褶；茎生叶较小，披针形或长圆状披针形。气微，味苦、涩。

| **功能主治** | 羊蹄：苦，寒。归心、肝、大肠经。清热通便，凉血止血，杀虫止痒。用于大便秘结，吐血，衄血，肠风便血，痔血，崩漏，疥癣，白秃，痈疮肿毒，跌打损伤。
羊蹄叶：甘，寒。凉血止血，通便，解毒消肿，杀虫止痒。用于肠风便血，便秘，疳积，痈疮肿毒，疥癣。

| **用法用量** | 羊蹄：内服煎汤，9 ~ 15g；或捣汁；或熬膏。外用适量，捣敷；或磨汁涂；或煎汤洗。脾胃虚寒者禁服。
羊蹄叶：内服煎汤，10 ~ 15g。外用适量，捣敷；或煎汤含漱。脾虚泄泻者慎服。

| **附　　注** | 本种喜凉爽、湿润的环境，能耐严寒。栽培宜选择土层深厚、肥沃、疏松的土壤，地下水位砂壤土及腐殖质壤土为最好。通过种子及分根繁殖。在春、夏、秋三季均可播种。

蓼科 Polygonaceae 酸模属 Rumex

尼泊尔酸模 *Rumex nepalensis* Spreng.

| 药 材 名 | 牛耳大黄（药用部位：根。别名：火风棠、牛耳大黄根、土大黄）。

| 形态特征 | 多年生草本，高 50 ~ 100cm。根肥厚，黄色，有酸味。茎直立，通常不分枝，具浅槽。叶互生；托叶稍膜质，管状，常破裂；叶片卵状长圆形，下部较宽，先端急尖或钝尖，基部心形或近圆形，两面的叶脉及叶缘均被白色短毛。结果时增大的内花被边缘具 7 ~ 10 对针刺，针刺先端呈钩状弯曲，花期 5 ~ 6 月，果期 6 ~ 7 月。

| 生境分布 | 生于沟谷、河岸或湿地。分布于黔江、南岸、大足、城口、长寿、奉节、合川、石柱、铜梁、云阳、南川、涪陵、彭水、丰都、九龙坡、荣昌等地。

| 资源情况 | 野生资源丰富。药材主要来源于野生。

尼泊尔酸模

采收加工	4 ～ 5 月采挖，洗净，晒干或鲜用。
药材性状	本品呈类圆锥形，下部有分枝，长约 13cm，直径达 2.5cm；头部具残留茎基及支根痕，周围具少量干枯的棕色叶基纤维，其下有密集横纹。表面黄灰色，多纵沟及横长皮孔样疤痕。质硬，易折断，折断面淡棕色。气微，味苦、涩。
功能主治	苦，寒。归心、肝、大肠经。清热解毒，凉血止血，通便杀虫。急、慢性肝炎，肠炎，痢疾，慢性气管炎，吐血，衄血，便血，崩漏，热结便秘，痈疽肿毒，疥癣，秃疮。
用法用量	内服煎汤，10 ～ 15g。外用适量，捣敷；或研末调搽。

蓼科 Polygonaceae 酸模属 Rumex

巴天酸模 *Rumex patientia* L.

巴天酸模

药 材 名

牛西西（药用部位：根。别名：羊蹄根、土大黄、牛耳大黄）、牛西西叶（药用部位：叶。别名：酸模叶、金不换叶、羊铁叶）。

形态特征

多年生草本。根肥厚，直径可达 3cm。茎直立，粗壮，高 90 ～ 150cm，上部分枝，具深沟槽。基生叶长圆形或长圆状披针形，长 15 ～ 30cm，宽 5 ～ 10cm，先端急尖，基部圆形或近心形，边缘波状；叶柄粗壮，长 5 ～ 15cm；茎上部叶披针形，较小，具短叶柄或近无柄；托叶鞘筒状，膜质，长 2 ～ 4cm，易破裂。花序圆锥状，大型；花两性；花梗细弱，中下部具关节，关节果时稍膨大；外花被片长圆形，长约 1.5mm，内花被片果时增大，宽心形，长 6 ～ 7mm，先端圆钝，基部深心形，近全缘，具网脉，全部或部分具小瘤；小瘤长卵形，通常不能全部发育。瘦果卵形，具 3 锐棱，先端渐尖，褐色，有光泽，长 2.5 ～ 3mm。花期 5 ～ 6 月，果期 6 ～ 7 月。

生境分布

生于海拔 200 ～ 2100m 的低谷、路旁、草地或沟边。分布于重庆彭水、巫溪、忠县、涪陵、南川等地。

| 资源情况 | 野生资源较少。药材来源于野生，自产自销。

| 采收加工 | 牛西西：全年均可采挖，洗净，切片，晒干或鲜用。

牛西西叶：植物生长茂盛时采收，鲜用或晒干。

| 药材性状 | 牛西西：本品呈圆条形或类圆锥形，有少数分枝，长达 20cm，直径达 3cm；头部膨大，先端有残存茎基，周围有棕黑色的鳞片状叶基纤维束与须根痕，其下有密集的横纹。表面棕灰色至棕褐色，具纵皱纹、点状突起的须根痕及横向延长的皮孔样疤痕。质坚韧，难折断，折断面黄灰色，纤维性甚强。气微，味苦。

| 功能主治 | 牛西西：苦、酸，寒。清热解毒，止血消肿，通便，杀虫。用于吐血，衄血，便血，崩漏，带下，紫癜，痢疾，肝炎，大便秘结，小便不利，痈疮肿毒，疥癣，跌打损伤，烫火伤。

牛西西叶：苦，寒。祛风止痒，敛疮，清热解毒。用于皮肤瘙痒，烫火伤，咽痛。

| 用法用量 | 牛西西：内服煎汤，10 ~ 30g。外用适量，捣敷；醋磨涂；或研末调敷；或煎汤洗。不宜过量食用，以免引起腹泻、呕吐等症状。

牛西西叶：内服煎汤，15 ~ 30g；或绞汁。外用适量，煎汤洗；或捣敷。不宜大量食用，以免引起腹胀、流涎、胃肠炎、腹痛等毒副反应。

商陆科 Phytolaccaceae 商陆属 *Phytolacca*

商陆 *Phytolacca acinosa* Roxb.

商陆

药材名

商陆（药用部位：根。别名：山萝卜、牛萝卜、见肿消）、商陆花（药用部位：花）、商陆叶（药用部位：叶）。

形态特征

多年生草本，高 0.5 ~ 1.5m，全株无毛。根肥大，肉质，倒圆锥形，外皮淡黄色或灰褐色，内面黄白色。茎直立，圆柱形，有纵沟，肉质，绿色或红紫色，多分枝。叶片薄纸质，椭圆形、长椭圆形或披针状椭圆形，长 10 ~ 30cm，宽 4.5 ~ 15cm，先端急尖或渐尖，基部楔形，渐狭，两面散生细小白色斑点（针晶体），背面中脉凸起；叶柄长 1.5 ~ 3cm，粗壮，上面有槽，下面半圆形，基部稍扁宽。总状花序顶生或与叶对生，圆柱状，直立，通常比叶短，密生多花；花序梗长 1 ~ 4cm；花梗基部的苞片线形，长约 1.5mm，上部 2 小苞片线状披针形，均膜质；花梗细，长 6 ~ 10（~ 13）mm，基部变粗；花两性，直径约8mm；花被片 5，白色、黄绿色，椭圆形、卵形或长圆形，先端圆钝，长 3 ~ 4mm，宽约 2mm，大小相等，花后常反折；雄蕊 8 ~ 10，与花被片近等长，花丝白色，钻形，基部成片状，宿存，花药椭圆形，粉红色；

心皮通常 8，有时少至 5 或多至 10，分离；花柱短，直立，先端下弯，柱头不明显。果序直立；浆果扁球形，直径约 7mm，熟时黑色；种子肾形，黑色，长约 3mm，具 3 棱。花期 5 ~ 8 月，果期 6 ~ 10 月。

| **生境分布** | 生于海拔 500 ~ 2750m 的沟谷、山坡林下、林缘路旁。分布于重庆北碚、垫江、綦江、万州、黔江、巫山、涪陵、彭水、石柱、丰都、城口、永川、南川、忠县、云阳、武隆、开州、铜梁、巫溪、梁平、巴南、九龙坡等地。

| **资源情况** | 野生资源丰富。药材主要来源于野生。

| **采收加工** | 商陆：秋季至翌年春季采挖，除去须根和泥沙，切块或片，晒干或阴干。
商陆花：7 ~ 8 月花期采集，除去杂质，晒干或阴干。
商陆叶：春、夏季采收，鲜用或晒干。

| **药材性状** | 商陆：本品为横切或纵切的不规则块片，厚薄不等；外皮灰黄色或灰棕色。横切片弯曲不平，边缘皱缩，直径 2 ~ 8cm；切面浅黄棕色或黄白色，木部隆起，形成数个凸起的同心性环轮。纵切片弯曲或卷曲，长 5 ~ 8cm，宽 1 ~ 2cm；木部呈平行条状突起。质硬。气微，味稍甘，久嚼麻舌。
商陆花：本品略呈颗粒状圆球形，直径约 6mm，棕黄色或淡黄褐色，具短梗。短梗基部有 1 苞片及 2 小苞片，苞片线形。花被片 5，卵形或椭圆形，长 3 ~ 4mm；雄蕊 8 ~ 10，有时脱落，心皮 8 ~ 10。有时可见顶弯稍反曲的短小柱头。体轻，质柔韧。气微，味淡。

| **功能主治** | 商陆：苦，寒；有毒。归肺、脾、肾、大肠经。逐水消肿，通利二便，解毒散结。用于水肿胀满，二便不通。外用于痈肿疮毒。
商陆花：化痰开窍。用于痰湿上蒙，健忘，嗜睡，耳目不聪。
商陆叶：清热解毒。用于痈肿疮毒。

| **用法用量** | 商陆：内服煎汤，3 ~ 9g。外用适量，煎汤熏洗。孕妇禁用。
商陆花：内服研末，1 ~ 3g。孕妇禁用。
商陆叶：外用适量，捣敷；或研末撒。孕妇禁用。

| **附　注** | 本种喜温暖湿润气候，耐寒。适宜生长温度为 14 ~ 30℃。以上层深厚、疏松、肥沃、富含腐殖质、排水良好的砂壤土栽培为好。

商陆科 Phytolaccaceae 商陆属 Phytolacca

垂序商陆 *Phytolacca americana* L.

| 药 材 名 | 商陆（药用部位：根。别名：美洲商陆、牛萝卜、白商陆）、美商陆花（药用部位：花。别名：洋商陆花）、美商陆叶（药用部位：叶）。

| 形态特征 | 多年生草本，高1～2m。根粗壮，肥大，倒圆锥形。茎直立，圆柱形，有时带紫红色。叶片椭圆状卵形或卵状披针形，长9～18cm，宽5～10cm，先端急尖，基部楔形；叶柄长1～4cm。总状花序顶生或侧生，长5～20cm；花梗长6～8mm；花白色，微带红晕，直径约6mm；花被片5；雄蕊、心皮及花柱通常均10，心皮合生。果序下垂；浆果扁球形，熟时紫黑色；种子肾圆形，直径约3mm。花期6～8月，果期8～10月。

| 生境分布 | 生于海拔600～2750m的路旁疏林下，或栽培于庭园。分布于重庆

垂序商陆

黔江、綦江、南岸、垫江、大足、巫山、潼南、秀山、涪陵、长寿、永川、合川、奉节、彭水、江津、梁平、万州、城口、铜梁、南川、忠县、酉阳、璧山、九龙坡、丰都、北碚、云阳、武隆、开州、石柱、巫溪、巴南、沙坪坝、荣昌等地。

| 资源情况 | 野生资源丰富。药材主要来源于野生。

| 采收加工 | 商陆：秋季至翌年春季采挖，除去须根和泥沙，切块或片，晒干或阴干。
美商陆花：叶茂盛、花未开时采收，除去杂质，干燥。
美商陆叶：9 ~ 10 月采收，晒干。

| 药材性状 | 商陆：本品多为横切或纵切的不规则块片，厚薄不等；外皮灰黄色或灰棕色。横切片弯曲不平，边缘皱缩，直径 2 ~ 8cm；切面浅黄棕色或黄白色，木部隆起，形成数个突起的同心性环轮。纵切片弯曲或卷曲，长 5 ~ 8cm，宽 1 ~ 2cm；木部呈平行条状突起。质硬。气微，味稍甘，久嚼麻舌。
美商陆叶：本品常皱缩，展平后呈卵状长椭圆形或长椭圆状披针形，长 10 ~ 14cm，宽 4 ~ 6cm，全缘，上表面浅绿色，下表面浅棕黄色，羽状网脉于叶背明显凸出，主脉粗壮。叶柄长约 2cm，上面具浅槽。体轻，质脆。气微，味淡。

| 功能主治 | 商陆：苦，寒；有毒。归肺、脾、肾、大肠经。逐水消肿，通利二便，解毒散结。用于水肿胀满，二便不通，痈肿疮毒。
美商陆花：清热。用于脚气。
美商陆叶：利水消肿。用于水肿，小便不利。

| 用法用量 | 商陆：内服煎汤，3 ~ 9g。外用适量，煎汤熏洗。孕妇禁用。
美商陆花：内服煎汤，3 ~ 6g。孕妇禁用。
美商陆叶：孕妇禁用。

| 附　注 | 本种喜温暖湿润气候，耐寒。适宜生长温度为 14 ~ 30℃。以上层深厚、疏松、肥沃、富含腐殖质、排水良好的砂壤土栽培为好。

紫茉莉科 Nyctaginaceae 叶子花属 Bougainvillea

光叶子花 *Bougainvillea glabra* Choisy

| 药 材 名 | 叶子花（药用部位：花。别名：九重葛、紫三角、三角花）。

| 形态特征 | 藤状灌木。茎粗壮，枝下垂，无毛或疏生柔毛；刺腋生，长 5 ~ 15mm。叶片纸质，卵形或卵状披针形，长 5 ~ 13cm，宽 3 ~ 6cm，先端急尖或渐尖，基部圆形或宽楔形，上面无毛，下面被微柔毛；叶柄长 1cm。花顶生枝端的 3 苞片内，花梗与苞片中脉贴生，每个苞片上生 1 花；苞片叶状，紫色或洋红色，长圆形或椭圆形，长 2.5 ~ 3.5cm，宽约 2cm，纸质；花被管长约 2cm，淡绿色，疏生柔毛，有棱，先端 5 浅裂；雄蕊 6 ~ 8；花柱侧生，线形，边缘扩展成薄片状，柱头尖；花盘基部合生成环状，上部撕裂状。花期冬、春季之间（广州、海南、昆明），北方温室栽培 3 ~ 7 月开花。

光叶子花

| **生境分布** | 多栽培于庭院、公园。重庆各地均有分布。

| **资源情况** | 野生资源稀少，栽培资源丰富。药材主要来源于栽培，自产自销。

| **采收加工** | 冬、春季花开时采收，晒干。

| **药材性状** | 本品花常 3 簇生在苞片内，花柄与苞片中脉合生。苞片叶状，暗红色或紫色，椭圆形，长 3 ~ 3.5cm，纸质。花被管长 1.5 ~ 2cm，淡绿色，疏生柔毛，有棱；雄蕊 6 ~ 8，子房具 5 棱。

| **功能主治** | 苦、涩，温。活血调经，化湿止带。用于血瘀经闭，月经不调，带下。

| **用法用量** | 内服煎汤，9 ~ 15g。

| **附　　注** | 本种喜温暖、湿润和强光环境。栽培宜选富含腐殖质的肥沃土壤。

紫茉莉 *Mirabilis jalapa* L.

| 药 材 名 | 紫茉莉根（药用部位：根。别名：粉子头、胭脂花头、水粉头）、紫茉莉叶（药用部位：叶。别名：苦丁香叶）、紫茉莉子（药用部位：果实。别名：白粉果、粉子头）、紫茉莉花（药用部位：花。别名：粉子花、胭脂花）。

| 形态特征 | 一年生草本，高可达 1m。根肥粗，倒圆锥形，黑色或黑褐色。茎直立，圆柱形，多分枝，无毛或疏生细柔毛，节稍膨大。叶片卵形或卵状三角形，长 3 ~ 15cm，宽 2 ~ 9cm，先端渐尖，基部截形或心形，全缘，两面均无毛，脉隆起；叶柄长 1 ~ 4cm，上部叶几无柄。花常数朵簇生枝端；花梗长 1 ~ 2mm；总苞钟形，长约 1cm，5 裂，裂片三角状卵形，先端渐尖，无毛，具脉纹，果时宿存；花被紫红色、黄色、白色或杂色，高脚碟状，筒部长 2 ~ 6cm，檐部直径 2.5 ~ 3cm，

紫茉莉

5 浅裂；花午后开放，有香气，翌日午前凋萎；雄蕊 5，花丝细长，常伸出花外，花药球形；花柱单生，线形，伸出花外，柱头头状。瘦果球形，直径 5 ~ 8mm，革质，黑色，表面具皱纹；种子胚乳白粉质。花期 6 ~ 10 月，果期 8 ~ 11 月。

| **生境分布** | 生于水沟边、房前屋后墙脚下或庭院中。重庆各地均有分布。

| **资源情况** | 野生资源较丰富。药材主要来源于野生和栽培。

| **采收加工** | 紫茉莉根：在播种当年 10 ~ 11 月采挖，洗净泥沙，鲜用；或除去芦头及须根，刮去粗皮，去尽黑色斑点，切片，立即晒干或烘干，以免变黑，影响品质。
紫茉莉叶：叶生长茂盛、花未开时采摘，洗净，鲜用。
紫茉莉子：9 ~ 10 月果实成熟时采收，除去杂质，晒干。
紫茉莉花：7 ~ 9 月花盛开时采收，鲜用或晒干。

| **药材性状** | 紫茉莉根：本品呈纺锤形或圆锥形，直径 2 ~ 7cm。外表面棕褐色至黑褐色，皱缩。质硬，不易折断，断面灰白色至灰褐色，颗粒性，具数个明显的同心环。气香，味甘。
紫茉莉叶：本品多卷缩，完整者展平后呈卵形或三角形，长 4 ~ 10cm，宽约 4cm，先端长尖，基部楔形或心形，边缘微波状，上表面暗绿色。下表面灰绿色。叶柄较长，具绒毛。气微，味甘。
紫茉莉子：本品呈卵圆形，长 5 ~ 8mm，直径 5 ~ 8mm。表面黑色，有 5 条明

显棱脊，布满点状突起；内表面较光滑，棱脊明显。先端有花柱基痕，基部有果柄痕。质硬。种子黄棕色，胚乳较发达，白色，粉质。

| **功能主治** | 紫茉莉根：微甘、麻，凉。归肝、胃、膀胱经。清热利湿，活血消肿。用于乳痈，带下，月经不调，热淋，痈疮肿毒。

紫茉莉叶：甘、淡，微寒。清热解毒，祛风渗湿，活血。用于痈肿疮毒，疥癣，跌打损伤。

紫茉莉子：甘，微寒。清热化斑，利湿解毒。用于面生斑痣，脓疱疮。

紫茉莉花：微甘，凉。归肺经。润肺，凉血。用于咯血。

| **用法用量** | 紫茉莉根：内服煎汤，10 ~ 15g。外用适量，鲜品捣敷。脾胃虚寒者慎服，孕妇禁服。

紫茉莉叶：外用适量，鲜品捣敷，取汁外搽。

紫茉莉子：外用适量，去外壳研末搽；或煎汤洗。

紫茉莉花：内服，60 ~ 120g，鲜品捣汁。

| **附　　注** | 本种喜温暖湿润环境，在略荫蔽处生长更好，不耐寒。不择土壤，但以肥沃、深厚的夹砂土或油砂土为好。

粟米草
Mollugo stricta L.

药 材 名	粟米草（药用部位：全草。别名：地麻黄、地杉树、鸭脚瓜子草）。
形态特征	铺散一年生草本，高 10 ~ 30cm。茎纤细，多分枝，有棱角，无毛，老茎通常淡红褐色。叶 3 ~ 5 假轮生或对生，叶片披针形或线状披针形，长 1.5 ~ 4cm，宽 2 ~ 7mm，先端急尖或长渐尖，基部渐狭，全缘，中脉明显；叶柄短或近无柄。花极小，组成疏松聚伞花序，花序梗细长，顶生或与叶对生；花梗长 1.5 ~ 6mm；花被片 5，淡绿色，椭圆形或近圆形，长 1.5 ~ 2mm，脉达花被片 2/3，边缘膜质；雄蕊通常 3，花丝基部稍宽；子房宽椭圆形或近圆形，3 室，花柱 3，短，线形。蒴果近球形，与宿存花被等长，3 瓣裂；种子多数，肾形，栗色，具多数颗粒状突起。花期 6 ~ 8 月，果期 8 ~ 10 月。

粟米草

| **生境分布** | 生于空旷荒地、农田或沙地。分布于潼南、忠县、涪陵、长寿、北碚、合川、南川等地。

| **资源情况** | 野生资源较少。药材来源于野生。

| **采收加工** | 秋季采收，晒干或鲜用。

| **功能主治** | 淡、涩，凉。清热化湿，解毒消肿。用于腹痛泄泻，痢疾，感冒咳嗽，中暑，皮肤热疹，目赤肿痛，疮疖肿毒，毒蛇咬伤，烫火伤。

| **用法用量** | 内服煎汤，10 ～ 30g。外用适量，鲜品捣敷或塞鼻。忌辣椒、烧酒及姜、葱。

马齿苋科 Portulacaceae 马齿苋属 Portulaca

大花马齿苋 *Portulaca grandiflora* Hook.

| 药 材 名 | 午时花（药用部位：全草。别名：佛甲草、打砍不死、万年草）。

| 形态特征 | 一年生肉质草本，高 10 ~ 25cm。茎平卧、斜升或直立，多分枝，绿色或淡紫红色。叶互生或簇生，近圆柱形，长 1 ~ 2.5cm，直径 1 ~ 2mm，先端钝；叶腋丛生白色长柔毛。花单生或数朵簇生茎顶，直径可达 4cm；基部有 8 ~ 9 轮生的叶状苞片；萼片 2，宽卵形，长约 6mm；花瓣 5 或重瓣，倒心形，有黄色、红色、白色、粉红色等多种颜色；雄蕊多数；子房半下位，1 室，柱头 5 ~ 7 裂，花柱线形。蒴果盖裂；种子多数，细小，肾状圆锥形，直径小于 1mm，深灰黑色，有小疣状突起。花期 6 ~ 7 月，通常在中午阳光强烈时开放，光弱时闭合，果期 7 ~ 8 月。

大花马齿苋

| **生境分布** | 多栽培于庭院、公园。重庆各地均有分布。 |

| **资源情况** | 野生资源稀少。药材主要来源于栽培，自产自销。 |

| **采收加工** | 夏、秋季采收，除去残根及杂质，洗净，鲜用或略蒸烫后晒干。 |

| **药材性状** | 本品茎呈圆柱形，长 10 ~ 15cm，直径 0.1 ~ 0.3cm，有分枝；表面淡棕绿色或浅棕红色，有细密微隆起的纵皱纹，叶腋处常有白色长柔毛。叶多皱缩，线状，暗绿色，长 1 ~ 2.5cm，直径约 1mm；鲜叶扁圆柱形，肉质。枝端常有花着生，萼片 2，宽卵形，长约 6mm，浅红色，卷成帽状；花瓣多干瘪皱缩成帽尖状，深紫红色。蒴果帽状圆锥形，浅棕黄色，外被白色长柔毛，盖裂，内含多数深灰黑色细小种子。种子扁圆形或类三角形，直径不及 1mm，具金属样光泽，先端有歪向一侧的小尖，于解剖镜下可见表面密布细小疣状突起。气微香，味酸。 |

| **功能主治** | 淡、微苦，寒。清热解毒，散瘀止血。用于咽喉肿痛，疮疖，湿疹，跌打肿痛，烫火伤，外伤出血。 |

| **用法用量** | 内服煎汤，9 ~ 15g，鲜品可用至 30g。外用适量，捣汁含漱；或捣敷。孕妇禁服。 |

| **附　　注** | 本种喜温暖、阳光充足而干燥的环境，在阴暗潮湿之处生长不良。适应性较强，能自播繁衍。 |

马齿苋 *Portulaca oleracea* L.

药 材 名	马齿苋（药用部位：全草。别名：长命菜、狗牙齿）、马齿苋子（药用部位：种子）。
形态特征	一年生草本，全株无毛。茎平卧或斜倚，伏地铺散，多分枝，圆柱形，长 10 ~ 15cm，淡绿色或带暗红色。叶互生，有时近对生，叶片扁平，肥厚，倒卵形，似马齿状，长 1 ~ 3cm，宽 0.6 ~ 1.5cm，先端圆钝或平截，有时微凹，基部楔形，全缘，上面暗绿色，下面淡绿色或带暗红色，中脉微隆起；叶柄粗短。花无梗，直径 4 ~ 5mm，常 3 ~ 5 簇生枝端，午时盛开；苞片 2 ~ 6，叶状，膜质，近轮生；萼片 2，对生，绿色，盔形，左右压扁，长约 4mm，先端急尖，背部具龙骨状突起，基部合生；花瓣 5，稀 4，黄色，倒卵形，长 3 ~ 5mm，先端微凹，基部合生；雄蕊通常 8，或更多，长约 12mm，花药黄色；

马齿苋

子房无毛，花柱比雄蕊稍长，柱头 4 ~ 6 裂，线形。蒴果卵球形，长约 5mm，盖裂；种子细小，多数，偏斜球形，黑褐色，有光泽，直径不及 1mm，具小疣状突起。花期 5 ~ 8 月，果期 6 ~ 9 月。

| 生境分布 | 生于菜园、农田、路旁，为田间常见杂草。分布于重庆大足、秀山、永川、忠县、云阳、涪陵、丰都、九龙坡、北碚、垫江、璧山、荣昌等地。

| 资源情况 | 野生资源较丰富。药材主要来源于野生。

| 采收加工 | 马齿苋：夏、秋季采收，除去残根和杂质，洗净，略蒸或烫，晒干。
马齿苋子：夏、秋季果实成熟时，割取地上部分，收集种子，除去泥沙、杂质，干燥。

| 药材性状 | 马齿苋：本品多皱缩卷曲，常缠绕成团。茎圆柱形，长可达 30cm，直径 0.1 ~ 0.2 cm；表面黄褐色，有明显纵沟纹。叶对生或互生，易破碎，完整者倒卵形，长 1 ~ 2.5cm，宽 0.5 ~ 1.5 cm；绿褐色，先端钝平或微缺，全缘。花小，3 ~ 5 簇生于枝端，花瓣 5，黄色。蒴果圆锥形，长约 5mm，内含多数细小种子。气微，味微酸。
马齿苋子：本品扁圆形或类三角形，长约 0.94mm，宽 0.83mm，厚约 0.42mm。表面黑色，少数红棕色，于解剖镜下可见密布细小疣状突起。一端有凹陷，凹陷旁有 1 白色种脐。质坚硬，难破碎。气微，味微酸。

| 功能主治 | 马齿苋：酸，寒，归肝、大肠经。清热解毒，凉血止血，止痢。用于热毒血痢，痈肿疔疮，湿疹，丹毒，蛇虫咬伤，便血，痔血，崩漏下血。
马齿苋子：甘，寒。归肝、大肠经。清肝明目，化湿。用于青盲目翳，泪囊炎。

| 用法用量 | 马齿苋：内服煎汤，9 ~ 15g。外用适量，捣敷患处。脾虚便溏者及孕妇禁服。
马齿苋子：内服煎汤，10 ~ 30g。外用适量，鲜品捣敷患处。

| 附　　注 | 本种喜温暖湿润气候，适应性较强，耐旱，在丘陵或平地一般土壤中都可栽培。

马齿苋科 Portulacaceae 土人参属 Talinum

土人参 *Talinum paniculatum* (Jacq.) Gaertn.

土人参

药材名

土人参（药用部位：根。别名：栌兰、假人参、土洋参）、土人参叶（药用部位：叶）。

形态特征

一年生或多年生草本，全株无毛，高30～100cm。主根粗壮，圆锥形，有少数分枝，皮黑褐色，断面乳白色。茎直立，肉质，基部近木质，多少分枝，圆柱形，有时具槽。叶互生或近对生，具短柄或近无柄；叶片稍肉质，倒卵形或倒卵状长椭圆形，长5～10cm，宽2.5～5cm，先端急尖，有时微凹，具短尖头，基部狭楔形，全缘。圆锥花序顶生或腋生，较大形，常二叉状分枝，具长花序梗；花小，直径约6mm；总苞片绿色或近红色，圆形，先端圆钝，长3～4mm；苞片2，膜质，披针形，先端急尖，长约1mm；花梗长5～10mm；萼片卵形，紫红色，早落；花瓣粉红色或淡紫红色，长椭圆形、倒卵形或椭圆形，长6～12mm，先端圆钝，稀微凹；雄蕊（10～）15～20，比花瓣短；花柱线形，长约2mm，基部具关节，柱头3裂，稍开展；子房卵球形，长约2mm。蒴果近球形，直径约4mm，3瓣裂，坚纸质；种子多数，扁圆形，直径约 1mm，黑褐色或黑色，有光泽。花期 6 ~ 8 月，果期 9 ~ 11 月。

| **生境分布** | 生于田野、路边、墙脚石旁、山坡沟边等阴湿处。分布于重庆合川、潼南、酉阳、城口、云阳、涪陵、九龙坡、永川、南川、武隆、开州、巫山、荣昌、沙坪坝等地。

| **资源情况** | 野生资源较丰富。药材主要来源于野生。

| **采收加工** | 土人参：8 ~ 9 月采挖，洗净，除去细根，晒干；或刮去表皮，蒸熟，晒干。
土人参叶：夏、秋季采收，洗净，鲜用或晒干。

| **药材性状** | 土人参：本品主根呈纺锤形或圆柱形，长 2 ~ 15cm，直径 0.5 ~ 2cm，分枝或不分枝。表皮黑褐色，上部或全体有疏浅断续的粗横纹及明显的纵皱纹，全体有细长的须根或须根痕，须根上常有不明显的细小疣状突起。质硬，易折断，断面类白色或黄白色，有放射状纹理。气特异，味甘、苦，嚼之有黏滑感。
土人参叶：本品多皱缩破碎，墨绿色至黑棕色。完整者展平后呈倒卵形或倒卵状披针形，长 5 ~ 10cm，宽 2.5 ~ 4.5cm，全缘，表面光滑。鲜品肉质，翠绿色。气微，味淡。

| **功能主治** | 土人参：甘、微苦，平。归肾、肺经。补虚健脾，润肺止咳，调经。用于病后、产后虚弱，月经不调，老年多尿，小儿遗尿，虚热咳嗽。
土人参叶：甘，平。通乳汁，消肿毒。用于乳汁不足，痈肿疔毒。

| **用法用量** | 土人参：内服炖肉或煎汤，30 ~ 60g。外用适量，捣敷。中阳衰微、寒湿困脾者慎服。
土人参叶：内服煎汤，15 ~ 30g。外用适量，捣敷。

| **附　　注** | （1）本种性喜温暖、向阳。以较肥沃、疏松和排水良好的夹砂土栽培为宜。
（2）本种生长适应性强，病虫害少，是一种药食兼用的保健型蔬菜，具有较大的开发利用价值。

落葵科 Basellaceae 落葵薯属 Anredera

落葵薯 *Anredera cordifolia* (Tenore) Steenis

落葵薯

药材名

藤三七（药用部位：藤上的干燥瘤块状珠芽。别名：藤子三七、小年药、土三七）。

形态特征

缠绕藤本，长可达数米。根茎粗壮。叶具短柄，叶片卵形至近圆形，长 2 ~ 6cm，宽 1.5 ~ 5.5cm，先端急尖，基部圆形或心形，稍肉质，腋生小块茎（珠芽）。总状花序具多花，花序轴纤细，下垂，长 7 ~ 25cm；苞片狭，不超过花梗长度，宿存；花梗长 2 ~ 3mm，花托先端杯状，花常由此脱落；下面 1 对小苞片宿存，宽三角形，急尖，透明，上面 1 对小苞片淡绿色，比花被短，宽椭圆形至近圆形；花直径约 5mm；花被片白色，渐变黑，开花时张开，卵形、长圆形至椭圆形，先端钝圆，长约 3mm，宽约 2mm；雄蕊白色，花丝先端在芽中反折，开花时伸出花外；花柱白色，分裂成 3 柱头臂，每臂具 1 棍棒状或宽椭圆形柱头。花期 6 ~ 10 月。

生境分布

多栽培于房前屋后，或逸为野生。重庆各地均有分布。

| 资源情况 | 野生和栽培资源均一般。药材来源于野生和栽培。

| 采收加工 | 珠芽形成后采摘，除去杂质，鲜用或晒干。

| 药材性状 | 本品呈瘤状，少数圆柱形，直径 0.5 ~ 3cm。表面灰棕色，具突起。质坚实而脆，易碎裂，断面灰黄色或灰白色，略呈粉性。气微，味微苦。

| 功能主治 | 微苦，温。补肾强腰，散瘀消肿。用于腰膝痹痛，病后体弱，跌打损伤，骨折。

| 用法用量 | 内服煎汤，30 ~ 60g；或用鸡或瘦肉炖服。外用适量，捣敷。

| 附　　注 | 本种喜温暖，耐高温高湿，对土壤要求不严。

落葵科 Basellaceae 落葵属 Basella

落葵 *Basella alba* L.

| 药 材 名 | 落葵（药用部位：全草或叶。别名：蘩露、承露、天葵）、落葵子（药用部位：果实）、落葵花（药用部位：花）。

| 形态特征 | 一年生缠绕草本。茎长可达数米，无毛，肉质，绿色或略带紫红色。叶片卵形或近圆形，长 3 ~ 9cm，宽 2 ~ 8cm，先端渐尖，基部微心形或圆形，下延成柄，全缘，背面叶脉微凸起；叶柄长 1 ~ 3cm，上有凹槽。穗状花序腋生，长 3 ~ 15（~ 20）cm；苞片极小，早落；小苞片 2，萼状，长圆形，宿存；花被片淡红色或淡紫色，卵状长圆形，全缘，先端钝圆，内折，下部白色，联合成筒；雄蕊着生于花被筒口，花丝短，基部扁宽，白色，花药淡黄色；柱头椭圆形。果实球形，直径 5 ~ 6mm，红色至深红色或黑色，多汁液，外包宿存小苞片及花被。花期 5 ~ 9 月，果期 7 ~ 10 月。

落葵

| 生境分布 | 多栽培于屋旁、耕地旁，或为野生。重庆各地均有分布。 |

| 资源情况 | 野生资源一般。药材主要来源于栽培，亦有野生。 |

| 采收加工 | 落葵：夏、秋季采收，洗净，除去杂质，鲜用或晒干。
落葵子：7 ~ 10 月果实成熟后采收，晒干。
落葵花：春、夏季花开时采摘，鲜用。 |

| 药材性状 | 落葵：本品茎肉质，圆柱形，直径 3 ~ 8mm，稍弯曲，有分枝；绿色或淡紫色；质脆，易折断，折断面鲜绿色。叶微皱缩，展平后宽卵形、心形或长椭圆形，长 2 ~ 14cm，宽 2 ~ 12cm，全缘，先端急尖，基部近心形或圆形；叶柄长 1 ~ 3cm。气微，味甘，有黏性。 |

| 功能主治 | 落葵：甘、酸，寒。滑肠通便，清热利湿，凉血解毒，活血。用于大便秘结，小便短涩，痢疾，热毒疮疡，跌打损伤。
落葵子：润泽肌肤。用于美容。
落葵花：苦，寒。凉血解毒。用于痘疹，乳头破裂。 |

| 用法用量 | 落葵：内服煎汤，10 ~ 15g，鲜品 30 ~ 60g。外用适量，鲜品捣敷；或捣汁涂。脾胃虚寒者慎服。
落葵子：外用适量，研末调敷，作面脂。
落葵花：外用适量，鲜品捣汁涂。 |

| 附　注 | 本种喜温暖，耐高温高湿，在高温多雨季节生长仍十分茂盛；对土壤要求不严格，病虫害较少，易栽培。 |

石竹科 Caryophyllaceae 无心菜属 Arenaria

无心菜 *Arenaria serpyllifolia* L.

| 药 材 名 | 小无心菜（药用部位：全草。别名：鹅不食草、大叶米粞草、鸡肠子草）。

| 形态特征 | 一年生或二年生草本，高 10 ~ 30cm。主根细长，支根较多而纤细。茎丛生，直立或铺散，密生白色短柔毛，节间长 0.5 ~ 2.5cm。叶片卵形，长 4 ~ 12mm，宽 3 ~ 7mm，基部狭，无柄，边缘具缘毛，先端急尖，两面近无毛或疏生柔毛，下面具 3 脉；茎下部的叶较大，茎上部的叶较小。聚伞花序，具多花；苞片草质，卵形，长 3 ~ 7mm，通常密生柔毛；花梗长约 1cm，纤细，密生柔毛或腺毛；萼片 5，披针形，长 3 ~ 4mm，边缘膜质，先端尖，外面被柔毛，具显著的 3 脉；花瓣 5，白色，倒卵形，长为萼片的 1/3 ~ 1/2，先端钝圆；雄蕊 10，短于萼片；子房卵圆形，无毛，花柱 3，线形。蒴果卵圆形，与宿存萼等长，

无心菜

先端 6 裂；种子小，肾形，表面粗糙，淡褐色。花期 6 ~ 8 月，果期 8 ~ 9 月。

| **生境分布** | 生于海拔 550 ~ 2750m 的砂质或石质荒地、田野、园圃、山坡草地。分布于重庆长寿、綦江、南川、九龙坡、荣昌等地。

| **资源情况** | 野生资源一般。药材主要来源于野生。

| **采收加工** | 夏初采集，晒干或鲜用。

| **药材性状** | 本品长 10 ~ 30cm。茎纤细，簇生，密被白色短柔毛。叶对生，完整者卵形，无柄，长 4 ~ 12mm，宽 2 ~ 3mm，两面有稀疏绒毛。茎顶疏生白色小花，花瓣 5。气微，味淡。

| **功能主治** | 苦、辛，凉。归肝、肺经。清热，明目，止咳。用于肝热目赤，翳膜遮睛，肺痨咳嗽，咽喉肿痛，牙龈炎。

| **用法用量** | 内服煎汤，15 ~ 30g；或浸酒。外用适量，捣敷或塞鼻孔。

石竹科 Caryophyllaceae 卷耳属 Cerastium

卷耳
Cerastium arvense L.

卷耳

药材名

田野卷耳(药用部位:全草。别名:田卷耳)。

形态特征

多年生疏丛草本,高 10 ~ 35cm。茎基部匍匐,上部直立,绿色并带淡紫红色,下部被下向的毛,上部混生腺毛。叶片线状披针形或长圆状披针形,长 1 ~ 2.5cm,宽 1.5 ~ 4mm,先端急尖,基部楔形,抱茎,被疏长柔毛,叶腋具不育短枝。聚伞花序顶生,具 3 ~ 7 花;苞片披针形,草质,被柔毛,边缘膜质;花梗细,长 1 ~ 1.5cm,密被白色腺柔毛;萼片 5,披针形,长约 6mm,宽 1.5 ~ 2mm,先端钝尖,边缘膜质,外面密被长柔毛;花瓣 5,白色,倒卵形,比萼片长 1 倍或更长,先端 2 裂深达 1/4 ~ 1/3;雄蕊 10,短于花瓣;花柱 5,线形。蒴果长圆形,长于宿存萼 1/3,先端倾斜,10 齿裂;种子肾形,褐色,略扁,具瘤状突起。花期 5 ~ 8 月,果期 7 ~ 9 月。

生境分布

生于海拔 1200 ~ 2600m 的高山草地、林缘或丘陵区。分布于重庆涪陵、丰都、铜梁、巫山等地。

| **资源情况** | 野生资源稀少。药材主要来源于野生。

| **采收加工** | 6 ~ 7 月采收，洗净泥土，除去须根、残叶，以纸遮蔽，晒干。

| **功能主治** | 淡，温。滋阴补阳。用于阴阳亏虚证。

| **用法用量** | 内服煎汤，15 ~ 30g。

石竹科 Caryophyllaceae 卷耳属 *Cerastium*

簇生卷耳
Cerastium fontanum Baumg. subsp. *triviale* (Link) Jalas

| 药 材 名 | 小白绵参（药用部位：全草。别名：鹅秧菜、小儿惊风药、高脚鼠耳草）。

| 形态特征 | 多年生或一年生、二年生草本，高 15 ~ 30cm。茎单生或丛生，近直立，被白色短柔毛和腺毛。基生叶近匙形或倒卵状披针形，基部渐狭成柄状，两面被短柔毛；茎生叶近无柄，叶片卵形、狭卵状长圆形或披针形，长 1 ~ 3（~ 4）cm，宽 3 ~ 10（~ 12）mm，先端急尖或钝尖，两面均被短柔毛，边缘具缘毛。聚伞花序顶生；苞片草质；花梗细，长 5 ~ 25mm，密被长腺毛，花后弯垂；萼片 5，长圆状披针形，长 5.5 ~ 6.5mm，外面密被长腺毛，边缘中部以上膜质；花瓣 5，白色，倒卵状长圆形，等长或微短于萼片，先端 2 浅裂，基部渐狭，无毛；雄蕊短于花瓣，花丝扁线形，无毛；花柱 5，短线形。蒴果圆柱形，长 8 ~ 10mm，长为宿存萼的 2 倍，先端 10 齿裂；种子褐色，

簇生卷耳

具瘤状突起。花期 5 ~ 6 月，果期 6 ~ 7 月。

| **生境分布** | 生于海拔 500 ~ 1700m 的山地林缘杂草间或疏松砂质土中。分布于重庆奉节、垫江、涪陵、南川、石柱、彭水、秀山等地。

| **资源情况** | 野生资源较丰富。药材主要来源于野生。

| **采收加工** | 夏季采集，鲜用或晒干。

| **功能主治** | 苦，微寒。清热，解毒，消肿。用于感冒发热，小儿高热惊风，痢疾，乳痈初起，疔疮肿毒。

| **用法用量** | 内服煎汤，15 ~ 30g。外用适量，鲜品捣敷。

| **附 注** | 在 FOC 中，本种被修订为簇生泉卷耳 *Cerastium fontanum* subsp. *vulgare* (Hartm.) Greuter et Burdet。

石竹科 Caryophyllaceae 卷耳属 Cerastium

球序卷耳 *Cerastium glomeratum* Thuill.

| 药 材 名 | 婆婆指甲菜（药用部位：全草。别名：大鹅儿肠、鹅不食草、铺地黄）。

| 形态特征 | 一年生草本，高 10 ～ 20cm。茎单生或丛生，密被长柔毛，上部混生腺毛。茎下部叶匙形，先端钝，基部渐狭成柄状；上部茎生叶倒卵状椭圆形，长 1.5 ～ 2.5cm，宽 5 ～ 10mm，先端急尖，基部渐狭成短柄状，两面皆被长柔毛，边缘具缘毛，中脉明显。聚伞花序呈簇生状或头状；花序轴密被腺柔毛；苞片草质，卵状椭圆形，密被柔毛；花梗细，长 1 ～ 3mm，密被柔毛；萼片 5，披针形，长约 4mm，先端尖，外面密被长腺毛，边缘狭膜质；花瓣 5，白色，线状长圆形，与萼片近等长或微长，先端 2 浅裂，基部被疏柔毛；雄蕊明显短于花萼；花柱 5。蒴果长圆柱形，长于宿存萼 0.5 ～ 1 倍，先端 10 齿裂；种子褐色，扁三角形，具疣状突起。花期 3 ～ 4 月，

球序卷耳

果期 5 ~ 6 月。

| **生境分布** | 生于山坡草地。分布于重庆九龙坡、巫山等地。

| **资源情况** | 野生资源稀少。药材来源于野生。

| **采收加工** | 春、夏季采集，晒干或鲜用。

| **药材性状** | 本品长约 26cm，密生绒毛。茎纤细，下部红褐色，上部绿色。叶对生，完整者椭圆形或卵形，长 1 ~ 2cm，宽 5 ~ 10mm，主脉凸出。茎先端有二叉式聚伞花序；花小，白色。用手触摸有粗糙感。气微，味淡。

| **功能主治** | 甘、微苦，凉。归肺、胃、肝经。清热，利湿，凉血解毒。用于感冒发热，湿热泄泻，肠风下血，乳痈，疔疮，高血压。

| **用法用量** | 内服煎汤，15 ~ 30g。外用适量，捣敷；或煎汤熏洗。

石竹科 Caryophyllaceae 狗筋蔓属 Cucubalus

狗筋蔓 *Cucubalus baccifer* L.

| 药 材 名 | 狗筋蔓（药用部位：带根全草。别名：抽筋草、大种鹅儿肠、筋骨草）。

| 形态特征 | 多年生草本，全株被逆向短绵毛。根簇生，长纺锤形，白色，断面黄色，稍肉质，根颈粗壮，多头。茎铺散，俯仰，长 50 ～ 150cm，多分枝。叶片卵形、卵状披针形或长椭圆形，长 1.5 ～ 5（～ 13）cm，宽 0.8 ～ 2（～ 4）cm，基部渐狭成柄状，先端急尖，边缘具短缘毛，两面沿脉被毛。圆锥花序疏松；花梗细，具 1 对叶状苞片；花萼宽钟形，长 9 ～ 11mm，草质，后期膨大成半圆球形，沿纵脉多少被短毛，萼齿卵状三角形，与萼筒近等长，边缘膜质，果期反折；雌雄蕊柄长约 1.5mm，无毛；花瓣白色，倒披针形，长约 15mm，宽约 2.5mm，爪狭长，瓣片叉状浅 2 裂；副花冠片不明显，微呈乳头状；雄蕊不外露，花丝无毛；花柱细长，不外露。蒴果圆球形，呈浆果状，直

狗筋蔓

径 6 ~ 8mm，成熟时薄壳质，黑色，具光泽，不规则开裂；种子圆肾形，肥厚，长约 1.5mm，黑色，平滑，有光泽。花期 6 ~ 8 月，果期 7 ~ 9（~ 10）月。

| **生境分布** | 生于林缘、灌丛或草地。分布于重庆奉节、巫山、丰都、黔江、酉阳、南川、秀山、忠县、巫溪等地。

| **资源情况** | 野生资源一般。药材主要来源于野生。

| **采收加工** | 秋末冬初采挖，洗净泥沙，晒干或鲜用。

| **药材性状** | 本品根呈细长圆柱形，稍扭曲，常数条着生于较短的根茎上，长 10 ~ 30cm，直径 3 ~ 6mm；表面黄白色，有纵皱纹；质硬而脆，易折断，断面黄白色。茎多分枝；表面黄绿色至黄棕色，节部膨大，有黄色毛；断面中央有白色的髓。叶对生，完整者卵状披针形或长圆形，长 2 ~ 4cm，宽 7 ~ 15mm，全缘，中脉有毛。茎枝先端有单生或 2 ~ 3 聚生的小花，花瓣 5，白色。气微，味甘、微苦。

| **功能主治** | 甘、苦，温。归肝、膀胱经。活血定痛，接骨生肌。用于跌打损伤，骨折，风湿骨痛，月经不调，瘰疬，痈疽。

| **用法用量** | 内服煎汤，9 ~ 15g；或泡酒服。外用适量，鲜品捣敷。

| **附　　注** | （1）在 FOC 中，本种的拉丁学名被修订为 *Silene baccifera* (Linnaeus) Roth，属名被修订为蝇子草属 *Silene*。
（2）本种对气候、土壤要求不严。

石竹科 Caryophyllaceae 石竹属 Dianthus

须苞石竹

Dianthus barbatus L.

| 药 材 名 | 五彩石竹（药用部位：全草。别名：美国石竹、十样锦）。

| 形态特征 | 多年生草本，高 30 ～ 60cm，全株无毛。茎直立，有棱。叶片披针形，长 4 ～ 8cm，宽约 1cm，先端急尖，基部渐狭，合生成鞘，全缘，中脉明显。花多数，集成头状，有数枚叶状总苞片；花梗极短；苞片 4，卵形，先端尾状尖，边缘膜质，具细齿，与花萼等长或稍长；花萼筒状，长约 1.5cm，裂齿锐尖；花瓣具长爪，瓣片卵形，通常红紫色，有白点斑纹，先端齿裂，喉部被髯毛；雄蕊稍露于外；子房长圆形，花柱线形。蒴果卵状长圆形，长约 1.8cm，先端 4 裂至中部；种子褐色，扁卵形，平滑。花果期 5 ～ 10 月。

| 生境分布 | 多栽培于庭院、公园以及城市绿化带。重庆各地均有分布。

须苞石竹

| 资源情况 | 野生资源稀少。药材主要来源于栽培。

| 采收加工 | 夏、秋季采收，鲜用或晒干。

| 功能主治 | 苦，寒。清热利水，活血通经。小便不通，淋病，水肿，经闭，痈肿，目赤障翳，皮肤湿疹。

| 附　　注 | 本种喜潮湿，忌干旱。土壤以砂壤土或黏壤土为最好。

石竹科 Caryophyllaceae 石竹属 Dianthus

石竹 *Dianthus chinensis* L.

| 药 材 名 | 瞿麦（药用部位：地上部分。别名：石竹子花、十样景花、洛阳花）。

| 形态特征 | 多年生草本，高 30 ～ 50cm，全株无毛，带粉绿色。茎由根茎生出，疏丛生，直立，上部分枝。叶片线状披针形，长 3 ～ 5cm，宽 2 ～ 4mm，先端渐尖，基部稍狭，全缘或有细小齿，中脉较显。花单生枝端或数花集成聚伞花序；花梗长 1 ～ 3cm；苞片 4，卵形，先端长渐尖，长达花萼 1/2 以上，边缘膜质，有缘毛；花萼圆筒形，长 15 ～ 25mm，直径 4 ～ 5mm，有纵条纹，萼齿披针形，长约 5mm，直伸，先端尖，有缘毛；花瓣长 16 ～ 18mm，瓣片倒卵状三角形，长 13 ～ 15mm，紫红色、粉红色、鲜红色或白色，顶缘不整齐齿裂，喉部有斑纹，疏生髯毛；雄蕊露出喉部外，花药蓝色；子房长圆形，花柱线形。蒴果圆筒形，包于宿存萼内，先端 4 裂；种

石竹

子黑色，扁圆形。花期 5 ~ 6 月，果期 7 ~ 9 月。

| **生境分布** | 生于山坡、草地、路旁或林下，或栽培于庭园。重庆各地均有分布。

| **资源情况** | 野生资源稀少，栽培资源较丰富。药材主要来源于栽培。

| **采收加工** | 夏、秋季花果期采割，除去杂质，干燥。

| **药材性状** | 本品茎圆柱形，上部有分枝，长 30 ~ 50cm；表面淡绿色或黄绿色，光滑，无毛，节明显，略膨大；断面中空。叶对生，多皱缩，展平后呈条形至条状披针形。枝端具花及果实，花萼筒状，长 1.4 ~ 1.8cm，苞片长约为萼筒的 1/2；花瓣先端浅齿裂。蒴果长筒形，与宿萼等长。种子细小，多数。气微，味淡。

| **功能主治** | 甘、微苦，平。归肝、胃、大肠经。清热解毒，止痢，止血。用于湿热泻痢，痈肿疮毒，血热吐衄，便血，崩漏。

| **用法用量** | 内服煎汤，9 ~ 15g；或入丸、散。外用适量，煎汤洗；或研末撒患处。孕妇禁服。

石竹科 Caryophyllaceae 石竹属 Dianthus

瞿麦 *Dianthus superbus* L.

| 药 材 名 | 瞿麦（药用部位：地上部分。别名：石竹子花、十样景花、洛阳花）。

| 形态特征 | 多年生草本，高 50 ~ 60cm，有时更高。茎丛生，直立，绿色，无毛，上部分枝。叶片线状披针形，长 5 ~ 10cm，宽 3 ~ 5mm，先端锐尖，中脉特显，基部合生成鞘状，绿色，有时带粉绿色。花 1 或 2 生于枝端，有时顶下腋生；苞片 2 ~ 3 对，倒卵形，长 6 ~ 10mm，约为花萼 1/4，宽 4 ~ 5mm，先端长尖；花萼圆筒形，长 2.5 ~ 3cm，直径 3 ~ 6mm，常染紫红色晕，萼齿披针形，长 4 ~ 5mm；花瓣长 4 ~ 5cm，爪长 1.5 ~ 3cm，包于萼筒内，瓣片宽倒卵形，边缘缝裂至中部或中部以上，通常淡红色或带紫色，稀白色，喉部具丝毛状鳞片；雄蕊和花柱微外露。蒴果圆筒形，与宿存萼等长或微长，先端 4 裂；种子扁卵圆形，长约 2mm，黑色，有光泽。花期 6 ~ 9 月，

瞿麦

果期 8 ~ 10 月。

| **生境分布** | 生于海拔 400 ~ 2750m 的丘陵山地疏林下、林缘、草甸、沟谷溪边。分布于重庆南川、开州、巫溪、巫山等地。

| **资源情况** | 野生资源较少。药材主要来源于野生。

| **采收加工** | 夏、秋季花果期采割，除去杂质，干燥。

| **药材性状** | 本品茎圆柱形，上部有分枝，长 30 ~ 60cm；表面淡绿色或黄绿色，光滑，无毛，节明显，略膨大；断面中空。叶对生，多皱缩，展平后呈条形至条状披针形。枝端具花及果实，花萼筒状，长 2.5 ~ 3cm；苞片 4 ~ 6，宽卵形，长约为萼筒的 1/4；花瓣棕紫色或棕黄色，卷曲，先端深裂成丝状。蒴果长筒形，与宿萼等长。种子细小，多数。气微，味淡。

| **功能主治** | 甘、微苦，平。归肝、胃、大肠经。清热解毒，止痢，止血。用于湿热泻痢，痈肿疮毒，血热吐衄，便血，崩漏。

| **用法用量** | 内服煎汤，9 ~ 15g；或入丸、散。外用适量，煎汤洗；或研末撒患处。孕妇禁服。

| **附　注** | 本种耐寒，喜潮湿，忌干旱。土壤以砂壤土或黏壤土为最好。

石竹科 Caryophyllaceae 剪秋罗属 *Lychnis*

剪红纱花 *Lychnis senno* Sieb. et Zucc.

| **药 材 名** | 剪红纱花（药用部位：带根全草。别名：散血沙、剪秋罗、汉宫秋）。

| **形态特征** | 多年生草本，高50～100cm，全株被粗毛。根簇生，细圆柱形，黄白色，稍肉质。茎单生，直立，不分枝或上部分枝。叶片椭圆状披针形，长（4～）8～12cm，宽2～3cm，基部楔形，先端渐尖，两面被柔毛，边缘具缘毛。二歧聚伞花序具多数花；花直径3.5～5cm；花梗长5～15mm，比花萼短；苞片卵状披针形或披针形，被柔毛；花萼筒状，长（20～）25～30mm，直径2.5～3.5mm，后期上部微膨大，沿脉被稀疏长柔毛，萼齿三角形，长2～4mm，先端急尖或渐尖，边缘具短缘毛；雌雄蕊柄无毛，长10～15mm；花瓣深红色，爪不露或微露出花萼，狭楔形，无毛，瓣片三角状倒卵形，不规则深多裂，裂片具缺刻状钝齿；雄蕊与花萼近等长，花丝无毛，

剪红纱花

花药暗紫色。蒴果椭圆状卵形，长 10 ～ 15mm，微长于宿存萼；种子肾形，长约 1mm，红褐色，具小瘤。花期 7 ～ 8 月，果期 8 ～ 9 月。

| 生境分布 | 生于海拔 150 ～ 2000m 的疏林下或灌丛草地。分布于重庆南川、武隆、奉节、万州等地。

| 资源情况 | 野生资源较少。药材主要来源于栽培。

| 采收加工 | 8 月采收，除去泥沙，晒干。

| 药材性状 | 本品长达 70cm，密生柔毛。茎圆形，有纵沟纹。叶对生，完整者椭圆状披针形或卵状披针形，先端渐尖，基部楔形，两面被毛。花 1 ～ 3 成聚伞花序疏生于茎端；花萼长棒形，具脉 10，先端 5 裂，边缘膜质，暗紫色；花瓣 5，边缘不整齐深裂，暗红色；雄蕊 10；子房圆柱形，花柱 5。蒴果长棒形，萼宿存。气微，味淡。

| 功能主治 | 甘、淡，寒。清热利尿，散瘀止痛。用于外感发热，热淋，泄泻，缠腰火丹，风湿痹痛，跌打损伤。

| 用法用量 | 内服煎汤，根 9 ～ 15g，全草 15 ～ 30g；或泡酒。外用适量，研末调敷。

| 附　　注 | 本种耐寒，喜凉爽、湿润的气候。忌酷暑、湿涝。对土壤要求不严，在含有腐殖质的石灰质或石砾的土壤中生长更好。

石竹科 Caryophyllaceae 鹅肠菜属 Myosoton

鹅肠菜
Myosoton aquaticum (L.) Moench

| 药 材 名 | 鹅肠草（药用部位：全草。别名：牛繁缕、鹅耳肠、鹅儿肠）。

| 形态特征 | 二年生或多年生草本。具须根。茎上升，多分枝，长 50～80cm，上部被腺毛。叶片卵形或宽卵形，长 2.5～5.5cm，宽 1～3cm，先端急尖，基部稍心形，有时边缘具毛；叶柄长 5～15mm，上部叶常无柄或具短柄，疏生柔毛。顶生二歧聚伞花序；苞片叶状，边缘具腺毛；花梗细，长 1～2cm，花后伸长并向下弯，密被腺毛；萼片卵状披针形或长卵形，长 4～5mm，果期长达 7mm，先端较钝，边缘狭膜质，外面被腺柔毛，脉纹不明显；花瓣白色，2 深裂至基部，裂片线形或披针状线形，长 3～3.5mm，宽约 1mm；雄蕊 10，稍短于花瓣；子房长圆形，花柱短，线形。蒴果卵圆形，稍长于宿存萼；种子近肾形，直径约 1mm，稍扁，褐色，具小疣。花期 5～8 月，果期 6～9 月。

鹅肠菜

| **生境分布** | 生于海拔 350 ～ 2700m 的河流两旁冲积砂地的低湿处、灌丛林缘或水沟旁。分布于重庆城口、巫溪、巫山、奉节、万州、南川等地。 |

| **资源情况** | 野生资源较少。药材主要来源于野生。 |

| **采收加工** | 春季生长旺盛时采收，鲜用或晒干。 |

| **药材性状** | 本品长 20 ～ 60cm。茎光滑，多分枝；表面略带紫红色，节部和嫩枝梢处更明显。叶对生，膜质，完整者宽卵形或卵状椭圆形，长 1.5 ～ 5.5cm，宽 1 ～ 3cm，先端锐尖，基部心形或圆形，全缘或呈浅波状；上部叶无柄或具极短柄，下部叶叶柄长 5 ～ 15mm，疏生柔毛。花白色，生于枝端或叶腋。蒴果卵圆形。种子近圆形，褐色，密布显著的刺状突起。气微，味淡。 |

| **功能主治** | 甘、酸，平。归肝、胃经。清热解毒，散瘀消肿。用于肺热喘咳，痢疾，痈疽，痔疮，牙痛，月经不调，小儿疳积。 |

| **用法用量** | 内服煎汤，15 ～ 30g；或鲜品 60g 捣汁。外用适量，鲜品捣敷；或煎汤熏洗。 |

石竹科 Caryophyllaceae 孩儿参属 Pseudostellaria

孩儿参 *Pseudostellaria heterophylla* (Miq.) Pax

孩儿参

| 药 材 名 |

孩儿参（药用部位：块根）。

| 形态特征 |

多年生草本，高 15 ~ 20cm。块根长纺锤形，白色，稍带灰黄色。茎直立，单生，被 2 列短毛。茎下部叶常 1 ~ 2 对，叶片倒披针形，先端钝尖，基部渐狭成长柄状；上部叶 2 ~ 3 对，叶片宽卵形或菱状卵形，长 3 ~ 6cm，宽 2 ~ 17（~ 20）mm，先端渐尖，基部渐狭，上面无毛，下面沿脉疏生柔毛。开花受精花 1 ~ 3，腋生或呈聚伞花序；花梗长 1 ~ 2cm，有时长达 4cm，被短柔毛；萼片 5，狭披针形，长约 5mm，先端渐尖，外面及边缘疏生柔毛；花瓣 5，白色，长圆形或倒卵形，长 7 ~ 8mm，先端 2 浅裂；雄蕊 10，短于花瓣；子房卵形，花柱 3，微长于雄蕊；柱头头状。闭花受精花具短梗；萼片疏生多细胞毛。蒴果宽卵形，含少数种子，先端不裂或 3 瓣裂；种子褐色，扁圆形，长约 1.5mm，具疣状突起。花期 4 ~ 7 月，果期 7 ~ 8 月。

| 生境分布 |

生于海拔 800 ~ 2700m 的山谷林下阴湿处。分布于重庆秀山、南川、彭水等地。

| **资源情况** | 野生资源稀少。药材来源于野生。 |

| **采收加工** | 夏季茎叶大部分枯萎时采挖，洗净，除去须根，置沸水中略烫后晒干或直接晒干。 |

| **药材性状** | 本品呈细长纺锤形或细长条形，稍弯曲，长 3 ~ 10cm，直径 0.2 ~ 0.6cm。先端有茎痕，表面黄白色，较光滑，微有纵皱纹，凹陷处有须根痕。质硬而脆，断面平坦，淡黄白色，角质样；或类白色，有粉性。气微，味微甘。以条粗、色黄白者为佳。 |

| **功能主治** | 甘、苦，平。益气，健脾，生津。用于脾虚体倦，食欲不振，病后虚弱，心悸口干。 |

| **用法用量** | 内服煎汤，6 ~ 12g。 |

石竹科 Caryophyllaceae 漆姑草属 Sagina

漆姑草
Sagina japonica (Sw.) Ohwi

| **药 材 名** | 漆姑草（药用部位：全草。别名：牛毛粘、瓜槌草、蛇牙草）。

| **形态特征** | 一年生小草本，高 5 ~ 20cm，上部被稀疏腺柔毛。茎丛生，稍铺散。叶片线形，长 5 ~ 20mm，宽 0.8 ~ 1.5mm，先端急尖，无毛。花小形，单生枝端；花梗细，长 1 ~ 2cm，被稀疏短柔毛；萼片 5，卵状椭圆形，长约 2mm，先端尖或钝，外面疏生短腺柔毛，边缘膜质；花瓣 5，狭卵形，稍短于萼片，白色，先端圆钝，全缘；雄蕊 5，短于花瓣；子房卵圆形，花柱 5，线形。蒴果卵圆形，微长于宿存萼，5 瓣裂；种子细，圆肾形，微扁，褐色，表面具尖瘤状突起。花期 3 ~ 5 月，果期 5 ~ 6 月。

| **生境分布** | 生于海拔 150 ~ 1900m 的庭园、田间、路旁或土坎阴湿处。重庆

漆姑草

各地均有分布。

| **资源情况** | 野生资源稀少。药材主要来源于野生。

| **采收加工** | 4 ～ 5 月采集，洗净，鲜用或晒干。

| **药材性状** | 本品长 10 ～ 15cm。茎基部分枝，上部疏生短细毛。叶对生，完整者圆柱状线形，长 5 ～ 20mm，宽约 1mm，先端尖，基部为薄膜连成的短鞘。花小，白色，生于叶腋或茎顶。蒴果卵形，5 瓣裂，比萼片长出约 1/3。种子多数，细小，褐色，圆肾形，密生瘤状突起。气微，味淡。

| **功能主治** | 苦、辛，凉。归肝、胃经。凉血解毒，杀虫止痒。用于漆疮，秃疮，湿疹，丹毒，瘰疬，无名肿毒，毒蛇咬伤，鼻渊，龋齿痛，跌打内伤。

| **用法用量** | 内服煎汤，10 ～ 30g；研末或绞汁。外用适量，捣敷；或绞汁涂。

石竹科 Caryophyllaceae 肥皂草属 Saponaria

肥皂草 *Saponaria officinalis* L.

肥皂草

| 药 材 名 |

肥皂草（药用部位：根。别名：石碱花）。

| 形态特征 |

多年生草本，高 30 ~ 70cm。主根肥厚，肉质；根茎细，多分枝。茎直立，不分枝或上部分枝，常无毛。叶片椭圆形或椭圆状披针形，长 5 ~ 10cm，宽 2 ~ 4cm，基部渐狭成短柄状，微合生，半抱茎，先端急尖，边缘粗糙，两面均无毛，基出脉 3 或 5。聚伞圆锥花序，小聚伞花序有花 3 ~ 7；苞片披针形，长渐尖，边缘和中脉被稀疏短粗毛；花梗长 3 ~ 8mm，被稀疏短毛；花萼筒状，长 18 ~ 20mm，直径 2.5 ~ 3.5mm，绿色，有时暗紫色，初期被毛，纵脉 20，不明显，萼齿宽卵形，具凸尖；雌雄蕊柄长约 1mm；花瓣白色或淡红色，爪狭长，无毛，瓣片楔状倒卵形，长 10 ~ 15mm，先端微凹缺；副花冠片线形；雄蕊和花柱外露。蒴果长圆状卵形，长约 15mm；种子圆肾形，长 1.8 ~ 2mm，黑褐色，具小瘤。花期 6 ~ 9 月。

| 生境分布 |

多栽培于保存圃，或逸为野生。分布于重庆南川等地。

| **资源情况** | 野生资源稀少。药材主要来源于栽培。

| **采收加工** | 夏季茎叶大部分枯萎时采挖，洗净，除去须根，晒干。

| **功能主治** | 软坚，消积，化痰，去翳。用于积块，噎膈反胃，目翳，赘疣。

| **用法用量** | 内服入丸、散。外用研末点撒或调敷。

| **附　　注** | 本种喜光，耐半阴，耐寒，耐修剪。栽培管理粗放，在干燥地及湿地上均可正常生长，对土壤要求不严。

石竹科 Caryophyllaceae 蝇子草属 Silene

高雪轮 *Silene armeria* L.

高雪轮

药材名

高雪轮（药用部位：全草）。

形态特征

一年生草本，高 30 ~ 50cm，常带粉绿色。茎单生，直立，上部分枝，无毛或被疏柔毛，上部具黏液。基生叶叶片匙形，花期枯萎；茎生叶叶片卵状心形至披针形，长 2.5 ~ 7cm，宽 7 ~ 35mm，基部半抱茎，先端急尖或钝，两面均无毛。复伞房花序较紧密；花梗长 5 ~ 10mm，无毛；苞片披针形，膜质，长 3 ~ 5（ ~ 7）mm，无毛；花萼筒状棒形，长 12 ~ 15mm，直径约 2mm，带紫色，无毛，纵脉紫色，萼齿短，宽三角状卵形，先端钝，边缘膜质；雌雄蕊柄无毛，长约 5mm；花瓣淡红色，爪倒披针形，不露出花萼，无毛，耳不明显，瓣片倒卵形，微凹缺或全缘；副花冠片披针形，长约 3mm；雄蕊微外露；花柱微外露。蒴果长圆形，长 6 ~ 7mm，比宿存萼短；种子圆肾形，长约 0.5mm，红褐色。花期 5 ~ 6 月，果期 6 ~ 7 月。

生境分布

多栽培于庭院、公园以及城市绿化带。重庆

各地均有分布。

| 资源情况 |

野生资源一般。药材主要来源于栽培。

| 采收加工 |

夏、秋季采收，洗净，鲜用或晒干。

| 药材性状 |

本品长 50 ~ 100cm。根圆锥形或圆柱形，平直或扭曲，长 10 ~ 20cm，宽 1 ~ 2cm；表面浅黄色，具纵纹，纵纹上有稍凸起的横纹；质坚硬，折断面坚实致密，较平坦。茎基部稍带木质，具粗糙短毛，中部以上多分枝，有柔毛或近无毛。叶对生，完整者披针形或倒披针形，长 2 ~ 3.5cm，宽 2 ~ 6mm，先端尖锐，基部狭窄成短柄。聚伞花序顶生，花粉红色或白色。蒴果棍棒状。种子赤黄色，有瘤状突起。气微，根味微甘而后涩。

| 功能主治 |

清热凉血，利湿。用于类风湿关节炎，肺热咯血。

| 附　注 |

本种喜温暖气候，忌酷热，在夏季温度高于 34℃时明显生长不良。不耐霜寒，在冬季温度低于 4℃时进入休眠或死亡。最适宜的生长温度为 15 ~ 25℃。一般在秋、冬季播种，以避免夏季高温。喜肥沃疏松、排水良好的土壤。

石竹科 Caryophyllaceae 蝇子草属 Silene

麦瓶草

Silene conoidea L.

| 药 材 名 | 麦瓶草（药用部位：全草。别名：香炉草、米瓦罐、净瓶）、麦瓶草种子（药用部位：种子）。

| 形 态 特 征 | 一年生草本，高 25 ~ 60cm，全株被短腺毛。根为主根系，稍木质。茎单生，直立，不分枝。基生叶叶片匙形；茎生叶叶片长圆形或披针形，长 5 ~ 8cm，宽 5 ~ 10mm，基部楔形，先端渐尖，两面被短柔毛，边缘具缘毛，中脉明显。二歧聚伞花序具数花；花直立，直径约 20mm；花萼圆锥形，长 20 ~ 30mm，直径 3 ~ 4.5mm，绿色，基部脐形，果期膨大，长达 35mm，下部宽卵状，直径 6.5 ~ 10mm，纵脉 30，沿脉被短腺毛，萼齿狭披针形，长为花萼的 1/3 或更长，边缘下部狭膜质，具缘毛；雌雄蕊柄几无；花瓣淡红色，长 25 ~ 35mm，爪不露出花萼，狭披针形，长 20 ~ 25mm，无毛，耳三角形，瓣片

麦瓶草

倒卵形，长约 8mm，全缘或微凹缺，有时微啮蚀状；副花冠片狭披针形，长 2～2.5mm，白色，先端具数浅齿；雄蕊微外露或不外露，花丝被稀疏短毛；花柱微外露。蒴果梨状，长约 15mm，直径 6～8mm；种子肾形，长约 1.5mm，暗褐色。花期 5～6 月，果期 6～7 月。

| 生境分布 | 生于麦田中或荒地草坡。分布于重庆万州、南川、城口、巫山等地。

| 资源情况 | 野生资源稀少。药材来源于野生。

| 采收加工 | 麦瓶草：春、夏季采收，洗净，晒干。
麦瓶草种子：5～6 月采收，晒干。

| 药材性状 | 麦瓶草：本品密生腺毛，长 20～60cm。主根细长，略木质。茎中部以上分枝较多。叶对生，基生叶略呈匙形，茎生叶披针形或矩圆形，基部阔，稍抱茎，具绒毛。聚伞花序顶生或腋生，花紫色或粉红色。蒴果卵形，具宿萼。
麦瓶草种子：本品多数，有疣状突起。气微，味淡。

| 功能主治 | 麦瓶草：甘、微苦，凉。归肺、肝经。养阴，清热，止血，调经。用于吐血，衄血，虚劳咳嗽，咯血，尿血，月经不调。
麦瓶草种子：甘，平。归肝经。止血，催乳。用于鼻衄，尿血，乳汁不下。

| 用法用量 | 麦瓶草：内服煎汤，9～15g；或炖肉、鸡。
麦瓶草种子：内服煎汤，10～20g。

石竹科 Caryophyllaceae 蝇子草属 Silene

蝇子草
Silene gallica L.

| 药 材 名 | 蝇子草（药用部位：带根全草。别名：脱力草、粘蝇草、野蚊子草）。

| 形态特征 | 一年生草本，高 15 ~ 45cm，全株被柔毛。茎单生，直立或上升，不分枝或分枝，被短柔毛和腺毛。叶片长圆状匙形或披针形，长 1.5 ~ 3cm，宽 5 ~ 10mm，先端圆或钝，有时急尖，两面被柔毛和腺毛。单歧式总状花序；花梗长 1 ~ 5mm；苞片披针形，草质，长达 10mm；花萼卵形，长约 8mm，直径约 2mm，被稀疏长柔毛和腺毛，纵脉先端多少连结，萼齿线状披针形，长约 2mm，先端急尖，被腺毛；雌雄蕊柄几无；花瓣淡红色至白色，爪倒披针形，无毛，无耳，瓣片露出花萼，卵形或倒卵形，全缘，有时微凹缺；副花冠片小，线状披针形；雄蕊不外露或微外露，花丝下部具缘毛。蒴果卵形，长 6 ~ 7mm，比宿存萼微短或近等长；种子肾形，两侧耳状凹，长

蝇子草

约 1mm，暗褐色。花期 5 ～ 6 月，果期 6 ～ 7 月。

| 生境分布 | 生于山坡、林下及杂草丛中。分布于重庆城口、巫溪、南川、丰都、武隆等地。

| 资源情况 | 野生资源稀少。药材主要来源于栽培。

| 采收加工 | 夏、秋季采集，洗净，鲜用或晒干。

| 药材性状 | 本品长 50 ～ 100cm。根圆锥形或圆柱形，平直或扭曲，长 10 ～ 20cm，宽 1 ～ 2cm；表面浅黄色，具纵纹，纵纹上有稍凸起的横纹；质坚硬，折断面坚实致密，较平坦。茎基部稍带木质，具粗糙短毛，中部以上多分枝，有柔毛或近无毛。叶对生，完整者披针形或倒披针形，长 2 ～ 3cm，宽 2 ～ 6mm，先端尖锐，基部狭窄成短柄。聚伞花序顶生，花粉红色或白色。蒴果棍棒状。种子赤黄色，有瘤状突起。气微，根味微甘而后涩。

| 功能主治 | 辛、涩，凉。归大肠、膀胱经。清热利湿，活血解毒。用于痢疾，肠炎，热淋，带下，咽喉肿痛，劳伤发热，跌打损伤，毒蛇咬伤。

| 用法用量 | 内服煎汤，15 ～ 30g；或捣汁。外用适量，鲜品捣敷。

| 附　　注 | 本种对气候、土壤要求不严，一般土地均可栽培。

石竹科 Caryophyllaceae 蝇子草属 Silene

石生蝇子草 *Silene tatarinowii* Regel

| 药 材 名 | 石生蝇子草（药用部位：全草。别名：石生麦瓶草、麦瓶草、山女娄菜）。

| 形态特征 | 多年生草本，全株被短柔毛。根圆柱形或纺锤形，黄白色。茎上升或俯仰，长 30 ~ 80cm，分枝稀疏，有时基部节上生不定根。叶片披针形或卵状披针形，稀卵形，长 2 ~ 5cm，宽 5 ~ 15（~ 20）mm，基部宽楔形或渐狭成柄状，先端长渐尖，两面被稀疏短柔毛，边缘具短缘毛，基出脉 1 或 3。二歧聚伞花序疏松，大型；花梗细，长 8 ~ 30（~ 50）mm，被短柔毛；苞片披针形，草质；花萼筒状棒形，长 12 ~ 15mm，直径 3 ~ 5mm，纵脉绿色，稀紫色，无毛或沿脉被稀疏短柔毛，萼齿三角形，先端急尖或渐尖，稀钝头，边缘膜质，具短缘毛；雌雄蕊柄无毛，长约 4mm；花瓣白色，倒披针形，爪不露或

石生蝇子草

微露出花萼，无毛，无耳，瓣片倒卵形，长约 7mm，浅 2 裂达瓣片的 1/4，两侧中部具 1 线形小裂片或细齿；副花冠片椭圆形，全缘；雄蕊明显外露，花丝无毛；花柱明显外露。蒴果卵形或狭卵形，长 6 ~ 8mm，比宿存萼短；种子肾形，长约 1mm，红褐色至灰褐色，脊圆钝。花期 7 ~ 8 月，果期 8 ~ 10 月。

| 生境分布 | 生于海拔 800 ~ 2700m 的灌丛中、疏林下多石质的山坡或岩石缝中。分布于重庆城口、开州、巫山、巫溪、奉节、南川、涪陵等地。

| 资源情况 | 野生资源稀少。药材主要来源于野生。

| 采收加工 | 夏、秋季采集，洗净，鲜用或晒干。

| 药材性状 | 本品根呈细长纺锤形或细长条形，长 3 ~ 8cm，直径 0.2 ~ 0.8cm。先端具多数疣状突起的芽痕，下端渐细，略弯曲。表面粗糙，淡黄色或土黄色，具扭曲的纵皱纹和横向凹窝，凹窝内具须根痕。质硬而脆，断面具大裂隙，黄白色或类白色，类角质。

| 功能主治 | 辛、涩，凉。归肺经。清热凉血，利湿。用于类风湿关节炎，肺热咯血。

| 用法用量 | 内服煎汤，15 ~ 30g。

石竹科 Caryophyllaceae 繁缕属 Stellaria

中国繁缕 *Stellaria chinensis* Regel

| **药 材 名** | 中国繁缕（药用部位：全草。别名：鸦雀子窝）。

| **形态特征** | 多年生草本，高 50 ~ 100cm。根须状。茎细弱，直立或半匍匐，有纵棱，无毛。单叶对生；叶柄被柔毛，中上部的叶柄渐缩短；叶片卵状椭圆形至长圆状披针形，长 3 ~ 4cm，宽 1 ~ 1.6cm，但下部或顶部的叶稍小，先端长锐尖，基部渐狭，全缘。聚伞花序常生于叶腋，有细长总花梗；花梗细，在果时长 1cm 以上；萼片 5，披针形，长约 3mm；花瓣 5，白色，和萼片近等长，先端 2 裂；雄蕊 10，比花瓣稍短；子房卵形，花柱 3，丝状。蒴果卵形，比萼片稍长；种子卵形，稍扁，褐色，有乳头状突起。花期 5 ~ 6 月，果期 7 ~ 8 月。

| **生境分布** | 生于海拔 2500m 以下的山地灌丛或路旁水边湿地。分布于重庆奉节、

中国繁缕

忠县、南川、石柱、武隆等地。

| 资源情况 |

野生资源稀少。药材主要来源于野生。

| 采收加工 |

春、夏、秋季采集，除去泥土，鲜用或晒干。

| 药材性状 |

本品长 50 ~ 100cm。根须状。茎细弱，有纵棱。叶对生，完整者卵形至卵状披针形，长 3 ~ 4cm，宽 1 ~ 1.6cm。聚伞花序生于叶腋，有细长总花梗；萼片 5，披针形；花瓣 5，白色，先端 2 裂；雄蕊 10；花柱 3，丝状；子房卵形。蒴果卵形。种子卵形，褐色，表面有乳头状突起。气微，味淡。

| 功能主治 |

苦、辛，平。清热解毒，活血止痛。用于乳痈，肠痈，疔肿，跌打损伤，产后瘀痛，风湿骨痛，牙痛。

| 用法用量 |

内服煎汤，15 ~ 30g。外用适量，捣敷。

石竹科 Caryophyllaceae 繁缕属 Stellaria

繁缕 *Stellaria media* (L.) Cyr.

| 药 材 名 | 繁缕（药用部位：全草。别名：繁蒌、鹅肠菜、鹅儿肠菜）。

| 形态特征 | 一年生或二年生草本，高 10 ~ 30cm。匍匐茎纤细平卧，节上生出多数直立枝，枝圆柱形，肉质多汁而脆，折断中空，茎表一侧被 1 行短柔毛，其余部分无毛。单叶对生；上部叶无柄，下部叶有柄；叶片卵圆形或卵形，长 1.5 ~ 2.5cm，宽 1 ~ 1.5cm，先端急尖或短尖，基部近截形或浅心形，全缘或波状，两面均光滑无毛。花两性；花单生枝腋或成顶生的聚伞花序，花梗细长，一侧被毛；萼片 5，披针形，外面被白色短腺毛，边缘干膜质；花瓣 5，白色，短于花萼，2 深裂直达基部；雄蕊 10，花药紫红色，后变为蓝色；子房卵形，花柱 3 ~ 4。蒴果卵形，先端 6 裂；种子多数，黑褐色，表面密生疣状小突点。南方花期 2 ~ 5 月，果期 5 ~ 6 月；北方花期 7 ~ 8 月，果期 8 ~ 9 月。

繁缕

| 生境分布 | 生于山坡、林下、田边、路旁。重庆各地均有分布。

| 资源情况 | 野生资源丰富。药材来源于野生。

| 采收加工 | 春、夏、秋季花开时采集，除去泥土，晒干。

| 药材性状 | 本品多扭缠成团。茎呈细圆柱形，直径约 2mm，多分枝，有纵棱；表面黄绿色，一侧有 1 行灰白色短柔毛，节处有灰黄色细须根，质较韧。叶小对生，无柄，展平后完整者卵形或卵圆形，先端锐尖，灰绿色，质脆，易碎。枝先端或叶腋有数朵或 1 朵小花，淡棕色，花梗纤细；萼片 5；花瓣 5。有时可见卵圆形小蒴果，内含数粒圆形小种子，黑褐色，表面有疣状小突点。

| 功能主治 | 微苦、甘、酸，凉。归肝、大肠经。清热解毒，凉血消痈，活血止痛，下乳。用于痢疾、肠痈，肺痈，乳痈，疔疮肿毒，痔疮肿痛、出血，跌打伤痛，产后瘀滞腹痛，乳汁不下。

| 用法用量 | 内服煎汤，15 ~ 30g，鲜品 30 ~ 60g；或捣汁。外用适量，捣敷；或烧存性研末调敷。孕妇慎服。

| 附　注 | 本种野生资源十分丰富，具有开发利用潜质。本种适宜的生长温度为 13 ~ 23℃，能适应较轻的霜冻。一般在雨季生长旺盛，冬季也能见到。

石竹科 Caryophyllaceae 繁缕属 Stellaria

峨眉繁缕 *Stellaria omeiensis* C. Y. Wu et Y. W. Tsui ex P. Ke

| 药 材 名 | 峨眉繁缕（药用部位：全草）。

| 形态特征 | 一年生草本，高 20 ～ 30cm。根纤细。茎单生，具 4 棱，上部分枝，被疏长柔毛。叶片卵形、圆卵形或卵状披针形，长 1.5 ～ 2.5（～ 4.5）cm，宽 8 ～ 12（～ 15）mm，先端渐尖，基部圆形，无柄，边缘基部具缘毛，上面近无毛，下面被疏毛，中脉明显凸起，沿中脉毛较密。聚伞花序顶生，疏散，具多数花；苞片卵形，膜质；花梗长 1 ～ 2cm，近无毛；萼片 5，披针形，长 2 ～ 2.5mm，先端渐尖，边缘膜质，中脉明显；花瓣 5，白色，先端 2 深裂，短于萼片；雄蕊 10，短于花瓣；花柱 3。蒴果长圆状卵形，长为宿存萼的 1.5 倍，6 齿裂；种子扁圆形，褐紫色，具不明显小疣。花期 4 ～ 7 月，果期 6 ～ 8 月。

峨眉繁缕

| 生境分布 |

生于海拔 1200 ~ 2100m 的山地阴湿林缘或荒坡草丛中。分布于重庆巫山、巫溪、开州、南川等地。

| 资源情况 |

野生资源稀少。药材主要来源于野生。

| 采收加工 |

夏、秋季采收，鲜用或晒干。

| 功能主治 |

甘、酸，平。归胃、肝经。活血祛瘀，下乳催生，清热解毒。用于产后瘀滞腹痛，乳汁不多，难产，暑热呕吐，肠痈，淋病，恶疮肿毒，小儿高热，牙痛。

| 用法用量 |

内服煎汤，15 ~ 30g。

石竹科 Caryophyllaceae 繁缕属 Stellaria

雀舌草 *Stellaria uliginosa* Murr.

| 药材名 | 漫水草（药用部位：全草。别名：雪里花、寒草、金线吊葫芦）。

| 形态特征 | 二年生草本，高 15 ~ 30cm。茎纤细，丛生，下部平卧，上部有稀疏分枝，绿色或带紫色。单叶对生；无柄；叶片长圆形或卵状披针形，长 5 ~ 20mm，宽 2 ~ 3mm，先端渐尖，基部渐狭，全缘或浅波状，两面无毛。花序聚伞状，顶生或腋生；花柄细长如丝；苞片和小苞片较小；萼片 5，披针形，先端尖，边缘膜质，光滑；花瓣 5，白色，与萼片等长或稍短，2 深裂几达基部；雄蕊 5；子房卵形，花柱 2 ~ 3。蒴果较宿存的花萼稍长，成熟时 6 瓣裂，内有多数种子；种子肾形，褐色，表面具皱纹突起。花期 4 ~ 11 月，果期 6 ~ 12 月。

| 生境分布 | 生于海拔 30 ~ 2300m 的田间、溪岸或潮湿地。分布于重庆大足、奉节、

雀舌草

丰都、南川、涪陵、綦江、九龙坡、巫山等地。

| **资源情况** | 野生资源稀少。药材主要来源于野生。

| **采收加工** | 春至秋初采收，洗净，鲜用或晒干。

| **药材性状** | 本品长 15 ~ 30cm，污绿色。叶对生，完整者长圆形或卵状披针形，长 5 ~ 20mm，宽 2 ~ 3mm，先端渐尖，全缘或浅波状。聚伞花序顶生或腋生；萼片 5，披针形，先端尖，光滑；花瓣 5，白色，2 深裂；雄蕊 5；花柱 2 ~ 3。蒴果较宿萼长，成熟时 6 瓣裂。气微，味淡。

| **功能主治** | 辛，平。归肺、脾经。祛风除湿，活血消肿，解毒止血。用于伤风感冒，泄泻，痢疾，风湿骨痛，跌打损伤，骨折，痈疮肿毒，痔漏，毒蛇咬伤，吐血，衄血，外伤出血。

| **用法用量** | 内服煎汤，30 ~ 60g。外用适量，捣敷；或研末调敷。

| **附　注** | 在 FOC 中，本种的拉丁学名被修订为 *Stellaria alsine* Grimm。

石竹科 Caryophyllaceae 繁缕属 Stellaria

箐姑草
Stellaria vestita Kurz

箐姑草

药材名

白筋骨草（药用部位：全草。别名：接筋草、筋骨草、抽筋草）。

形态特征

多年生草本，高 30 ~ 60（~ 90）cm，全株被星状毛。茎疏丛生，铺散或俯仰，下部分枝，上部密被星状毛。叶片卵形或椭圆形，长 1 ~ 3.5cm，宽 8 ~ 20mm，先端急尖，稀渐尖，基部圆形，稀急狭成短柄状，全缘，两面均被星状毛，下面中脉明显。聚伞花序疏散，具长花序梗，密被星状毛；苞片草质，卵状披针形，边缘膜质；花梗细，长短不等，长 10 ~ 30mm，密被星状毛；萼片 5，披针形，长 4 ~ 6mm，先端急尖，边缘膜质，外面被星状柔毛，显灰绿色，具脉 3；花瓣 5，2 深裂近基部，短于萼片或近等长，裂片线形；雄蕊 10，较花瓣短或近等长；花柱 3，稀 4。蒴果卵圆形，长 4 ~ 5mm，6 齿裂；种子多数，肾形，细扁，长约 1.5mm，脊具疣状突起。花期 4 ~ 6 月，果期 6 ~ 8 月。

生境分布

生于海拔 600 ~ 2000m 的山地林缘或路旁草丛中。分布于重庆綦江、城口、忠县、长寿、云阳、武隆、垫江、黔江、南川、江津等地。

| 资源情况 | 野生资源一般。药材来源于野生。

| 采收加工 | 夏、秋季采收，洗净，晒干。

| 功能主治 | 苦、辛，平。归肝、肾经。舒筋活血，清热利湿。用于小儿惊风，风湿骨痛，跌打损伤，黄疸性肝炎，浮肿，带下。

| 用法用量 | 内服煎汤，15 ~ 30g。

石竹科 Caryophyllaceae 繁缕属 Stellaria

巫山繁缕 *Stellaria wushanensis* Williams

| 药 材 名 | 巫山繁缕（药用部位：全草）。

| 形态特征 | 一年生草本，高10～20cm。茎疏丛生，基部近匍匐，上部直立，多分枝，无毛。叶片卵状心形至卵形，长2～3.5cm，宽1.5～2cm，先端尖或急尖，基部近心形或急狭成长柄状，常左右不对称，下面灰绿色，有凸起，两面均无毛或上面被疏短糙毛，边缘无毛或具缘毛；叶柄长1～2cm。聚伞花序具少数花，常1～3，顶生或腋生；苞片草质；花梗长2～6cm，长为花萼的4倍，无毛或被疏柔毛；萼片5，披针形，长5.5～6mm，具1脉，先端急尖，边缘膜质；花瓣5，倒心形，长约8mm，先端2裂深达花瓣的1/3；雄蕊10，有时7～9，短于花瓣；花柱3，线形，有时为2或4；中下部的腋生花为雌花，常无雄蕊，有时缺花瓣和雄蕊，只有花柱2。蒴果卵圆形，与宿存萼等长，具3～5

巫山繁缕

种子；种子圆肾形，褐色，具尖瘤状突起。花期 4 ～ 6 月，果期 6 ～ 7 月。

| 生境分布 |

生于海拔 1000 ～ 2500m 的山地或丘陵地区。分布于重庆巫山、丰都、涪陵、黔江、彭水、南川、大足、永川等地。

| 资源情况 |

野生资源一般。药材主要来源于野生。

| 采收加工 |

花开时采集，除去泥土，晒干。

| 功能主治 |

微苦、甘、酸，凉。归肝、大肠经。清热解毒，凉血消痈，活血止痛，下乳。用于痢疾，肠痈，肺痈，乳痈，疔疮肿毒，痔疮肿痛、出血，跌打伤痛，产后瘀滞腹痛，乳汁不下。

| 用法用量 |

内服煎汤，15 ～ 30g，鲜品 30 ～ 60g；或捣汁。外用适量，捣敷；或烧存性研末调敷。孕妇慎服。

藜科 Chenopodiaceae 甜菜属 Beta

厚皮菜 *Beta vulgaris* L. var. *cicla* L.

| 药 材 名 | 莙达菜（药用部位：茎、叶。别名：红牛皮菜、恭菜、牛皮菜）、莙达子（药用部位：种子）。

| 形态特征 | 一年生或二年生草本，无毛，高30～100cm。根不肥大，有分枝。茎至开花时抽出。叶互生，有长柄；基生叶卵形或长圆状卵形，长30～40cm，先端钝，基部楔形或心形，边缘波浪形；茎生叶菱形、卵形，较小，先端变为线形苞片；叶片肉质光滑，绿色。花小，两性，无柄，单生或2～3聚生为1长而柔软、展开的圆锥花序；花被片5，基部与子房结合，果时包覆果实，变硬革质；雄蕊5，生于肥厚的花盘上。种子横生，圆形或肾形，种皮红褐色，光亮。花期5～6月，果期7月。

| 生境分布 | 多栽培于菜地。重庆各地均有分布。

厚皮菜

| **资源情况** | 野生资源稀少，栽培资源丰富。药材主要来源于栽培。

| **采收加工** | 莙达菜：根据不同的播种期，夏、秋季均可采收，鲜用或晒干。
莙达子：夏季果实成熟时收集种子，晒干。

| **功能主治** | 莙达菜：甘、苦，寒。归肺、肾、大肠经。清热解毒，行瘀止血。用于时行热病，痔疮，麻疹透发不畅，吐血，热毒下痢，闭经，淋浊，痈肿，跌打损伤，蛇虫咬伤。
莙达子：甘、苦，寒。归肝、心经。清热解毒，凉血止血。用于小儿发热，痔瘘下血。

| **用法用量** | 莙达菜：内服煎汤，15～30g。外用适量，捣敷。脾虚泄泻者禁服。
莙达子：内服煎汤，6～9g；或研末。外用适量，醋浸涂。

| **附　注** | 本种喜温凉湿润的气候条件，适应性较强，既耐寒，又耐热。对土壤要求不严，在疏松肥沃、排水良好的土壤中生长更好，能耐肥、耐碱。

藜科 Chenopodiaceae 藜属 Chenopodium

藜
Chenopodium album L.

藜

| 药 材 名 |

灰苋菜（药用部位：幼嫩全草。别名：灰灰菜、粉菜、灰藜）、藜实（药用部位：果实、种子）。

| 形态特征 |

一年生草本，高 30 ~ 150cm。茎直立，粗壮，具条棱、绿色或紫红色条纹，多分枝。叶互生；叶柄与叶片近等长，或为叶片长的 1/2；下部叶片菱状卵形或卵状三角形，长 3 ~ 6cm，宽 2.5 ~ 5cm，先端急尖或微钝，基部楔形，上面通常无粉，有时嫩叶的上面有紫红色粉，边缘有牙齿或不规则浅裂；上部叶片披针形，下面常被粉质。花小形，两性，黄绿色，每 8 ~ 15 聚生成 1 花簇，许多花簇集成大的或小的圆锥状花序，生于叶腋和枝顶；花被片 5，背面具纵隆脊，有粉，先端微凹，边缘膜质；雄蕊 5，伸出花被外；子房扁球形，花柱短，柱头 2。胞果稍扁，近圆形，果皮与种子贴生，包于花被内；种子横生，双凸镜状，黑色，有光泽，表面有浅沟纹。花期 8 ~ 9 月，果期 9 ~ 10 月。

| 生境分布 |

生于海拔 200 ~ 1200m 的路旁、荒地或田间。

重庆各地均有分布。

| **资源情况** | 野生资源一般。药材主要来源于野生。

| **采收加工** | 灰苋菜：春、夏季采割，除去杂质，鲜用或晒干。

藜实：秋季果实成熟时割取全草，打下果实和种子，除去杂质，晒干或鲜用。

| **药材性状** | 灰苋菜：本品黄绿色。茎具条棱。叶片皱缩破碎，完整者展平后呈菱状卵形至宽披针形，上表面黄绿色，下表面灰黄绿色，被粉质，边缘具不整齐锯齿；叶柄长约 3cm。圆锥花序腋生或顶生。

藜实：本品五角状扁球形，直径 1 ~ 1.5mm，花被紧包果外，黄绿色，先端 5 裂；裂片三角形，稍反卷，背面有 5 棱线，呈放射状；无翅；内有果实 1，果皮膜状，贴生于种子。种子半球形，黑色，有光泽，表面具浅沟纹。

| **功能主治** | 灰苋菜：甘，平；有小毒。清热祛湿，解毒消肿，杀虫止痒。用于发热，咳嗽，痢疾，泄泻，腹痛，疝气，龋齿痛，湿疹，疥癣，白癜风，疮疡肿痛，毒虫咬伤。

藜实：苦、甘，寒；有小毒。清热祛湿，杀虫止痒。用于小便不利，水肿，皮肤湿疮，头疮，耳聋。

| **用法用量** | 灰苋菜：内服煎汤，15 ~ 30g。外用适量，煎汤漱口或熏洗；或捣涂。

藜实：内服煎汤，10 ~ 15g。外用适量，煎汤洗；或烧灰调敷。

藜科 Chenopodiaceae 藜属 Chenopodium

土荆芥

Chenopodium ambrosioides L.

土荆芥

药材名

土荆芥（药用部位：带果穗的全草。别名：鹅脚草、红泽兰、天仙草）。

形态特征

一年生或多年生直立草本，高 50 ～ 80cm，有强烈气味。茎直立，有棱，多分枝，被腺毛或无毛。单叶互生，具短柄；叶片披针形至长圆状披针形，长 3 ～ 16cm，宽达5cm，先端短尖或钝；下部的叶边缘有不规则钝齿或呈波浪形；上部的叶较小，为线形，或线状披针形，全缘，上面绿色，下面有腺点，揉之有一种特殊的香气。穗状花序腋生，分枝或不分枝；花小，绿色，两性或雌性，3 ～ 5簇生上部叶腋；花被5裂，果时常闭合；雄蕊5；花柱不明显，柱头通常3，伸出花被外。胞果扁球形，完全包于花被内；种子横生或斜生，黑色或暗红色，平滑，有光泽。花期8 ～ 9 月，果期 9 ～ 10 月。

生境分布

生于海拔 200 ～ 2300m 的旷野、路旁、河岸或溪边。重庆各地均有分布。

| **资源情况** | 野生资源丰富。药材主要来源于野生，亦有少量栽培。

| **采收加工** | 8 月下旬至 9 月下旬采割，摊放在通风处，或捆束后悬挂阴干，避免日晒及雨淋。

| **药材性状** | 本品黄绿色。茎上有柔毛。叶皱缩破碎，叶缘常具稀疏不整齐的钝锯齿，上表面光滑，下表面可见散生油点；叶脉有毛。花着生于叶腋。胞果扁球形，外被 1 薄层囊状而具腺毛的宿萼。种子黑色或暗红色，平滑，直径约 0.7mm。具强烈而特殊的香气，味辣而微苦。

| **功能主治** | 辛、苦，微温；有大毒。归肺、心经。祛风除湿，杀虫止痒，活血消肿。用于钩虫病，蛔虫病，蛲虫病，头虱，皮肤湿疹，疥癣，风湿痹痛，经闭，痛经，口舌生疮，咽喉肿痛，跌打损伤，蛇虫咬伤。

| **用法用量** | 内服煎汤，3 ～ 9g，鲜品 15 ～ 24g，或入丸、散；或提取土荆芥油，成人常用量 0.8 ～ 1.2ml，极量 1.5ml，儿童 0.05ml。外用适量，煎汤洗或捣敷。不宜多服、久服、空腹服，服前不宜用泻药。孕妇及有肾、心、肝功能不良或消化道溃疡者禁服。

| **附　　注** | （1）在 FOC 中，本种的拉丁学名被修订为 *Dysphania ambrosioides* (L.) Mosyakin et Clemants，属名被修订为腺毛藜属 *Dysphania*。
（2）本种喜温暖干燥气候。土壤要求以肥沃疏松、排水良好的砂壤土为佳，宜选向阳、干燥的地方栽培。

藜科 Chenopodiaceae 藜属 Chenopodium

杂配藜 *Chenopodium hybridum* L.

杂配藜

| 药 材 名 |

大叶藜（药用部位：全草。别名：血见愁、杂灰菜、八角灰菜）。

| 形态特征 |

一年生草本，高 40 ～ 120cm。茎直立，粗壮，具淡黄色或紫色条棱，上部有疏分枝，无粉或枝上稍被粉。叶片宽卵形至卵状三角形，长 6 ～ 15cm，宽 5 ～ 13cm，两面均呈亮绿色，无粉或稍被粉，先端急尖或渐尖，基部圆形、截形或略呈心形，边缘掌状浅裂，裂片 2 ～ 3 对，不等大，略呈五角形，先端通常锐；上部叶较小，叶片多呈三角状戟形，边缘具较少数的裂片状锯齿，有时几全缘；叶柄长 2 ～ 7cm。花两性兼有雌性，通常数个团集，在分枝上排列成开散的圆锥状花序；花被裂片 5，狭卵形，先端钝，背面具纵脊并稍被粉，边缘膜质；雄蕊 5。胞果双凸镜状，果皮膜质，有白色斑点，与种子贴生；种子横生，与胞果同形，直径 2 ～ 3mm，黑色，无光泽，表面具明显的圆形深洼或凹凸不平，胚环形。花果期 7 ～ 9 月。

| 生境分布 |

生于海拔 1800 ～ 2150m 的林缘草丛、山坡灌丛、沟边等处。分布于重庆南川、江津等地。

资源情况

野生资源稀少。药材主要来源于野生。

采收加工

6～8月割取带花、果实的全草，鲜用或切碎晒干。

药材性状

本品黄绿色。茎粗壮，具深纵棱。叶多皱缩破碎，完整者展平后呈三角状卵形或卵形，长4～15cm，宽2～13cm；边缘掌状浅裂或全缘。小花成团。胞果宿存膜质花被，灰绿色，先端5裂。胞果果皮膜质，有白色斑点。种子扁圆形，直径2～3mm，黑色，无光泽，表面具明显的圆形深洼或凹凸不平。气微，味微苦。

功能主治

甘，平。归膀胱、肝经。调经止血，解毒消肿。用于月经不调，崩漏，吐血，衄血，咯血，尿血，血痢，便血，疮疡肿毒。

用法用量

内服煎汤，3～9g；或熬膏。外用适量，捣敷。

藜科 Chenopodiaceae 藜属 Chenopodium

小藜
Chenopodium ficifolium Smith

小藜

| 药 材 名 |

灰藋（药用部位：全草。别名：灰藜、水落藜、灰条）、灰藋子（药用部位：种子）。

| 形态特征 |

一年生草本，高 20 ～ 50cm。茎直立，单一或多分枝，具角棱及绿色条纹。叶互生，叶柄细长而弱；叶片椭圆形或狭卵形，长 2.5 ～ 5cm，宽 1 ～ 3cm，通常 3 浅裂，中裂片两边近平行，先端钝或急尖，并具短尖头，边缘具波状锯齿；侧裂片位于中部以下，通常各具 2 浅裂齿；上部的叶片渐小，狭长，有浅齿或近于全缘；叶片两面略被粉粒。花序腋生或顶生，花簇细而疏，形成圆锥状花序；花两性，花被近球形，5，浅绿色，边缘白色，背面具微纵隆脊并密被粉粒，向内弯曲；雄蕊 5，伸出于花被外；花柱 2，线状。胞果全体包于花被内，果皮与种子贴生；种子扁圆，黑色，有光泽，表面具六角形细洼。花期 4 ～ 5 月，果期 5 ～ 7 月。

| 生境分布 |

生于海拔 150 ～ 1700m 的荒地或田间。分布于重庆垫江、潼南、城口、长寿、云阳、涪陵、酉阳、南川、江津、丰都、北碚、巫山、南岸、合川、九龙坡等地。

| 资源情况 |

野生资源较丰富。药材主要来源于野生。

| 采收加工 |

灰藋：3 ~ 4 月采收，洗净，除去杂质，鲜用
或晒干。

灰藋子：6 ~ 7 月果实成熟时割取全草，打下
种子，除去杂质，晒干。

| 药材性状 |

灰藋：本品灰黄色。叶片皱缩破碎，完整者展
开后通常 3 浅裂，裂片具波状锯齿。穗状花序
腋生或顶生。胞果包在花被内，果皮膜质，有
明显的蜂窝状网纹，果皮与种皮贴生。

灰藋子：本品边缘有棱，直径不超过 2mm。黑
色，有光泽，表面具六角形细洼。

| 功能主治 |

灰藋：苦、甘，平。归肺、肝经。疏风清热，
解毒祛湿，杀虫。用于风热感冒，腹泻，痢
疾，荨麻疹，疮疡肿毒，疥癣，湿疮，白癜风，
虫咬伤。

灰藋子：甘，平。杀虫。归肝、肺经。用于蛔
虫病，绦虫病，蛲虫病。

| 用法用量 |

灰藋：内服煎汤，9 ~ 15g。外用适量，煎汤洗；
或捣敷；或烧灰调敷。有胃病者慎服。

灰藋子：内服煎汤，9 ~ 15g。

地肤

藜科 Chenopodiaceae 地肤属 Kochia

地肤 *Kochia scoparia* (L.) Schrad.

药材名

地肤子（药用部位：果实、种子。别名：铁扫把子、地麦、落帚子）、地肤苗（药用部位：嫩茎叶）。

形态特征

一年生草本，高 50 ~ 150cm。茎直立，多分枝，淡绿色或浅红色，被短柔毛。叶互生，无柄；叶片狭披针形或线状披针形，长 2 ~ 7cm，宽 3 ~ 7mm，先端短渐尖，基部楔形，全缘，上面绿色无毛，下面淡绿色，无毛或被短柔毛；通常有 3 主脉；茎上部叶较小，有 1 中脉。花单个或 2 生于叶腋，集成稀疏的穗状花序，花下有时被锈色长柔毛；花小，两性或雌性，黄绿色；花被片 5，近球形，基部合生，果期背部生三角状横凸起或翅，有时近扇形；雄蕊 5，花丝丝状；花柱极短，柱头 2，丝状。胞果扁球形，果皮与种子离生，包于花被内；种子 1，扁球形，黑褐色。花期 6 ~ 9 月，果期 8 ~ 10 月。

生境分布

生于田野、路旁、荒野，或栽培于房前屋后。重庆各地均有分布。

| **资源情况** | 野生资源稀少，栽培资源一般。药材来源于野生和栽培。 |

| **采收加工** | 地肤子：秋季割取全草，晒干，打下果实，除去杂质。
地肤苗：春、夏季采收，洗净，鲜用或晒干。 |

| **药材性状** | 地肤子：本品胞果扁球状五角星形，直径 1 ~ 3mm；外被宿存花被，表面灰绿色或淡棕色，有放射状脉纹 5 ~ 10；剥离花被后，可见膜质果皮，半透明。种子扁卵形，横生，长约 1mm，褐棕色；边缘隆起，中部稍下凹，表面有网状皱纹，内有马蹄形胚，绿黄色。无臭，味微苦。
地肤苗：本品茎分枝较多，黄绿色，具条纹，被白色柔毛。叶互生，多脱落，展平后呈狭长披针形，长 3 ~ 6cm，宽 0.4 ~ 0.6cm，先端渐尖，基部渐狭成短柄，全缘，被短柔毛，边缘有长柔毛，通常具 3 纵脉。花 1 ~ 2，腋生；花被片 5，黄绿色；雄蕊 5，伸出花被外；质柔软。气微，味淡。 |

| **功能主治** | 地肤子：苦，寒。归肾、膀胱经。清热利湿，祛风止痒。用于小便不利，淋浊，带下，血痢，风疹，湿疹，疥癣，皮肤瘙痒，疮毒。
地肤苗：苦，寒。归肝、脾、大肠经。清热解毒，利尿通淋。用于赤白痢，泄泻，小便淋痛，目赤涩痛，雀盲，皮肤风热赤肿，恶疮疥癣。 |

| **用法用量** | 地肤子：内服煎汤，6 ~ 15g；或入丸、散。外用适量，煎汤洗。内无湿热、小便过多者忌服。
地肤苗：内服煎汤，30 ~ 90g。外用适量，煎汤洗；或捣汁涂。 |

| **附　注** | （1）本种喜温暖湿润气候，耐旱，喜向阳。以向阳、富含腐殖质、排水良好的壤土栽培为宜。
（2）本种同属植物扫帚菜 *Kochia scoparia* (L.) Schrad. f. *trichophylla* (Hort.) Schinz. et Thell. 的胞果与本种的药材在性状、组织、化学成分方面很相近，因此，一些地区也将扫帚菜的胞果作地肤子入药。 |

藜科 Chenopodiaceae 菠菜属 Spinacia

菠菜 *Spinacia oleracea* L.

菠菜

| 药 材 名 |

菠菜（药用部位：全草。别名：菠薐、波棱菜、红根菜）、菠菜子（药用部位：种子）。

| 形态特征 |

一年生草本，全株光滑，柔嫩多水。幼根带红色。茎直立，中空，通常不分枝。叶互生，具长柄；基部叶和茎下部叶较大；茎上部叶渐次变小，戟形或三角状卵形，全缘或有缺刻；花序上的叶变为披针形。花单性，雌雄异株；雄花排列成有间断的穗状圆锥花序，顶生或腋生，花被片通常 4，黄绿色，雄蕊 4，伸出，花药不具附属物；雌花簇生叶腋，无花被，苞片纵折，彼此合生成扁筒，小苞片先端有 2 齿，背面通常各具 1 棘状附属物；花柱 4，线形，细长，下部结合。胞果硬，通常有 2 角刺，果皮与种皮贴生；种子直立。花期 4 ～ 6 月，果期 6 月。

| 生境分布 |

多栽培于菜地。重庆各地均有分布。

| 资源情况 |

野生资源稀少。药材主要来源于栽培。

｜采收加工｜

菠菜：冬、春季采收，除去泥土、杂质，洗净，鲜用。

菠菜子：6～7月种子成熟时，割取地上部分，打下果实，除去杂质，晒干或鲜用。

｜功能主治｜

菠菜：甘，平。归肝、胃、大肠、小肠经。养血，止血，平肝，润燥。用于衄血，便血，头痛，目眩，目赤，夜盲症，消渴引饮，便秘，痔疮。

菠菜子：甘、微辛，微温。归脾、肺经。清肝明目，止咳平喘。用于风火目赤肿痛，咳喘。

｜用法用量｜

菠菜：内服煎汤，适量，煮食；或捣汁。不可多食。

菠菜子：内服煎汤，9～15g；或研末。

｜附　　注｜

本种喜阳光，对土壤适应能力强，但仍以保水、保肥力强的肥沃土壤种植为好，种子在4℃的温度下即可萌发，营养生长期适宜的温度为15～20℃，在25℃以上时生长不良，地上部分能耐-6～8℃的低温。

土牛膝 *Achyranthes aspera* L.

土牛膝

| 药 材 名 |

倒扣草（药用部位：全草。别名：鸡豚草、土常山、牛舌大黄）。

| 形态特征 |

多年生草本，高 20 ~ 120cm。根细长，直径 3 ~ 5mm，土黄色。茎四棱形，被柔毛，节部稍膨大，分枝对生。叶对生，叶柄长 5 ~ 15mm；叶片纸质，宽卵状倒卵形或椭圆状长圆形，长 1.5 ~ 7cm，宽 0.4 ~ 4cm，先端圆钝，具凸尖，基部楔形或圆形，全缘或波状缘，两面密生粗毛。穗状花序顶生，直立，长 10 ~ 30cm，花期后反折；总花梗具棱角，粗壮，坚硬，密生白色伏贴或开展柔毛；花长 3 ~ 4mm，疏生；苞片披针形，长 3 ~ 4mm，先端长渐尖；小苞片刺状，长 2.5 ~ 4.5mm，坚硬，光亮，常带紫色，基部两侧各有 1 薄膜质翅，长 1.5 ~ 2mm，全缘，全部贴生在刺部，但易于分离；花被片披针形，长 3.5 ~ 5mm，长渐尖，花后变硬且锐尖，具 1 脉；雄蕊长 2.5 ~ 3.5mm；退化雄蕊先端截状或细圆齿状，有具分枝流苏状长缘毛。胞果卵形，长 2.5 ~ 3mm；种子卵形，不扁压，长约 2mm，棕色。花期 6 ~ 8 月，果期 10 月。

| **生境分布** | 生于海拔 400 ~ 2300m 的山坡疏林或村庄附近空旷地。重庆各地均有分布。

| **资源情况** | 野生资源丰富。药材主要来源于野生，亦有少量栽培。

| **采收加工** | 夏、秋季采收，洗净，鲜用或晒干。

| **药材性状** | 本品根具细顺纹及侧根痕；质柔韧，不易折断，断面纤维性，小点状维管束排成数个轮环。茎类圆柱形，嫩枝略呈方柱形，有分枝，长 40 ~ 90cm，直径 3 ~ 8mm；表面褐绿色，嫩枝被柔毛，节膨大如膝状；质脆，易折断，断面黄绿色。叶对生，有柄；叶片多皱缩，完整者长圆状倒卵形、倒卵形或椭圆形，长 1.5 ~ 7cm，宽 0.4 ~ 4cm，两面均被粗毛。穗状花序细长，花反折如倒钩。胞果卵形，黑色。气微，味甘。

| **功能主治** | 苦、酸，微寒。归肝、肺、膀胱经。活血化瘀，利尿通淋，清热解表。用于经闭，痛经，月经不调，跌打损伤，风湿关节痛，淋病，水肿，湿热带下，外感发热，疟疾，痢疾，咽痛，疔疮痈肿。

| **用法用量** | 内服煎汤，10 ~ 15g。外用适量，捣敷；或研末，吹喉。孕妇禁服。

| **附　　注** | 本种喜温暖气候，不耐严寒，北方栽培，冬季需防寒。栽培土壤以砂壤土为好，不宜黏土栽培。

苋科 Amaranthaceae 牛膝属 Achyranthes

牛膝 *Achyranthes bidentata* Blume

| **药 材 名** | 牛膝（药用部位：根。别名：怀牛膝、土牛膝、红牛膝）、牛膝茎叶（药用部位：茎、叶）。

| **形态特征** | 多年生草本，高 70 ～ 120cm。根圆柱形，直径 5 ～ 10mm，土黄色。茎有棱角或四方形，绿色或带紫色，被白色贴生或开展柔毛，或近无毛，分枝对生。叶片椭圆形或椭圆状披针形，少数倒披针形，长 4.5 ～ 12cm，宽 2 ～ 7.5cm，先端尾尖，尖长 5 ～ 10mm，基部楔形或宽楔形，两面被贴生或开展柔毛；叶柄长 5 ～ 30mm，被柔毛。穗状花序顶生及腋生，长 3 ～ 5cm，花期后反折；总花梗长 1 ～ 2cm，被白色柔毛；花多数，密生，长 5mm；苞片宽卵形，长 2 ～ 3mm，先端长渐尖；小苞片刺状，长 2.5 ～ 3mm，先端弯曲，基部两侧各有 1 卵形膜质小裂片，长约 1mm；花被片披针形，长 3 ～ 5mm，光亮，

牛膝

先端急尖，有 1 中脉；雄蕊长 2 ~ 2.5mm；退化雄蕊先端平圆，稍有缺刻状细锯齿。胞果矩圆形，长 2 ~ 2.5mm，黄褐色，光滑；种子矩圆形，长 1mm，黄褐色。花期 7 ~ 9 月，果期 9 ~ 10 月。

| **生境分布** | 生于海拔 200 ~ 1750m 的屋旁、林缘、山坡草丛中。分布于重庆大足、潼南、城口、合川、石柱、江津、忠县、酉阳、巫溪、綦江、九龙坡、南岸、开州、巴南等地。

| **资源情况** | 野生资源较丰富。药材来源于野生。

| **采收加工** | 牛膝：冬季茎叶枯萎时采挖，除去须根和泥沙，捆成小把，晒至干皱后，将先端切齐，晒干。

牛膝茎叶：春、夏、秋季采收，洗净，鲜用。

| **药材性状** | 牛膝：本品呈细长圆柱形，挺直或稍弯曲，长 15 ~ 70cm，直径 0.4 ~ 1cm。表面灰黄色或淡棕色，有微扭曲的细纵皱纹、排列稀疏的侧根痕和横长皮孔样突起。质硬脆，易折断，受潮后变软，断面平坦，淡棕色，略呈角质样而油润，中心维管束木部较大，黄白色，其外周散有多数黄白色点状维管束，断续排列成 2 ~ 4 轮。气微，味微甘而稍苦、涩。

牛膝茎叶：本品茎具 4 棱，有分枝；表面棕绿色，疏被柔毛，茎节略膨大如牛膝状。叶对生，多皱缩，展平后卵形至椭圆形，或椭圆状披针形，枯绿色，长 5 ~ 10cm，宽 2 ~ 7cm，先端锐尖，基部楔形或广楔形，全缘，两面被柔毛。气微，味微涩。

| **功能主治** | 牛膝：苦、甘、酸，平。归肝、肾经。逐瘀通经，补肝肾，强筋骨，利尿通淋，引血下行。用于经闭，痛经，腰膝酸痛，筋骨无力，淋证，水肿，头痛，眩晕，牙痛，口疮，吐血，衄血。

牛膝茎叶：苦、酸，平。归肝、膀胱经。祛寒湿，强筋骨，活血利尿。用于寒湿痿痹，腰膝疼痛，淋闭，久疟。

| **用法用量** | 牛膝：内服煎汤，5 ~ 12g。孕妇慎服。

牛膝茎叶：内服煎汤，3 ~ 9g；或浸酒。外用适量，捣敷或捣汁点眼。

| **附　注** | 本种喜温暖干燥气候，不耐严寒，温度在 −17℃时植株易冻死，栽培土壤以土层深厚的砂壤土为宜，黏土及碱性土不宜栽培。

苋科 Amaranthaceae 牛膝属 Achyranthes

红叶牛膝 Achyranthes bidentata Blume f. rubra Ho

| **药 材 名** | 红叶牛膝（药用部位：根、根茎。别名：红牛膝、红牛克膝、红土牛膝）。

| **形态特征** | 本种与原变型牛膝的区别在于根淡红色至红色；叶片下面紫红色至深紫红色；花序带紫红色。

| **生境分布** | 野生山坡或栽培。分布于重庆潼南、合川、黔江、璧山、九龙坡、武隆、开州、巴南、巫溪、奉节、北碚等地。

| **资源情况** | 野生资源一般。药材来源于野生。

| **采收加工** | 冬季茎叶枯萎时采挖，除去须根和泥沙，捆成小把，晒至干皱后，

红叶牛膝

将先端切齐，晒干。

| **功能主治** | 甘、酸，平。祛风湿，强筋骨，活血止痛。用于风湿筋骨痛，跌打损伤，经闭，外伤红肿。

| **用法用量** | 内服煎汤，5 ～ 12g。孕妇慎服。

苋科 Amaranthaceae 牛膝属 Achyranthes

少毛牛膝 *Achyranthes bidentata* Blume var. *japonica* Miq.

少毛牛膝

| 药 材 名 |

少毛牛膝（药用部位：根、根茎）。

| 形态特征 |

本种与原变种牛膝的区别在于根细瘦；全株比牛膝毛少；穗状花序较长，花排列较疏；小苞片的刺比花被片短，花被片有 3 脉；退化雄蕊先端截形，有不整齐齿牙或不显明 2 浅裂。

| 生境分布 |

生于海拔 550 ~ 1250m 的田野或山地路旁草丛中。分布于重庆黔江、忠县、酉阳、丰都、长寿、九龙坡等地。

| 资源情况 |

野生资源稀少。药材来源于野生。

| 采收加工 |

冬、春季或秋季采挖，除去茎叶及须根，洗净，晒干。

| 功能主治 |

甘、微苦、微酸，寒。活血祛瘀，泻火解毒，利尿通淋。用于闭经，跌打损伤，风湿关节痛，痢疾，白喉，咽喉肿痛，疮痈，淋证，水肿。

| **用法用量** | 内服煎汤，5～12g。孕妇慎服。

柳叶牛膝 *Achyranthes longifolia* (Makino) Makino

| 药 材 名 | 土牛膝（药用部位：根茎、根。别名：杜牛膝、红牛膝）。

| 形态特征 | 本种和牛膝相近，与牛膝的区别在于叶片披针形或宽披针形，长 10 ~ 20cm，宽 2 ~ 5cm，先端尾尖；小苞片针状，长 3.5mm，基部有 2 耳状薄片，仅有缘毛；退化雄蕊方形，先端有不显明牙齿。花果期 9 ~ 11 月。

| 生境分布 | 生于海拔 280 ~ 1500m 的山坡林缘、路边或屋侧。分布于重庆巫山、巫溪、奉节、城口、开州、黔江、南川、云阳、涪陵、北碚等地。

| 资源情况 | 野生资源稀少。药材来源于野生。

| 采收加工 | 冬、春季间或秋季采挖，除去茎叶及须根，洗净，晒干。

柳叶牛膝

| 药材性状 | 本品根茎短粗，长 2 ~ 6cm，直径 1 ~ 1.5cm。根 4 ~ 9，扭曲，长 10 ~ 20cm，直径 0.4 ~ 1.2cm，向下渐细。表面灰黄褐色，具细密的纵皱纹及须根痕。质硬而稍有弹性，易折断，断面皮部淡灰褐色，略光亮，可见多数点状散布的维管束。气微，味初微甘后涩。

| 功能主治 | 甘、微苦、微酸，寒。归肝、肾经。活血祛瘀，泻火解毒，利尿通淋。用于闭经，跌打损伤，风湿关节痛，痢疾，白喉，咽喉肿痛，疮痈，淋证，水肿。

| 用法用量 | 内服煎汤，9 ~ 15g，鲜品 30 ~ 60g。外用适量，捣敷；或捣汁滴耳；或研末吹喉。孕妇忌用。

| 附　注 | 本种喜温暖气候，不耐严寒，北方栽培，冬季需覆盖防寒。土壤以砂壤土较好，不宜黏土栽培。生产中常用种子繁殖。

苋科 Amaranthaceae 牛膝属 Achyranthes

红柳叶牛膝 Achyranthes longifolia (Makino) Makino f. *rubra* Ho

| 药 材 名 | 土牛膝（药用部位：根。别名：红柳叶牛膝、红牛膝、杜牛膝）。

| 形态特征 | 本种与原变型柳叶牛膝的区别在于根淡红色至红色；叶片上面深绿色，下面紫红色至深紫色；花序带紫红色。

| 生境分布 | 生于海拔 250 ~ 1950m 的村旁。分布于重庆黔江、綦江、秀山、彭水、长寿、武隆、垫江、梁平、巫溪、酉阳、石柱、南川、合川、铜梁等地。

| 资源情况 | 野生资源一般。药材主要来源于野生。

| 采收加工 | 冬、春季间或秋季采挖，除去茎叶及须根，洗净，晒干。

| 药材性状 | 本品根茎短粗，长 2 ~ 6cm，直径 1 ~ 1.5cm。根呈圆柱形至圆锥形，

红柳叶牛膝

长 10 ~ 20cm，直径 1cm，向下渐细。表面灰黄褐色，具细密的纵皱纹及须根痕。质硬而稍有弹性，易折断，断面皮部淡灰褐色，略光亮，多筋脉点。气微，味初甘后涩。

| **功能主治** | 苦、酸，平。祛血通经，利尿。用于淋病，尿血，妇女经闭，癥瘕，风湿关节痛，脚气，水肿，跌打损伤。

| **用法用量** | 内服煎汤，9 ~ 15g。外用捣敷。孕妇忌用。

苋科 Amaranthaceae 莲子草属 Alternanthera

喜旱莲子草
Alternanthera philoxeroides (Mart.) Griseb.

| 药 材 名 | 空心苋（药用部位：全草。别名：空心蕹藤菜、水蕹菜、水花生）。

| 形态特征 | 多年生草本。茎基部匍匐，上部上升，管状，具不明显4棱，长
55 ~ 120cm，具分枝；幼茎及叶腋被白色或锈色柔毛，茎老时无毛，
仅在两侧纵沟内保留。叶片矩圆形、矩圆状倒卵形或倒卵状披针形，
长2.5 ~ 5cm，宽7 ~ 20mm，先端急尖或圆钝，具短尖，基部渐狭，
全缘，两面无毛或上面被贴生毛及缘毛，下面有颗粒状突起；叶柄
长3 ~ 10mm，无毛或微被柔毛。花密生成具总花梗的头状花序，
单生叶腋，球形，直径8 ~ 15mm；苞片及小苞片白色，先端渐尖，
具1脉；苞片卵形，长2 ~ 2.5mm，小苞片披针形，长2mm；花被
片矩圆形，长5 ~ 6mm，白色，光亮，无毛，先端急尖，背部侧扁；
雄蕊花丝长2.5 ~ 3mm，基部联合成杯状；退化雄蕊矩圆状条形，

喜旱莲子草

和雄蕊约等长，先端裂成窄条；子房倒卵形，具短柄，背面侧扁，先端圆形。果实未见。花期 5 ～ 10 月。

| **生境分布** | 生于水沟、池塘或田野荒地等处。重庆各地均有分布。

| **资源情况** | 野生资源丰富。药材来源于野生。

| **采收加工** | 春、夏、秋季采收，除去杂质，洗净，鲜用或晒干。

| **药材性状** | 本品长短不一。茎扁圆柱形，直径 1 ～ 4mm，有纵直条纹，有的两侧沟内疏生毛茸；表面灰绿色，微带紫红色，有的粗茎节处簇生棕褐色须根；断面中空。叶对生，皱缩，展平后长圆形、长圆状倒卵形或倒卵状披针形，长 2.5 ～ 5cm，宽 7 ～ 18mm，先端尖，基部楔形，全缘，绿黑色，两面均疏生短毛。偶见头状花序单生于叶腋，直径约 1cm，具总花梗；花白色。气微，味微苦、涩。

| **功能主治** | 苦、甘，寒。归肺、心、肝、膀胱经。清热凉血，解毒，利尿。用于咯血、尿血、感冒发热、麻疹、乙型脑炎、黄疸、淋浊、痄腮、湿疹、痈肿疔疮、毒蛇咬伤。

| **用法用量** | 内服煎汤，30 ～ 60g，鲜品加倍；或捣汁。外用适量，捣敷；或捣汁涂。

苋科 Amaranthaceae 莲子草属 Alternanthera

莲子草 *Alternanthera sessilis* (L.) DC.

| 药 材 名 | 节节花（药用部位：全草。别名：水金铃、水牛膝、耐惊菜）。

| 形态特征 | 多年生草本，高 10 ~ 45cm。圆锥根粗，直径可达 3mm。茎上升或匍匐，绿色或稍带紫色，有条纹及纵沟，沟内被柔毛，在节处有 1 行横生柔毛。叶片形状及大小有变化，条状披针形、矩圆形、倒卵形、卵状矩圆形，长 1 ~ 8cm，宽 2 ~ 20mm，先端急尖、圆形或圆钝，基部渐狭，全缘或有不显明锯齿，两面无毛或疏生柔毛；叶柄长 1 ~ 4mm，无毛或被柔毛。头状花序 1 ~ 4，腋生，无总花梗，初为球形，后渐成圆柱形，直径 3 ~ 6mm；花密生，花轴密生白色柔毛；苞片及小苞片白色，先端短渐尖，无毛；苞片卵状披针形，长约 1mm；小苞片钻形，长 1 ~ 1.5mm；花被片卵形，长 2 ~ 3mm，白色，先端渐尖或急尖，无毛，具 1 脉；雄蕊 3，花丝长约 0.7mm，基部联合成杯状，花药矩

莲子草

圆形；退化雄蕊三角状钻形，比雄蕊短，先端渐尖，全缘；花柱极短，柱头短裂。胞果倒心形，长 2 ～ 2.5mm，侧扁，翅状，深棕色，包在宿存花被片内；种子卵球形。花期 5 ～ 7 月，果期 7 ～ 9 月。

| **生境分布** | 生于海拔 1700m 以下的旷野路边、水边、田边诸潮湿处。分布于重庆綦江、万州、江津、忠县、璧山、北碚等地。

| **资源情况** | 野生资源丰富。药材来源于野生，自产自销。

| **采收加工** | 夏、秋季采收，鲜用或晒干。

| **药材性状** | 本品长短不一。茎扁圆柱形，直径 1 ～ 4mm，有明显的条纹及纵沟，沟内有柔毛，在节处有 1 行横生柔毛；表面灰绿色，微带紫红色，有的粗茎节处簇生棕褐色须根；断面中空。叶对生，皱缩，展平后长圆形、长圆状倒卵形或倒卵状披针形，长 2.5 ～ 5cm，宽 7 ～ 18mm，先端尖，基部楔形，叶缘有时具不明显锯齿，绿黑色，两面均疏生短毛。头状花序 1 ～ 4，腋生，无总花梗；花白色；雄蕊 3。气微，味微苦、涩。

| **功能主治** | 甘，寒。归心、胃、小肠经。凉血散瘀，清热解毒，除湿通淋。用于咯血，吐血，便血，湿热黄疸，痢疾，泄泻，牙龈肿痛，咽喉肿痛，肠痈，乳痈，疟腮，痈疽肿毒，湿疹，淋证，跌打损伤，毒蛇咬伤。

| **用法用量** | 内服煎汤，10 ～ 15g，鲜品 30 ～ 60g；或捣汁炖服。外用适量，捣敷；或煎汤洗。

苋科 Amaranthaceae 苋属 Amaranthus

尾穗苋

Amaranthus caudatus L.

| **药 材 名** | 老枪谷根（药用部位：根。别名：老枪谷、毯冠花、红苋菜）、老枪谷叶（药用部位：叶。别名：尾穗苋叶）、老枪谷子（药用部位：种子）。

| **形态特征** | 一年生草本，高达 1.5m。茎直立，粗壮，具钝棱角，单一或稍分枝，绿色，或常带粉红色，幼时被短柔毛，后渐脱落。叶片菱状卵形或菱状披针形，长 4 ~ 15cm，宽 2 ~ 8cm，先端短渐尖或圆钝，具凸尖，基部宽楔形，稍不对称，全缘或波状缘，绿色或红色，除在叶脉上稍被柔毛外，两面无毛；叶柄长 1 ~ 15cm，绿色或粉红色，疏生柔毛。圆锥花序顶生，下垂，有多数分枝，中央分枝特长，由多数穗状花序形成，先端钝，花密集成雌花和雄花混生的花簇；苞片及小苞片披针形，长 3mm，红色，透明，先端尾尖，边缘有疏齿，背面

尾穗苋

有 1 中脉；花被片长 2 ~ 2.5mm，红色，透明，先端具凸尖，边缘互压，有 1 中脉，雄花的花被片矩圆形，雌花的花被片矩圆状披针形；雄蕊稍凸出；柱头 3，长不及 1mm。胞果近球形，直径 3mm，上半部红色，超出花被片；种子近球形，直径 1mm，淡棕黄色，有厚的环。花期 7 ~ 8 月，果期 9 ~ 10 月。

| **生境分布** | 多栽培于庭院、菜地旁，也有逸为野生。分布于重庆奉节、云阳、城口、万州、酉阳、石柱、丰都、南川、涪陵、北碚、合川等地。

| **资源情况** | 野生资源稀少，栽培资源较丰富。药材主要来源于栽培。

| **采收加工** | 老枪谷根：夏、秋季采挖，除去茎叶，洗净，鲜用或晒干。
老枪谷叶：夏、秋季采收，洗净，鲜用。
老枪谷子：秋季果实成熟时剪下果穗，晒干，搓下种子，干燥。

| **功能主治** | 老枪谷根：甘，平。归脾、肾经。用于脾胃虚弱之倦怠乏力、食少，小儿疳积。
老枪谷叶：解毒消肿。用于疔疮疖肿，风疹瘙痒。
老枪谷子：辛，凉。清热透表。用于小儿水痘，麻疹。

| **用法用量** | 老枪谷根：内服煎汤，10 ~ 30g。
老枪谷叶：外用适量，鲜品捣敷。
老枪谷子：内服煎汤，3 ~ 6g。

| **附　　注** | 本种喜湿热，能耐 -2℃的低温，对土壤要求不严。

苋科 Amaranthaceae 苋属 Amaranthus

绿穗苋 *Amaranthus hybridus* L.

| **药 材 名** | 绿穗苋（药用部位：种子）。

| **形态特征** | 一年生草本，高 30 ～ 50cm。茎直立，分枝，上部近弯曲，被开展柔毛。叶片卵形或菱状卵形，长 3 ～ 4.5cm，宽 1.5 ～ 2.5cm，先端急尖或微凹，具凸尖，基部楔形，边缘波状或有不明显锯齿，微粗糙，上面近无毛，下面疏生柔毛；叶柄长 1 ～ 2.5cm，被柔毛。圆锥花序顶生，细长，上升稍弯曲，有分枝，由穗状花序而成，中间花穗最长；苞片及小苞片钻状披针形，长 3.5 ～ 4mm，中脉坚硬，绿色，向前伸出成尖芒；花被片矩圆状披针形，长约 2mm，先端锐尖，具凸尖，中脉绿色；雄蕊略和花被片等长或稍长；柱头 3。胞果卵形，长 2mm，环状横裂，超出宿存花被片；种子近球形，直径约 1mm，黑色。花期 7 ～ 8 月，果期 9 ～ 10 月。

绿穗苋

| 生境分布 | 生于海拔 250 ～ 1780m 的田野、旷地或山坡。分布于重庆垫江、潼南、忠县、酉阳、九龙坡、合川、城口、开州、彭水、黔江、北碚、沙坪坝等地。

| 资源情况 | 野生资源一般。药材来源于野生。

| 采收加工 | 秋季果实成熟时剪下果穗，晒干，搓下种子，干燥。

| 功能主治 | 明目利尿。

| 用法用量 | 内服煎汤，6 ～ 12g。

凹头苋 *Amaranthus lividus* L.

| 药 材 名 | 野苋菜（药用部位：全草或根。别名：野苋、光苋菜）、野苋子（药用部位：种子。别名：苋菜子、青厢子、西风谷）。

| 形态特征 | 一年生草本，高 10 ~ 30cm，全体无毛。茎伏卧而上升，从基部分枝，淡绿色或紫红色。叶片卵形或菱状卵形，长 1.5 ~ 4.5cm，宽 1 ~ 3cm，先端凹缺，有 1 芒尖，或微小不显，基部宽楔形，全缘或稍呈波状；叶柄长 1 ~ 3.5cm。花呈腋生花簇，直至下部叶的腋部，生于茎端和枝端者成直立穗状花序或圆锥花序；苞片及小苞片矩圆形，长不及 1mm；花被片矩圆形或披针形，长 1.2 ~ 1.5mm，淡绿色，先端急尖，边缘内曲，背部有 1 隆起中脉；雄蕊比花被片稍短；柱头 2 或 3，果熟时脱落。胞果扁卵形，长 3mm，不裂，微皱缩而近平滑，超出宿存花被片；种子环形，黑色至黑褐色，边缘具环状边。花期

凹头苋

7 ~ 8 月，果期 8 ~ 9 月。

| **生境分布** | 生于田野、庭院附近的杂草地上。分布于重庆綦江、垫江、长寿、丰都、忠县、九龙坡、云阳、沙坪坝等地。

| **资源情况** | 野生资源一般。药材来源于野生。

| **采收加工** | 野苋菜：春、夏、秋季采收，洗净，鲜用。
野苋子：秋季采收果实，日晒，搓揉，取种子，干燥。

| **药材性状** | 野苋菜：本品主根较直。茎长 10 ~ 30cm，基部分枝，淡绿色至暗紫色。叶片皱缩，展平后卵形或菱状卵形，长 1.5 ~ 4.5cm，宽 1 ~ 3cm，先端凹缺，有 1 芒尖，或不显，基部阔楔形；叶柄与叶近等长。穗状花序。胞果扁卵形，不裂，近平滑。气微，味淡。
野苋子：本品呈环形，直径 0.8 ~ 1.5mm。表面黑色至黑褐色，边缘具环状边。气微，味淡。

| **功能主治** | 野苋菜：甘，微寒。归大肠、小肠经。清热解毒，利尿。用于痢疾，腹泻，疔疮肿毒，毒蛇咬伤，蜂蜇伤，小便不利，水肿。
野苋子：甘，凉。归肝、膀胱经。清肝明目，利尿。用于肝热目赤，翳障，小便不利。

| **用法用量** | 野苋菜：内服煎汤，9 ~ 30g；捣汁。外用适量，捣敷。
野苋子：内服煎汤，6 ~ 12g。

| **附　　注** | （1）在 FOC 中，本种的拉丁学名被修订为 *Amaranthus blitum* L.。
（2）本种喜湿润环境，抗逆性强，抗湿耐碱，对土壤要求不严格。

苋科 Amaranthaceae 苋属 Amaranthus

繁穗苋 *Amaranthus paniculatus* L.

| 药 材 名 | 红粘谷（药用部位：全草。别名：老粘谷、凤迎花、红苋菜）、红粘谷子（药用部位：种子）。

| 形态特征 | 本种和尾穗苋相近，与尾穗苋区别在于圆锥花序直立或以后下垂，花穗先端尖；苞片及花被片先端芒刺显明；花被片和胞果等长。又和千穗谷相近，与千穗谷区别在于雌花苞片为花被片长的 1.5 倍，花被片先端圆钝。花期 6 ~ 7 月，果期 9 ~ 10 月。

| 生境分布 | 多栽培于房前屋后，或逸为野生。分布于重庆南川、北碚、沙坪坝等地。

| 资源情况 | 野生资源稀少。药材主要来源于栽培。

繁穗苋

| **采收加工** | 红粘谷：春、夏季花未开时采收，洗净，鲜用。

红粘谷子：夏、秋季种子成熟时采收，日晒，搓揉，取种子，干燥。

| **功能主治** | 红粘谷：甘，凉。清热解毒，利湿。用于痢疾，黄疸。

红粘谷子：甘、苦，微寒。归肝、大肠经。清热解毒，活血消肿。用于痢疾，胁痛，跌打损伤，痈疮肿毒。

| **用法用量** | 红粘谷：内服煎汤，9 ～ 15g。

红粘谷子：内服煎汤，9 ～ 15g。外用适量，研末，调敷。

| **附　　注** | （1）在 FOC 中，本种被修订为老鸦谷 *Amaranthus cruentus* L.。

（2）本种是喜温作物，耐干旱，耐瘠薄，耐酸性土壤，亦耐盐碱土壤，但怕涝，怕霜冻，对土壤肥力消耗大，在水肥充足的条件下才可获得高产。

苋科 Amaranthaceae 苋属 Amaranthus

反枝苋 *Amaranthus retroflexus* L.

反枝苋

药材名

野苋菜（药用部位：全草或根。别名：光苋菜）、野苋子（药用部位：种子。别名：苋菜子、青葙子、西风谷）。

形态特征

一年生草本，高 20 ～ 80cm，有时超过 1m。茎直立，粗壮，单一或分枝，淡绿色，有时带紫色条纹，稍具钝棱，密生短柔毛。叶片菱状卵形或椭圆状卵形，长 5 ～ 12cm，宽 2 ～ 5cm，先端锐尖或尖凹，有小凸尖，基部楔形，全缘或波状缘，两面及边缘被柔毛，下面毛较密；叶柄长 1.5 ～ 5.5cm，淡绿色，有时淡紫色，被柔毛。圆锥花序顶生及腋生，直立，直径 2 ～ 4cm，由多数穗状花序形成，顶生花穗较侧生者长；苞片及小苞片钻形，长 4 ～ 6mm，白色，背面有 1 龙骨状突起，伸出先端成白色尖芒；花被片矩圆形或矩圆状倒卵形，长 2 ～ 2.5mm，薄膜质，白色，有 1 淡绿色细中脉，先端急尖或尖凹，具凸尖；雄蕊比花被片稍长；柱头 3，有时 2。胞果扁卵形，长约 1.5mm，环状横裂，薄膜质，淡绿色，包裹在宿存花被片内；种子近球形，直径约 1mm，棕色或黑色，边缘钝。花期 7 ～ 8 月，果期 8 ～ 9 月。

| **生境分布** | 生于田园内、农地旁、庭院附近的草地上，有时生于瓦房上。分布于重庆长寿、忠县、涪陵、北碚、九龙坡等地。

| **资源情况** | 野生资源一般。药材来源于野生。

| **采收加工** | 野苋菜：春、夏、秋季采收，洗净，鲜用。
野苋子：秋季采收果实，日晒，搓揉，取种子，干燥。

| **药材性状** | 野苋菜：本品主根较直。茎长 20 ～ 80cm，稍具钝棱，被短柔毛。叶片皱缩，展平后菱状卵形或椭圆形，长 5 ～ 12cm，宽 2 ～ 5cm，先端微凸，具小凸尖，两面和边缘有柔毛；叶柄长 1.5 ～ 5.5cm。圆锥花序。胞果扁卵形，不盖裂，近平滑。气微，味淡。
野苋子：本品近球形，直径 0.8 ～ 1.5mm。表面棕色或黑色，边缘钝，略有光泽。气微，味淡。

| **功能主治** | 野苋菜：甘，微寒。归大肠、小肠经。清热解毒，利尿。用于痢疾，腹泻，疔疮肿毒，毒蛇咬伤，蜂蜇伤，小便不利，水肿。
野苋子：甘，凉。归肝、膀胱经。清肝明目，利尿。用于肝热目赤，翳障，小便不利。

| **用法用量** | 野苋菜：内服煎汤，9 ～ 30g；或捣汁。外用适量，捣敷。
野苋子：内服煎汤，6 ～ 12g。

| **附　　注** | 本种喜湿润环境，不耐阴，耐旱，耐瘠薄，适应性极强。

苋科 Amaranthaceae 苋属 Amaranthus

刺苋
Amaranthus spinosus L.

| 药 材 名 | 刺苋（药用部位：全草或根。别名：簕苋菜、野苋菜、土苋菜）。

| 形态特征 | 一年生草本，高 30 ~ 100cm。茎直立，圆柱形或钝棱形，多分枝，有纵条纹，绿色或带紫色，无毛或稍被柔毛。叶片菱状卵形或卵状披针形，长 3 ~ 12cm，宽 1 ~ 5.5cm，先端圆钝，具微凸头，基部楔形，全缘，无毛或幼时沿叶脉稍被柔毛；叶柄长 1 ~ 8cm，无毛，在其旁有 2 刺，刺长 5 ~ 10mm。圆锥花序腋生及顶生，长 3 ~ 25cm，下部顶生花穗常全部为雄花；苞片在腋生花簇及顶生花穗的基部者变成尖锐直刺，长 5 ~ 15mm，在顶生花穗的上部者狭披针形，长 1.5mm，先端急尖，具凸尖，中脉绿色；小苞片狭披针形，长约 1.5mm；花被片绿色，先端急尖，具凸尖，边缘透明，中脉绿色或带紫色，在雄花者矩圆形，长 2 ~ 2.5mm，在雌花者矩圆状匙形，

刺苋

长 1.5mm；雄蕊花丝略和花被片等长或较短；柱头 3，有时 2。胞果矩圆形，长约 1 ~ 1.2mm，在中部以下不规则横裂，包裹在宿存花被片内；种子近球形，直径约 1mm，黑色或带棕黑色。花果期 7 ~ 11 月。

| 生境分布 | 生于荒地或园圃地。分布于重庆奉节、云阳、开州、万州、忠县、丰都、南川、涪陵、长寿、綦江、沙坪坝、北碚、江津、合川、铜梁、永川等地。

| 资源情况 | 野生资源一般。药材来源于野生。

| 采收加工 | 春、夏、秋季采收，洗净，鲜用或晒干。

| 药材性状 | 本品根直，圆锥形，长短不一。茎直立，圆柱形，分枝，上部稍弯曲，长 30 ~ 70cm，直径 3 ~ 5mm；表面淡黄色或淡黄绿色，有深纵槽，上部有微毛，下部无毛；体轻，质韧，断面类白色。单叶互生，有柄，叶片灰绿色，皱缩，基部叶多破碎脱落，完整者长卵形，基部楔形，全缘或边缘波状；托叶变为 2 锐刺。穗状花序顶生和腋生，密生小花；花单性，雌雄同株。胞果卵形。种子细小，黑色。气微，味淡。

| 功能主治 | 甘、淡，凉。凉血止血，清利湿热，解毒消痈。用于痢疾，湿热腹泻，痔疮出血，白浊，血淋，皮肤湿疹。

| 用法用量 | 内服煎汤，15 ~ 60g，鲜品加倍。外用鲜品适量，捣敷患处。下痢体虚者及孕妇忌服。

苋科 Amaranthaceae 苋属 Amaranthus

苋

Amaranthus tricolor L.

苋

|药材名|

苋（药用部位：茎、叶。别名：苋菜、人苋、红人苋）、苋实（药用部位：种子。别名：莫实、苋子、苋菜子）、苋根（药用部位：根。别名：地筋）。

|形态特征|

一年生草本。茎直立，粗壮，绿色或红色，分枝较少，高 80 ~ 150cm。叶互生，叶柄长 3 ~ 10cm，绿色或红色；叶片卵形、菱状卵形或披针形，长 4 ~ 12cm，宽 3 ~ 7cm，绿色或常呈红色、紫色或黄色，或部分绿色夹杂其他颜色，先端具钝头或微凹，基部广楔形，全缘或波状缘，无毛。花簇腋生，球形，花序在下部者呈球形，上部呈稍断续的穗状花序；花黄绿色，单性，雌雄同株；苞片及小苞片卵状披针形，先端芒状，长约 4mm，膜质，透明；萼片 3，披针形，膜质，先端芒状；雄蕊 3；雌蕊 1，柱头 3 裂。胞果卵状长圆形，熟时环状开裂，上半部成盖状脱落，包于宿存花被片内；种子黑褐色，近于扁圆形，两面凸，平滑有光泽，边缘钝。花期 5 ~ 8 月，果期 7 ~ 9 月。

| 生境分布 | 多栽培于菜地，也有逸为野生。重庆各地均有分布。 |

| 资源情况 | 野生资源稀少，栽培资源丰富。药材主要来源于栽培。 |

采收加工	苋：春、夏季采收，洗净，鲜用或晒干。
	苋实：秋季采收地上部分，晒后搓揉脱下种子，扬净，晒干。
	苋根：春、夏、秋季采挖，除去茎叶，洗净，鲜用或晒干。

| 药材性状 | 苋：本品茎长 80 ~ 150cm，绿色或红色，常分枝。叶互生，皱缩，展平后呈菱状卵形至披针形，长 4 ~ 10cm，宽 2 ~ 7cm，先端钝或尖凹，具凸尖，绿色或红色、紫色、黄色，或绿色带有彩斑；叶柄长 2 ~ 6cm。穗状花序。胞果卵状矩圆形，盖裂。气微，味淡。 |
| | 苋实：本品近圆形或倒卵形，黑褐色，平滑，有光泽。气微，味淡。 |

功能主治	苋：甘，微寒。归大肠、小肠经。清热解毒，通利二便。用于痢疾，二便不通，蛇虫咬伤，疮毒。
	苋实：甘，寒。归肝、大肠、膀胱经。清肝明目，通利二便。用于青盲翳障，视物昏暗，白浊，血尿，二便不利。
	苋根：辛，微寒。归肝、大肠经。清解热毒，散瘀止痛。用于痢疾，泄泻，痔疮，牙痛，漆疮，阴囊肿痛，跌打损伤，崩漏，带下。

用法用量	苋：内服煎汤，30 ~ 60g；或煮粥。外用适量，捣敷或煎汤熏洗。脾虚便溏者慎服。
	苋实：内服煎汤，6 ~ 9g；或研末。
	苋根：内服煎汤，9 ~ 15g，鲜品 15 ~ 30g；或浸酒。外用适量，捣敷；煅存性研末干撒或调敷；或煎汤熏洗。

| 附 注 | 本种喜高温、强光，要求短日照。对土壤要求不严，耐碱，耐旱。 |

苋科 Amaranthaceae 苋属 Amaranthus

皱果苋

Amaranthus viridis L.

皱果苋

| 药 材 名 |

白苋（药用部位：全草或根。别名：细苋、糠苋、野苋）。

| 形态特征 |

一年生草本，高 40 ~ 80cm，全体无毛。茎直立，有不显明棱角，稍有分枝，绿色或带紫色。叶片卵形、卵状矩圆形或卵状椭圆形，长 3 ~ 9cm，宽 2.5 ~ 6cm，先端尖凹或凹缺，少数圆钝，有 1 芒尖，基部宽楔形或近截形，全缘或微呈波状缘；叶柄长 3 ~ 6cm，绿色或带紫红色。圆锥花序顶生，长 6 ~ 12cm，宽 1.5 ~ 3cm，有分枝，由穗状花序形成，圆柱形，细长，直立，顶生花穗比侧生者长；总花梗长 2 ~ 2.5cm；苞片及小苞片披针形，长不及 1mm，先端具凸尖；花被片矩圆形或宽倒披针形，长 1.2 ~ 1.5mm，内曲，先端急尖，背部有 1 绿色隆起中脉；雄蕊比花被片短；柱头 2 或 3。胞果扁球形，直径约 2mm，绿色，不裂，极皱缩，超出花被片；种子近球形，直径约 1mm，黑色或黑褐色，具薄且锐的环状边缘。花期 6 ~ 8 月，果期 8 ~ 10 月。

| **生境分布** | 生于庭园、路边或开垦后被废弃的沙荒地。分布于重庆黔江、垫江、忠县、綦江、九龙坡、云阳、开州、万州、忠县、彭水、丰都、南川、涪陵、北碚、沙坪坝等地。

| **资源情况** | 野生资源一般。药材来源于野生，亦有少量栽培。

| **采收加工** | 春、夏、秋季采收，洗净，鲜用或晒干。

| **药材性状** | 本品紫红色或棕红色。主根圆锥形。茎长 40 ~ 80cm，分枝较少。叶互生，皱缩，展平后呈卵形至卵状矩圆形，长 2 ~ 9cm，宽 2.5 ~ 6cm，先端圆钝而微凹，具小芒尖，基部近楔形；叶柄长 3 ~ 6cm。穗状花序腋生。胞果扁球形，不裂，极皱缩，超出宿存花被片。种子细小，褐色或黑色，略有光泽。气微，味淡。

| **功能主治** | 甘、淡，寒。归大肠、小肠经。清热，利湿，解毒。用于痢疾，泄泻，小便赤涩，疮肿，蛇虫咬伤，牙疳。

| **用法用量** | 内服煎汤，15 ~ 30g，鲜品加倍，捣烂绞汁。外用适量，捣敷或煅研外擦；或煎汤熏洗。

| **附　　注** | 本种喜温暖，喜光性很强，生育期要求有充足的光照。耐干旱，耐瘠薄，耐酸性土壤，也耐盐碱土壤，但怕涝，怕霜冻，对土壤肥力消耗大。

苋科 Amaranthaceae 青葙属 Celosia

青葙 *Celosia argentea* L.

青葙

|药材名|

青葙子（药用部位：成熟种子。别名：草决明、野鸡冠花子、狗尾巴子）、青葙（药用部位：茎叶、根。别名：冠苋、鸡冠苋、土鸡冠）、青葙花（药用部位：花序。别名：笔头花）。

|形态特征|

一年生草本，高 0.3 ~ 1m，全体无毛。茎直立，有分枝，绿色或红色，具显明条纹。叶片矩圆状披针形、披针形或披针状条形，少数卵状矩圆形，长 5 ~ 8cm，宽 1 ~ 3cm，绿色常带红色，先端急尖或渐尖，具小芒尖，基部渐狭；叶柄长 2 ~ 15mm，或无叶柄。花多数，密生，在茎端或枝端成单一、无分枝的塔状或圆柱状穗状花序，长 3 ~ 10cm；苞片及小苞片披针形，长 3 ~ 4mm，白色，光亮，先端渐尖，延长成细芒，具 1 中脉，在背部隆起；花被片矩圆状披针形，长 6 ~ 10mm，初为白色先端带红色，或全部粉红色后呈白色，先端渐尖，具 1 中脉，在背面凸起；花丝长 5 ~ 6mm，分离部分长 2.5 ~ 3mm，花药紫色；子房有短柄，花柱紫色，长 3 ~ 5mm。胞果卵形，长 3 ~ 3.5mm，包裹在宿存花被片内；种子凸透镜状肾形，直径约 1.5mm。花期 5 ~ 8 月，果期 6 ~ 10 月。

| **生境分布** | 生于海拔 1500m 以下的平原、田边、丘陵、山坡。分布于重庆黔江、綦江、潼南、长寿、秀山、忠县、云阳、丰都、涪陵、九龙坡、江津、璧山、北碚、武隆、垫江、巫山、合川等地。

| **资源情况** | 野生资源一般。药材来源于野生和栽培。

| **采收加工** | 青葙子：秋季果实成熟时采割植株或摘取果穗，晒干，收集种子，除去杂质。
青葙：夏季采收，鲜用或晒干。
青葙花：花期采收，晒干。

| **药材性状** | 青葙子：本品呈扁圆形，少数呈圆肾形，直径 1 ~ 1.5mm，厚约 0.5mm。表面黑色或棕黑色，光亮，中间微隆起，侧边微凹处有种脐。种皮薄而脆。气微，味淡。

| **功能主治** | 青葙子：苦，微寒。归肝经。清肝泻火，明目退翳。用于肝热目赤，目生翳膜，视物昏花，肝火眩晕。
青葙：苦，寒。归肝、膀胱经。清热燥湿，杀虫止痒，凉血止血。用于湿热带下，小便不利，尿浊，泄泻，阴痒，风瘙身痒，痔疮，衄血，创伤出血。
青葙花：苦，凉。凉血止血，清肝除湿，明目。用于吐血，衄血，崩漏，赤痢，血淋，热淋，带下，目赤肿痛，目生翳障。

| **用法用量** | 青葙子：内服煎汤，9 ~ 15g。本品有扩散瞳孔作用，青光眼病人禁用。
青葙：内服煎汤，10 ~ 15g。外用适量，捣敷；或煎汤熏洗。
青葙花：内服煎汤，15 ~ 30g；或炖猪肉等。外用适量，煎汤洗。

| **附　注** | （1）本种喜温暖湿润气候。对土壤要求不严，以肥沃、排水良好的砂壤土栽培为宜。忌积水，低洼地不宜种植。
（2）青葙子为临床常用中药，有些地区把同属的鸡冠子，同科青葙属的反枝苋子、繁穗苋子、苋菜子、刺苋子、皱果苋子，旋花科植物菟丝子，商陆科的商陆或垂序商陆作为青葙子药用，在应用中要注意区分。

苋科 Amaranthaceae 青葙属 Celosia

鸡冠花 *Celosia cristata* L.

| 药 材 名 | 鸡冠花（药用部位：花序。别名：鸡髻花、鸡公花、鸡角枪）、鸡冠子（药用部位：种子）、鸡冠苗（药用部位：全草或茎叶）。

| 形态特征 | 本种和青葙极相近，区别在于叶片卵形、卵状披针形或披针形，宽 2 ~ 6cm；花多数，极密生，呈扁平肉质鸡冠状、卷冠状或羽毛状的穗状花序，1 大花序下面有数个较小的分枝，圆锥状矩圆形，表面羽毛状；花被片红色、紫色、黄色、橙色或红黄相间。花果期 7 ~ 9 月。

| 生境分布 | 多栽培于庭院以及公园。重庆各地均有分布。

| 资源情况 | 野生资源稀少。栽培资源较丰富。药材主要来源于栽培。

鸡冠花

| 采收加工 | 鸡冠花：秋季花盛开时采收，晒干。

鸡冠子：夏、秋季种子成熟时割取果序，日晒，取净种子，晒干。

鸡冠苗：夏季采收，鲜用或晒干。

| 药材性状 | 鸡冠花：本品为穗状花序，多扁平而肥厚，呈鸡冠状，长 8 ～ 25cm，宽 5 ～ 20cm，上缘宽，具皱褶，密生线状鳞片，下端渐窄，常残留扁平的茎。表面红色、紫红色或黄白色。中部以下密生多数小花，每花宿存的苞片和花被片均呈膜质。果实盖裂。种子扁圆肾形，黑色，有光泽。体轻，质柔韧。气微，味淡。

鸡冠子：本品呈扁圆形，直径约 1.5mm。表面棕红色至黑色，有光泽。置放大镜下观察可见细密纹理及凹点状种脐。种皮脆，易破裂。偶见胞果上残留的花柱，长 2 ～ 3mm。气微，味淡。以饱满、色黑、光亮者为佳。

| 功能主治 | 鸡冠花：甘、涩，凉。归肝、大肠经。收敛止血，止带，止痢。用于吐血，崩漏，便血，痔血，带下，久痢不止。

鸡冠子：甘，凉。归肝、大肠经。凉血止血，清肝明目。用于便血，崩漏，赤白痢，目赤肿痛。

鸡冠苗：甘，凉。清热凉血，解毒。用于吐血，衄血，崩漏，痔疮，痢疾，荨麻疹。

| 用法用量 | 鸡冠花：内服煎汤，6 ～ 12g。

鸡冠子：内服煎汤，4.5 ～ 9g，或入丸、散。

鸡冠苗：内服煎汤，9 ～ 15g。外用适量，捣敷；或煎汤洗。

| 附　注 | （1）本种喜温暖湿润气候。对土壤要求不严，以排水良好的砂壤土栽培为宜。

（2）本种是一种传统的药用植物，并且含有丰富的营养素及色素，食用安全，有广阔的开发利用价值和规模化生产的前景。

苋科 Amaranthaceae 杯苋属 Cyathula

川牛膝 *Cyathula officinalis* Kuan

| **药 材 名** | 川牛膝（药用部位：根。别名：牛膝、天全牛膝、都牛膝）。

| **形态特征** | 多年生草本，高 50 ~ 100cm。根圆柱形，鲜时表面近白色，干后灰褐色或棕黄色，根条圆柱形，扭曲，味甘而黏，后味略苦。茎直立，稍四棱形，多分枝，疏生长糙毛。叶片椭圆形或窄椭圆形，少数倒卵形，长 3 ~ 12cm，宽 1.5 ~ 5.5cm，先端渐尖或尾尖，基部楔形或宽楔形，全缘，上面被贴生长糙毛，下面毛较密；叶柄长 5 ~ 15mm，密生长糙毛。花丛为 3 ~ 6 次二歧聚伞花序，密集成花球团，花球团直径 1 ~ 1.5cm，淡绿色，干时近白色，多数在花序轴上交互对生，在枝先端成穗状排列，密集或相距 2 ~ 3cm；在花球团内，两性花在中央，不育花在两侧；苞片长 4 ~ 5mm，光亮，先端刺芒状或钩状；不育花的花被片常为 4，变成具钩的坚硬芒刺；两性花

川牛膝

长 3 ～ 5mm，花被片披针形，先端刺尖头，内侧 3 较窄；雄蕊花丝基部密生节状束毛；退化雄蕊长方形，长约 0.3 ～ 0.4mm，先端齿状浅裂；子房圆筒形或倒卵形，长 1.3 ～ 1.8mm，花柱长约 1.5mm。胞果椭圆形或倒卵形，长 2 ～ 3mm，宽 1 ～ 2mm，淡黄色；种子椭圆形，透镜状，长 1.5 ～ 2mm，带红色，光亮。花期 6 ～ 7 月，果期 8 ～ 9 月。

| **生境分布** | 生于海拔 1500m 以上的地区。分布于重庆城口、酉阳、奉节、巫溪、巫山等地。

| **资源情况** | 野生资源稀少，栽培资源一般。药材来源于野生和栽培。

| **采收加工** | 秋、冬季采挖，除去芦头、须根及泥沙，烘或晒至半干，堆放回润，再烘干或晒干。

| **药材性状** | 本品呈近圆柱形，微扭曲，向下略细或有少数分枝，长 30 ～ 60cm，直径 0.5 ～ 3cm。表面黄棕色或灰褐色，具纵皱纹、支根痕和多数横向凸起的皮孔。质韧，不易折断，断面浅黄色或棕黄色，维管束点状，排列成数轮同心环。气微，味甘。

| **功能主治** | 甘、微苦，平。归肝、肾经。逐瘀通经，通利关节，利尿通淋。用于经闭癥瘕，胞衣不下，跌打损伤，风湿痹痛，足痿筋挛，血淋。

| **用法用量** | 内服煎汤，5 ～ 10g。孕妇慎用。

| **附　　注** | （1）本种喜凉爽湿润气候。在海拔 1500 ～ 1800m 的地区栽培为最好，根的品质、产量均高。宜选向阳、土层深厚、富含腐殖质的壤土栽培。忌连作。
（2）本种的药材的主要混淆品为同属植物头花杯苋的根，研究报道其在性味和药理活性上与本种的药材存有明显差异，仅可作为地方习惯用药，不得代替本种的药材入药。但因头花杯苋在外观形态上与本种的药材十分相似，且杯苋甾酮含量也能达到现行药典限量，导致市场上多以冒充或掺混形式出售，这严重地影响了与本种的药材的临床用药安全和道地药材开发。

苋科 Amaranthaceae 千日红属 Gomphrena

千日红 *Gomphrena globosa* L.

千日红

| 药 材 名 |

千日红（药用部位：花序。别名：百日红、千金红、百日白）。

| 形态特征 |

一年生直立草本，高 20 ～ 60cm。茎粗壮，有分枝，枝略成四棱形，被灰色糙毛，幼时更密，节部稍膨大。叶片纸质，长椭圆形或矩圆状倒卵形，长 3.5 ～ 13cm，宽 1.5 ～ 5cm，先端急尖或圆钝，凸尖，基部渐狭，边缘波状，两面有小斑点、白色长柔毛及缘毛；叶柄长 1 ～ 1.5cm，被灰色长柔毛。花多数，密生，呈顶生球形或矩圆形头状花序，单一或 2 ～ 3，直径 2 ～ 2.5cm，常紫红色，有时淡紫色或白色；总苞为 2 绿色对生叶状苞片而成，卵形或心形，长 1 ～ 1.5cm，两面被灰色长柔毛；苞片卵形，长 3 ～ 5mm，白色，先端紫红色；小苞片三角状披针形，长 1 ～ 1.2cm，紫红色，内面凹陷，先端渐尖，背棱有细锯齿缘；花被片披针形，长 5 ～ 6mm，不展开，先端渐尖，外面密生白色绵毛，花期后不变硬；雄蕊花丝联合成管状，先端 5 浅裂，花药生在裂片的内面，微伸出；花柱条形，比雄蕊管短，柱头 2，叉状分枝。胞果近球形，直径 2 ～ 2.5mm；种子肾形，棕色，光亮。花果期 6 ～ 9 月。

| 生境分布 | 多栽培于庭院以及公园。分布于重庆丰都、武隆、彭水、南岸、巴南、南川、荣昌、永川等地。

| 资源情况 | 野生资源稀少。药材主要来源于栽培。

| 采收加工 | 秋季花盛开时采收，晒干。

| 药材性状 | 本品呈球形或矩圆形，直径 1.5 ～ 2cm，玫瑰红色、粉红色或白色。总苞片 2，绿色，心形或卵形，两面具毛，以下表面为密。花覆瓦状排列，每花具 1 卵形干膜质苞片；小苞片 2，三角状披针形，玫瑰红色或白色，膜质，具光泽；花被 5，线状披针形，色浅，密被白色长柔毛；雄蕊 5，花丝联合，花药微伸出；雌蕊 1。胞果类球形，内有棕色种子 1。体轻。气微，味淡。

| 功能主治 | 甘，平。祛痰，平喘。用于慢性支气管炎，喘息性支气管炎。

| 用法用量 | 内服煎汤，9 ～ 15g。

| 附　　注 | 本种喜温暖湿润气候，耐阳光，生性强健。对土壤要求不严，但选斜坡向阳和排水良好的地方栽培为好。

仙人掌科 Cactaceae 昙花属 *Epiphyllum*

昙花
Epiphyllum oxypetalum (DC.) Haw.

| 药材名 | 昙花（药用部位：花。别名：琼花、凤花、月来美人）、昙花茎（药用部位：茎）。

| 形态特征 | 附生肉质灌木，高 2 ~ 6m。老茎圆柱形，木质化。分枝多数，叶状侧扁，披针形至长圆状披针形，长 15 ~ 100cm，宽 5 ~ 12cm，先端长渐尖至急尖，或圆形，边缘波状或具深圆齿，基部急尖、短渐尖或渐狭成柄状，深绿色，无毛，中肋粗大，宽 2 ~ 6mm，于两面凸起，老株分枝产生气根；小窠排列于齿间凹陷处，小形，无刺，初被少数绵毛，后裸露。花单生枝侧的小窠，漏斗状，于夜间开放，芳香，长 25 ~ 30cm，直径 10 ~ 12cm；花托绿色，略具角，被三角形短鳞片；花托筒长 13 ~ 18cm，基部直径 4 ~ 9mm，多少弯曲，疏生长 3 ~ 10mm 的披针形鳞片，鳞腋小窠通常无毛；

昙花

萼状花被片绿白色、淡琥珀色或带红晕，线形至倒披针形，长 8 ~ 10cm，宽 3 ~ 4mm，先端渐尖，全缘，通常反曲；瓣状花被片白色，倒卵状披针形至倒卵形，长 7 ~ 10cm，宽 3 ~ 4.5cm，先端急尖至圆形，有时具芒尖，全缘或边缘啮蚀状；雄蕊多数，排成两列；花丝白色，长 2.5 ~ 5cm；花药淡黄色，长 3 ~ 3.5mm；花柱白色，长 20 ~ 22cm，直径 3 ~ 4mm，柱头 15 ~ 20，狭线形，长 16 ~ 18mm，先端长渐尖，开展，黄白色。浆果长球形，具纵棱脊，无毛，紫红色；种子多数，卵状肾形，亮黑色，具皱纹，无毛。

| 生境分布 | 多栽培于庭院。重庆各地均有分布。

| 资源情况 | 野生资源稀少。广泛栽培于庭院。药材来源于栽培，自采自用。

| 采收加工 | 昙花：6 ~ 10 月花开后采收，置通风处晾干。
昙花茎：全年均可采收，鲜用。

| 功能主治 | 昙花：甘，平。归肺、心经。清肺止咳，凉血止血，养心安神。用于肺热咳嗽，肺痨，咯血，崩漏，心悸，失眠。
昙花茎：酸、咸，凉。清热解毒。用于疔疮疖肿。

| 用法用量 | 昙花：内服煎汤，9 ~ 18g。
昙花茎：外用适量，捣敷。

仙人掌科 Cactaceae 量天尺属 *Hylocereus*

量天尺
Hylocereus undatus (Haw.) Britt. et Rose

药 材 名	量天尺花（药用部位：花。别名：霸王花、剑花、韦陀花）、量天尺（药用部位：茎）。
形态特征	攀缘肉质灌木，长 3 ~ 15m，具气根。分枝多数，延伸，具 3 角或棱，长 0.2 ~ 0.5m，宽 3 ~ 8（~ 12）cm，棱常翅状，边缘波状或圆齿状，深绿色至淡蓝绿色，无毛，老枝边缘常胼胝状，淡褐色，骨质；小窠沿棱排列，相距 3 ~ 5cm，直径约 2mm，每小窠具 1 ~ 3 开展的硬刺，刺锥形，长 2 ~ 5（~ 10）mm，灰褐色至黑色。花漏斗状，长 25 ~ 30cm，直径 15 ~ 25cm，于夜间开放；花托及花托筒密被淡绿色或黄绿色鳞片，鳞片卵状披针形至披针形，长 2 ~ 5cm，宽 0.7 ~ 1cm；萼状花被片黄绿色，线形至线状披针形，长 10 ~ 15cm，宽 0.3 ~ 0.7cm，先端渐尖，有短尖头，全缘，通常

量天尺

反曲；瓣状花被片白色，长圆状倒披针形，长 12 ~ 15cm，宽 4 ~ 5.5cm，先端急尖，具 1 芒尖，全缘或边缘啮蚀状，开展；花丝黄白色，长 5 ~ 7.5cm；花药长 4.5 ~ 5mm，淡黄色；花柱黄白色，长 17.5 ~ 20cm，直径 6 ~ 7.5mm；柱头 20 ~ 24，线形，长 3 ~ 3.3mm，先端长渐尖，开展，黄白色。浆果红色，长球形，长 7 ~ 12cm，直径 5 ~ 10cm，果脐小，果肉白色；种子倒卵形，长 2mm，宽 1mm，厚 0.8mm，黑色，种脐小。花期 7 ~ 12 月。

| 生境分布 | 多栽培于庭园。分布于重庆万州、涪陵、南岸等地。

| 资源情况 | 野生资源稀少。药材来源于栽培，自采自用。

| 采收加工 | 量天尺花：5 ~ 8 月花开后采收，鲜用或置通风处晾干。
量天尺：全年均可采收，洗净，除去皮、刺，鲜用。

| 药材性状 | 量天尺花：本品花纵向切开，呈不规则长条状，长 15 ~ 17cm。萼片棕色至黄棕色，萼管下部细长，扭曲，外被皱缩鳞片；花瓣数轮，棕色或黄棕色，狭长披针形，有纵脉；雄蕊多数。气微，味稍甘。

| 功能主治 | 量天尺花：甘，微寒。归肺经。清热润肺，止咳化痰，解毒消肿。用于肺热咳嗽，肺痨，瘰疬，疖腮。
量天尺：甘、淡，凉。舒筋活络，解毒消肿。用于跌打骨折，疖腮，疮肿，烫火伤。

| 用法用量 | 量天尺花：内服煎汤，9 ~ 15g。外用适量，鲜品捣敷。
量天尺：外用适量，鲜品捣敷。

| 附　　注 | 本种原产美洲墨西哥至巴西一带，是典型的热带植物，适于高湿、高温及半阴环境。

仙人掌科 Cactaceae 仙人掌属 Opuntia

梨果仙人掌
Opuntia ficus-indica (L.) Mill.

梨果仙人掌

| 药 材 名 |

梨果仙人掌（药用部位：根、茎。别名：仙人掌、霸王树、火焰）。

| 形态特征 |

肉质灌木或小乔木，高 1.5 ~ 5m，有时基部具圆柱形主干。分枝多数，淡绿色至灰绿色，无光泽，宽椭圆形、倒卵状椭圆形至长圆形，长（20 ~）25 ~ 60cm，宽 7 ~ 20cm，厚达 2 ~ 2.5cm，先端圆形，全缘，基部圆形至宽楔形，表面平坦，无毛，具多数小窠；小窠圆形至椭圆形，长 2 ~ 4mm，略呈垫状，被早落的短绵毛和少数倒刺刚毛，通常无刺，有时具 1 ~ 6 开展的白色刺；刺针状，基部略背腹扁，稍弯曲，长 0.3 ~ 3.2cm，宽 0.2 ~ 1mm；短绵毛淡灰褐色，早落；倒刺刚毛黄色，易脱落。叶锥形，长 3 ~ 4mm，绿色，早落。花辐状，直径 7 ~ 8（~ 10）cm；花托长圆形至长圆状倒卵形，长 4 ~ 5.3cm，先端截形并凹陷，直径 1.6 ~ 2.1cm，绿色，具多数垫状小窠，小窠密被短绵毛和黄色的倒刺刚毛，无刺或具少数刚毛状细刺；萼状花被片深黄色或橙黄色，具橙黄色或橙红色中肋，宽卵圆形或倒卵形，长 0.6 ~ 2cm，宽 0.6 ~ 1.5cm，先端圆形或截形，有时具骤尖头，全缘或边缘有小牙齿；瓣状花被片深黄色、橙黄色或橙红色，倒卵形至长圆状倒卵形，长 2.5 ~ 3.5cm，宽 1.5 ~ 2cm，先端截形至圆形，有时具小尖头或微凹，全缘或边缘啮蚀状；花丝长约 6mm，淡黄色；花药黄色，长 1.2 ~ 1.5mm；花柱长 15mm，直径 2.5mm，淡绿色至黄白色，柱头（6 ~)7 ~ 10，长 3 ~ 4mm，黄白色。浆果椭圆状球形至梨形，长 5 ~ 10cm，直径 4 ~ 9cm，先端凹陷，表面平滑无毛，橙黄色（有些品种呈紫红色、白色或黄色，或兼有黄色或淡红色条纹），每侧有 25 ~ 35 小窠，小窠被少数倒刺刚毛，无刺或有少数细刺；种子多数，肾状椭圆形，长 4 ~ 5mm，宽 3 ~ 4mm，厚 1.5 ~ 2mm，边缘较薄，无毛，淡黄褐色。花期 5 ~ 6 月。

| 生境分布 |　多栽培于庭院。分布于重庆城口、巫溪、荣昌等地。

| 资源情况 |　野生资源稀少。药材主要来源于栽培。

| 采收加工 |　全年均可采收，洗净，除去皮、刺，鲜用或烘干。

| 功能主治 |　苦，寒。归脾、肺经。清肺止咳，凉血解毒。用于肺热咳嗽，肺痨咯血，痢疾，痔血，乳痈，疟腮，痈疮肿毒，烫火伤，秃疮疥癣，蛇虫咬伤。

| 用法用量 |　内服煎汤，15 ~ 30g；或捣汁。外用适量，捣敷；或干品研末调敷。

仙人掌科 Cactaceae 仙人掌属 Opuntia

仙人掌

Opuntia stricta (Haw.) Haw. var. *dillenii* (Ker-Gawl.) Benson

仙人掌

药材名

仙人掌（药用部位：地上部分。别名：神仙掌、霸王、观音掌）、神仙掌花（药用部位：花。别名：玉英、麒麟花）、仙掌子（药用部位：果实）。

形态特征

丛生肉质灌木，高（1～）1.5～3m。上部分枝宽倒卵形、倒卵状椭圆形或近圆形，长10～35（～40）cm，宽7.5～20（～25）cm，厚达1.2～2cm，先端圆形，边缘通常不规则波状，基部楔形或渐狭，绿色至蓝绿色，无毛；小窠疏生，直径0.2～0.9cm，明显凸出，成长后刺常增粗并增多，每小窠具（1～）3～10（～20）刺，密生短绵毛和倒刺刚毛；刺黄色，有淡褐色横纹，粗钻形，多少开展并内弯，基部扁，坚硬，长1.2～4（～6）cm，宽1～1.5mm；倒刺刚毛暗褐色，长2～5mm，直立，多少宿存；短绵毛灰色，短于倒刺刚毛，宿存。叶钻形，长4～6mm，绿色，早落。花辐状，直径5～6.5cm；花托倒卵形，长3.3～3.5cm，直径1.7～2.2cm，先端截形并凹陷，基部渐狭，绿色，疏生凸出的小窠，小窠被短绵毛、倒刺刚毛和钻形刺；萼状花被片宽倒卵形至狭倒卵形，长 10 ～ 25mm，宽 6 ～ 12mm，先端急尖或圆形，具小尖头，黄色，具绿色中肋；瓣状花被片倒卵形或匙状倒卵形，长 25 ～ 30mm，宽 12 ～ 23mm，先端圆形、截形或微凹，全缘或边缘浅啮蚀状；花丝淡黄色，长 9 ～ 11mm；花药长约 1.5mm，黄色；花柱长 11 ～ 18mm，直径 1.5 ～ 2mm，淡黄色；柱头 5，长 4.5 ～ 5mm，黄白色。浆果倒卵球形，先端凹陷，基部多少狭缩成柄状，长 4 ～ 6cm，直径 2.5 ～ 4cm，表面平滑无毛，紫红色，每侧具 5 ～ 10 凸起的小窠，小窠被短绵毛、倒刺刚毛和钻形刺；种子多数，扁圆形，长 4 ～ 6mm，宽 4 ～ 4.5mm，厚约 2mm，边缘稍不规则，无毛，淡黄褐色。花期 6 ～ 10（～ 12）月。

| **生境分布** | 多栽培于庭院。重庆各地均有分布。

| **资源情况** | 野生资源稀少。栽培资源较丰富。药材主要来源于栽培。

| **采收加工** | 仙人掌：全年均可采收，用刀削除小瘤体上的利刺和刺毛，除去杂质，鲜用或晒干。

神仙掌花：春、夏季花开时采收，置通风处晾干。

仙掌子：果实成熟时采收，洗净，鲜用。

| **药材性状** | 仙人掌：本品近基部老茎呈圆柱形，其余均呈掌状，扁平，每节呈倒卵形至椭圆形，每节长 6 ～ 25cm 或更长，直径 4 ～ 15cm，厚 0.2 ～ 0.6cm。表面灰绿色至黄棕色，具多数因削除小瘤体上的利刺和刺毛而残留的痕迹。质松脆，易折断，断面略呈粉性，灰绿色、黄绿色至黄棕色。气微，味酸。

| **功能主治** | 仙人掌：苦，寒。归胃、肺、大肠经。行气活血，凉血止血，解毒消肿。用于胃痛，痞块，痢疾，喉痛，肺热咳嗽，痔血，疮疡疔疖，乳痈，疟腮，蚊虫咬伤，烫伤。

神仙掌花：甘，凉。凉血止血。用于吐血。

仙掌子：甘，凉。归胃经。益胃生津，除烦止渴。用于胃阴不足，烦热口渴。

| **用法用量** | 仙人掌：内服煎汤，10 ～ 30g；或焙干研末，3 ～ 6g。外用适量，鲜品捣敷。

神仙掌花：内服煎汤，3 ～ 9g。

仙掌子：内服煎汤，15 ～ 30g；或生食。

| **附　　注** | 本种宜选温暖、向阳、干燥、避风处栽培。土壤以较干燥的夹砂土为好。

仙人掌科 Cactaceae 蟹爪兰属 Schlumbergera

蟹爪兰
Schlumbergera truncata (Haw.) Moran

| 药 材 名 | 蟹爪兰（药用部位：地上部分。别名：蟹爪、脱节蜈蚣、半边旗）。

| 形态特征 | 肉质灌木，常呈灌木状，多分枝。老茎木质化，稍呈圆柱形，幼枝及分枝扁平；茎节短，长圆形或倒卵形，长 3 ~ 6cm，宽 1.5 ~ 2.5cm，鲜绿色，嫩时或在冬季多少带紫色，先端截形，两侧各有 2 ~ 4 粗而多少内弯的锯齿，两面具肥厚的中肋。无叶。花生于嫩茎节的先端，玫瑰红色，两侧对称，长 6 ~ 9cm；花萼 1 轮，基部联合成短管状，先端有齿；花瓣数层，下部长管状，愈向内管愈长，上部分离，外折或背曲；雄蕊多数，2 轮，向上弯曲；花柱长于雄蕊，深红色，柱头 6 ~ 9 裂；子房梨形或广卵圆形。浆果红色，直径约 1cm。花期 1 ~ 3 月。

蟹爪兰

生境分布	多栽培于庭院以及公园。重庆各地均有分布。
资源情况	野生资源稀少。药材来源于野生和栽培。
采收加工	全年均可采收，洗净，鲜用。
功能主治	苦，寒。解毒消肿。用于疮疡肿毒，腮腺炎。
用法用量	外用适量，捣敷。

黑老虎 *Kadsura coccinea* (Lem.) A. C. Smith

| **药 材 名** | 黑老虎根（药用部位：根。别名：过山风、风沙藤、钻地风）。 |

| **形态特征** | 藤本，全株无毛。叶革质，长圆形至卵状披针形，长 7 ~ 18cm，宽 3 ~ 8cm，先端钝或短渐尖，基部宽楔形或近圆形，全缘；侧脉每边 6 ~ 7，网脉不明显；叶柄长 1 ~ 2.5cm。花单生叶腋，稀成对，雌雄异株。雄花花被片红色，10 ~ 16，中轮最大 1 片椭圆形，长 2 ~ 2.5cm，宽约 14mm，最内轮 3 明显增厚，肉质；花托长圆锥形，长 7 ~ 10mm，先端具 1 ~ 20 分枝的钻状附属体；雄蕊群椭圆形或近球形，直径 6 ~ 7mm，具雄蕊 14 ~ 48；花丝先端为 2 药室包围着；花梗长 1 ~ 4cm。雌花花被片与雄花相似，花柱短钻状，先端无盾状柱头冠，心皮长圆形，50 ~ 80，花梗长 5 ~ 10mm。聚合果近球形，红色或暗紫色，直径 6 ~ 10cm 或更大；小浆果倒卵形， |

黑老虎

长达 4cm，外果皮革质，不显出种子；种子心形或卵状心形，长 1 ～ 1.5cm，宽 0.8 ～ 1cm。花期 4 ～ 7 月，果期 7 ～ 11 月。

| **生境分布** | 生于海拔 600 ～ 1300m 的林中。分布于重庆秀山、南川、武隆、綦江、开州、巫溪等地。

| **资源情况** | 野生资源较少。药材来源于野生，自产自销。

| **采收加工** | 全年均可采挖，洗净，干燥。

| **药材性状** | 本品呈圆柱形，弯曲，直径 1 ～ 4cm。表面深褐色或黑褐色，粗糙，皮部多横向断裂成串珠状，且与木部易剥离。质坚韧，不易折断，断面粗纤维性，皮部厚，浅蓝灰色，有密集的小白点和放射状细条纹，木部黄白色或浅棕色，可见多数小孔。气微香，味微辛。

| **功能主治** | 辛、微苦，温。归肝、脾经。行气止痛，散瘀通络。用于胃、十二指肠溃疡，慢性胃炎，急性胃肠炎，风湿痹痛，跌打损伤，骨折，痛经，产后瘀血腹痛，疝气痛。

| **用法用量** | 内服煎汤，9 ～ 15g。孕妇慎服。

木兰科 Schisandraceae 八角属 Illicium

红毒茴

Illicium lanceolatum A. C. Smith

红毒茴

药 材 名

红毒茴（药用部位：根、根皮。别名：莽草、野八角）。

形态特征

灌木或小乔木，高 3 ~ 10m。枝条纤细，树皮浅灰色至灰褐色。叶互生或稀疏的簇生小枝近先端或排成假轮生，革质，披针形、倒披针形或倒卵状椭圆形，长 5 ~ 15cm，宽 1.5 ~ 4.5cm，先端尾尖或渐尖，基部窄楔形；中脉在叶面微凹陷，叶下面稍隆起，网脉不明显；叶柄纤细，长 7 ~ 15mm。花腋生或近顶生，单生或 2 ~ 3，红色、深红色；花梗纤细，直径 0.8 ~ 2mm，长 15 ~ 50mm；花被片 10 ~ 15，肉质，最大的花被片椭圆形或长圆状倒卵形，长 8 ~ 12.5mm，宽 6 ~ 8mm；雄蕊 6 ~ 11，长 2.8 ~ 3.9mm，花丝长 1.5 ~ 2.5mm，花药分离，长 1 ~ 1.5mm，药隔不明显截形或稍缺，药室凸起；心皮 10 ~ 14，长 3.9 ~ 5.3mm，子房长 1.5 ~ 2mm，花柱钻形，纤细，长 2 ~ 3.3mm，骤然变狭。果梗长可达 6cm（少有达 8cm），纤细，蓇葖果 10 ~ 14（少有 9）轮状排列，直径 3.4 ~ 4cm，单个蓇葖果长 14 ~ 21mm，宽 5 ~ 9mm，厚 3 ~ 5mm，先端有 1 长 3 ~ 7mm、向后弯曲的钩状尖头；种子长 7 ~ 8mm，宽 5mm，厚 2 ~ 3.5mm。花期 4 ~ 6 月，果期 8 ~ 10 月。

| 生境分布 | 生于海拔 300 ~ 1500m 的阴湿狭谷或溪流沿岸混交林、疏林、灌丛中。分布于重庆秀山等地。

| 资源情况 | 野生资源稀少。药材来源于野生。

| 采收加工 | 全年均可采收，洗净，晒干；或切小段，晒至半干，剖开皮部，除去木部，取根皮，晒干。

| 药材性状 | 本品根呈圆柱形，常不规则弯曲，直径通常 2 ~ 3cm；表面粗糙，棕褐色，具明显的横向裂纹和因干缩所致的纵皱纹，少数栓皮易剥落现出棕色皮部；质坚硬，不易折断，断面淡棕色，外圈红棕色，木部占根的大部分，并可见同心环（年轮）；气香，味辛、涩。根皮为不规则的块片，略卷曲，厚 1 ~ 2mm；外表面棕褐色，具纵皱纹及少数横向裂纹，内表面红棕色，光滑，有纵向纹理；质坚脆，断面略整齐；气香，味辛、涩。

| 功能主治 | 辛，温；有大毒。活血止痛，祛风除湿。用于风寒湿痹，腰腿病，早泄，阳痿，月经不调等。

| 用法用量 | 内服煎汤，根 3 ~ 6g，根皮 1.5 ~ 4.5g。外用适量，研末调敷。孕妇忌服；阴虚无瘀滞者慎用。

木兰科 Schisandraceae　南五味子属 Kadsura

异形南五味子 *Kadsura heteroclita* (Roxb.) Craib

| 药 材 名 | 地血香（药用部位：根、藤茎。别名：大饭团、梅花钻、风藤）、地血香果（药用部位：果实）。

| 形态特征 | 常绿木质大藤本，无毛。小枝褐色，干时黑色，有明显深入的纵条纹，具椭圆形点状皮孔；老茎木栓层厚，块状纵裂。叶卵状椭圆形至阔椭圆形，长 6 ~ 15cm，宽 3 ~ 7cm，先端渐尖或急尖，基部阔楔形或近圆钝，全缘或上半部边缘有疏离的小锯齿；侧脉每边 7 ~ 11，网脉明显；叶柄长 0.6 ~ 2.5cm。花单生叶腋，雌雄异株；花被片白色或浅黄色，11 ~ 15，外轮和内轮的较小，中轮的最大 1 片椭圆形至倒卵形，长 8 ~ 16mm，宽 5 ~ 12mm。雄花花托椭圆形，先端伸长圆柱状，圆锥状凸出于雄蕊群外；雄蕊群椭圆形，长 6 ~ 7mm，直径约 5mm，具雄蕊 50 ~ 65，雄蕊长 0.8 ~ 1.8mm；花丝与药隔

异形南五味子

连成近宽扁四方形，药隔先端横长圆形，药室约与雄蕊等长，花丝极短；花梗长 3 ~ 20mm，具数枚小苞片。雌花雌蕊群近球形，直径 6 ~ 8mm，具雌蕊 30 ~ 55，子房长圆状倒卵圆形，花柱先端具盾状的柱头冠；花梗 3 ~ 30mm。聚合果近球形，直径 2.5 ~ 4cm，成熟心皮倒卵圆形，长 10 ~ 22mm，干时革质而不显出种子；种子 2 ~ 3，少有 4 ~ 5，长圆状肾形，长 5 ~ 6mm，宽 3 ~ 5mm。花期 5 ~ 8 月，果期 8 ~ 12 月。

| 生境分布 | 生于海拔 1100 ~ 2000m 的山谷、溪边、密林中。分布于重庆南川、武隆、开州、巫溪等地。

| 资源情况 | 野生资源较少。药材来源于野生。

| 采收加工 | 地血香：全年均可采挖，切片，晒干。
地血香果：夏、秋季采收，除去果柄，晒干。

| 药材性状 | 地血香：本品藤茎呈圆柱形，稍弯曲，直径 1.5 ~ 5cm，老藤栓皮黄白色，柔软而富弹性，厚达 7mm，具纵向陷沟和横裂隙，将栓皮分割成条块状，常附有苔类和地衣，栓皮易成块状剥落，剥落处呈暗红紫色；质坚硬，不易折断，横切面皮部窄，红褐色，纤维性强，木部宽，浅棕色，导管孔洞状，排列成明显的轮状，髓部小，黑褐色，呈空洞状；具特异香气，味淡而微涩。根呈圆柱形，分枝多，多弯曲，长短不一；表面深棕色或棕黑色，具多数直皱纹和稀疏的明显横向裂痕；质坚韧，不易折断，断面栓皮灰白色，间有脱离，皮部较薄，棕红色，粉性小，嚼之有轻微樟香气及黏性感，渣多，皮部与木部不易剥落，剥离后常有纤维黏于木部；木部灰棕色，针孔状导管粗；气微香，微苦。

| 功能主治 | 地血香：辛、苦，温。归脾、胃、肝经。祛风除湿，行气止痛，舒筋活络。用于风湿痹痛，胃痛，腹痛，痛经，产后腹痛，跌打损伤，慢性腰腿痛。
地血香果：辛，微温。益肾宁心，祛痰止咳。用于肾虚腰痛，神经衰弱，支气管炎。

| 用法用量 | 地血香：内服煎汤，9 ~ 15g；或研末，1.5 ~ 3g；或浸酒。外用适量，研末调敷。
地血香果：内服煎汤，6 ~ 9g。

木兰科 Magnoliaceae 鹅掌楸属 Liriodendron

鹅掌楸 *Liriodendron chinense* (Hemsl.) Sargent.

鹅掌楸

| 药 材 名 |

凹朴皮（药用部位：树皮。别名：马挂木皮）、鹅掌楸根（药用部位：根）。

| 形态特征 |

乔木，高达 40m，胸径 1m 以上。小枝灰色或灰褐色。叶马褂状，长 4 ~ 12（~ 18）cm，近基部每边具 1 侧裂片，先端 2 浅裂，下面苍白色，叶柄长 4 ~ 8（~ 16）cm。花杯状，花被片 9，外轮 3，绿色，萼片状，向外弯垂，内两轮 6，直立，花瓣状，倒卵形，长 3 ~ 4cm，绿色，具黄色纵条纹；花药长 10 ~ 16mm，花丝长 5 ~ 6mm，花期时雌蕊群超出花被之上，心皮黄绿色。聚合果长 7 ~ 9cm，具翅的小坚果长约 6mm，先端钝或钝尖，具种子 1 ~ 2。花期 5 月，果期 9 ~ 10 月。

| 生境分布 |

生于海拔 600 ~ 1700m 的山地林中。分布于重庆黔江、长寿、北碚、酉阳、石柱、丰都、南川、江津、武隆、巫山等地。

| 资源情况 |

野生资源较丰富。药材来源于野生。

| 采收加工 |

凹朴皮：夏、秋季采收，晒干。

鹅掌楸根：秋季采挖，除去泥土，鲜用或晒干。

| 药材性状 |

凹朴皮：本品槽状或半卷筒状，厚 3 ~ 5mm。老树皮外表黄棕色，极粗糙，成鳞片状脱落；幼树皮外表灰褐色，具纵裂纹；内表面黄棕色或黄白色，具细纵纹。质脆，易折断，断面外层颗粒状，内层纤维性。气微，味微辛。

| 功能主治 |

凹朴皮：辛，温。祛风除湿，散寒止咳。用于风湿痹痛，风寒咳嗽。

鹅掌楸根：辛，温。祛风湿，强筋骨。用于风湿关节痛，肌肉痿软。

| 用法用量 |

凹朴皮：内服煎汤，9 ~ 15g。

鹅掌楸根：内服煎汤，15 ~ 30g；或浸酒。

| 附　注 |

本种为我国特有珍稀植物，被列为国家二级重点保护野生植物。

■木兰科■ Schisandraceae ■木兰属■ *Magnolia*

山玉兰
Magnolia delavayi Franch.

药 材 名	野厚朴（药用部位：树皮。别名：土厚朴）、野厚朴花（药用部位：花。别名：野玉兰花）。

| **形态特征** | 常绿乔木，高达 12m，胸径 80cm。树皮灰色或灰黑色，粗糙而开裂。嫩枝橄榄绿色，被淡黄褐色平伏柔毛，老枝粗壮，具圆点状皮孔。叶厚革质，卵形、卵状长圆形，长 10 ~ 20（~ 32）cm，宽 5 ~ 10（~ 20）cm，先端圆钝，很少有微缺，基部宽圆，有时微心形，边缘波状，叶面初被卷曲长毛，后无毛，中脉在叶面平坦或凹入，残留有毛，叶背密被交织长绒毛及白粉，后仅脉上残留有毛；侧脉每边 11 ~ 16，网脉致密，干时两面凸起；叶柄长 5 ~ 7（~ 10）cm，初密被柔毛；托叶痕几达叶柄全长。花梗直立，长 3 ~ 4cm，花芳香，杯状，直径 15 ~ 20cm；花被片 9 ~ 10，外轮 3 淡绿色，长圆形， |

山玉兰

长 6 ~ 8（~ 10）cm，宽 2 ~ 3（~ 4）cm，向外反卷，内 2 轮乳白色，倒卵状匙形，长 8 ~ 11cm，宽 2.5 ~ 3.5cm，内轮的较狭；雄蕊约 210，长 1.8 ~ 2.5cm，2 药室隔开，药隔伸出成三角锐尖头；雌蕊群卵圆形，先端尖，长 3 ~ 4cm，具约 100 雌蕊，被细黄色柔毛。聚合果卵状长圆形，长 9 ~ 15（~ 20）cm，蓇葖果狭椭圆形，背缝线两瓣全裂，被细黄色柔毛，先端缘外弯。花期 4 ~ 6 月，果期 8 ~ 10 月。

| **生境分布** | 多栽培于公园或路旁。分布于重庆渝北、北碚、长寿等地。

| **资源情况** | 野生和栽培资源均稀少。药材主要来源于栽培。

| **采收加工** | 野厚朴：春、夏季剥取老树皮，晒干。
野厚朴花：春、夏季采收，晒干。

| **药材性状** | 野厚朴：本品呈卷筒状，较薄。外表面灰褐色，具纵裂沟，散生横长条形或圆形鼓钉状皮孔，内表面黄白色至淡棕色，无油性。折断面纤维性，无白色晶粒。气微，味淡。

| **功能主治** | 野厚朴：苦、辛，温。温中理气，消食健胃。用于慢性胃炎，消化不良，呕吐，腹胀腹痛，腹泻。
野厚朴花：苦、辛，寒。清热，止咳，利尿。用于肺炎，支气管炎，鼻炎，尿道炎。

| **用法用量** | 野厚朴：内服煎汤，6 ~ 15g。
野厚朴花：内服煎汤，9 ~ 15g。

| **附　　注** | 在 FOC 中，本种的拉丁学名被修订为 *Lirianthe delavayi* (Franch.) N. H. Xia et C. Y. Wu，属名被修订为长喙木兰属 *Lirianthe*。

木兰科 Schisandraceae 木兰属 Magnolia

玉兰

Magnolia denudata Desr.

玉兰

药材名

辛夷（药用部位：花蕾。别名：木笔花、姜朴花、毛辛夷）。

形态特征

落叶乔木，高达 25m，胸径 1m。枝广展形成宽阔的树冠；树皮深灰色，粗糙开裂；小枝稍粗壮，灰褐色；冬芽及花梗密被淡灰黄色长绢毛。叶纸质，倒卵形、宽倒卵形或倒卵状椭圆形，基部徒长枝叶椭圆形，长 10 ~ 15（~ 18）cm，宽 6 ~ 10（~ 12）cm，先端宽圆、平截或稍凹，具短凸尖，中部以下渐狭成楔形，叶上深绿色，嫩时被柔毛，后仅中脉及侧脉留有柔毛，下面淡绿色，沿脉上被柔毛；侧脉每边 8 ~ 10，网脉明显；叶柄长 1 ~ 2.5cm，被柔毛，上面具狭纵沟；托叶痕为叶柄长的 1/4 ~ 1/3。花蕾卵圆形，花先叶开放，直立，芳香，直径 10 ~ 16cm；花梗显著膨大，密被淡黄色长绢毛；花被片 9，白色，基部常带粉红色，近相似，长圆状倒卵形，长 6 ~ 8（~ 10）cm，宽 2.5 ~ 4.5（~ 6.5）cm；雄蕊长 7 ~ 12mm，花药长 6 ~ 7mm，侧向开裂；药隔宽约 5mm，先端伸出成短尖头；雌蕊群淡绿色，无毛，圆柱形，长 2 ~ 2.5cm；雌蕊狭卵形，长 3 ～ 4mm，具长 4mm 的锥尖花柱。聚合果圆柱形（在庭园栽培种常因部分心皮不育而弯曲），长 12 ～ 15cm，直径 3.5 ～ 5cm，蓇葖果厚木质，褐色，具白色皮孔；种子心形，侧扁，高约 9mm，宽约 10mm，外种皮红色，内种皮黑色。花期 2 ～ 3 月（亦常于 7 ～ 9 月再开一次花），果期 8 ～ 9 月。

| 生境分布 | 生于海拔 500 ～ 1000m 的林中，或栽培于公园或路旁。分布于重庆涪陵、酉阳、南川、北碚、九龙坡等地。

| 资源情况 | 野生资源稀少，栽培资源一般。药材来源于栽培。

| 采收加工 | 冬末春初花未开放时采收，除去枝梗，阴干。

| 药材性状 | 本品长 1.5 ～ 3cm，直径 1 ～ 1.5cm，基部枝梗较粗壮，梗上皮孔浅棕色。苞片外表面密被灰白色或灰绿色绒毛。花被片 9，内、外轮无显著差异。

| 功能主治 | 辛，温。归肺、胃经。散风寒，通鼻窍。用于鼻渊，风寒感冒之头痛、鼻塞流涕，鼻鼽。

| 用法用量 | 内服煎汤，3 ～ 10g，包煎。外用适量。

| 附　　注 | （1）在 FOC 中，本种的拉丁学名被修订为 *Yulania denudata* (Desr.) D. L. Fu，属名被修订为玉兰属 *Yulania*。
（2）本种喜温暖湿润气候，较耐寒、耐旱，忌积水。幼苗怕强光和干旱。以阳光充足、肥沃、微酸性的砂壤土栽培为宜。

木兰科 Schisandraceae 木兰属 Magnolia

荷花玉兰 *Magnolia grandiflora* L.

| 药 材 名 | 广玉兰（药用部位：花、树皮。别名：荷花玉兰、洋玉兰、百花果）。

| 形态特征 | 常绿乔木，在原产地高达 30m。树皮淡褐色或灰色，薄鳞片状开裂；小枝粗壮，具横隔的髓心；小枝、芽、叶下面、叶柄均密被褐色或灰褐色短绒毛（幼树的叶下面无毛）。叶厚革质，椭圆形、长圆状椭圆形或倒卵状椭圆形，长 10 ~ 20cm，宽 4 ~ 7（ ~ 10）cm，先端钝或具短钝尖，基部楔形，叶面深绿色，有光泽；侧脉每边 8 ~ 10；叶柄长 1.5 ~ 4cm，无托叶痕，具深沟。花白色，有芳香，直径 15 ~ 20cm；花被片 9 ~ 12，厚肉质，倒卵形，长 6 ~ 10cm，宽 5 ~ 7cm；雄蕊长约 2cm，花丝扁平，紫色，花药内向，药隔伸出成短尖；雌蕊群椭圆形，密被长绒毛；心皮卵形，长 1 ~ 1.5cm，花柱呈卷曲状。聚合果圆柱状长圆形或卵圆形，长 7 ~ 10cm，直径

荷花玉兰

4 ～ 5cm，密被褐色或淡灰黄色绒毛，蓇葖果背裂，背面圆，先端外侧具长喙；种子近卵圆形或卵形，长约 14mm，直径约 6mm，外种皮红色，除去外种皮的种子，先端延长成短颈。花期 5 ～ 6 月，果期 9 ～ 10 月。

| 生境分布 | 多栽培于庭院、公园以及城市绿化带。重庆各地均有分布。

| 资源情况 | 野生资源稀少，栽培资源一般。药材主要来源于栽培。

| 采收加工 | 春季采收未开放的花蕾，白天暴晒，晚上"发汗"，五成干时，堆放 1 ～ 2 天，再晒至全干。树皮随时可采。

| 药材性状 | 本品花蕾圆锥形，长 3.5 ～ 7cm，基部直径 1.5 ～ 3cm，淡紫色或紫褐色；花被片 9 ～ 12，宽倒卵形，肉质，较厚，内层呈荷瓣状；雄蕊多数，花丝宽，较长；花药黄棕色，条形；心皮多数，密生长绒毛；花梗长 0.5 ～ 2cm，节明显。质硬，易折断。气香，味淡。

| 功能主治 | 辛，温。归肺、胃、肝经。疏风散寒，止痛，行气。用于外感风寒，头痛鼻塞，脘腹胀痛，呕吐腹泻，高血压，偏头痛。

| 用法用量 | 内服煎汤，花 3 ～ 10g，树皮 6 ～ 12g。外用适量，捣敷。

| 附　　注 | 本种为亚热带树种，我国长江以南各地引种栽培，生长良好。喜光、较耐寒，适宜栽培于深厚、肥沃、湿润之地。具有较强的抗毒能力，对二氧化硫、氯气、氟化氢等均有一定的抵抗力，也耐烟尘。

木兰科 Magnoliaceae 木兰属 Magnolia

紫玉兰
Magnolia liliflora Desr.

紫玉兰

药材名

辛夷（药用部位：花蕾）、木兰皮（药用部位：树皮）。

形态特征

落叶灌木，高达 3m，常丛生。树皮灰褐色，小枝绿紫色或淡褐紫色。叶椭圆状倒卵形或倒卵形，长 8 ~ 18cm，宽 3 ~ 10cm，先端急尖或渐尖，基部渐狭沿叶柄下延至托叶痕，上面深绿色，幼嫩时疏生短柔毛，下面灰绿色，沿脉被短柔毛；侧脉每边 8 ~ 10，叶柄长 8 ~ 20mm，托叶痕约为叶柄长之半。花蕾卵圆形，被淡黄色绢毛；花叶同时开放，瓶形，直立于粗壮被毛的花梗上，稍有香气；花被片 9 ~ 12，外轮 3 萼片状，紫绿色，披针形，长 2 ~ 3.5cm，常早落，内 2 轮肉质，外面紫色或紫红色，内面带白色，花瓣状，椭圆状倒卵形，长 8 ~ 10cm，宽 3 ~ 4.5cm；雄蕊紫红色，长 8 ~ 10mm，花药长约 7mm，侧向开裂，药隔伸出成短尖头；雌蕊群长约 1.5cm，淡紫色，无毛。聚合果深紫褐色，变褐色，圆柱形，长 7 ~ 10cm；成熟蓇葖果近圆球形，先端具短喙。花期 3 ~ 4 月，果期 8 ~ 9 月。

| 生境分布 | 生于海拔 300 ~ 1600m 的山坡林缘。分布于重庆奉节、南川、渝北、江北、綦江、渝中、北碚、璧山等地。

| 资源情况 | 野生资源稀少，栽培资源一般。药材主要来源于栽培。

| 采收加工 | 辛夷：冬末春初花未开放时采收，除去枝梗，阴干。
木兰皮：4 ~ 6 月剥取，根皮和枝皮直接阴干；干皮置沸水中微煮后，堆置阴湿处，"发汗"至内表面变紫褐色或棕褐色时，蒸软，取出，卷成筒状，干燥。

| 功能主治 | 辛夷：辛，温。祛风散寒，通窍。用于鼻塞，头痛，齿痛。
木兰皮：辛、苦，温。归脾、胃、肺、大肠经。燥湿消痰，下气除满。用于湿滞伤中，脘痞吐泻，食积气滞，腹胀便秘，痰饮喘咳。

| 用法用量 | 辛夷：内服煎汤，3 ~ 10g，包煎。
木兰皮：内服煎汤，3 ~ 10g。

| 附 注 | （1）在 FOC 中，本种的拉丁学名被修订为 *Yulania liliiflora* (Desr.) D. L. Fu，属名被修订为玉兰属 *Yulania*。
（2）本种喜温暖湿润气候，较耐寒、耐旱，忌积水。幼苗怕强光和干旱。以阳光充足、肥沃、微酸性的砂壤土栽培为宜。

木兰科 Magnoliaceae 木兰属 Magnolia

厚朴

Magnolia officinalis Rehd. et Wils.

厚朴

药材名

厚朴（药用部位：干皮、枝皮、根皮。别名：川朴、油朴、正朴）、厚朴花（药用部位：花蕾。别名：调羹花）、厚朴果（药用部位：果实。别名：逐折、百合、厚实）。

形态特征

落叶乔木，高达20m。树皮厚，褐色，不开裂；小枝粗壮，淡黄色或灰黄色，幼时被绢毛；顶芽大，狭卵状圆锥形，无毛。叶大，近革质，7～9聚生枝端，长圆状倒卵形，长22～45cm，宽10～24cm，先端短急尖或圆钝，基部楔形，全缘而微波状，上面绿色，无毛，下面灰绿色，被灰色柔毛，有白粉；叶柄粗壮，长2.5～4cm，托叶痕长为叶柄的2/3。花白色，直径10～15cm，芳香；花梗粗短，被长柔毛，离花被片下1cm处具包片脱落痕，花被片9～12（～17），厚肉质，外轮3淡绿色，长圆状倒卵形，长8～10cm，宽4～5cm，盛开时常向外反卷，内2轮白色，倒卵状匙形，长8～8.5cm，宽3～4.5cm，基部具爪，最内轮7～8.5cm，花盛开时中、内轮直立；雄蕊约72，长2～3cm，花药长1.2～1.5cm，内向开裂，花丝长4～12mm，红色；雌蕊群椭圆状卵圆形，长2.5～3cm。聚合果长圆状卵圆形，长9～15cm，蓇葖果具长3～4mm的喙；种子三角状倒卵形，长约 1cm。花期 5 ～ 6 月，果期 8 ～ 10 月。

| 生境分布 | 生于海拔 300 ～ 1500m 的山地林间。分布于重庆黔江、石柱、丰都、云阳、城口、江津、酉阳、南川、秀山、武隆、开州、巫溪、巫山等地。

| 资源情况 | 野生和栽培资源均较丰富。药材主要来源于栽培。

| 采收加工 | 厚朴：4 ～ 6 月剥取，根皮和枝皮直接阴干；干皮置沸水中微煮后，堆置阴湿处，"发汗"至内表面变紫褐色或棕褐色时，蒸软，取出，卷成筒状，干燥。
厚朴花：春季花未开时采摘，稍蒸后，晒干或低温干燥。
厚朴果：9 ～ 10 月采摘，除去梗，晒干。

| 药材性状 | 厚朴：本品干皮呈卷筒状或双卷筒状，长 30 ～ 35cm，厚 0.2 ～ 0.7cm，习称"筒朴"；近根部的干皮一端展开如喇叭口，长 13 ～ 25cm，厚 0.3 ～ 0.8cm，习称"靴筒朴"；外表面灰棕色或灰褐色，粗糙，有时呈鳞片状，较易剥落，有明显椭圆形皮孔和纵皱纹，刮去粗皮者显黄棕色；内表面紫棕色或深紫褐色，较平滑，具细密纵纹，划之显油痕；质坚硬，不易折断，断面颗粒性，外层灰棕色，内层紫褐色或棕色，有油性，有的可见多数小亮星；气香，味辛、辣、微苦。根皮（根朴）呈单筒状或为不规则块片，有的弯曲似鸡肠，习称"鸡肠朴"；质硬，较易折断，断面纤维性。枝皮（枝朴）呈单筒状，长 10 ～ 20cm，厚 0.1 ～ 0.2cm；质脆，易折断，断面纤维性。
厚朴花：本品呈长圆锥形，长 4 ～ 7cm，基部直径 1.5 ～ 2.5cm，红棕色至棕褐色。花被片多为 12，肉质，外轮呈长倒卵形，内轮呈匙形；雄蕊多数，花药条形，淡黄棕色，花丝宽而短；心皮多数，分离，螺旋状排列于圆锥形花托上；花梗长 0.5 ～ 2cm，密被灰黄色绒毛，偶无毛。质脆，易破碎。气香，味淡。

| 功能主治 | 厚朴：燥湿消痰，下气除满。用于湿滞伤中，脘痞吐泻，食积气滞，腹胀便秘等。
厚朴花：芳香化湿，理气宽中。用于脾胃湿阻气滞，胸脘痞闷胀满，纳谷不香。
厚朴果：消食，理气，散结。用于消化不良，胸脘胀闷。

| 用法用量 | 厚朴：内服煎汤，3 ～ 10g。
厚朴花：内服煎汤，3 ～ 9g。
厚朴果：内服煎汤，2 ～ 5g。

| 附　　注 | （1）在 FOC 中，本种的拉丁学名被修订为 *Houpoëa officinalis* (Rehd. et Wils.) N. H. Xia et C. Y. Wu，属名被修订为厚朴属 *Houpoëa*。
（2）本种喜温和湿润气候，怕炎热，能耐寒。幼苗怕强光，成年树宜向阳。以疏松肥沃、富含腐殖质、呈中性或微酸性粉砂壤土栽培为宜，山地黄壤、黄红壤也可栽种。

木兰科 Magnoliaceae 木兰属 Magnolia

凹叶厚朴

Magnolia officinalis Rehd. et Wils. subsp. *biloba* (Rehd. et Wils.) Law

凹叶厚朴

| 药 材 名 |

厚朴（药用部位：干皮、枝皮、根皮。别名：
川朴、油朴、正朴）、厚朴花（药用部位：
花蕾。别名：调羹花）、厚朴果（药用部位：
果实。别名：逐折、百合、厚实）。

| 形态特征 |

本种与原亚种厚朴的区别在于叶先端凹缺，
成 2 钝圆的浅裂片，但幼苗之叶先端钝圆，
并不凹缺；聚合果基部较窄。花期 4 ~ 5 月，
果期 10 月。

| 生境分布 |

生于海拔 900 ~ 1400m 的山坡、路旁溪边的
杂木林中。分布于重庆忠县、云阳、开州、
武隆、南川、秀山、丰都等地。

| 资源情况 |

野生资源稀少，栽培资源一般。药材主要来
源于栽培。

| 采收加工 |

参见"厚朴"条。

| **药材性状** | 参见"厚朴"条。

| **功能主治** | 参见"厚朴"条。

| **用法用量** | 参见"厚朴"条。

| **附　　注** | （1）在 FOC 中，本种的拉丁学名被修订为 *Houpoëa officinalis* 'Biloba'，属名被修订为厚朴属 *Houpoëa*。

（2）本种喜温暖，耐炎热能力比厚朴强，生长较快，且能耐寒。栽培土壤以疏松肥沃，富含腐殖质较多、呈中性或微酸性粉砂壤土为宜。繁殖方式以种子繁殖为主，也可压条、扦插繁殖。

木兰科 Schisandraceae 木兰属 Magnolia

武当木兰 *Magnolia sprengeri* Pampan.

| 药 材 名 | 辛夷（药用部位：花蕾。别名：木笔花、姜朴花、毛辛夷）。

| 形态特征 | 落叶乔木，高可达 21m。树皮淡灰褐色或黑褐色，老干皮具纵裂沟呈小块片状脱落。小枝淡黄褐色，后变灰色，无毛。叶倒卵形，长 10 ~ 18cm，宽 4.5 ~ 10cm，先端急尖或急短渐尖，基部楔形，上面仅沿中脉及侧脉疏被平伏柔毛，下面被平伏细柔毛；叶柄长 1 ~ 3cm；托叶痕细小。花蕾直立，被淡灰黄色绢毛，花先叶开放，杯状，有芳香；花被片 12（~ 14），近相似，外面玫瑰红色，有深紫色纵纹，倒卵状匙形或匙形，长 5 ~ 13cm，宽 2.5 ~ 3.5cm，雄蕊长 10 ~ 15mm，花药长约 5mm，稍分离，药隔伸出成尖头，花丝紫红色，宽扁；雌蕊群圆柱形，长 2 ~ 3cm，淡绿色，花柱玫瑰红色。聚合果圆柱形，长 6 ~ 18cm，蓇葖果扁圆，成熟时褐色。花期 3 ~ 4

武当木兰

月，果期 8 ～ 9 月。

| 生境分布 | 生于海拔 1300 ～ 2000m 的常绿、落叶阔叶混交林中。分布于重庆城口、巫山、黔江、石柱、南川、綦江等地。

| 资源情况 | 栽培资源一般。药材主要来源于栽培。

| 采收加工 | 冬末春初花开放时采收，除去枝梗，阴干。

| 药材性状 | 本品呈长卵形，似毛笔头，长 2 ～ 4cm，直径 1 ～ 2cm，基部枝梗粗壮，皮孔红棕色。苞片外表面密被淡黄色或淡黄绿色绒毛，有的最外层苞片绒毛已脱落而呈黑褐色。花被片 10 ～ 12（～ 14），内、外轮无显著差异。

| 功能主治 | 辛，温。归肺、胃经。散风寒，通鼻窍。用于风寒头痛，鼻塞流涕，鼻鼽，鼻渊。

| 用法用量 | 内服煎汤，3 ～ 10g，包煎。外用适量。

| 附 注 | （1）在 FOC 中，本种被修订为武当玉兰 *Yulania sprengeri* (Pampan.) D. L. Fu，属名被修订为玉兰属 *Yulania*。
（2）本种喜温暖湿润气候，较耐寒、耐旱，忌积水。幼苗怕强光和干旱。以选阳光充足、肥沃、微酸性的砂壤土栽培为宜。

木兰科 Schisandraceae 木莲属 Manglietia

川滇木莲 Manglietia duclouxii Finet et Gagnep.

| 药 材 名 | 川滇木莲（药用部位：树皮）。

| 形态特征 | 乔木，高6m。小枝无毛。叶薄革质，倒披针形或倒卵状狭椭圆形，长8～13cm，宽2.5～4cm，先端渐尖，基部楔形，两面无毛，上面深绿色；中脉凹入，下面灰绿色，网脉不明显；叶柄长1～2.3cm，上有狭沟；托叶痕长约为叶柄长的1/3。花梗无毛，紧贴花被下具1佛焰苞状苞片；花被片9，肉质，外轮3红色，背面具疣状突起，内2轮倒卵形，长2.8～4.5cm，宽1.5～2.5cm，紫红色，有爪，基部增厚，有横纹；雄蕊长1～1.2cm，花药长6～7mm，药隔伸出成2～3mm的三角尖头，药室稍分离，内向开裂；花丝宽短，长1～1.5mm；雌蕊群狭椭圆形，长7～8mm，被长毛，花柱长2～3mm，胚珠5，排成2行。聚合果卵状椭圆形，长5～6cm。花期5～6月，

川滇木莲

果期 9 ~ 10 月。

| **生境分布** | 生于海拔 1350 ~ 2000m 的常绿阔叶林中。分布于重庆綦江、石柱、江津等地。

| **资源情况** | 野生和栽培资源均稀少。药材来源于栽培。

| **采收加工** | 4 ~ 6 月剥取，根皮和枝皮直接阴干；干皮置沸水中微煮后，堆置阴湿处，"发汗"至内表面变紫褐色或棕褐色时，蒸软，卷成筒状，干燥。

| **功能主治** | 参见"厚朴"条。

| **用法用量** | 内服煎汤，3 ~ 10g。

木兰科 Schisandraceae 木莲属 Manglietia

红色木莲 *Manglietia insignis* (Wall.) Bl.

| 药 材 名 | 红花木莲（药用部位：树皮。别名：木莲花、细花木莲、厚朴）。

| 形态特征 | 常绿乔木，高达 30m，胸径 40cm。小枝无毛或幼嫩时在节上被锈色或黄褐毛柔毛。叶革质，倒披针形、长圆形或长圆状椭圆形，长 10 ~ 26cm，宽 4 ~ 10cm，先端渐尖或尾状渐尖，自 2/3 以下渐窄至基部，上面无毛，下面中脉被红褐色柔毛或散生平伏微毛；侧脉每边 12 ~ 24；叶柄长 1.8 ~ 3.5cm；托叶痕长 0.5 ~ 1.2cm。花芳香，花梗粗壮，直径 8 ~ 10mm，离花被片下约 1cm 处具 1 苞片脱落环痕，花被片 9 ~ 12，外轮 3 褐色，腹面染红色或紫红色，倒卵状长圆形，长约 7cm，向外反曲，中、内轮 6 ~ 9，直立，乳白色染粉红色，倒卵状匙形，长 5 ~ 7cm，1/4 以下渐狭成爪；雄蕊长 10 ~ 18mm，2 药室稍分离，药隔伸出成三角尖，花丝与药隔伸出

红色木莲

部分近等长；雌蕊群圆柱形，长 5 ～ 6cm，心皮无毛，露出背面具浅沟。聚合果鲜时紫红色，卵状长圆形，长 7 ～ 12cm，蓇葖果背缝全裂，具乳头状突起。花期 5 ～ 6 月，果期 8 ～ 9 月。

| 生境分布 | 生于海拔 900 ～ 1200m 的林间。分布于重庆南川、江津等地。

| 资源情况 | 野生资源较少。药材来源于野生，自采自用。

| 采收加工 | 6 ～ 7 月剥取树皮，阴干或烘干。

| 药材性状 | 本品呈卷筒状或槽状。外表面棕褐色或黄棕色，粗糙，有显著凸起的横长皮孔，且常数个皮孔横向相连，长达 3.2cm；内表面灰黄色至灰棕色。质硬，折断面纤维性。气微香，味苦、微涩。

| 功能主治 | 苦、辛，温。燥湿健脾。用于脘腹痞满胀痛，宿食不化，呕吐，泄泻，痢疾。

| 用法用量 | 内服煎汤，6 ～ 12g。

| 附　注 | 本种系国家二级珍稀保护植物，属于渐危种。本种生长迅速，对病虫害的抵抗力较强，属优良用材树种，干形好、材质优，可作为建筑、雕刻、乐器、家具用材。

木兰科 Magnoliaceae 木莲属 Manglietia

巴东木莲 *Manglietia patungensis* Hu

巴东木莲

| 药 材 名 |

巴东木莲（药用部位：花）。

| 形态特征 |

乔木，高达 25m，胸径 1.4m。树皮淡灰褐色带红色；小枝带灰褐色。叶薄革质，倒卵状椭圆形，长 14 ～ 18（～ 20）cm，宽 3.5 ～ 7cm，先端尾状渐尖，基部楔形，两面无毛，上面绿色，有光泽，下面淡绿色；侧脉每边 13 ～ 15，叶面中脉凹下；叶柄长 2.5 ～ 3cm；叶柄上的托叶痕长为叶柄长的 1/7 ～ 1/5。花白色，有芳香，直径 8.5 ～ 11cm；花梗长约 1.5cm；花被片下 5 ～ 10mm 处具 1 苞片脱落痕，花被片 9，外轮 3 近革质，狭长圆形，先端圆，长 4.5 ～ 6cm，宽 1.5 ～ 2.5cm，中轮及内轮肉质，倒卵形，长 4.5 ～ 5.5cm，宽 2 ～ 3.5cm；雄蕊长 6 ～ 8mm，花药紫红色，长 5 ～ 6mm，药室基部靠合，有时上端稍分开，药隔伸出成钝尖头，长约 1mm；雌蕊群圆锥形，长约 2cm，雌蕊背面无纵沟纹，每心皮有胚珠 4 ～ 8。聚合果圆柱状椭圆形，长 5 ～ 9cm，直径 2.5 ～ 3cm，淡紫红色，蓇葖果露出面具点状突起。花期 5 ～ 6 月，果期 7 ～ 10 月。

| **生境分布** | 生于海拔 600 ~ 1000m 的密林中。分布于重庆长寿、巫溪、巫山、南川、丰都等地。 |

| **资源情况** | 野生资源稀少。药材主要来源于野生。 |

| **采收加工** | 夏季开花时采收，鲜用或晒干备用。 |

| **功能主治** | 降压。用于高血压。 |

| **用法用量** | 内服煎汤，6 ~ 15g。 |

木兰科 Magnoliaceae 含笑属 Michelia

白兰花 *Michelia alba* DC. Syst.

白兰花

药材名

白兰花（药用部位：花）、白兰花叶（药用部位：叶。别名：白缅花、白木兰、黄桷兰）。

形态特征

常绿乔木，高达 17m。枝广展，呈阔伞形树冠，胸径 30cm；树皮灰色；揉枝叶有芳香；嫩枝及芽密被淡黄白色微柔毛，老时毛渐脱落。叶薄革质，长椭圆形或披针状椭圆形，长 10～27cm，宽 4～9.5cm，先端长渐尖或尾状渐尖，基部楔形，上面无毛，下面疏生微柔毛，干时两面网脉均很明显；叶柄长 1.5～2cm，疏被微柔毛；托叶痕几达叶柄中部。花白色，极香；花被片 10，披针形，长 3～4cm，宽 3～5mm；雄蕊的药隔伸出长尖头；雌蕊群被微柔毛，雌蕊群柄长约 4mm；心皮多数，通常部分不发育，成熟时随着花托的延伸，形成蓇葖果疏生的聚合果。蓇葖果熟时鲜红色。花期 4～9 月，夏季盛开，通常不结实。

生境分布

生于路旁或庭园中。重庆各地均有分布。

资源情况	野生资源较少，栽培资源较丰富。药材来源于栽培。

采收加工　白兰花：夏、秋季花开时采收，鲜用或晒干。

白兰花叶：夏、秋季采摘，洗净，鲜用或晒干。

药材性状　白兰花：本品呈笔头状或已散瓣，长 4 ～ 5cm；花柄长约 1cm，具 1 环节，被灰白色绒毛；花瓣 9 ～ 13，分 3 ～ 4 轮排列，呈条线状，稍皱缩，先端尖锐，宽约 0.5cm，长 3 ～ 4cm，红棕色；雄蕊多数，花丝扁平，长约 1cm；心皮多数，螺旋状排列于延长有柄的花托上，子房被灰白色绒毛。质脆，易碎。气香，味微辛、苦。

功能主治　白兰花：苦、辛，微温。化湿，行气，止咳。用于胸闷腹胀，中暑，咳嗽，前列腺炎，带下。

白兰花叶：苦、辛，平。清热利尿，止咳化痰。用于泌尿系感染，小便不利，支气管炎。

用法用量　白兰花：内服煎汤，6 ～ 15g。

白兰花叶：内服煎汤 9 ～ 30g。外用适量，鲜品捣敷。

附　注　在 FOC 中，本种被修订为白兰 *Michelia* × *alba* DC.。

木兰科 Schisandraceae 含笑属 Michelia

黄兰
Michelia champaca L.

| 药 材 名 | 黄缅桂（药用部位：根。别名：黄兰、大黄桂、黄桷兰）、黄缅桂果（药用部位：果实）。

| 形态特征 | 常绿乔木，高超过 10m。枝斜上展，呈狭伞形树冠；芽、嫩枝、嫩叶和叶柄均被淡黄色的平伏柔毛。叶薄革质，披针状卵形或披针状长椭圆形，长 10 ～ 20（～ 25）cm，宽 4.5 ～ 9cm，先端长渐尖或近尾状，基部阔楔形或楔形，下面稍被微柔毛；叶柄长 2 ～ 4cm，托叶痕长达叶柄中部以上。花黄色，极香；花被片 15 ～ 20，倒披针形，长 3 ～ 4cm，宽 4 ～ 5mm；雄蕊的药隔伸出成长尖头；雌蕊群具毛，雌蕊群柄长约 3mm。聚合果长 7 ～ 15cm，菁葖果倒卵状长圆形，长 1 ～ 1.5cm，有疣状突起；种子 2 ～ 4，有皱纹。花期 6 ～ 7 月，果期 9 ～ 10 月。

黄兰

| **生境分布** | 栽培于村旁、庭院。分布于重庆万州等地。

| **资源情况** | 野生和栽培资源均稀少。药材主要来源于栽培。

| **采收加工** | 黄缅桂：全年均可采挖，除去泥土、杂质，洗净，切片，晒干。
黄缅桂果：夏、秋季采摘，除去皮，晒干，研粉。

| **功能主治** | 黄缅桂：苦，凉。归脾、肺经。祛风湿，利咽喉。用于风湿痹痛，咽喉肿痛。
黄缅桂果：苦，凉。健胃止痛。用于胃痛，消化不良。

| **用法用量** | 黄缅桂：内服煎汤，6 ~ 15g；或浸酒。
黄缅桂果：内服研粉，0.3 ~ 0.6g。

| **附　注** | 本种喜温暖湿润环境和肥沃疏松的土壤。可用种子繁殖，种子一般在 2 星期内即丧失发芽力，故宜随采随播。种子每 1kg 约 10000 粒。亦可用空中压条或靠接方法繁殖。生长较快。

木兰科 Schisandraceae 含笑属 Michelia

含笑花
Michelia figo (Lour.) Spreng.

| 药 材 名 | 含笑花（药用部位：花、叶）。

| 形态特征 | 常绿灌木，高2～3m。树皮灰褐色，分枝繁密；芽、嫩枝、叶柄、花梗均密被黄褐色绒毛。叶革质，狭椭圆形或倒卵状椭圆形，长4～10cm，宽1.8～4.5cm，先端钝短尖，基部楔形或阔楔形，上面有光泽，无毛，下面中脉上留有褐色平伏毛，余脱落无毛；叶柄长2～4mm，托叶痕长达叶柄先端。花直立，长12～20mm，宽6～11mm，淡黄色而边缘有时红色或紫色，具甜浓的芳香；花被片6，肉质，较肥厚，长椭圆形，长12～20mm，宽6～11mm；雄蕊长7～8mm，药隔伸出成急尖头；雌蕊群无毛，长约7mm，超出于雄蕊群，雌蕊群柄长约6mm，被淡黄色绒毛。聚合果长2～3.5cm，菁葖果卵圆形或球形，先端有短尖的喙。花期3～5月，果期7～8月。

含笑花

| **生境分布** | 生于海拔 1000m 以下的山坡、林中。分布于重庆长寿、云阳、涪陵、南川、北碚等地。 |

| **资源情况** | 野生资源稀少。药材来源于栽培。 |

| **采收加工** | 春季采收未开放的花蕾，白天暴晒，晚上"发汗"，五成干时，堆放 1 ~ 2 天，再晒至全干。夏、秋季采摘叶，洗净，鲜用或晒干备用。 |

| **功能主治** | 花，辛、苦，平。行气通窍，芳香化湿。用于气滞腹胀，带下，鼻塞。叶，用于跌打损伤。 |

| **用法用量** | 花，内服煎汤，3 ~ 10g。叶，内服煎汤，9 ~ 15g。外用适量，鲜品捣敷。 |

木兰科 Magnoliaceae 含笑属 *Michelia*

黄心夜合 *Michelia martinii* (Lévl.) Lévl.

黄心夜合

| 药 材 名 |

黄心夜合（药用部位：树皮、根皮）。

| 形态特征 |

乔木，高可达 20m。树皮灰色，平滑；嫩枝
榄青色，无毛，老枝褐色，疏生皮孔；芽卵
圆形或椭圆状卵圆形，密被灰黄色或红褐色
竖起长毛。叶革质，倒披针形或狭倒卵状椭
圆形，长 12 ~ 18cm，宽 3 ~ 5cm，先端急
尖或短尾状尖，基部楔形或阔楔形，上面深
绿色，有光泽，两面无毛，上面中脉凹下；
侧脉每边 11 ~ 17，近平行；叶柄长 1.5 ~ 2cm，
无托叶痕。花梗粗短，长约 7mm，密被黄
褐色绒毛；花淡黄色，芳香；花被片 6 ~ 8，
外轮倒卵状长圆形，长 4 ~ 4.5cm，宽
2 ~ 2.4cm，内轮倒披针形，长约 4cm，宽
1.1 ~ 1.3cm；雄蕊长 1.3 ~ 1.8cm，药室长
10 ~ 12mm，稍分离，侧向开裂，药隔伸出
长约 0.5mm 的尖头，花丝紫色；雌蕊群长
约 3cm，淡绿色，心皮椭圆状卵圆形，长约
1cm，花柱约与心皮等长，胚珠 8 ~ 12。聚
合果长 9 ~ 15cm，扭曲，蓇葖果倒卵圆形
或长圆状卵圆形，长 1 ~ 2cm，成熟后腹背
两缝线同时开裂，具白色皮孔，先端具短喙。
花期 2 ~ 3 月（有在 12 月开一次花），果期 8 ~ 9 月。

| **生境分布** | 生于海拔 1000 ~ 2000m 的林间。分布于重庆南川、江津等地。

| **资源情况** | 野生资源稀少。药材来源于野生。

| **采收加工** | 全年均可采挖根，除净泥土杂质，洗净，切片，晒干。树皮随时可采。

| **功能主治** | 祛风除湿，止血止痛。

| **用法用量** | 内服煎汤，6 ~ 15g；或浸酒。

深山含笑
Michelia maudiae Dunn

深山含笑

药材名

深山含笑皮（药用部位：花）。

形态特征

乔木，高达 20m，各部均无毛。树皮薄，浅灰色或灰褐色；芽、嫩枝、叶下面、苞片均被白粉。叶革质，长圆状椭圆形，稀卵状椭圆形，长 7 ~ 18cm，宽 3.5 ~ 8.5cm，先端骤狭成短渐尖或短渐尖而具钝尖头，基部楔形，阔楔形或近圆钝，上面深绿色，有光泽，下面灰绿色，被白粉；侧脉每边 7 ~ 12，直或稍曲，至近叶缘开叉网结，网眼致密；叶柄长 1 ~ 3cm，无托叶痕。花梗绿色具 3 环状苞片脱落痕，佛焰苞状苞片淡褐色，薄革质，长约 3cm；花芳香；花被片 9，纯白色，基部稍呈淡红色，外轮的倒卵形，长 5 ~ 7cm，宽 3.5 ~ 4cm，先端短急尖，基部具长约 1cm 的爪，内 2 轮则渐狭小，近匙形，先端尖；雄蕊长 1.5 ~ 2.2cm，药隔伸出长 1 ~ 2mm 的尖头，花丝宽扁，淡紫色，长约 4mm；雌蕊群长 1.5 ~ 1.8cm，雌蕊群柄长 5 ~ 8mm，心皮绿色，狭卵圆形，连花柱长 5 ~ 6mm。聚合果长 7 ~ 15cm，蓇葖果长圆形、倒卵圆形、卵圆形，先端圆钝或具短凸尖头；种子红色，斜卵圆形，长约 1cm，宽约 5mm，稍扁。花期 2 ~ 3 月，果期 9 ~ 10 月。

| **生境分布** | 生于海拔 600 ~ 1500m 的密林中，或栽培于公园、路旁。分布于重庆酉阳、垫江、开州、万州、南川、北碚等地。

| **资源情况** | 野生和栽培资源均较少。药材来源于野生。

| **功能主治** | 辛，温。散风寒，通鼻窍，行气止痛。

| **用法用量** | 内服煎汤，适量。

木兰科 Magnoliaceae 含笑属 Michelia

峨眉含笑 *Michelia wilsonii* Finte et Gagnep.

峨眉含笑

| 药 材 名 |

峨眉含笑（药用部位：根皮、树皮）。

| 形 态 特 征 |

乔木，高可达 20m。嫩枝绿色，被淡褐色稀疏短平伏毛，老枝节间较密，具皮孔；顶芽圆柱形。叶革质，倒卵形、狭倒卵形、倒披针形，长 10 ~ 15cm，宽 3.5 ~ 7cm，先端短尖或短渐尖，基部楔形或阔楔形，上面无毛，有光泽，下面灰白色，疏被白色有光泽的平伏短毛；侧脉纤细，每边 8 ~ 13，网脉细密，干时两面凸起；叶柄长 1.5 ~ 4cm，托叶痕长 2 ~ 4mm。花黄色，芳香，直径 5 ~ 6cm；花被片带肉质，9 ~ 12，倒卵形或倒披针形，长 4 ~ 5cm，宽 1 ~ 2.5cm，内轮的较狭小；雄蕊长 15 ~ 20mm，花药长约 12mm，内向开裂，药隔伸出长约 1mm 的短尖头，花丝绿色，长约 2mm；雌蕊群圆柱形，长 3.5 ~ 4cm，雌蕊长约 6mm，子房卵状椭圆形，密被银灰色平伏细毛，花柱约与子房等长；胚珠约 14；花梗具 2 ~ 4 苞片脱落痕。聚合果长12 ~ 15cm，果托扭曲，蓇葖果紫褐色，长圆形或倒卵圆形，长 1 ~ 2.5cm，具灰黄色皮孔，先端具弯曲短喙，成熟后 2 瓣开裂。花期 3 ~ 5月，果期 8 ~ 9 月。

生境分布	生于海拔 600 ~ 2000m 的林间。分布于重庆开州、南川等地。
资源情况	野生和栽培资源均稀少。药材主要来源于栽培。
采收加工	全年均可挖取根部，除去泥土杂质，洗净，切片，晒干。全年均可采收树皮。
功能主治	祛风湿，利咽喉。
用法用量	内服煎汤，6 ~ 15g；或浸酒。
附　　注	本种为我国特有的濒危种，属国家二级保护植物，目前大多为野生状态，分布面窄，多零星混生于阔叶林中。

红花五味子

Schisandra rubriflora (Franch.) Rehd. et Wils.

| 药 材 名 | 香血藤（药用部位：藤茎。别名：红血藤、淀淀藤、过山龙）、滇五味（药用部位：成熟果实）。

| 形态特征 | 落叶木质藤本，全株无毛。小枝紫褐色，后变黑，直径 5 ~ 10mm，具节间密的距状短枝。叶纸质，倒卵形，椭圆状倒卵形或倒披针形，稀椭圆形或卵形，长 6 ~ 15cm，宽 4 ~ 7cm，先端渐尖，基部渐狭楔形，边缘具胼胝质齿尖的锯齿，上面中脉凹入；侧脉每边 5 ~ 8，中脉及侧脉在叶下面带淡红色。花红色。雄花花梗长 2 ~ 5cm，花被片 5 ~ 8，外花被片有缘毛，大小近相似，椭圆形或倒卵形，最大的长 10 ~ 17mm，宽 6 ~ 16mm，最外及最内的较小；雄蕊群椭圆状倒卵圆形或近球形，直径约 1cm；雄蕊 40 ~ 60，花药长 1.5 ~ 2mm，外向开裂，药隔与药室近等长，有腺点，下部雄蕊的

红花五味子

花丝长 2 ~ 4mm。雌花花梗及花被片与雄花的相似，雌蕊群长圆状椭圆形，长 8 ~ 10mm，心皮 60 ~ 100，倒卵圆形，长 1.5 ~ 2.3mm，柱头长 3 ~ 8mm，具明显鸡冠状突起，基部下延成长 3 ~ 8mm 的附属体。聚合果轴粗壮，直径 6 ~ 10mm，长 9 ~ 18cm；小浆果红色，椭圆形或近球形，直径 8 ~ 11mm，有短柄；种子淡褐色，肾形，长 3 ~ 4.5mm，宽 2.5 ~ 3mm，厚约 2mm，种皮暗褐色，平滑，微波状，不起皱，种脐尖长，斜 "V" 形，深达 1/3。花期 5 ~ 6 月，果期 7 ~ 10 月。

| **生境分布** | 生于海拔 1000 ~ 1300m 的河谷、山坡林中。分布于重庆丰都、城口、巫溪、奉节、南川等地。

| **资源情况** | 野生资源一般。药材来源于野生。

| **采收加工** | 香血藤：全年均可采收，切片，晒干。
滇五味：秋季果实成熟时采摘，晒干或蒸后晒干，除去果梗及杂质。

| **药材性状** | 滇五味：本品呈不规则椭圆形或近球形，直径 3 ~ 5mm。表面红褐色，稍皱缩，果皮薄而呈半透明状，果肉较厚。种子肾圆形，直径 2.5 ~ 3.5mm，黄棕色，表面略呈颗粒状。气清香，味微咸而辛。

| **功能主治** | 滇五味：酸、甘，温。归肺、心、肾经。收敛固涩，益气生津，补肾宁心。用于久嗽虚喘，梦遗滑精，遗尿尿频，久泻不止，自汗，盗汗，津伤口渴，短气脉虚，内热消渴，心悸失眠。
香血藤：辛，温。祛风除湿，活血止痛。用于风湿性关节炎。

| **用法用量** | 滇五味：内服煎汤，1.5 ~ 9g。
香血藤：内服煎汤，9 ~ 15g。

五味子科 Schisandraceae 南五味子属 Kadsura

南五味子
Kadsura longipedunculata Finet et Gagnep.

南五味子

| 药 材 名 |

南五味子根（药用部位：根）。

| 形 态 特 征 |

常绿木质藤本，长2.5～4m。小枝褐色或紫褐色，皮孔明显。叶柄长1.5～3cm；叶片长圆状披针形、倒卵状披针形或窄椭圆形，革质，长5～13cm，宽2～6cm，先端渐尖或尖，基部楔形，边缘有疏齿或有时下半部全缘，上面深绿色而有光泽，下面淡绿色；侧脉5～7对。花单生叶腋；雌雄异株；花梗细长，花下垂；花被黄色，8～17，长8～13cm，宽4～10mm，排成3轮，外轮较小，卵形至椭圆形，内轮较大，长圆形至广倒卵形；雄蕊群球形，雄蕊30～70，花丝极短；雌蕊群椭圆形，心皮40～60，柱头圆盘状。聚合果球形，直径1.5～3.5cm，熟时红色或暗蓝色；种子2～3，肾形，淡灰褐色，有光泽。花期5～7月，果期9～12月。

| 生 境 分 布 |

生于海拔1400m以下的山坡、山谷或溪边阔叶林中。分布于重庆城口、秀山、黔江、彭水、石柱、南川、江津、巫山等地。

| **采收加工** | 全年均可采挖，除去泥沙，晒干。 |

| **药材性状** | 本品呈圆柱形，常弯曲，长短不一，直径 1 ~ 2.5cm。表面淡灰棕色至紫褐色，有纵皱纹及深陷的横裂纹，有的皮部断裂露出木部，形成长短不等的节。断面皮部淡紫褐色，纤维性，木部淡棕黄色，可见明显的小孔。气香，味微苦，有辛凉感。 |

| **功能主治** | 辛、苦，温。归脾、胃、肝经。理气止痛，祛风通络，活血消肿。用于胃痛，腹痛，风湿痹痛，痛经，月经不调，产后腹痛，咽喉肿痛，痔疮，无名肿毒，跌打损伤。 |

| **用法用量** | 内服煎汤，9 ~ 15g；或研末，1 ~ 1.5g。外用适量，煎汤洗；或研末调敷。 |

五味子科 Schisandraceae 五味子属 Schisandra

翼梗五味子

Schisandra henryi Clarke

| 药 材 名 | 紫金血藤（药用部位：藤茎、根。别名：血藤、黄皮血藤、气藤）。

| 形态特征 | 落叶木质藤本。当年生枝淡绿色，小枝紫褐色，具宽 1 ~ 2.5mm 的翅棱，被白粉；内芽鳞紫红色，长圆形或椭圆形，长 8 ~ 15mm，宿存于新枝基部。叶宽卵形、长圆状卵形、近圆形，长 6 ~ 11cm，宽 3 ~ 8cm，先端短渐尖或短急尖，基部阔楔形或近圆形，上部边缘具胼胝质齿尖的浅锯齿或全缘，上面绿色，下面淡绿色；侧脉每边 4 ~ 6，侧脉和网脉在两面稍凸起；叶柄红色，长 2.5 ~ 5cm，具叶基下延的薄翅。雄花花柄长 4 ~ 6cm；花被片黄色，8 ~ 10，近圆形，最大 1 片直径 9 ~ 12mm，最外与最内的 1 ~ 2 稍小；雄蕊群倒卵圆形，直径约 5mm；花托圆柱形，先端具近圆形的盾状附属物；雄蕊 30 ~ 40，花药长 1 ~ 2.5mm，内侧向开裂，药隔倒卵

翼梗五味子

形或椭圆形，具凹入的腺点，先端平或圆，稍长于花药，近基部雄蕊的花丝长 1 ~ 2mm，贴生于盾状附属的雄蕊无花丝。雌花花梗长 7 ~ 8cm；花被片与雄花的相似；雌蕊群长圆状卵圆形，长约 7mm，具雌蕊约 50，子房狭椭圆形，花柱长 0.3 ~ 0.5mm。小浆果红色，球形，直径 4 ~ 5mm，具长约 1mm 的果柄，先端的花柱附属物白色；种子褐黄色，扁球形，或扁长圆形，长 3 ~ 5mm，宽 2 ~ 4mm，高 2 ~ 2.5mm，种皮淡褐色，具乳头状突起或皱突起，以背面极明显，种脐斜 "V" 形，长为宽的 1/4 ~ 1/3。花期 5 ~ 7 月，果期 8 ~ 9 月。

| 生境分布 | 生于海拔 500 ~ 1500m 的沟谷边、山坡林下或灌丛中。分布于重庆黔江、万州、彭水、秀山、丰都、城口、垫江、南川、江津、武隆等地。

| 资源情况 | 野生资源较丰富。药材主要来源于野生。

| 采收加工 | 秋季割取藤茎，切片，晒干。

| 药材性状 | 本品藤茎长圆柱形，少分枝，长 30 ~ 50cm，直径 2 ~ 4cm。表面棕褐色或黑褐色，具深浅不等的纵沟和黄色点状皮孔；幼枝表面具棱翅。质坚实，皮具韧性，横断面皮部棕褐色，有的易与木心分离，木部淡棕黄色，可见细小导管孔排列成行呈放射状，中央髓部深棕色，常破裂或呈空洞。气微，味微涩、辛。

| 功能主治 | 辛、涩，温。归肝、脾经。祛风除湿，行气止痛，活血止血。用于风湿痹痛，心胃气痛，劳伤吐血，闭经，月经不调，跌打损伤，金疮肿痛。

| 用法用量 | 内服煎汤，15 ~ 30g；或浸酒。

狭叶五味子

Schisandra lancifolia (Rehd. et Wils.）A. C. Smith

| 药 材 名 | 香石藤（药用部位：藤茎、根。别名：小密细藤、满山香）、香石藤果（药用部位：果实）、香石藤叶（药用部位：叶）。

| 形态特征 | 落叶木质藤本，全株无毛。小枝褐色，具纵细条突起，当年生幼枝伸长或不伸长成短枝；芽鳞纸质，内芽鳞三角状卵形，长 3 ～ 5mm，先端短硬尖，早落。叶纸质，狭椭圆形或披针形，长 4 ～ 10cm，宽 1.5 ～ 2.5cm，先端渐尖，基部阔楔形或狭楔形，下延至叶柄成狭翅，上半部边缘具不明显的胼胝质浅齿，两面绿色；中脉及侧脉凹下，侧脉每边 4 ～ 6。花 1 ～ 2，腋生当年生短枝上，花梗基部有叶状小苞片。雄花花梗长 2 ～ 5cm；花被片 6 ～ 8，淡黄色，薄肉质，具干膜边缘，椭圆形或近圆形，中间最大的 1 片长 3.5 ～ 5.5mm；雄蕊群倒卵圆形，高 2.5 ～ 3.5mm，花托椭圆状卵圆形，先端伸长短

狭叶五味子

圆柱形，具圆形盾状附属物；雄蕊 10 ～ 15，花托上部的雄蕊贴生于花托先端，无花丝，下部的具长 0.2 ～ 0.5 的花丝，花药长 0.6 ～ 1.3mm，2 药室近平行，向内侧开裂，药隔宽阔，近圆形，约与花药等长，具不明显的腺点。雌花花梗和花被片与雄花的相同；雌蕊群近卵圆形，长 1.5 ～ 3.5mm，雌蕊 15 ～ 25，子房椭圆形或卵圆形，稍弯，长 1.7 ～ 3mm，花柱长 0.5 ～ 1mm，紧接向下伸长成平的附属体。聚合果柄纤细，长 3 ～ 8cm，成熟小浆果红色，椭圆形，长 6 ～ 9mm；种子扁椭圆形，长 3.5 ～ 3.9mm，种皮有不明显的皱纹，种脐稍凹入。花期 5 ～ 7 月，果期 8 ～ 9 月。

| **生境分布** | 生于海拔 1000 ～ 2300m 的水边、林下。分布于重庆丰都、云阳、垫江等地。

| **资源情况** | 野生资源一般。药材来源于野生。

| **采收加工** | 香石藤：秋季采收，切片，晒干。
香石藤果：秋季果实成熟未脱落时采摘，剪去果枝及杂质，晒干。
香石藤叶：夏、秋季采摘，鲜用或晒干。

| **药材性状** | 香石藤果：本品类球形，直径 3 ～ 5mm。鲜时红色，干后皱缩，表面棕褐色。种子肾形，表面具乳头状突起，并密布细小的疣状突起。气微香，味酸、咸。

| **功能主治** | 香石藤：微苦、涩，温。活血祛瘀，消肿止痛。用于跌打损伤，骨折，风湿腰痛。
香石藤果：酸、咸，温。补益心肾。用于失眠梦多，健忘。
香石藤叶：苦，平。收敛止血。用于外伤出血。

| **用法用量** | 香石藤：内服煎汤，9 ～ 15g；或浸酒。外用适量，捣敷。
香石藤果：内服煎汤，6 ～ 10g。
香石藤叶：外用适量，捣敷；或研末撒。

五味子科 Schisandraceae 五味子属 Schisandra

铁箍散

Schisandra propinqua (Wall.) Baill. var. *sinensis* Oliv.

| 药 材 名 | 小血藤（药用部位：藤茎、根、根茎。别名：八仙草、钻石风、五香血藤）、小血藤叶（药用部位：叶）。

| 形态特征 | 落叶木质藤本，全株无毛。当年生枝褐色或变灰褐色，有银白色角质层。叶坚纸质，卵形、长圆状卵形或狭长圆状卵形，长 7 ~ 11（~ 17）cm，宽 2 ~ 3.5（~ 5）cm，先端渐尖或长渐尖，基部圆形或阔楔形，下延至叶柄，上面干时褐色，下面带苍白色，具疏离的胼胝质齿，有时近全缘；侧脉每边 4 ~ 8，网脉稀疏，干时两面均凸起。花橙黄色，常单生或 2 ~ 3 聚生叶腋，或呈 1 花梗具数花的总状花序；花梗长 6 ~ 16mm，具约 2 小苞片。雄花花被片 9（~ 15），外轮 3 绿色，花被片椭圆形；雄蕊群黄色，近球形的肉质花托直径约 6mm，雄蕊较少，6 ~ 9，每雄蕊钳入横列的凹穴

铁箍散

内，花丝甚短，药室内向纵裂。雌花花被片与雄花相似；雌蕊群卵球形，直径 4 ~ 6mm，心皮 25 ~ 45，倒卵圆形，长 1.7 ~ 2.1mm，密生腺点，花柱长约 1mm。聚合果的果托干时黑色，长 3 ~ 15cm，直径 1 ~ 2mm，成熟心皮亦较小，10 ~ 30，具短柄；种子较小，肾形，近圆形，长 4 ~ 4.5mm，种皮灰白色，种脐狭 "V" 形，约为宽的 1/3。花期 6 ~ 8 月，果期 8 ~ 9 月。

| 生境分布 | 生于海拔 250 ~ 1200m 的沟谷、岩石山坡林中。分布于重庆万州、潼南、城口、涪陵、巫溪、开州、合川、奉节、垫江、彭水、云阳、长寿、南川等地。

| 资源情况 | 野生资源一般。药材来源于野生。

| 采收加工 | 小血藤：10 ~ 11 月采收，晒干或鲜用。
小血藤叶：春、夏、秋季采收，鲜用或晒干研粉。

| 药材性状 | 小血藤：本品藤茎细长圆柱形，直径 0.2 ~ 0.6cm，有的略弯曲；表面红棕色或棕褐色，有纵皱纹及红棕色皮孔；分枝断痕较硬；质坚韧，难折断，折断面呈刺片状，皮部易与木部分离，皮部棕褐色，木部粉白色，髓部中央有空心；气香，味微辛，嚼之有黏性。根圆柱形，常弯曲，长 20 ~ 40cm，直径 0.3 ~ 1.2cm；表面红褐色或棕红色，常有环状裂缝，多露出木部而呈结节状；质坚，难折断，断面皮部厚，整齐，显灰绿色，木部呈刺片状，黄白色；气香，味辛、微苦、涩，嚼之有黏性。根茎圆柱形，直径 0.4 ~ 1.2cm；表面有细长须根和须根痕；皮部薄，断面棕色，髓部中空。
小血藤叶：本品狭披针形、狭卵状矩圆形或矩圆形，革质或厚纸质，长 4 ~ 12cm，宽 1 ~ 3cm，先端长渐尖或尾尖，基部圆形或宽楔形，边缘有疏锯齿，表面枯绿色，主脉明显，侧脉不明显；叶柄长约 8mm。气微香，味辛。

| 功能主治 | 小血藤：辛，温。祛风活血，解毒消肿，止血。用于风湿麻木，筋骨疼痛，跌打损伤，月经不调，胃痛，腹胀，痈肿疮毒，劳伤吐血。
小血藤叶：甘、辛、微涩，平。解毒消肿，散瘀止血。用于疮疖肿毒，乳痈红肿，外伤出血，骨折，毒蛇咬伤。

| 用法用量 | 小血藤：内服煎汤，10 ~ 15g；或浸酒。外用适量，捣敷或煎汤洗。
小血藤叶：外用捣敷，30g，鲜品可加倍；或煎汤洗；或干叶研粉，撒或调敷。

华中五味子

Schisandra sphenanthera Rehd. et Wils.

| 药 材 名 | 南五味子（药用部位：果实）、五香血藤（药用部位：藤茎、根。别名：大血藤、紫金藤、钻骨风）。 |

| 形态特征 | 落叶木质藤本，全株无毛，很少在叶背脉上被稀疏细柔毛。冬芽、芽鳞具长缘毛，先端无硬尖；小枝红褐色，距状短枝或伸长，具颇密而突起的皮孔。叶纸质，倒卵形、宽倒卵形，或倒卵状长椭圆形，有时圆形，很少椭圆形，长（3 ~ ）5 ~ 11cm，宽（1.5 ~ ）3 ~ 7cm，先端短急尖或渐尖，基部楔形或阔楔形，干膜质边缘至叶柄成狭翅，上面深绿色，下面淡灰绿色，有白色点，1/2 ~ 2/3以上边缘具疏离、胼胝质齿尖的波状齿；上面中脉稍凹入，侧脉每边4 ~ 5，网脉密致，干时两面不明显凸起；叶柄红色，长 1 ~ 3cm。花生于近基部叶腋；花梗纤细，长 2 ~ 4.5cm，基部具长 3 ~ 4mm |

华中五味子

的膜质苞片；花被片 5 ~ 9，橙黄色，近相似，椭圆形或长圆状倒卵形，中轮的长 6 ~ 12mm，宽 4 ~ 8mm，具缘毛，背面有腺点。雄花雄蕊群倒卵圆形，直径 4 ~ 6mm；花托圆柱形，先端伸长，无盾状附属物；雄蕊 11 ~ 19，基部的长 1.6 ~ 2.5mm，药室内侧向开裂，药隔倒卵形，2 药室向外倾斜，先端分开，基部近邻接，花丝长约 1mm，上部 1 ~ 4 雄蕊与花托顶贴生，无花丝。雌花雌蕊群卵球形，直径 5 ~ 5.5mm，雌蕊 30 ~ 60，子房近镰刀状椭圆形，长 2 ~ 2.5mm，柱头冠狭窄，仅花柱长 0.1 ~ 0.2mm，下延成不规则的附属体。聚合果果托长 6 ~ 17cm，直径约 4mm，聚合果果梗长 3 ~ 10cm，成熟小浆果红色，长 8 ~ 12mm，宽 6 ~ 9mm，具短柄；种子长圆形或肾形，长约 4mm，宽 3 ~ 3.8mm，高 2.5 ~ 3mm，种脐斜 "V" 字形，长约为宽的 1/3，种皮褐色光滑，或仅背面微皱。花期 4 ~ 7 月，果期 7 ~ 9 月。

| **生境分布** | 生于 600 ~ 2600m 的密林中或溪沟边。分布于重庆黔江、綦江、城口、奉节、石柱、巫溪、南川、酉阳、秀山、武隆、开州、丰都、梁平等地。

| **资源情况** | 野生资源较丰富。药材主要来源于野生，亦有少量栽培。

| **采收加工** | 南五味子：秋季果实成熟时采摘，晒干，除去果梗和杂质。
五香血藤：全年均可采收，切片，晒干。

| **药材性状** | 南五味子：本品呈球形或扁球形，直径 4 ~ 6mm。表面棕红色至暗棕色，干瘪，皱缩，果肉常紧贴于种子上。种子 1 ~ 2，肾形，表面棕黄色，有光泽，种皮薄而脆。果肉气微，味微酸。

| **功能主治** | 南五味子：收敛固涩，益气生津，宁心安神。用于久咳虚喘，梦遗滑精，尿频遗尿，久泻不止，自汗盗汗，津伤口渴，内热消渴，心悸失眠。
五香血藤：舒筋活血，理气止痛，健脾消食，敛肺生津。用于跌打损伤，骨折，劳伤，风湿腰痛，关节酸痛，食积停滞，胃痛，腹胀，久咳气短，津少口渴等。

| **用法用量** | 南五味子：内服煎汤，2 ~ 6g。
五香血藤：内服煎汤，10 ~ 30g；或浸酒。外用适量，捣敷；或研末撒。

| **附　　注** | 本种喜阴凉湿润气候，耐寒，不耐水浸，需适度荫蔽，幼苗期尤忌烈日照射。以选疏松、肥沃、富含腐殖质的壤土栽培为宜。

五味子科 Schisandraceae 八角属 Illicium

红茴香
Illicium henryi Diels

红茴香

| 药 材 名 |

红茴香根（药用部位：根、根皮。别名：红毒茴根、土八角、土大香）。

| 形 态 特 征 |

灌木或乔木，高 3 ~ 8m，有时可达 12m。树皮灰褐色至灰白色；芽近卵形。叶互生或 2 ~ 5 簇生，革质，倒披针形、长披针形或倒卵状椭圆形，长 6 ~ 18cm，宽 1.2 ~ 5（~ 6）cm，先端长渐尖，基部楔形；中脉在叶上面下凹，在下面凸起，侧脉不明显；叶柄长 7 ~ 20mm，直径 1 ~ 2mm，上部有不明显的狭翅。花粉红色至深红色、暗红色，腋生或近顶生，单生或 2 ~ 3 簇生；花梗细长，长 15 ~ 50mm；花被片 10 ~ 15，最大的花被片长圆状椭圆形或宽椭圆形，长 7 ~ 10mm，宽 4 ~ 8.5mm；雄蕊 11 ~ 14，长 2.2 ~ 3.5mm，花丝长 1.2 ~ 2.3mm，药室明显凸起；心皮通常 7 ~ 9，有时可达 12，长 3 ~ 5mm，花柱钻形，长 2 ~ 3.3mm。果梗长 15 ~ 55mm；蓇葖果 7 ~ 9，长 12 ~ 20mm，宽 5 ~ 8mm，厚 3 ~ 4mm，先端明显钻形，细尖，尖头长 3 ~ 5mm；种子长 6.5 ~ 7.5mm，宽 5 ~ 5.5mm，厚 2.5 ~ 3mm。花期 4 ~ 6 月，果期 8 ~ 10 月。

| 生境分布 | 生于海拔 300 ～ 2500m 的山地、丘陵、盆地的密林、疏林、灌丛、山谷、溪边或峡谷的悬崖峭壁上。分布于重庆彭水、城口、巫溪、奉节、开州、巫山、云阳、武隆、南川、綦江、江津等地。

| 资源情况 | 野生资源一般。药材来源于野生。

| 采收加工 | 全年均可采挖，洗净，晒干；或剥取根皮，晒干。

| 药材性状 | 本品根呈圆柱形，常不规则弯曲，直径 2 ～ 3cm；表面粗糙，棕褐色，具明显的横向裂纹和因干缩所致的纵皱纹，少数栓皮易剥落，皮部棕色；质坚硬，不易折断，断面淡棕色，外圈红棕色，木部占根的大部分，并可见同心环（年轮）；气香，味辛、涩。根皮为不规则的块片，略卷曲，厚 1 ～ 2mm；外表面棕褐色，具纵皱及少数横向裂纹，内表面红棕色，光滑，有纵向纹理；质坚而脆，断面稍整齐。气香，味辛、涩。

| 功能主治 | 辛、甘，温；有毒。归肝经。活血止痛，祛风除湿。用于跌打损伤，风寒湿痹，腰腿痛。

| 用法用量 | 内服煎汤，根 3 ～ 6g，根皮 1.5 ～ 4.5g；或研末，0.6 ～ 0.9g。外用研末调敷。不可过量服用，以防中毒。鲜品毒性更大，不宜服用。孕妇禁服；阴虚无瘀滞者慎服。

| 附　注 | 本种为中国特有植物，其叶和果含有芳香油，可药用。

小花八角 *Illicium micranthum* Dunn

| 药 材 名 | 树救主（药用部位：根。别名：野八角、假八角、土八角）。

| 形态特征 | 常绿小乔木或灌木，高可达 10m。嫩枝略有棱，浅棕色，老时灰色。叶不规则互生或 3 ~ 5 集生，薄革质或革质；叶柄长 4 ~ 12mm，具不明显的窄翅；叶片倒卵状椭圆形或窄长圆形，长 4 ~ 11cm，宽 1.3 ~ 4cm，先端尾状渐尖或渐尖，基部楔形，边缘微反卷。花小，单生叶腋或集生枝梢叶腋，初为绿白色或黄色，后为红色或橘红色；花梗纤细，长 7 ~ 28mm；花被片 17 ~ 20，具不明显的透明腺点；雄蕊 10 ~ 12；心皮 7 ~ 8。果梗长可达 2.8cm；蓇葖果 6 ~ 8，长 9 ~ 14mm，宽 3 ~ 7mm；种子浅棕色，长 4.5 ~ 5mm。花期 4 ~ 5 月，果期 7 ~ 9 月。

小花八角

| **生境分布** | 生于海拔 500～1400m 的灌丛或混交林内、山涧、山谷疏林、密林中或峡谷溪边。分布于重庆秀山、黔江、彭水、石柱、涪陵、忠县、武隆、南川、合川、铜梁、永川、璧山、江津、北碚、城口等地。 |

| **资源情况** | 野生资源稀少。药材来源于野生。 |

| **采收加工** | 全年均可采收，除去泥土、杂质，晒干。 |

| **功能主治** | 辛，温；有毒。行气止痛，散瘀消肿。用于胃痛吐泻，胸腹气痛，跌打损伤。 |

| **用法用量** | 内服煎汤，1～1.5g。孕妇禁服。 |

五味子科 Schisandraceae 八角属 Illicium

野八角

Illicium simonsii Maxim.

野八角

|药 材 名|

土大香（药用部位：果实、叶。别名：云南茴香）。

|形态特征|

乔木，高达 9m，少数可达 15m。幼枝带褐绿色，稍具棱，老枝变灰色；芽卵形或尖卵形，外芽鳞明显具棱。叶近对生或互生，有时 3 ~ 5 聚生，革质，披针形至椭圆形，或长圆状椭圆形，通常长 5 ~ 10cm，宽 1.5 ~ 3.5cm，先端急尖或短渐尖，基部渐狭楔形，下延至叶柄成窄翅；干时上面暗绿色，下面灰绿色或浅棕色；中脉在叶面凹下，至叶柄成狭沟，侧脉常不明显；叶柄长 7 ~ 20mm，在上面下凹成沟状。花有香气，淡黄色，芳香，有时为奶油色或白色，很少为粉红色，腋生，常密集于枝先端聚生；花梗极短，在盛开时长 2 ~ 8mm，直径 1.5 ~ 2mm；花被片 18 ~ 23，很少 26，最外面的 2 ~ 5，薄纸质，椭圆状长圆形，长 5 ~ 11mm，宽 4 ~ 7mm，最大的长 9 ~ 15mm，宽 2 ~ 4mm，长圆状披针形至舌状，膜质，里面的花被片渐狭，最内的几片狭舌形，长 7 ~ 15mm，宽 1 ~ 3mm；雄蕊 16 ~ 28，2 ~ 3 轮，长 2.5 ~ 4.2mm，花丝舌状，长 1 ~ 2.2mm，花药长圆形，长 1.4 ~ 2.4mm；心皮 8 ~ 13，长 3 ~ 4.5mm，子房扁卵状，长 1.2 ~ 2mm，花柱钻形，长 1.5 ~ 2.5mm。果梗长 5 ~ 16mm；蓇葖果 8 ~ 13，长 11 ~ 20mm，宽 6 ~ 9mm，厚 2.5 ~ 4mm，先端具钻形尖头，长 3 ~ 7mm；种子灰棕色至稻秆色，长 6 ~ 7mm，宽 4 ~ 5mm，厚 2 ~ 2.5mm。花期几乎全年，多为 2 ~ 5 月（少数是 12 月至翌年 6 月），果期 6 ~ 10 月。

| 生境分布 |

生于海拔 1700 ~ 2500m 的杂木林、灌丛中或开阔处，常生于山谷、溪流、沿江两岸潮湿处。也有成片纯林的。分布于重庆黔江、酉阳、丰都等地。

| 资源情况 |

野生资源稀少。药材来源于野生。

| 采收加工 |

9 ~ 11 月采摘，除去果柄、枝梗，晒干。

| 功能主治 |

辛，热；大毒。生肌杀虫。用于疮疡久溃，疥疮。

| 用法用量 |

外用适量，研末调敷；或煎汤洗。不可内服。

蜡梅科 Calycanthaceae 蜡梅属 Chimonanthus

山蜡梅
Chimonanthus nitens Oliv.

| 药 材 名 | 山蜡梅（药用部位：叶。别名：香风茶、毛山茶、岩马桑）。

| 形态特征 | 常绿灌木，高 1 ~ 3m。幼枝四方形，老枝近圆柱形，被微毛，后渐无毛。叶纸质至近革质，椭圆形至卵状披针形，少数为长圆状披针形，长 2 ~ 13cm，宽 1.5 ~ 5.5cm，先端渐尖，基部钝至急尖，叶面略粗糙，有光泽，基部被不明显的腺毛，叶背无毛，或有时在叶缘、叶脉和叶柄上被短柔毛；叶脉在叶面扁平，在叶背凸起，网脉不明显。花小，直径 7 ~ 10mm，黄色或黄白色；花被片圆形、卵形、倒卵形、卵状披针形或长圆形，长 3 ~ 15mm，宽 2.5 ~ 10mm，外面被短柔毛，内面无毛；雄蕊长 2mm，花丝短，被短柔毛，花药卵形，向内弯，比花丝长，退化雄蕊长 1.5mm；心皮长 2mm，基部及花柱基部被疏硬毛。果托坛状，长 2 ~ 5cm，直径 1 ~ 2.5cm，口部收缩，

山蜡梅

成熟时灰褐色，被短绒毛，内藏聚合瘦果。花期 10 月至翌年 1 月，果期 4 ~ 7 月。

| **生境分布** | 生于山地疏林中或石灰岩山地，或栽培于公园等。分布于重庆南川、江北、北碚等地。

| **资源情况** | 野生和栽培资源均稀少。药材主要来源于栽培。

| **采收加工** | 全年均可采收，以夏、秋季采者为佳，鲜用或晒干。

| **药材性状** | 本品呈椭圆形或狭椭圆形，长 5 ~ 13cm，宽 3 ~ 5.5cm，先端渐尖，基部楔形，上表面灰绿色或棕绿色，下表面色较浅，两面均较粗糙，密布透明腺点，主脉浅褐色，于下表面明显凸出；叶柄长 0.5 ~ 1cm，薄革质。气清香，味微苦而辛。以完整、香气浓者为佳。

| **功能主治** | 辛、微苦，温。归肺、脾经。祛风解表，芳香化湿。用于流感，中暑，慢性支气管炎，湿困胸闷，蚊蚁叮咬。

| **用法用量** | 内服煎汤，6 ~ 18g，因含有挥发油，不宜久煎；或开水冲泡代茶。外用适量，鲜品揉擦。

蜡梅

蜡梅 *Chimonanthus praecox* (L.) Link

药材名

腊梅花（药用部位：花蕾。别名：黄梅花、蜡梅花、铁筷子花）、蜡梅叶（药用部位：叶）、铁筷子（药用部位：根。别名：钻石风、岩马桑根、铁钢叉）。

形态特征

落叶灌木，高达 4m。幼枝四方形，老枝近圆柱形，灰褐色，无毛或被疏微毛，有皮孔；鳞芽通常着生于第二年生的枝条叶腋内，芽鳞片近圆形，覆瓦状排列，外面被短柔毛。叶纸质至近革质，卵圆形、椭圆形、宽椭圆形至卵状椭圆形，有时长圆状披针形，长5～25cm，宽2～8cm，先端急尖至渐尖，有时具尾尖，基部急尖至圆形，除叶背脉上被疏微毛外无毛。花着生于第二年生枝条叶腋内，先花后叶，芳香，直径2～4cm；花被片圆形、长圆形、倒卵形、椭圆形或匙形，长5～20mm，宽5～15mm，无毛，内部花被片比外部花被片短，基部有爪；雄蕊长4mm，花丝比花药长或等长，花药向内弯，无毛，药隔先端短尖，退化雄蕊长3mm；心皮基部被疏硬毛，花柱长达子房3倍，基部被毛。果托近木质化，坛状或倒卵状椭圆形，长2～5cm，直径1～2.5cm，口部收缩，并有钻状披针形的被毛附生物。花期 11 月至翌年 3 月，果期 4 ~ 11 月。

| 生境分布 | 生于山坡灌丛或水沟边，多栽培。重庆各地均有分布。

| 资源情况 | 野生资源一般，栽培资源丰富。药材主要来源于栽培。

| 采收加工 | 腊梅花：1 ~ 3 月采摘，晒干或烘干。

蜡梅叶：夏季枝叶茂盛时采收，晒干。

铁筷子：全年均可采挖，洗净，阴干。

| 药材性状 | 腊梅花：本品呈圆形、短圆形或倒卵形，长 1 ~ 1.5cm，宽 4 ~ 8mm。花被片叠合作花芽状，棕黄色，下半部被多数膜质鳞片，鳞片黄褐色，略呈三角形，有微毛。气香，味微甘后苦，稍有油腻感。

蜡梅叶：本品多皱缩，展平后呈卵圆形或宽椭圆形，长 4 ~ 25cm，宽 2 ~ 8cm，上表面黄绿色，下表面棕黄色，全缘，粗糙，有倒刺感，先端急尖或渐尖，基部略圆；叶纸质至近革质，叶脉明显下凸；易破碎。气香，味辛、微苦。

铁筷子：本品呈弯曲的长圆柱形，直径 0.3 ~ 1cm。外皮黑褐色，粗糙，有明显隆起的纵皱纹及圆形支根痕。质坚硬，不易折断，断面皮部棕褐色，木部宽广，浅黄白色，有放射状花纹。气芳香，味辛、微苦。

| 功能主治 | 腊梅花：辛、甘、微苦，凉；有小毒。归肺、胃经。解暑清热，理气开郁。用于热病烦渴，头晕，胸闷脘痞，梅核气，咽喉肿痛，百日咳，小儿麻疹，烫火伤。

蜡梅叶：辛、微苦，温。理气止痛，散寒解毒。用于风寒感冒，风湿麻木，跌打损伤。

铁筷子：辛，凉；有毒。祛风止痛，活血解毒。用于哮喘，劳伤咳嗽，胃痛，腹痛，风湿痹痛，疔疮肿毒，跌打损伤。

| 用法用量 | 腊梅花：内服煎汤，3 ~ 9g。外用适量，浸油涂或滴耳。孕妇慎用。

蜡梅叶：内服煎汤，3 ~ 9g。

铁筷子：内服煎汤，6 ~ 9g。孕妇禁服。

| 附 注 | 本种喜温暖气候，较耐寒、耐旱，稍耐阴；喜阳光；忌湿涝。以土层深厚、疏松肥沃、排水良好的砂壤土栽种为宜。在重黏土和碱土中生长不良。

樟科 Lauraceae 黄肉楠属 Actinodaphne

红果黄肉楠 *Actinodaphne cupularis* (Hemsl.) Gamble

药 材 名	红果楠（药用部位：根、叶。别名：凉药、小楠木、粉天台）。
形态特征	灌木或小乔木，高 2 ~ 10m。小枝细，幼时被灰色或灰褐色微柔毛；顶芽卵圆形或圆锥形，鳞片外面被锈色丝状短柔毛，边缘有睫毛。叶通常 5 ~ 6 簇生枝端成轮生状，长圆形至长圆状披针形，长 5.5 ~ 13.5cm，宽 1.5 ~ 2.7cm，两端渐尖或急尖，革质，上面绿色，有光泽，无毛，下面粉绿色，被灰色或灰褐色短柔毛，后毛被渐脱落；羽状脉，中脉在叶上面下陷，在下面凸起，侧脉每边 8 ~ 13，斜展，纤细，在叶下面明显，且凸起，横脉不甚明显；叶柄短，长 3 ~ 8mm，有沟槽，被灰色或灰褐色短柔毛。伞形花序单生或数个簇生枝侧，无总梗；苞片 5 ~ 6，外被锈色丝状短柔毛；每一雄花序有雄花 6 ~ 7；花梗及花被筒密被黄褐色长柔毛；花被裂片 6（ ~ 8），

红果黄肉楠

卵形，外面中肋被柔毛，内面无毛；能育雄蕊 9，花丝无毛，第 3 轮基部两侧的 2 极腺体有柄；退化雌蕊细小，无毛；雌花序常有雌花 5；子房椭圆形，无毛，花柱长 1.5mm，外露，柱头 2 裂。果卵形或卵圆形，先端有短尖，无毛，成熟时红色，着生于杯状果托上；果托深 4 ~ 5mm，外面有皱褶，全缘或粗波状缘。花期 10 ~ 11 月，果期 8 ~ 9 月。

| **生境分布** | 生于海拔 360 ~ 1300m 的密林、溪旁或灌丛中。分布于重庆云阳、石柱、涪陵、秀山、北碚、巫山、奉节、南川、黔江等地。

| **资源情况** | 野生资源一般。药材主要来源于野生。

| **采收加工** | 夏、秋季采收，除去泥土、杂质，洗净，晒干。

| **功能主治** | 辛，平。清热消肿，降逆止呕。用于水火烫伤，脚癣，痔疮，恶心呕吐。

| **用法用量** | 内服煎汤，6 ~ 9g；或磨汁服。外用适量，煎汤搽、洗患处。

樟科 Lauraceae 黄肉楠属 Actinodaphne

柳叶黄肉楠 *Actinodaphne lecomtei* Allen

| 药 材 名 | 柳叶黄肉楠（药用部位：根）。

| 形态特征 | 乔木或小乔木，高达 10m，胸径达 20cm。树皮棕褐色；小枝褐色，被灰黄色短柔毛，老时渐变无毛；顶芽圆锥形，鳞片外面密被灰褐色短柔毛，边缘被锈色睫毛。叶近轮生或互生，披针形至条状披针形，长 10 ～ 20cm，宽 1.5 ～ 3cm，先端急尖或狭尖，基部楔形，革质，上面深绿色，无毛或幼时沿中脉被微柔毛，下面灰绿色，苍白，略被贴伏短柔毛；羽状脉，中脉于叶上面微凸，下面明显凸起，侧脉多而密，通常每边 30 ～ 40 或以上，纤细，不甚明显，两面网脉细，呈蜂窝状小穴；叶柄长 7 ～ 20mm，被贴伏短柔毛或老时近无毛。花序伞形，常 2 ～ 5 簇生叶腋或枝侧，无总梗；苞片外被黄色丝状短柔毛，内面无毛，每一花序有花 4 ～ 5；花梗与花被筒密被黄褐

柳叶黄肉楠

色长柔毛；花被裂片 6，长圆形或椭圆形，长 4mm，宽 1.8 ~ 2mm，外面被黄褐色长柔毛，内面无毛。雄花能育雄蕊 9，花丝长 3 ~ 4mm，无毛，第 3 轮基部的腺体盾状，有柄；退化雌蕊长 2mm，无毛。雌花子房圆球形，花柱细长，柱头头状，均无毛。果实倒卵形，长约 1cm，宽 8mm，无毛；果托杯状，深约 3mm，直径 6 ~ 8mm，全缘或有浅波状缘；果实梗长 7 ~ 8mm，先端略增粗，被灰黄色柔毛。花期 8 ~ 9 月，果期 10 ~ 11 月。

| 生境分布 | 生于海拔 650 ~ 1800m 的山地、路旁、溪旁或杂木林中。分布于重庆南川、北碚、江津、开州等地。

| 资源情况 | 野生资源稀少。药材来源于野生。

| 采收加工 | 夏、秋季采收，除去泥土杂质，洗净，晒干。

| 功能主治 | 祛风除湿，行气止痛。用于风湿骨痛，跌打损伤。

| 用法用量 | 外用适量，煎汤搽、洗患处。

樟科 Lauraceae 樟属 *Cinnamomum*

毛桂
Cinnamomum appelianum Schewe

| 药 材 名 | 山桂皮（药用部位：树皮。别名：假桂皮、土桂皮）。

| 形态特征 | 小乔木，高 4 ～ 6m，胸径达 8cm。极多分枝，分枝对生，树皮灰褐色或橄榄绿色；枝条略芳香，圆柱形，稍粗壮，当年生枝密被污黄色硬毛状绒毛，一年生枝渐变无毛，老枝无毛，黄褐色或棕褐色，疏生有灰褐色长圆形皮孔；芽狭卵圆形，锐尖，芽鳞覆瓦状排列，革质，褐色，密被污黄色硬毛状绒毛。叶互生或近对生，椭圆形、椭圆状披针形至卵形或卵状椭圆形，长 4.5 ～ 11.5cm，宽 1.5 ～ 4cm，先端骤然短渐尖，基部楔形至近圆形，革质，幼时上面沿脉上、下面各处密被皱波状污黄色疏柔毛，老时上面无毛，榄绿褐色，稍光亮，下面密被皱波状污黄色疏柔毛，黄褐色，晦暗，两面略呈牛皮状皱纹；离基三出脉，侧脉自叶基 1 ～ 3mm 处生出，弧曲上升，

毛桂

贯入叶端，近叶缘一侧有少数支脉，支脉在叶缘之内网结，横脉及细脉多数，在下面多少明显；叶柄粗壮，长 4 ~ 5（~ 9）mm，腹平背凸，密被污黄色硬毛状绒毛或柔毛。圆锥花序生于当年生枝条基部叶腋内，大多短于叶很多，长 4 ~ 6.5cm，具（3 ~）5 ~ 7（~ 11）花，分枝，分枝长约 0.5cm；总梗纤细，伸展，长 1 ~ 1.5（2.5 ~ 3.5）cm，与各级序轴被黄褐色微硬毛状短柔毛或柔毛；苞片线形或披针形，长 2.5 ~ 3mm，宽 0.7mm，两面被柔毛，早落；花白色，长 3 ~ 5mm，花梗长 2 ~ 3mm，极密被黄褐色微硬毛状微柔毛或柔毛；花被两面被黄褐色绢状微柔毛或柔毛但内面毛较长，花被筒倒锥形，长 1 ~ 1.5mm，花被裂片宽倒卵形至长圆状卵形，先端锐尖，长 3 ~ 3.5mm，宽约 2mm；能育雄蕊 9，稍短于花被片，长 2.5 ~ 3.5mm，花丝被疏柔毛，第 1、2 轮雄蕊花药长圆形，与花丝等长，4 室，室内向，花丝无腺体，第 3 轮雄蕊花药长圆形，4 室，室外向，花丝中部有 1 对无柄的心状圆形腺体；退化雄蕊 3，位于最内轮，长 1.3 ~ 1.7mm，三角状箭头形，具短柄，柄被柔毛；子房宽卵球形，长 1.2mm，无毛，花柱粗壮，柱头盾形或头状，全缘或略具 3 浅裂。未成熟果实椭圆形，长约 6mm，宽 4mm，绿色，果托增大，漏斗状，长达 1cm，先端具齿裂，宽 7mm。花期 4 ~ 6 月，果期 6 ~ 8 月。

| **生境分布** | 生于海拔 300 ~ 800m 的山坡、谷地灌丛、疏林中。分布于重庆奉节、秀山、彭水、丰都、南川、长寿、巴南、北碚、合川、永川、江津、大足、忠县、九龙坡等地。

| **资源情况** | 野生资源较少。药材主要来源于野生。

| **采收加工** | 全年均可采收，洗净，切碎，晒干。

| **功能主治** | 辛，温。温中理气，发汗解肌。用于虚寒胃痛，泄泻，腰膝冷痛，风寒感冒，月经不调。

| **用法用量** | 内服煎汤，6 ~ 9g。

樟科 Lauraceae 樟属 Cinnamomum

猴樟
Cinnamomum bodinieri Lévl.

猴樟

药材名

猴樟（药用部位：根皮、茎皮、枝、叶。别名：香树、香樟、猴挟木）、猴樟果（药用部位：果实。别名：香樟果）。

形态特征

乔木，高达 16m，胸径 30 ~ 80cm。树皮灰褐色；枝条圆柱形，紫褐色，无毛，嫩时多少具棱角；芽小，卵圆形，芽鳞疏被绢毛。叶互生，卵圆形或椭圆状卵圆形，长 8 ~ 17cm，宽 3 ~ 10cm，先端短渐尖，基部锐尖、宽楔形至圆形，坚纸质，上面光亮，幼时被极细的微柔毛，老时变无毛，下面苍白，极密被绢状微柔毛；中脉在上面平坦下面凸起，侧脉每边 4 ~ 6，最基部的 1 对近对生，其余的均为互生，斜升，两面近明显，侧脉脉腋在下面有明显的腺窝，上面相应处明显呈泡状隆起，横脉及细脉网状，两面不明显；叶柄长 2 ~ 3cm，腹凹背凸，略被微柔毛。圆锥花序在幼枝上腋生或侧生，同时亦有近侧生，有时基部具苞叶，长（5 ~）10 ~ 15cm，多分枝，分枝两歧状，具棱角；总梗圆柱形，长 4 ~ 6cm，与各级序轴均无毛；花绿白色，长约 2.5mm，花梗丝状，长 2 ~ 4mm，被绢状微柔毛；花被筒倒锥形，外面近无毛，花被裂片 6，卵圆形，长约 1.2mm，外面近无毛，内面被白色绢毛，反折，很快脱落；能育雄蕊 9，第 1、2 轮雄蕊长约 1mm，花药近圆形，花丝无腺体，第 3 轮雄蕊稍长，花丝近基部有 1 对肾形大腺体；退化雄蕊 3，位于最内轮，心形，近无柄，长约 0.5mm；子房卵珠形，长约 1.2mm，无毛，花柱长 1mm，柱头头状。果实球形，直径 7 ~ 8mm，绿色，无毛；果托浅杯状，先端宽 6mm。花期 5 ~ 6 月，果期 7 ~ 8 月。

| 生境分布 | 生于海拔 700 ~ 1500m 的山地疏林灌丛中、路旁、沟边。分布于重庆彭水、沙坪坝、合川、潼南、忠县、綦江、铜梁、南川等地。

| 资源情况 | 野生资源较丰富。药材主要来源于野生。

| 采收加工 | 猴樟：全年均可采收，根皮、茎皮刮去栓皮，洗净，晒干；嫩枝及叶多鲜用。
猴樟果：秋季果实成熟时采摘，除去杂质，晒干。

| 功能主治 | 猴樟：辛，温。归肺、胃经。祛风除湿，温中散寒，行气止痛。用于风寒感冒，风湿痹痛，吐泻腹痛，腹中痞块，疝气疼痛。
猴樟果：辛，温。归肝、胃经。散寒，行气止痛。用于虚寒胃痛，腹痛。

| 用法用量 | 猴樟：内服煎汤，10 ~ 15g。外用适量，研末调敷；或研末酒炒布包热敷。
猴樟果：内服研末，1 ~ 3g。

| 附　注 | 本种对水热条件要求不严，抗寒性强，能耐 -8℃的低温；在酸性、中性、微碱性土壤中生长良好。

樟科 Lauraceae 樟属 Cinnamomum

樟
Cinnamomum camphora (L.) Presl

| 药 材 名 | 天然冰片（药材来源：新鲜枝、叶经提取加工制成的结晶）、樟木（药用部位：心材。别名：樟材、香樟木、吹风散）、香樟根（药用部位：根。别名：香通、土沉香、走马胎）、樟树皮（药用部位：树皮。别名：香樟树皮、樟皮、樟木皮）、樟树叶（药用部位：叶、枝叶。别名：樟叶）、樟木子（药用部位：成熟果实。别名：樟扣、樟子、樟木蔻）、樟梨子（药用部位：病态果实。别名：樟梨、香樟子、樟树梨）、樟脑（药材来源：根、干、枝、叶经蒸馏精制而成的颗粒状物。别名：韶脑、潮脑、脑子）。

| 形态特征 | 常绿大乔木，高可达 30m，直径可达 3m。树冠广卵形，枝、叶及木材均有樟脑气味，树皮黄褐色，有不规则的纵裂；顶芽广卵形或圆球形，鳞片宽卵形或近圆形，外面略被绢状毛；枝条圆柱形，淡褐色，

樟

无毛。叶互生，卵状椭圆形，长 6 ～ 12cm，宽 2.5 ～ 5.5cm，先端急尖，基部宽楔形至近圆形，全缘，软骨质，有时呈微波状，上面绿色或黄绿色，有光泽，下面黄绿色或灰绿色，晦暗，两面无毛或下面幼时略被微柔毛；具离基三出脉，有时过渡到基部具不显的 5 脉，中脉两面明显，上部每边有侧脉（1 ～）3 ～ 5（～ 7），基生侧脉向叶缘一侧有少数支脉，侧脉及支脉脉腋上面明显隆起，下面有明显腺窝，窝内常被柔毛；叶柄纤细，长 2 ～ 3cm，腹凹背凸，无毛。圆锥花序腋生，长 3.5 ～ 7cm，具梗，总梗长 2.5 ～ 4.5cm，与各级序轴均无毛或被灰白色至黄褐色微柔毛，被毛时往往在节上尤为明显；花绿白色或带黄色，长约 3mm，花梗长 1 ～ 2mm，无毛；花被外面无毛或被微柔毛，内面密被短柔毛，花被筒倒锥形，长约 1mm，花被裂片椭圆形，长约 2mm；能育雄蕊 9，长约 2mm，花丝被短柔毛；退化雄蕊 3，位于最内轮，箭头形，长约 1mm，被短柔毛；子房球形，长约 1mm，无毛，花柱长约 1mm。果实卵球形或近球形，直径 6 ～ 8mm，紫黑色；果托杯状，长约 5mm，先端截平，宽达 4mm，基部宽约 1mm，具纵向沟纹。花期 4 ～ 5 月，果期 8 ～ 11 月。

| **生境分布** | 生于海拔 200 ～ 1500m 的山坡、沟谷，或栽培于公园、路旁等。重庆各地均有分布。

| **资源情况** | 野生资源一般，栽培资源较丰富。药材主要来源于栽培。

| **采收加工** | 樟木：定植 5 ～ 6 年成材后，于冬季砍收树干，锯段，劈成小块，晒干。

香樟根：春、秋季采挖，洗净，切片，晒干。

樟树皮：全年均可采剥，切段，鲜用或晒干。

樟树叶：3 月下旬前及 5 月上旬后含油多时采收，鲜用或晾干。

樟木子：11 ～ 12 月间采摘，晒干。

樟梨子：秋、冬季摘取或拾取自落果梨，除去果梗，晒干。

樟脑：9 ～ 12 月砍伐老树，取其根、干、枝，锯或劈成碎片（树叶亦可用），置蒸馏器中进行蒸馏，樟木中的樟脑及挥发油随水蒸气馏出，冷却后，即得粗制樟脑。粗制樟脑再经升华精制，即得精制樟脑粉。将樟脑粉放入模型中压榨，则成透明的樟脑块。宜置于密闭瓷器中，放干燥处保存。本品以生长 50 年以上的老树产量最丰，幼嫩枝叶含量少、产量低。

| **药材性状** | 天然冰片：本品为白色结晶性粉末或片状结晶。气清香，味辛。具挥发性，点燃时有浓烟，火焰呈黄色。本品在乙醇、三氯甲烷或乙醚中易溶，在水中几乎不溶。

樟木：本品为形状不规则的段或小块。外表红棕色至暗棕色，纹理顺直。横断面可见年轮，质重而硬。有强烈的樟脑香气，味辛，有清凉感。以块大、香气浓郁者为佳。

香樟根：本品为横切或斜切的圆片，直径 4 ~ 10cm，厚 2 ~ 5mm；或呈不规则条块状。外表赤棕色或暗棕色，有栓皮或部分脱落，横断面黄白色或黄棕色，有年轮。质坚而重。有樟脑气，味辛而清凉。以片张大、色黄白、气味浓厚者为佳。

樟树皮：本品表面光滑，黄褐色、灰褐色或褐色，有纵裂沟缝。有樟脑气，味辛、苦。

樟木子：本品呈圆球形，直径 5 ~ 8mm。棕黑色至紫黑色，表面皱缩不平或有光泽，基部有时具宿存花被管，果皮肉质而薄，内含大而黑色的种子 1。气极香，味辛、辣。

樟梨子：本品呈不规则圆球形，直径 0.5 ~ 1.4cm。表面土黄色，有黄色粉末，凹凸不平，基部具果梗痕或残存果梗。质坚硬，砸碎后断面红棕色，无种子及核。有特异芳香气，味辛、微涩。

樟脑：本品为白色的结晶性粉末或无色透明的硬块，粗制品则略带黄色，有光亮，在常温下易挥发，火试能发生有烟的红色火焰而燃烧。若加少量乙醇、乙醚或氯仿则易研成白粉。具窜透性的特异芳香，味初辛、辣而后清凉。以洁白、透明、纯净者为佳。

| 功能主治 | 天然冰片：辛、苦，凉。归心、脾、肺经。开窍醒神，清热止痛。用于热病神昏、惊厥，中风痰厥，气郁暴厥，中恶昏迷，胸痹心痛，目赤，口疮，咽喉肿痛，耳道流脓。

樟木：辛，温。归肝、脾经。祛风散寒，温中理气，活血通络。用于风寒感冒，胃寒胀痛，寒湿吐泻，风湿痹痛，脚气，跌打伤痛，疥癣风痒。

香樟根：辛，温。归肝、脾经。温中止痛，辟秽和中，祛风除湿。用于胃脘疼痛，霍乱吐泻，风湿痹痛，皮肤瘙痒等。

樟树皮：辛、苦，温。祛风除湿，暖胃和中，杀虫疗疮。用于风湿痹痛，胃脘疼痛，呕吐泄泻，脚气肿痛，跌打损伤，疥癣疮毒，毒虫蜇伤。

樟树叶：辛，温。祛风，除湿，解毒，杀虫。用于风湿痹痛，胃痛，烫火伤，疮疡肿毒，慢性下肢溃疡，疥癣，皮肤瘙痒，毒虫咬伤。

樟木子：辛，温。祛风散寒，温胃和中，理气止痛。用于脘腹冷痛，寒湿吐泻，气滞腹胀，脚气。

樟梨子：辛，温。归胃、肝经。健胃温中，理气止痛。用于胃寒脘腹疼痛，食滞腹胀，呕吐腹泻。外用于疮肿。

樟脑：辛，热；有小毒。归心、脾经。通关窍，利滞气，辟秽浊，杀虫止痒，消肿止痛。用于热病神昏，中恶猝倒，痧胀吐泻腹痛，寒湿脚气，疥疮顽癣，秃疮，冻疮，臁疮，烫火伤，跌打伤痛，牙痛，风火赤眼。

| **用法用量** | 天然冰片：内服入丸、散，0.3 ～ 0.9g。外用适量，研粉点敷患处。孕妇慎用。

樟木：内服煎汤，10 ～ 20g；或研末，3 ～ 6g；或泡酒饮。外用适量，煎汤洗。孕妇禁服。

香樟根：内服煎汤，3 ～ 10g；或研末调服。外用适量，煎汤洗。凡气虚有内热者禁服。

樟树皮：内服煎汤，10 ～ 15g；或浸酒。外用适量，煎汤洗。

樟树叶：内服煎汤，3 ～ 10g；或捣汁、研末。外用适量，煎汤洗或捣敷。孕妇禁服。

樟木子：内服煎汤，10 ～ 15g。外用适量，煎汤洗；或研末以水调敷患处。

樟梨子：内服煎汤，6 ～ 12g。外用适量，磨汁涂患处。

樟脑：内服入丸、散，0.06 ～ 0.15g，不入煎剂。外用适量，研末；或溶于酒中；或入软膏敷搽。内服不宜过量。气虚者及孕妇禁服；皮肤过敏者慎用。

| **附　　注** | 本种喜温暖湿润的气候，幼树及大树的嫩枝对低温、霜害较敏感。根深，萌芽力强，幼龄树需阳光充足，生长较快。不耐旱，能耐短期淹水，忌积水。宜选土层深厚、肥沃、水湿条件较好的山坡下部、山谷、河旁冲积地带种植造林。通过种子繁殖。

天竺桂

樟科 Lauraceae 樟属 Cinnamomum

天竺桂 *Cinnamomum japonicum* Sieb.

药材名

桂皮（药用部位：树皮。别名：山肉桂、上肉桂、土桂）、桂子（药用部位：果实。别名：天竺桂实）。

形态特征

常绿乔木，高 10 ~ 15m，胸径 30 ~ 35cm。枝条细弱，圆柱形，无毛，红色或红褐色，具香气。叶近对生或在枝条上部者互生，卵圆状长圆形至长圆状披针形，长 7 ~ 10cm，宽 3 ~ 3.5cm，先端锐尖至渐尖，基部宽楔形或钝形，革质，上面绿色，光亮，下面灰绿色，晦暗，两面无毛；离基三出脉，中脉直贯叶端，在叶片上部有少数支脉，基生侧脉自叶基 1 ~ 1.5cm 处斜向生出，向叶缘 1 侧有少数支脉，有时自叶基处生出一对明显隆起的附加支脉，中脉及侧脉两面隆起，细脉在上面密集而呈明显的网结状，但在下面呈细小的网孔；叶柄粗壮，腹凹背凸，红褐色，无毛。圆锥花序腋生，长 3 ~ 4.5（ ~ 10）cm，总梗长 1.5 ~ 3cm，与长 5 ~ 7mm 的花梗均无毛，末端为 3 ~ 5 花的聚伞花序；花长约 4.5mm；花被筒倒锥形，短小，长 1.5mm，花被裂片 6，卵圆形，长约 3mm，宽约 2mm，先端锐尖，外面无毛，内面被柔毛；能育雄蕊 9，内藏，花药长约 1mm，卵圆状椭圆形，先端钝，4 室，第 1、2 轮花药药室内向，第 3 轮花药药室外向，花丝长约 2mm，被柔毛，第 1、2 轮花丝无腺体，第 3 轮花丝近中部有 1 对圆肾形腺体；退化雄蕊 3，位于最内轮；子房卵珠形，长约 1mm，略被微柔毛，花柱稍长于子房，柱头盘状。果实长圆形，长 7mm，宽达 5mm，无毛；果托浅杯状，顶部极开张，宽达 5mm，边缘极全缘或具浅圆齿，基部骤然收缩成细长的果梗。花期 4 ～ 5 月，果期 7 ～ 9 月。

| **生境分布** | 生于海拔 300 ～ 1000m 的低山或近海的常绿阔叶林中，或栽培于公园等。分布于重庆南川、璧山、北碚、垫江、开州、南岸、大足、巴南、九龙坡等地。

| **资源情况** | 野生资源一般，栽培资源较丰富。药材主要来源于栽培。

| **采收加工** | 桂皮：冬季剥取树皮，阴干。
桂子：7 ～ 9 月果实成熟时采集，晒干。

| **药材性状** | 桂皮：本品呈筒状或为不整齐的块片，大小不等，一般长 30 ～ 60cm，厚 2 ～ 4mm。外表面灰褐色，密生不明显的小皮孔或有灰白色花斑，内表面红棕色或灰红色，光滑，有不明显的细纵纹，指甲刻划显油痕。质硬而脆，易折断，断面不整齐。气清香而凉，略似樟脑，味微甘、辛。

| **功能主治** | 桂皮：辛、甘，温。归脾、胃、肝、肾经。温脾胃，暖肝肾，祛寒止痛，散瘀消肿。用于脘腹冷痛，呕吐泄泻，腰膝酸冷，寒疝腹痛，寒湿痹痛，瘀滞痛经，血痢，肠风，跌打肿痛。
桂子：辛、甘，温。归胃经。温中，和胃。用于胃脘痛，哕逆。

| **用法用量** | 桂皮：内服煎汤，6 ～ 12g。外用适量，研末用水或酒调敷。
桂子：内服煎汤，3 ～ 6g。

樟科 Lauraceae 樟属 Cinnamomum

阔叶樟

Cinnamomum platyphyllum (Diels) Allen

| 药 材 名 | 阔叶樟（药用部位：根）。

| 形态特征 | 乔木，高约 5.5m。小枝具纵棱，嫩时密被灰褐或淡黄褐色短绒毛，老时毛被部分脱落，渐变无毛；芽卵形或椭圆形，长约 4mm，芽鳞阔卵圆形，先端锐尖，外面密被灰褐或淡黄褐色绒毛。叶互生，椭圆形、卵圆形至阔卵圆形，长 5.5 ~ 13cm，宽 2.5 ~ 5.5（~ 7）cm，先端渐尖或短渐尖，基部楔形至圆形，或有时呈浅心形，坚纸质或近革质，上面略被短柔毛或变无毛，光亮，下面密被灰褐色或淡黄褐色短柔毛；羽状脉，中脉在上面下部平坦或稍凹陷，上部稍隆起，下面显著隆起，侧脉每边 4 ~ 7，在上面稍隆起，下面明显隆起，侧脉脉腋通常在上面略有泡状隆起，下面不明显呈窝穴状，横脉及细脉在上面稍明显，下面几不可见；叶柄长 1 ~ 2.5cm，腹面具沟槽，

阔叶樟

被灰褐色或淡黄褐色绒毛。花未见。果序圆锥状，腋生，长达 9cm，序轴密被灰褐色或淡黄褐色绒毛；果实阔倒卵形或近球形，直径约 1cm，被灰褐色或淡黄褐色柔毛；果托浅碟状，全缘，直径约 3.5mm，果梗长约 3mm，向上逐渐增粗，先端直径约 2mm。果期 9 月。

| **生境分布** | 生于海拔约 1050m 的山坡上。分布于重庆酉阳、忠县、丰都、铜梁、涪陵等地。

| **资源情况** | 野生资源一般。药材主要来源于野生。

| **采收加工** | 全年均可采收，除去杂质，晒干或鲜用。

| **功能主治** | 行气止痛。

| **用法用量** | 内服煎汤，10 ~ 15g。

樟科 Lauraceae 樟属 Cinnamomum

黄樟
Cinnamomum porrectum (Roxb.) Kosterm.

黄樟

药材名

黄樟（药用部位：根、树皮、叶。别名：樟木、冰片树、油樟）。

形态特征

常绿乔木，树干通直，高 10 ～ 20m，胸径 40cm 以上。树皮暗灰褐色，上部为灰黄色，深纵裂，呈小片剥落，厚约 3 ～ 5mm，内皮带红色，具有樟脑气味；枝条粗壮，圆柱形，绿褐色，小枝具棱角，灰绿色，无毛；芽卵形，鳞片近圆形，被绢状毛。叶互生，通常为椭圆状卵形或长椭圆状卵形，长 6 ～ 12cm，宽 3 ～ 6cm；在花枝上的稍小，先端通常急尖或短渐尖，基部楔形或阔楔形，革质，上面深绿色，下面色稍浅，两面无毛或仅下面腺窝具毛簇；羽状脉，侧脉每边 4 ～ 5，与中脉两面明显，侧脉脉腋上面不明显凸起，下面无明显的腺窝，细脉和小脉网状；叶柄长 1.5 ～ 3cm，腹凹背凸，无毛。圆锥花序于枝条上部腋生或近顶生，长 4.5 ～ 8cm，总梗长 3 ～ 5.5cm，与各级花序轴及花梗无毛；花小，长约 3mm，绿带黄色，花梗纤细，长达 4mm；花被外面无毛，内面被短柔毛，花被筒倒锥形，长约 1mm，花被裂片宽长椭圆形，长约 2mm，宽约 1.2mm，具点，先端钝形；能育雄蕊9，花丝被短柔毛，第1、2轮雄蕊长约1.5mm，花药卵圆形，与扁平的花丝近相等，第3轮雄蕊长约1.7mm，花药长圆形，长0.7mm，花丝扁平，近基部有1对具短柄的近心形腺体；退化雄蕊3，位于最内轮，三角状心形，连柄长不及1mm，柄被短柔毛；子房卵珠形，长约1mm，无毛，花柱弯曲，长约1mm，柱头盘状，不明显3浅裂。果实球形，直径6～8mm，黑色；果托狭长倒锥形，长约1cm或稍短，基部宽1mm，红色，有纵长的条纹。花期3～5月，果期4～10月。

| **生境分布** | 生于海拔1500m以下的常绿阔叶林或灌丛中。分布于重庆黔江、城口、奉节、石柱、忠县、酉阳、南川、涪陵、丰都、九龙坡、巫溪等地。

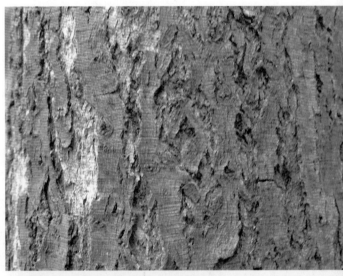

| **资源情况** | 野生资源一般。药材主要来源于野生。

| **采收加工** | 全年均可采收，除去杂质，晒干或鲜用。

| **功能主治** | 辛、微苦，温。归肺、脾、肝经。祛风散寒，温中止痛，行气活血。用于风寒感冒，风湿痹痛，胃寒腹痛，泄泻，痢疾，跌打损伤，月经不调。

| **用法用量** | 内服煎汤，10～15g。外用适量，煎汤熏洗或捣敷。

| **附 注** | （1）在FOC中，本种的拉丁学名被修订为*Cinnamomum parthenoxylon* (Jack) Meisner。（2）本种耐阴，喜湿润肥厚的酸性土壤。

樟科 Lauraceae 樟属 Cinnamomum

川桂
Cinnamomum wilsonii Gamble

川桂

| 药 材 名 |

桂皮（药用部位：树皮。别名：三条筋、桂皮、肉桂）。

| 形态特征 |

乔木，高 25m，胸径 30cm。枝条圆柱形，干时深褐色或紫褐色。叶互生或近对生，卵圆形或卵圆状长圆形，长 8.5 ~ 18cm，宽 3.2 ~ 5.3cm，先端渐尖，尖头钝，基部渐狭下延至叶柄，但有时为近圆形，革质，边缘软骨质而内卷，上面绿色，光亮，无毛，下面灰绿色，晦暗，幼时明显被白色丝毛但最后变无毛；离基三出脉，中脉与侧脉两面凸起，干时均呈淡黄色，侧脉自离叶基 5 ~ 15mm 处生出，向上弧曲，至叶端渐消失，外侧有时具 3 ~ 10 支脉但常无明显的支脉，支脉弧曲且与叶缘的肋连接，横脉弧曲状，多数，纤细，下面多少明显；叶柄长 10 ~ 15mm，腹面略具槽，无毛。圆锥花序腋生，长 3 ~ 9cm，单一或多数密集，少花，近总状或为 2 ~ 5 花的聚伞状，具梗，总梗纤细，长 1.5 ~ 6cm，与花序轴均无毛或疏被短柔毛；花白色，长约 6.5mm；花梗丝状，长 6 ~ 20mm，被细微柔毛；花被内、外两面被丝状微柔毛，花被筒倒锥形，长约 1.5mm，花被裂片卵圆形，先端锐尖，近等大，长 4 ~ 5mm，宽约 1mm；能育雄蕊 9，花丝被柔毛，第 1、2 轮雄蕊长 3mm，花丝稍长于花药，花药卵圆状长圆形，先端钝，药室 4，内向，第 3 轮雄蕊长约 3.5mm，花丝长约为花药的 1.5 倍，中部有 1 对肾形无柄的腺体，花药长圆形，药室 4，外向；退化雄蕊 3，位于最内轮，卵圆状心形，先端锐尖，长 2.8mm，具柄；子房卵球形，长近 1mm，花柱增粗，长 3mm，柱头宽大，头状。成熟果未见；果托先端截平，边缘具极短裂片。花期 4 ~ 5 月，果期 6 月以后。

| **生境分布** | 生于海拔 500 ~ 2300m 的山谷、山坡阳处或沟边的疏林或密林中。分布于重庆城口、巫山、奉节、丰都、铜梁、酉阳、石柱、云阳、南川、长寿、垫江、巴南、沙坪坝等地。

| **资源情况** | 野生资源一般。药材主要来源于野生。

| **采收加工** | 冬季采收，阴干。

| **药材性状** | 本品为不规则块片，厚 1 ~ 3mm。外表面褐色或棕褐色，粗糙，皮孔呈点状或椭圆形突起，或有灰棕色花斑；内表面灰棕色或棕色。质硬，断面浅棕色或棕色。香气弱，微有樟脑气，味辛、微辣。以皮薄、呈卷筒状、香气浓郁者为佳。

| **功能主治** | 参见"天竺桂"的"桂皮"条。

| **用法用量** | 参见"天竺桂"的"桂皮"条。

| **附　注** | 《全国中草药汇编》将本种的树皮确定为药材"柴桂"的来源，而《中华本草》里药材柴桂的来源为柴桂 *Cinnamomum tamala* (Bauch.-Ham.) Nees et Eberm 的树皮或叶，本种的树皮则为药材"桂皮"的来源之一。

樟科 Lauraceae 月桂属 Laurus

月桂 *Laurus nobilis* L.

药 材 名	月桂子（药用部位：果实。别名：月桂实）、月桂叶（药用部位：叶）。
形态特征	常绿小乔木或灌木状，高可达 12m。树皮黑褐色；小枝圆柱形，具纵向细条纹，幼嫩部分略被微柔毛或近无毛。叶互生，长圆形或长圆状披针形，长 5.5 ~ 12cm，宽 1.8 ~ 3.2cm，先端锐尖或渐尖，基部楔形，边缘细波状，革质，上面暗绿色，下面稍淡，两面无毛；羽状脉，中脉及侧脉两面凸起，侧脉每边 10 ~ 12，末端近叶缘处弧形连结，细脉网结，两面多少明显，呈蜂窝状；叶柄长 0.7 ~ 1cm，鲜时紫红色，略被微柔毛或近无毛，腹面具槽。花为雌雄异株；伞形花序腋生，1 ~ 3 成簇状或短总状排列，开花前由 4 交互对生的总苞片所包裹，呈球形；总苞片近圆形，外面无毛，内面被绢毛，总梗长达 7mm，略被微柔毛或近无毛。雄花每一伞形花序有花 5，

月桂

花小，黄绿色，花梗长约 2mm，被疏柔毛，花被筒短，外面密被疏柔毛，花被裂片 4，宽倒卵圆形或近圆形，两面被贴生柔毛；能育雄蕊通常 12，排成 3 轮，第 1 轮花丝无腺体，第 2、3 轮花丝中部有 1 对无柄的肾形腺体，花药椭圆形，2 室，室内向；子房不育。雌花通常有退化雄蕊 4，与花被片互生，花丝先端有成对无柄的腺体，其间延伸有 1 披针形舌状体；子房 1 室，花柱短，柱头稍增大，钝三棱形。果实卵珠形，熟时暗紫色。花期 3 ~ 5 月，果期 6 ~ 9 月。

| 生境分布 | 多栽培于公园或路旁，或逸为野生。分布于重庆南川、北碚、渝北、秀山等地。

| 资源情况 | 栽培资源稀少。药材主要来源于栽培。

| 采收加工 | 月桂子：9 月果实成熟时采收，除去杂质，晒干。
月桂叶：秋季采收，晒干。

| 药材性状 | 月桂子：本品呈卵圆形或椭圆状球形，长达 1.5cm，先端略尖，有花柱残基。表面棕色或黑棕色，平滑而带光泽，具粗皱纹；果皮薄而脆，内有种子 1。种皮紧贴于果皮的内壁，胚通常类棕黄色，有淡棕色子叶 2。子叶气芳香，味苦；果皮香气略逊，但味较苦。
月桂叶：本品呈长椭圆形或披针形，长 6 ~ 11cm，宽 1.5 ~ 3.2cm，先端锐尖，基部楔形，全缘或微波状，反卷，上表面灰绿色，下表面色淡，两面侧脉和网脉显著凸起，无毛；叶柄长 5 ~ 8mm，无毛。革质，不易折断。气芳香，味辛。

| 功能主治 | 月桂子：辛，温。祛风湿，解毒，杀虫。用于风湿痹痛，河豚中毒，疥癣，耳后疮。
月桂叶：辛，微温。健胃理气。用于脘胀腹痛。外用于跌打损伤，疥癣。

| 用法用量 | 月桂子：内服煎汤，3 ~ 9g。外用适量，研末撒或调敷。
月桂叶：内服煎汤，3 ~ 6g。外用适量，煎汤洗浴。

| 附　注 | 本种喜光，稍耐阴，在温暖湿润气候中生长良好，萌芽力强，亦耐干旱，经受短期 -8℃低温未见冻害，对土壤要求不严，酸性、微碱性均能适应，以疏松、肥沃的砂壤土栽培为最好。扦插繁殖为主，亦可种子繁殖。

樟科 Lauraceae 山胡椒属 Lindera

乌药

Lindera aggregata (Sims) Kosterm.

| 药 材 名 | 乌药（药用部位：块根。别名：台乌、川台乌、天台乌药）、乌药叶（药用部位：叶。别名：蒡箕茶）、乌药子（药用部位：果实）。

| 形态特征 | 常绿灌木或小乔木，高可达 5m，胸径 4cm。根呈纺锤状或结节状膨胀，一般长 3.5 ~ 8cm，直径 0.7 ~ 2.5cm，外面棕黄色至棕黑色，表面有细皱纹，有香味，微苦，有刺激性清凉感。树皮灰褐色；幼枝青绿色，具纵向细条纹，密被金黄色绢毛，后渐脱落，老时无毛，干时褐色；顶芽长椭圆形。叶互生，卵形，椭圆形至近圆形，通常长 2.7 ~ 5cm，宽 1.5 ~ 4cm，有时可长达 7cm，先端长渐尖或尾尖，基部圆形，革质或有时近革质，上面绿色，有光泽，下面苍白色，幼时密被棕褐色柔毛，后渐脱落，偶见残存斑块状黑褐色毛片，两面有小凹窝；三出脉，中脉及第 1 对侧脉上面通常凹下，少有凸

乌药

出，下面明显凸出；叶柄长 0.5 ~ 1cm，被褐色柔毛，后毛被渐脱落。伞形花序腋生，无总梗，常 6 ~ 8 花序集生于一 1 ~ 2mm 长的短枝上，每花序有 1 苞片，一般有花 7；花被片 6，近等长，外面被白色柔毛，内面无毛，黄色或黄绿色，偶有外乳白色内紫红色；花梗长约 0.4mm，被柔毛。雄花花被片长约 4mm，宽约 2mm；雄蕊长 3 ~ 4mm，花丝被疏柔毛，第 3 轮的有 2 宽肾形具柄腺体，着生于花丝基部，有时第 2 轮的也有腺体 1 ~ 2；退化雌蕊坛状。雌花花被片长约 2.5mm，宽约 2mm，退化雄蕊长条片状，被疏柔毛，长约 1.5mm，第三轮基部着生 2 具柄腺体；子房椭圆形，长约 1.5mm，被褐色短柔毛，柱头头状。果实卵形或有时近圆形，长 0.6 ~ 1cm，直径 4 ~ 7mm。花期 3 ~ 4 月，果期 5 ~ 11 月。

| 生境分布 | 生于海拔 200 ~ 1000m 的向阳坡地、山谷或疏林灌丛中。分布于重庆巫溪、奉节、开州、梁平、南川等地。

| 资源情况 | 野生资源稀少。药材主要来源于野生，亦有栽培。

| 采收加工 | 乌药：全年均可采挖，除去细根，洗净，趁鲜切片，晒干；或直接晒干。
乌药叶：全年均可采收，洗净，鲜用或晒干。
乌药子：10 月采收，除去杂质，晒干。

| 药材性状 | 乌药：本品块根多呈纺锤状，略弯曲，有的中部收缩成连珠状，长 6 ~ 15cm，直径 1 ~ 3cm；表面黄棕色或黄褐色，有纵皱纹及稀疏的细根痕；质坚硬。切片厚 0.2 ~ 2mm，切面黄白色或淡黄棕色，射线放射状，可见年轮环纹，中心色较深。气香，味微苦、辛，有清凉感。质老、不呈纺锤状的直根不可供药用。

| 功能主治 | 乌药：辛，温。归肺、脾、肾、膀胱经。行气止痛，温肾散寒。用于寒凝气滞，胸腹胀痛，气逆喘急，膀胱虚冷，遗尿尿频，疝气疼痛，经寒腹痛。
乌药叶：辛，温。归脾、肾经。温中理气，消肿止痛。用于脘腹冷痛，小便频数，风湿痹痛，跌打伤痛，烫伤。
乌药子：辛，温。归脾、肾经。散寒回阳，温中和胃。用于阴毒伤寒，寒性吐泻，疝气腹痛。

| 用法用量 | 乌药：内服煎汤，6 ~ 10g。
乌药叶：内服煎汤，3 ~ 10g。外用适量，鲜品捣敷患处。
乌药子：内服煎汤，3 ~ 10g。

| 附　　注 | 本种喜亚热带气候，适应性强。栽培以阳光充足、土质疏松肥沃的酸性土壤为宜。

樟科 Lauraceae 山胡椒属 Lindera

狭叶山胡椒
Lindera angustifolia Cheng

| 药 材 名 | 见风消（药用部位：根、枝叶。别名：小鸡条、细叶见风消、正见风消）。

| 形态特征 | 落叶灌木或小乔木，高 2 ~ 8m。幼枝条黄绿色，无毛；冬芽卵形，紫褐色，芽鳞具脊，外面芽鳞无毛，内面芽鳞背面被绢质柔毛，内面无毛。叶互生，椭圆状披针形，长 6 ~ 14cm，宽 1.5 ~ 3.5cm，先端渐尖，基部楔形，近革质，上面绿色无毛，下面苍白色，沿脉上被疏柔毛；羽状脉，侧脉每边 8 ~ 10。伞形花序 2 ~ 3 生于冬芽基部。雄花序有花 3 ~ 4，花梗长 3 ~ 5mm，花被片 6，能育雄蕊 9。雌花序有花 2 ~ 7；花梗长 3 ~ 6mm；花被片 6；退化雄蕊 9；子房卵形，无毛，花柱长 1mm，柱头头状。果实球形，直径约 8mm，成熟时黑色，果托直径约 2mm；果梗长 0.5 ~ 1.5cm，被微柔毛或

狭叶山胡椒

无毛。花期 3 ~ 4 月，果期 9 ~ 10 月。

| **生境分布** | 生于山坡灌丛或疏林中。分布于重庆南川、万州等地。

| **资源情况** | 野生资源较少。药材来源于野生。

| **采收加工** | 秋季采收，晒干。

| **功能主治** | 辛，温。祛风除湿，行气散寒，解毒消肿。用于风寒感冒，头痛，风湿痹痛，四肢麻木，痢疾，肠炎，跌打损伤，疮疡肿毒，荨麻疹，淋巴结结核。

| **用法用量** | 内服煎汤，10 ~ 15g。外用适量，根研末调敷，鲜叶捣敷。

樟科 Lauraceae 山胡椒属 Lindera

香叶树

Lindera communis Hemsl.

香叶树

药材名

香叶树（药用部位：枝叶、茎皮。别名：细叶假樟、野木姜子、冷青子）。

形态特征

常绿灌木或小乔木。树皮淡褐色；当年生枝条纤细，平滑，具纵条纹，绿色，干时棕褐色，或疏或密被黄白色短柔毛，基部有密集芽鳞痕，一年生枝条粗壮，无毛，皮层不规则纵裂；顶芽卵形，长约5mm。叶互生，通常披针形、卵形或椭圆形，长（3～）4～9（～12.5）cm，宽（1～）1.5～3（～4.5）cm，先端渐尖、急尖、骤尖或有时近尾尖，基部宽楔形或近圆形，薄革质至厚革质，上面绿色，无毛，下面灰绿或浅黄色，被黄褐色柔毛，后渐脱落成疏柔毛或无毛，边缘内卷；羽状脉，侧脉每边5～7，弧曲，与中脉上面凹陷，下面凸起，被黄褐色微柔毛或近无毛；叶柄长5～8mm，被黄褐色微柔毛或近无毛。伞形花序具5～8花，单生或2同生于叶腋，总梗极短；总苞片4，早落。雄花黄色，直径达4mm，花梗长2～2.5mm，略被金黄色微柔毛；花被片6，卵形，近等大，长约3mm，宽1.5mm，先端圆形，外面略被金黄色微柔毛或近无毛；雄蕊9，花丝略被微柔毛或无毛，与花药等长，第3轮基部有2具角突宽肾形腺体；退化雌蕊的子房卵形，长约1mm，无毛，花柱、柱头不分，成1短凸尖。雌花黄色或黄白色；花被片6，卵形，长2mm，外面被微柔毛；退化雄蕊9，条形，长1.5mm，第3轮有2腺体；子房椭圆形，无毛，花柱长2mm，柱头盾形，具乳突。果实卵形，长约1cm，宽7～8mm，也有时略小而近球形，无毛，成熟时红色；果梗长4～7mm，被黄褐色微柔毛。花期3～4月，果期9～10月。

生境分布

生于干燥砂壤土，散生或混生于常绿阔叶林中。分布于重庆彭水、秀山、酉阳、长寿、綦江、丰都、城口、云阳、涪陵、南川、武隆、石柱、梁平、黔江等地。

资源情况

野生资源一般。药材主要来源于野生。

采收加工

全年均可采收，茎皮应刮去粗皮，晒干。

功能主治

涩、微辛，微寒。解毒消肿，散瘀止痛。用于跌打肿痛，外伤出血，疮痈疖肿。

用法用量

内服煎汤，3～9g；或开水泡服。外用鲜叶适量，捣敷；或干叶研末撒。

红果山胡椒 *Lindera erythrocarpa* Makino

| 药 材 名 | 钓樟根皮（药用部位：根皮。别名：光狗棍根皮、土官桂、干橿木）、钓樟枝叶（药用部位：枝叶）、詹糖香（药材来源：枝叶煎熬而成的加工品）。

| 形态特征 | 落叶灌木或小乔木，高可达 5m。树皮灰褐色；幼枝条通常灰白或灰黄色，多皮孔，其木栓质凸起致皮甚粗糙；冬芽角锥形，长约 1cm。叶互生，通常为倒披针形，偶有倒卵形，先端渐尖，基部狭楔形，常下延，长（5 ~ ）9 ~ 12（~ 15）cm，宽（1.5 ~ ）4 ~ 5（~ 6）cm，纸质，上面绿色，被稀疏贴服柔毛或无毛，下面带绿苍白色，被贴服柔毛，在脉上较密；羽状脉，侧脉每边 4 ~ 5；叶柄长 0.5 ~ 1cm。伞形花序着生于腋芽两侧各一，总梗长约 0.5cm；总苞片 4，具缘毛，内有花 15 ~ 17。雄花花被片 6，黄绿色，近相等，

红果山胡椒

椭圆形，先端圆，长约 2mm，宽约 1.5mm，外面被疏柔毛，内面无毛；雄蕊 9，各轮近等长，长约 1.8mm，花丝无毛，第 3 轮的近基部着生 2 具短柄宽肾形腺体，退化雄蕊成"凸"字形；花梗被疏柔毛，长约 3.5mm。雌花较小，花被片 6，内、外轮近相等，椭圆形，先端圆，长 1.2mm，宽 0.6mm，内、外轮外面被较密柔毛，内面被贴伏疏柔毛；退化雄蕊 9，条形，近等长，长约 0.8mm，第 3 轮的中下部外侧着生 2 椭圆形无柄腺体；雌蕊长约 1mm，子房狭椭圆形，花柱粗，与子房近等长，柱头盘状；花梗约 1mm。果实球形，直径 7 ~ 8mm，熟时红色；果梗长 1.5 ~ 1.8cm，向先端渐增粗至果托，但果托并不明显扩大，直径 3 ~ 4mm。花期 4 月，果期 9 ~ 10 月。

| 生境分布 | 生于海拔 1000m 以下的山坡、山谷、溪边、林下等处。分布于重庆涪陵、忠县、丰都等地。

| 资源情况 | 野生资源较少。药材来源于野生。

| 采收加工 | 钓樟根皮：全年均可采收，洗净，晒干。
钓樟枝叶：春、夏、秋季采收，洗净，切碎，鲜用或晒干。
詹糖香：枝采收后，洗净，切碎，加水慢火煎熬即成。

| 功能主治 | 钓樟根皮：辛，温。暖胃温中，行气止痛，祛风除湿。用于胃寒吐泻，腹痛腹胀，水肿脚气，风湿痹痛，疥癣湿疮，跌打损伤。
钓樟枝叶：辛，温。祛风杀虫，敛疮止血。用于疥癣痒疮，外伤出血，手足皲裂。
詹糖香：辛，微温。祛风除湿，解毒杀虫。用于风水，恶疮，疥癣。

| 用法用量 | 钓樟根皮：内服煎汤，3 ~ 10g。外用适量，煎汤洗浴。
钓樟枝叶：内服煎汤，6 ~ 15g。外用适量，捣敷；或煎汤洗、研末掺。
詹糖香：外用适量，捣敷；或煎汤洗、研末掺。

樟科 Lauraceae 山胡椒属 Lindera

香叶子

Lindera fragrans Oliv.

| 药 材 名 | 香叶子（药用部位：树皮、叶）、香叶根（药用部位：根）。

| 形态特征 | 常绿小乔木，高可达 5m。树皮黄褐色，有纵裂及皮孔；幼枝青绿色或棕黄色，纤细，光滑，有纵纹，无毛或被白色柔毛。叶互生，披针形至长狭卵形，先端渐尖，基部楔形或宽楔形，上面绿色，无毛，下面绿色带苍白色，无毛或被白色微柔毛；三出脉，第 1 对侧脉紧沿叶缘上伸，纤细而不甚明显，但有时几与叶缘并行而近似羽状脉；叶柄长 5 ~ 8mm。伞形花序腋生；总苞片 4，内有花 2 ~ 4。雄花黄色，有香味；花被片 6，近等长，外面密被黄褐色短柔毛；雄蕊 9，花丝无毛，第 3 轮的基部有 2 宽肾形几无柄的腺体；退化子房长椭圆形，柱头盘状。雌花未见。果实长卵形，长 1cm，宽 0.7cm，幼时青绿色，成熟时紫黑色，果梗长 0.5 ~ 0.7cm，被疏柔毛，果托膨大。

香叶子

| **生境分布** | 生于海拔 400 ～ 1200m 的沟边、山坡灌丛中。分布于重庆黔江、垫江、云阳、南川、巫溪、巫山、永川、开州、梁平等地。 |

| **资源情况** | 野生资源一般。药材主要来源于野生。 |

| **采收加工** | 香叶子：全年均可采收，切碎，晒干。
香叶根：全年均可采收，洗净，切片，晒干。 |

| **药材性状** | 香叶根：本品块根多呈纺锤形，略弯曲，有的中部膨大成连珠状，长 5 ～ 18cm，直径 1 ～ 4cm；表面棕褐色或黄褐色，有纵皱纹及须根脱落的痕迹；质坚硬，难折断。切片厚 2 ～ 4mm，切面类黄色或淡黄棕色，中部色较深，有放射纹及淡棕色环纹；质脆，易折断。气香，味微辛、略苦。 |

| **功能主治** | 香叶子：辛，温。祛风散寒，行气温中。用于风寒感冒，胃脘疼痛，消化不良，风湿痹痛。
香叶根：辛，温。归胃、肝经。行气温中。用于胃脘疼痛，消化不良。 |

| **用法用量** | 香叶子：内服煎汤，6 ～ 10g。
香叶根：内服煎汤，6 ～ 10g。 |

樟科 Lauraceae 山胡椒属 Lindera

绿叶甘橿

Lindera fruticosa Hemsl.

绿叶甘橿

药材名

绿叶甘橿（药用部位：果实）。

形态特征

落叶灌木或小乔木，高达 6m。树皮绿色或绿褐色；幼枝青绿色，干后棕黄色或棕褐色，光滑；冬芽卵形，具约 1mm 长的短柄，基部着生 2 花序。叶互生，卵形至宽卵形，长 5 ~ 14cm，宽 2.5 ~ 8cm，先端渐尖，基部圆形，有时宽楔形，纸质，上面深绿色，无毛，下面绿苍白色，初时密被柔毛，后毛被渐脱落；三出脉或离基三出脉，第 1 对侧脉如为三出脉时较直，为离基三出脉时弧曲；叶柄长 10 ~ 12mm。伞形花序具总梗，总梗通常长约 4mm，无毛总苞片 4，具缘毛，内面基部被柔毛，内有花 7 ~ 9。未开放时雄花花被片绿色，宽椭圆形或近圆形，先端圆，无毛，外轮长约 1mm，花丝无毛，第 3 轮基部着生 2 具柄阔三角状肾形腺体，有时第 1、2 轮花丝也有 1 腺体；雌蕊"凸"字形，长不及 1mm。雌花花被片黄色，宽倒卵形，先端圆，无毛，外轮长约 1.5mm，内轮长约 1.2mm；退化雄蕊条形，第 1、2 轮长约 0.8mm，第 3 轮基部具 2 不规则长柄腺体，腺体三角形或长圆形，大小不等；子房椭圆

形，无毛；花梗长 2mm，被微柔毛。果实近球形，直径 6 ~ 8mm；果梗长
4 ~ 7mm。花期 4 月，果期 9 月。

| 生境分布 | 生于海拔 1250 ~ 1650m 的山坡、路旁、林下或林缘。分布于重庆黔江、彭水、奉节、城口、南川、酉阳、武隆、巫山、巫溪、秀山等地。

| 资源情况 | 野生资源稀少。药材主要来源于野生。

| 采收加工 | 秋季果熟时采收。

| 功能主治 | 涩，温。祛风散寒，理气止痛，止喘。用于腹痛，消化不良。

| 用法用量 | 内服煎汤，3 ~ 15g。

| 附　　注 | 在 FOC 中，本种的拉丁学名被修订为 *Lindera neesiana* (Wallich ex Nees) Kurz。

山胡椒

山胡椒 *Lindera glauca* (Sieb. et Zucc.) Bl.

| 药 材 名 |

山胡椒（药用部位：果实。别名：山花椒、山龙苍、雷公尖）、山胡椒根（药用部位：根。别名：牛筋树根、牛筋条根、雷公根）、山胡椒叶（药用部位：叶。别名：见风消、雷公树叶、黄渣叶）。

| 形态特征 |

落叶灌木或小乔木，高可达 8m。树皮平滑，灰色或灰白色；冬芽（混合芽）长角锥形，长约 1.5cm，直径 4mm，芽鳞裸露部分红色；幼枝条白黄色，初被褐色毛，后脱落成无毛。叶互生，宽椭圆形、椭圆形、倒卵形到狭倒卵形，长 4 ~ 9cm，宽 2 ~ 4（~ 6）cm，上面深绿色，下面淡绿色，被白色柔毛，纸质；羽状脉，侧脉每侧（4 ~)5 ~ 6，叶枯后不落，翌年新叶发出时落下。伞形花序腋生，总梗短或不明显，长一般不超过 3mm，生于混合芽中的总苞片绿色膜质，每总苞有 3 ~ 8 花。雄花花被片黄色，椭圆形，长约 2.2mm，内、外轮几相等，外面在背脊部被柔毛；雄蕊 9，近等长，花丝无毛，第 3 轮的基部着生 2 具角突宽肾形腺体，柄基部与花丝基部合生，有时第 2 轮雄蕊花丝也着生 1 较小腺体；退化雌蕊细小，椭圆形，长约 1mm，上有 1 小凸尖，花梗长约 1.2cm，密被白色柔毛。雌花花被片黄色，椭圆形或倒卵形，内、外轮几相等，长约 2mm，外面在背脊部被稀疏柔毛或仅基部被少数柔毛；退化雄蕊长约 1mm，条形，第 3 轮的基部着生 2 长约 0.5mm 具柄不规则肾形腺体，腺体柄与退化雄蕊中部以下合生，子房椭圆形，长约 1.5mm，花柱长约 0.3mm，柱头盘状；花梗长 3 ~ 6mm，熟时黑褐色。果梗长 1 ~ 1.5cm。花期 3 ~ 4 月，果期 7 ~ 8 月。

| 生境分布 | 生于海拔 900m 以下的山地、丘陵的灌丛中或疏林边缘。重庆各地均有分布。

| 资源情况 | 野生资源一般。药材主要来源于野生。

| 采收加工 | 山胡椒：秋季果实成熟时采收。
山胡椒根：秋季采收，晒干。
山胡椒叶：秋季采收，晒干或鲜用。

| 功能主治 | 山胡椒：辛，温。温中散寒，行气止痛，平喘。用于脘腹冷痛，胸满痞闷，哮喘。
山胡椒根：辛、苦，温。祛风通络，理气活血，利湿消肿，化痰止咳。用于风湿痹痛，跌打损伤，胃脘疼痛，脱力劳伤，支气管炎，水肿。外用于疮疡肿痛，烫火伤。
山胡椒叶：苦、辛，微寒。解毒消疮，祛风止痛，止痒，止血。用于疮疡肿毒，风湿痹痛，跌打损伤，外伤出血，皮肤瘙痒，蛇虫咬伤。

| 用法用量 | 山胡椒：内服煎汤，3 ~ 15g。
山胡椒根：内服煎汤，15 ~ 30g；或浸酒。外用适量，煎汤熏洗；或鲜品磨汁搽。
山胡椒叶：内服煎汤，10 ~ 15g；或泡酒。外用适量，捣烂或研粉敷。

| 附 注 | 本种喜光，以湿润肥沃而排水良好的酸性土壤栽培最为适宜，亦能在中性或石灰性土壤中正常生长，并有很强的耐干旱、瘠薄的能力。

黑壳楠

| 樟科 | Lauraceae | 山胡椒属 | *Lindera*

黑壳楠 *Lindera megaphylla* Hemsl.

黑壳楠

| 药 材 名 |

黑壳楠（药用部位：根、树皮、枝。别名：楠木、八角香、花兰）。

| 形态特征 |

常绿乔木，高 3 ~ 15（~ 25）m，胸径达 35cm 以上。树皮灰黑色；枝条圆柱形，粗壮，紫黑色，无毛，散布有木栓质凸起的近圆形纵裂皮孔；顶芽大，卵形，长 1.5cm，芽鳞外面被白色微柔毛。叶互生，倒披针形至倒卵状长圆形，有时长卵形，长 10 ~ 23cm，先端急尖或渐尖，基部渐狭，革质，上面深绿色，有光泽，下面淡绿苍白色，两面无毛；羽状脉，侧脉每边 15 ~ 21；叶柄长 1.5 ~ 3cm，无毛。伞形花序多花，雄花多达 16，雌花 12，通常着生于叶腋长 3.5mm、具顶芽的短枝上，两侧各 1，具总梗；雄花序总梗长 1 ~ 1.5cm，雌花序总梗长 6mm，两者均密被黄褐色或有时近锈色微柔毛，内面无毛。雄花黄绿色，具梗；花梗长约 6mm，密被黄褐色柔毛；花被片 6，椭圆形，外轮长 4.5mm，宽 2.8mm，外面仅下部或背部略被黄褐色小柔毛，内轮略短；花丝被疏柔毛，第 3 轮的基部有 2 长达 2mm 具柄的三角漏斗形腺体；退化雌蕊长约 2.5mm，无毛；子房卵形，花柱纤细，柱头不明显。雌花黄绿色，花梗长 1.5 ~ 3mm，密被黄褐色柔毛；花被片 6，线状匙形，长 2.5mm，宽 1mm，外面仅下部或略沿脊部被黄褐色柔毛，内面无毛；退化雄蕊 9，线形或棍棒形，基部具髯毛，第 3 轮的中部有 2 具柄三角漏斗形腺体；子房卵形，长 1.5mm，无毛，花柱极纤细，长 4.5mm，柱头盾形，具乳突。果实椭圆形至卵形，长约 1.8cm，宽约 1.3cm，成熟时紫黑色，无毛，果梗长 1.5cm，向上渐粗壮，粗糙，散布有明显栓皮质皮孔；宿存果托杯状，长约 8mm，直径达 1.5cm，全缘，略成微波状。花期 2 ~ 4 月，果期 9 ~ 12 月。

| 生境分布 | 生于海拔 1600 ~ 2000m 的山坡、谷地湿润常绿阔叶林或灌丛中。分布于重庆黔江、垫江、潼南、巫溪、合川、彭水、南川等地。

| 资源情况 | 野生资源一般。药材主要来源于野生，亦有栽培。

| 采收加工 | 全年均可采收，晒干或鲜用。

| 药材性状 | 本品树皮呈槽状、卷筒状或片块状，长达 40cm，厚 2 ~ 8mm；外表面灰褐色或灰黑色，较粗糙，嫩皮具纵皱纹，有凸起的椭圆形皮孔，偶有圆形枝痕；内表面棕红色或淡黄棕色，较平滑；质硬而脆，易折断，断面平坦，黄白色；气微香，味略辛；以质重、肉厚、有香气者为佳。枝呈长圆柱形，有分枝，直径 2 ~ 10mm；表面灰棕色或黑色，有纵皱纹和疏点状突起的皮孔；质硬而脆，易折断，断面皮部薄，棕褐色，木部黄白色或灰黄色，髓部小；气微香，味略辛；以枝条均匀、气香者为佳。

| 功能主治 | 辛、微苦，温。归肝、胃经。祛风除湿，温中行气，消肿止痛。用于风湿痹痛，肢体麻木疼痛，脘腹冷痛，疝气疼痛，咽喉肿痛，癣疮瘙痒。

| 用法用量 | 内服煎汤，3 ~ 9g。外用适量，炒热外敷或煎汤洗。

| 附　　注 | 本种具有较强的抗旱、抗高温能力，抗寒能力不显著。种子有休眠期，须经过低温处理才能发芽。

樟科 Lauraceae 山胡椒属 Lindera

毛黑壳楠 *Lindera megaphylla* Hemsl. f. *touyunesis* (Lévl.) Rehd.

| 药 材 名 | 毛黑壳楠（药用部位：根、树皮、枝）。

| 形态特征 | 本种与原变型黑壳楠的区别在于幼枝、叶柄及叶片下面或疏或密被毛，后毛被渐脱落，但至少在叶脉上或多或少残存。

| 生境分布 | 生于海拔 1600 ~ 2000m 的山坡、谷地湿润常绿阔叶林或灌丛中。分布于重庆城口、奉节、南川等地。

| 资源情况 | 野生资源稀少。药材主要来源于野生。

| 采收加工 | 全年均可采收，晒干或鲜用。

| 药材性状 | 本品树皮呈槽状、卷筒状或片块状，长达 40cm，厚 2 ~ 8mm；外

毛黑壳楠

表面灰褐色或灰黑色，较粗糙，嫩皮具纵皱纹，有凸起的椭圆形皮孔，偶有圆形枝痕；内表面棕红色或淡黄棕色，较平滑；质硬而脆，易折断，断面平坦，黄白色；气微香，味略辛；以质重、肉厚、有香气者为佳。枝呈长圆柱形，有分枝，直径 2 ~ 10mm；表面灰棕色或黑色，有纵皱纹和疏点状凸起的皮孔；质硬而脆，易折断，断面皮部薄，棕褐色，木部黄白色或灰黄色，髓部小；气微香，味略辛；以枝条均匀、气香者为佳。

| **功能主治** | 辛、微苦，温。归肝、胃经。祛风除湿，温中行气，消肿止痛。用于风湿痹痛，肢体麻木疼痛，脘腹冷痛，疝气疼痛。外用于咽喉肿痛，癣疮瘙痒。

| **用法用量** | 内服煎汤，3 ~ 9g。外用适量，炒热外敷或煎汤洗。

| **附　注** | 在 FOC 中，本种被修订为黑壳楠 *Lindera megaphylla* Hemsl.。

樟科 Lauraceae 山胡椒属 *Lindera*

绒毛山胡椒 *Lindera nacusua* (D. Don) Merr.

| 药 材 名 | 绒毛山胡椒（药用部位：根。别名：华南山胡椒、绒钓樟）。

| 形态特征 | 常绿灌木或小乔木，高 2 ~ 10（~ 15）m，胸径 10 ~ 15cm。树皮灰色，有纵向裂纹；枝条褐色，具纵向细条纹，幼时密被黄褐色长柔毛，老时在叶脉、枝条、枝桠处仍或多或少残存；顶芽宽卵形，长 7mm，芽鳞除边缘外密被黄褐色柔毛。叶互生，宽卵形、椭圆形至长圆形，长 6 ~ 11（~ 15）cm，宽（3 ~）3.5 ~ 6（~ 7.5）cm，先端通常急尖，基部锐尖或楔形，有时近圆形，两侧常不相等，革质，光亮，上面中脉有时略被黄褐色柔毛，下面密被黄褐色长柔毛；侧脉每边 6 ~ 8，与中脉在上面凹下，下面凸出，甚粗壮；叶柄粗壮，长 5 ~ 7（~ 10）mm，密被黄褐色柔毛。伞形花序单生或 2 ~ 4 簇生叶腋，具长 2 ~ 3mm 的短总梗和总苞片。雄花黄色，每

绒毛山胡椒

伞花序约有花8，花梗长4～5.5mm，密被黄褐色柔毛；花被片6，卵形，长约3.5mm，宽约2mm，外面在脊部被黄褐色微柔毛或无毛，内面无毛；雄蕊9，长4～4.5mm，花丝无毛，第3轮的近中部有2具角突宽肾形腺体；退化雌蕊的子房卵形，长1.5mm，花柱长约1mm，柱头不明显。雌花黄色，每伞形花序具雌花（2～）3～6；花梗长3～5mm；花被片6，宽卵形，长2mm，宽1.5mm；退化雄蕊9，长约1.5mm，第3轮的中部有2几达其花丝全长的圆肾形腺体，花药无或有时退化成1室，也有时花药正常发育2室；子房倒卵形，长2mm，无毛，花柱粗壮，长约1mm，无毛，柱头头状。果实近球形，成熟时红色；果梗粗壮，长5～7mm，向上渐增粗，略被黄褐色微柔毛。花期5～6月，果期7～10月。

| **生境分布** | 生于海拔800m以下的谷地或山坡的常绿阔叶林中。分布于重庆南川、江津、彭水、永川等地。

| **资源情况** | 野生资源稀少。药材主要来源于野生。

| **采收加工** | 全年均可采收，洗净，晒干。

| **功能主治** | 活血化瘀。用于风湿痹痛，跌打损伤。

| **用法用量** | 外用适量，煎汤洗。

樟科 Lauraceae 山胡椒属 Lindera

三桠乌药

Lindera obtusiloba Bl.

药　材　名	三钻风（药用部位：树皮。别名：山胡椒、三钻七）。
形态特征	落叶乔木或灌木，高 3 ～ 10m。树皮黑棕色；小枝黄绿色，当年生枝条较平滑，有纵纹，老枝渐多木栓质皮孔、褐斑及纵裂。芽卵形，先端渐尖；外鳞片 3，革质，黄褐色，无毛，椭圆形，先端尖，长 0.6 ～ 0.9cm，宽 0.6 ～ 0.7cm；内鳞片 3，有淡棕黄色厚绢毛；有时为混合芽，内有叶芽及花芽。叶互生，近圆形至扁圆形，长 5.5 ～ 10cm，宽 4.8 ～ 10.8cm，先端急尖，全缘或 3 裂，常明显 3 裂，基部近圆形或心形，有时宽楔形，上面深绿色，下面绿苍白色，有时带红色，被棕黄色柔毛或近无毛；三出脉，偶有五出脉，网脉明显；叶柄长 1.5 ～ 2.8cm，被黄白色柔毛。花序在腋生混合芽，混合芽椭圆形，先端亦急尖；外面的 2 芽鳞革质，棕黄色，有皱纹，无毛，内面鳞片近革质，被贴伏微柔毛；花芽内有

三桠乌药

无总梗花序 5 ~ 6，混合芽内有花芽 1 ~ 2；总苞片 4，长椭圆形，膜质，外面被长柔毛，内面无毛，内有花 5。（未开放的）雄花花被片 6，长椭圆形，外被长柔毛，内面无毛；能育雄蕊 9，花丝无毛，第 3 轮的基部着生 2 具长柄宽肾形具角突的腺体，第 2 轮的基部有时也有 1 腺体；退化雌蕊长椭圆形，无毛，花柱、柱头不分，成 1 小凸尖。雌花花被片 6，长椭圆形，长 2.5mm，宽 1mm，内轮略短，外面背脊部被长柔毛，内面无毛，退化雄蕊条片形，第 1、2 轮长 1.7mm，第 3 轮长 1.5mm，基部有 2 具长柄腺体，其柄基部与退化雄蕊基部合生；子房椭圆形，长 2.2mm，直径 1mm，无毛，花柱短，长不及 1mm，花未开放时沿子房向下弯曲。果实广椭圆形，长 0.8cm，直径 0.5 ~ 0.6cm，成熟时红色，后变紫黑色，干时黑褐色。花期 3 ~ 4 月，果期 8 ~ 9 月。

| **生境分布** | 生于海拔 1400 ~ 2700m 的山谷、密林灌丛中。分布于重庆黔江、城口、云阳、巫山、巫溪、奉节、石柱、南川等地。

| **资源情况** | 野生资源一般。药材主要来源于野生。

| **采收加工** | 全年均可采收，晒干或鲜用。

| **药材性状** | 本品呈细卷筒状，长 16 ~ 25cm，宽 2cm，厚 1.5 ~ 2mm。外表面灰褐色，粗糙，具不规则细纵纹和斑块状纹理，有凸起的类圆形小皮孔，栓皮脱落或刮去后较平滑，棕黄色至红棕色；内表面红棕色，平坦，可见细纵纹，划之略显油痕。质硬脆，折断面较平坦，外层棕黄色，内层红棕色而略带油质。气微香，味淡、微辛。

| **功能主治** | 辛，温。归胃、肝经。温中行气，活血散瘀。用于心腹疼痛，跌打损伤，瘀血肿痛，疮毒。

| **用法用量** | 内服煎汤，5 ~ 10g。外用适量，捣敷。

樟科 Lauraceae 山胡椒属 Lindera

香粉叶

Lindera pulcherrima (Wall.) Benth. var. *attenuata* Allen

香粉叶

| 药 材 名 |

香粉叶（药用部位：茎皮、根、叶）。

| 形态特征 |

常绿乔木，高 7 ~ 10m。枝条绿色，平滑，有细纵条纹，初被白色柔毛，后渐脱落；芽大，椭圆形，长约 7 ~ 8mm，芽鳞密被白色贴伏柔毛。叶互生，长卵形、长圆形到长圆状披针形，长 8 ~ 13cm，宽 2 ~ 4.5cm，先端渐尖或有时尾状渐尖，而不为长尾尖，可长 2 ~ 3cm，基部圆或宽楔形，上面绿色，干后仍绿色，下面蓝灰色，幼叶两面被白色疏柔毛，不久脱落成无毛或近无毛；三出脉，中脉、侧脉黄色，在叶上面略凸出，下面明显凸出；叶柄长 8 ~ 12mm，被白色柔毛。伞形花序无总梗或具极短总梗，3 ~ 5 生于叶腋长 1 ~ 3mm 的短枝先端，短枝偶有发育成正常枝。雄花（总苞中）花梗被白色柔毛，花被片 6，近等长，椭圆形，外面背脊部被白色疏柔毛，内面无毛；能育雄蕊 9，花丝被白色柔毛，第 3 轮花丝基部以上着生 2 具柄肾形腺体；退化雌蕊子房无毛，花柱密被白色柔毛。雌花未见。果实椭圆形，幼果仍被稀疏白色柔毛，幼果顶部及未脱落的花柱密被白色柔毛，近成熟果长 8mm，直径 6mm。果期 6 ~ 8 月。

| 生境分布 | 生于海拔 1500m 以下的山坡、溪边。分布于重庆秀山、城口、巫山、奉节、黔江等地。 |

| 资源情况 | 野生资源稀少。药材主要来源于野生。 |

| 采收加工 | 全年均可采收，洗净，晒干。 |

| 功能主治 | 消食止渴，祛风除湿，止血生肌。用于腹痛，下肢疼痛及麻木，刀斧砍伤。 |

| 用法用量 | 内服煎汤，3 ~ 10g。外用适量，鲜品捣敷。 |

川钓樟

Lindera pulcherrima (Wall.) Benth. var. *hemsleyana* (Diels) H. P. Tsui

川钓樟

| 药 材 名 |

川钓樟（药用部位：根）。

| 形态特征 |

常绿乔木，高 7 ~ 10m。枝条绿色，平滑，有细纵条纹，初被白色柔毛，后渐脱落；芽小，卵状长圆形，长约 4mm，芽鳞被白色柔毛。叶互生，通常椭圆形、倒卵形、狭椭圆形、长圆形，少有椭圆状披针形，不为卵形或披针形，长 8 ~ 13cm，宽 2 ~ 4.5cm，偶具长尾尖，上面绿色，干后仍绿色，下面蓝灰色，幼叶两面被白色疏柔毛，不久脱落成无毛或近无毛；三出脉，中脉、侧脉黄色，在叶上面略凸出，下面明显凸出；叶柄长 8 ~ 12mm，被白色柔毛。伞形花序无总梗或具极短总梗，3 ~ 5 生于叶腋长 1 ~ 3mm 的短枝先端，短枝偶有发育成正常枝。雄花不育，花梗被白色柔毛，花被片 6，近等长，椭圆形，外面背脊部被白色疏柔毛，内面无毛；能育雄蕊 9，花丝被白色柔毛，第 3 轮花丝基部以上着生 2 具柄肾形腺体；花柱密被白色柔毛，退化雌蕊子房无毛。雌花未见。果实椭圆形，幼果仍被稀疏白色柔毛，幼果顶部及未脱落的花柱密被白色柔毛，近成熟果长 8mm，直径 6mm。果期 6 ~ 8 月。

生境分布	生于海拔 480 ～ 2400m 的山坡、灌丛中或林缘。分布于重庆黔江、奉节、石柱、南川、城口、巫山等地。
资源情况	野生资源一般。药材主要来源于野生。
采收加工	全年均可采收，洗净，晒干。
功能主治	行气止痛，温中散寒。用于脘腹冷痛，寒疝疼痛，风湿痹痛。
用法用量	内服煎汤，3 ～ 10g。

樟科 Lauraceae 木姜子属 Litsea

毛豹皮樟
Litsea coreana Lévl. var. *lanuginosa* (Migo) Yang et P. H. Huang

毛豹皮樟

药材名

毛豹皮樟（药用部位：根、茎皮、叶。别名：豹皮樟、老鹰茶）。

形态特征

常绿乔木，高 8 ~ 15m，胸径 30 ~ 40cm。树皮灰色，呈小鳞片状剥落，脱落后呈鹿皮斑痕；嫩枝密被灰黄色长柔毛，嫩叶两面均被灰黄色长柔毛，下面尤密，老叶下面仍被稀疏毛，叶柄长 1 ~ 2.2cm，全面被灰黄色长柔毛。顶芽卵圆形，先端钝，鳞片无毛或仅上部被毛。叶互生，倒卵状椭圆形或倒卵状披针形，长 4.5 ~ 9.5cm，宽 1.4 ~ 4cm，先端钝渐尖，基部楔形，革质，上面深绿色，无毛，下面粉绿色，无毛；羽状脉，侧脉每边 7 ~ 10，在两面微凸起，中脉在两面凸起，网脉不明显；叶柄长 6 ~ 16mm，无毛。伞形花序腋生，无总梗或有极短的总梗；苞片4，交互对生，近圆形，外面被黄褐色丝状短柔毛，内面无毛；每一花序有花 3 ~ 4；花梗粗短，密被长柔毛；花被裂片6，卵形或椭圆形，外面被柔毛；雄蕊 9，花丝被长柔毛，腺体箭形，有柄，无退化雌蕊；雌花中子房近于球形，花柱被稀疏柔毛，柱头 2裂；退化雄蕊丝状，被长柔毛。果实近球形，直径 7 ~ 8mm；果托扁平，宿存有 6 裂花被裂片，果梗长约 5mm，颇粗壮。花期 8 ~ 9 月，果期翌年夏季。

| 生境分布 | 生于海拔 300 ~ 2300m 的山谷杂木林中。分布于重庆城口、巫溪、奉节、云阳、开州、梁平、万州、忠县、酉阳、彭水、武隆、丰都、南川、涪陵、垫江、綦江、北碚、江津、合川、铜梁、永川等地。

| 资源情况 | 野生资源稀少。药材主要来源于野生。

| 采收加工 | 全年均可采收，洗净，晒干。

| 功能主治 | 辛、苦，温。根及茎皮，温中止痛，理气行水。用于胃脘胀痛，水肿。叶，清暑，利尿。

| 用法用量 | 内服煎汤，9 ~ 30g。

樟科 Lauraceae 木姜子属 Litsea

山鸡椒
Litsea cubeba (Lour.) Pers.

药材名

荜澄茄 / 澄茄子（药用部位：果实。别名：山胡椒、味辣子、山苍子）、豆豉姜（药用部位：根。别名：澄茄根、木姜子根、过山香）、山苍子叶（药用部位：叶）。

形态特征

落叶灌木或小乔木，高达 8 ~ 10m。幼树树皮黄绿色，光滑，老树树皮灰褐色；小枝细长，绿色，无毛，枝、叶具芳香味；顶芽圆锥形，外面被柔毛。叶互生，披针形或长圆形，长 4 ~ 11cm，宽 1.1 ~ 2.4cm，先端渐尖，基部楔形，纸质，上面深绿色，下面粉绿色，两面均无毛；羽状脉，侧脉每边 6 ~ 10，纤细，中脉、侧脉在两面均凸起；叶柄长 6 ~ 20mm，纤细，无毛。伞形花序单生或簇生，总梗细长，长 6 ~ 10mm；苞片边缘被睫毛；每一花序有花 4 ~ 6，先叶开放或与叶同时开放，花被裂片 6，宽卵形；能育雄蕊 9，花丝中下部被毛，第 3 轮基部的腺体具短柄；退化雌蕊无毛；雌花中退化雄蕊中下部被柔毛；子房卵形，花柱短，柱头头状。果实近球形，直径约 5mm，无毛，幼时绿色，成熟时黑色，果梗长 2 ~ 4mm，先端稍增粗。花期 2 ~ 3 月，果期 7 ~ 8 月。

山鸡椒

| 生境分布 | 生于海拔 2300m 以下的向阳山坡、丘陵、林缘灌丛或疏林中。分布于重庆秀山、城口、江津、黔江、铜梁、南川、酉阳、丰都、云阳、石柱、巫山、梁平等地。 |

| 资源情况 | 野生资源一般。药材主要来源于野生。 |

| 采收加工 | 荜澄茄 / 澄茄子：采收季节性很强。7 月中下旬至 8 月中旬果实青色布有白色斑点、用手捻碎有强烈生姜味时采收。如果实尚未完全成熟时采摘，水分多，含柠檬醛少，为过早；若至果实成熟后期，果皮转变为褐色，柠檬醛自然挥发而消失，为过迟。连果枝摘取，除去枝叶，晒干。
豆豉姜：栽培 3 ~ 5 年后，9 ~ 10 月采挖，抖去泥土，晒干。
山苍子叶：夏、秋季采收，除去杂质，鲜用或晒干。 |

| 药材性状 | 荜澄茄 / 澄茄子：本品呈圆球形，直径 4 ~ 6mm。表面棕褐色至棕黑色，有网状皱纹，基部常有果柄痕。中果皮易剥去；内果皮暗棕红色；果皮坚脆，种子 1，内有肥厚子叶 2，富含油质。具特异强烈窜透性香气，味辛。
豆豉姜：本品呈圆锥形。表面棕色，有皱纹及颗粒状突起。质轻泡，易折断，断面灰褐色，横切面有小孔（导管）。气香，味辛、辣。
山苍子叶：本品呈披针形或长椭圆形，易破碎。表面棕色或棕绿色，长 4 ~ 10cm，宽 1 ~ 2.4cm，先端渐尖，基部楔形，全缘，羽状网脉明显，于下表面稍凸起。质较脆。气芳香，味辛。 |

| 功能主治 | 荜澄茄 / 澄茄子：辛，温。归脾、胃、肾、膀胱经。温中散寒，行气止痛。用于胃寒呕逆，脘腹冷痛，寒疝腹痛，寒湿郁滞，小便浑浊。
豆豉姜：辛、微苦，温。归脾、胃、肝经。祛风除湿，温中理气止痛。用于感冒头痛，心胃冷痛，腹痛吐泻，脚气，孕妇水肿，风湿痹痛，跌打损伤，脑血栓形成。
山苍子叶：辛、微苦，温。理气散结，解毒消肿，止血。用于痈疽肿痛，乳痈，蛇虫咬伤，外伤出血，脚肿。其挥发油可用于慢性气管炎。 |

| 用法用量 | 荜澄茄 / 澄茄子：内服煎汤，1 ~ 3g。
豆豉姜：内服煎汤，15 ~ 30g，鲜品 15 ~ 60g；或炖服；或泡酒服。外用适量，煎汤洗。
山苍子叶：外用适量，鲜品捣敷；或煎汤温洗全身。 |

| 附　注 | （1）《中国药典》将樟科植物山鸡椒 *Litsea cubeba* (Lour.) Pers. 的干燥成熟果实确定为"荜澄茄"的来源，这与胡椒科荜澄茄植物 *Piper cubeba* L. 同名异物。《中 |

华本草》则把胡椒科荜澄茄称为荜澄茄,而山鸡椒的干燥成熟果实称为澄茄子,把它们分别作为两种不同的中药记载。由于荜澄茄的名称容易混淆,笔者通过考证,《中国药典》中荜澄茄的名称改为澄茄子。

(2)本种喜光,在光照不足的条件下生长发育不良。适生于土层深厚、排水良好的酸性红壤、黄壤以及山地棕壤,在低洼水处则不宜栽种。本种的种子外表具致密蜡质层,不易透气、透水。休眠期长,发芽迟缓。播种育苗需经过后熟、搓洗、沙藏等催芽处理,提高出芽率和苗木质量。

黄丹木姜子

Litsea elongata (Wall. ex Nees) Benth. et Hook. f.

| 药 材 名 | 黄丹木姜子（药用部位：根。别名：野枇杷木、打色眼树、毛丹）。

| 形态特征 | 常绿小乔木或中乔木，高达 12m，胸径达 40cm。树皮灰黄色或褐色；小枝黄褐至灰褐色，密被褐色绒毛；顶芽卵圆形，鳞片外面被丝状短柔毛。叶互生，长圆形、长圆状披针形至倒披针形，长 6 ~ 22cm，宽 2 ~ 6cm，先端钝或短渐尖，基部楔形或近圆形，革质，上面无毛，下面被短柔毛，沿中脉及侧脉被长柔毛；羽状脉，侧脉每边10 ~ 20，中脉及侧脉在叶上面平或稍下陷，在下面凸起，横行小脉在下面明显凸起，网脉稍凸起；叶柄长 1 ~ 2.5cm，密被褐色绒毛。伞形花序单生，少簇生；总梗通常较粗短，长 2 ~ 5mm，密被褐色绒毛；每一花序有花 4 ~ 5；花梗被丝状长柔毛；花被裂片 6，卵形，外面中肋被丝状长柔毛；雄花中能育雄蕊 9 ~ 12，花丝被长柔

黄丹木姜子

毛，腺体圆形，无柄，退化雌蕊细小，无毛；雌花序较雄花序略小，子房卵圆形，无毛，花柱粗壮，柱头盘状，退化雄蕊细小，基部被柔毛。果实长圆形，长 11 ～ 13mm，直径 7 ～ 8mm，成熟时黑紫色，果托杯状，深约 2mm，直径约 5mm，果梗长 2 ～ 3mm。花期 5 ～ 11 月，果期 2 ～ 6 月。

| 生境分布 | 生于海拔 500 ～ 2000m 的山坡路旁、溪旁、杂木林下。分布于重庆石柱、酉阳、秀山、黔江等地。

| 资源情况 | 野生资源稀少。药材主要来源于野生。

| 采收加工 | 全年均可采收，洗净，晒干。

| 功能主治 | 祛风除湿。

| 用法用量 | 内服煎汤，15 ～ 30g，鲜品 15 ～ 60g；或炖服；或泡酒服。外用适量，煎汤洗。

樟科 Lauraceae 木姜子属 Litsea

宜昌木姜子
Litsea ichangensis Gamble

| 药 材 名 | 宜昌木姜子（药用部位：根皮）。

| 形态特征 | 落叶灌木或小乔木，高达 8m。树皮黄绿色；幼枝黄绿色，较纤细，无毛，老枝红褐色或黑褐色；顶芽单生或 3 集生，卵圆形，鳞片无毛。叶互生，倒卵形或近圆形，长 2 ~ 5cm，宽 2 ~ 3cm，先端急尖或圆钝，基部楔形，纸质，上面深绿色，无毛，下面粉绿色，幼时脉腋处被簇毛，老时变无毛，有时脉腋具腺窝穴；羽状脉，侧脉每边 4 ~ 6，纤细，通常离基部第 1 对侧脉与第 2 对侧脉之间的距离较大，中脉、侧脉在叶两面微凸起；叶柄长 5 ~ 15mm，纤细，无毛。伞形花序单生或 2 簇生；总梗稍粗，长约 5mm，无毛；每一花序常有花 9，花梗长约 5mm，被丝状柔毛；花被裂片 6，黄色，倒卵形或近圆形，先端圆钝，外面有脉 4，无毛或近于无毛；能育雄蕊 9，花丝无毛，第

宜昌木姜子

3轮基部腺体小，黄色，近于无柄；退化雌蕊细小，无毛；雌花中退化雄蕊无毛；子房卵圆形，花柱短，柱头头状。果实近球形，直径约5mm，成熟时黑色，果梗长1~1.5cm，无毛，先端稍增粗。花期4~5月，果期7~8月。

| 生境分布 | 生于海拔1100~2100m的山坡灌丛中或密林中。分布于重庆黔江、忠县、城口、奉节、彭水、丰都、酉阳、云阳、南川、巫山、涪陵、江津、武隆等地。

| 资源情况 | 野生资源较丰富。药材主要来源于野生。

| 采收加工 | 全年均可采收，洗净，晒干。

| 功能主治 | 祛风散寒，理气除湿。用于风寒感冒，头痛，反胃呕吐，小便不利。

| 用法用量 | 内服煎汤，或泡酒，3~10g。

樟科 Lauraceae 木姜子属 Litsea

毛叶木姜子
Litsea mollis Hemsl.

| 药 材 名 | 木姜子（药用部位：果实。别名：澄茄子、山胡椒、木香子）。

| 形态特征 | 落叶灌木或小乔木，高达 4m。树皮绿色，光滑，有黑斑，撕破有松节油气味；顶芽圆锥形，鳞片外面被柔毛；小枝灰褐色，被柔毛。叶互生或聚生枝顶，长圆形或椭圆形，长 4 ~ 12cm，宽 2 ~ 4.8cm，先端凸尖，基部楔形，纸质，上面暗绿色，无毛，下面带绿苍白色，密被白色柔毛；羽状脉，侧脉每边 6 ~ 9，纤细，中脉在叶两面凸起，侧脉在上面微凸，在下面凸起；叶柄长 1 ~ 1.5cm，被白色柔毛。伞形花序腋生，常 2 ~ 3 簇生短枝上，短枝长 1 ~ 2mm；花序梗长 6mm，被白色短柔毛；每一花序有花 4 ~ 6，先叶开放或与叶同时开放；花被裂片 6，黄色，宽倒卵形；能育雄蕊 9，花丝被柔毛，第 3 轮基部腺体盾状心形，黄色；退化雌蕊无。果实球形，直径约 5mm，成

毛叶木姜子

熟时蓝黑色，果梗长 5 ~ 6mm，被稀疏短柔毛。花期 3 ~ 4 月，果期 9 ~ 10 月。

| 生境分布 | 生于海拔 1400m 以下的向阳处丘陵或山地灌丛中。重庆各地均有分布。

| 资源情况 | 野生资源丰富。药材主要来源于野生。

| 采收加工 | 秋季果实成熟时采收，除去杂质，鲜用或晒干。

| 药材性状 | 本品呈类圆球形，直径 4 ~ 5mm。外表面黑棕色至棕黑色，有网状皱纹，先端钝圆，基部常可见果柄脱落的圆形疤痕、少数残留宿萼及折断的果柄。除去果皮，可见质硬脆的果核，表面暗棕褐色，果皮坚脆，有光泽，外有 1 隆起的纵横纹。剥开果皮，内含种子 1，胚具子叶 2，黄色，富油性。气芳香，味辛、辣、微苦。

| 功能主治 | 辛、苦，温。归脾、肾经。祛寒温中，行气止痛，燥湿健胃。用于胃寒腹痛，暑湿吐泻，食滞饱胀，痛经，疝痛。

| 用法用量 | 内服煎汤，3 ~ 10g；或研末，每次 1 ~ 1.5g。外用适量，捣敷或研末调敷。

樟科 Lauraceae 木姜子属 Litsea

四川木姜子

Litsea moupinensis Lec. var. *szechuanica* (Allen) Yang et P. H. Huang

| 药 材 名 | 四川澄茄子（药用部位：果实）。

| 形态特征 | 本种与原变种宝兴木姜子的区别在于叶片为椭圆形或倒卵形，间或有近圆形的小叶，通常较大，长 4 ~ 15cm，宽 2 ~ 7cm，先端短渐尖或团钝或突尖，基部楔形，果序总梗长 3 ~ 10mm。

| 生境分布 | 生于海拔 700 ~ 2300m 的山地路旁或杂木林中。分布于重庆南川、江津、永川等地。

| 资源情况 | 野生资源一般。药材主要来源于野生。

| 采收加工 | 8 月采摘，阴干。

四川木姜子

| **药材性状** | 本品呈圆球形，直径 2.5 ～ 3.5mm。表面黑褐色，果皮皱缩成网状纹理。基部有果柄，长 5 ～ 10mm，有时脱落。果皮坚脆，剥开后内为种皮，子叶 2，肥厚，富含油质。具强烈窜透性香气，味辛。 |

| **功能主治** | 辛、微苦，温。温中止痛。用于胃寒腹痛，呃逆，呕吐。 |

| **用法用量** | 内服煎汤，6 ～ 10g。 |

樟科 Lauraceae 木姜子属 *Litsea*

宝兴木姜子 *Litsea moupinensis* Lec.

宝兴木姜子

| 药 材 名 |

宝兴木姜子（药用部位：果实）。

| 形态特征 |

落叶乔木，高 15 ~ 20m。树皮褐色；幼枝黄褐色，密被黄褐色绒毛。顶芽圆锥形，密被黄褐色绒毛。叶互生，卵形、菱状卵形或长圆形，有时也有倒卵形，长 4 ~ 9cm，宽 1.5 ~ 3.8cm，两端渐尖，纸质，上面深绿色，下面灰绿色，密被灰黄色绒毛；羽状脉，侧脉每边 5 ~ 7，直展至近叶缘处略弯曲，叶脉在叶上面微凸，下面凸起，叶下面连结侧脉的小脉明显凸起；叶柄长 3 ~ 13mm，密被黄色绒毛。伞形花序单生去年生枝顶，先叶开放；花序总梗长 2 ~ 3mm，被绒毛；每一花序有花 8 ~ 10，花梗长 5 ~ 8mm，密被黄色绒毛；花被裂片 6，黄色，近圆形，外面中肋被柔毛；能育雄蕊 9，花丝无毛，第 3 轮基部腺体黄色，有柄；退化雌蕊细小，无毛。果实球形，直径 3 ~ 4mm，成熟时黑色，果梗长 5 ~ 10mm，被短柔毛。花期 3 ~ 4 月，果期 7 ~ 8 月。

| 生境分布 |

生于海拔 700 ~ 2300m 的山地路旁或杂木

林中。分布于重庆酉阳、南川等地。

| **资源情况** | 野生资源稀少。药材主要来源于野生。

| **采收加工** | 8 月采摘，阴干。

| **功能主治** | 祛风散寒，通窍止痛。用于风寒感冒，脘腹冷痛，风湿痹痛。

| **用法用量** | 内服煎汤，6 ～ 10g。

红皮木姜子

Litsea pedunculata (Diels) Yang et P. H. Huang

红皮木姜子

药 材 名

红皮木姜子（药用部位：果实）。

形态特征

常绿灌木或小乔木，高达 6m。树皮褐色，内皮紫红色；幼枝红褐色，无毛或近于无毛，老枝灰色或灰褐色，无毛；顶芽卵圆形，细小，鳞片外面被丝状黄色短柔毛。叶互生，长圆状披针形至椭圆形，长 3.5 ~ 7cm，宽 1.5 ~ 3cm，先端急尖或渐尖，基部楔形、钝或近圆形，薄革质，上面深绿色，下面粉绿色，两面均无毛；羽状脉，侧脉每边 8 ~ 12，直展，先端弧曲，叶边缘处消失，中脉两面凸起，侧脉在上面微凸，下面凸起，网脉两面不明显；叶柄长 5 ~ 10mm，无毛。伞形花序单生叶腋，花序梗长，纤细，长 5 ~ 7mm，被柔毛或近无毛；每一雄花序有花 3 ~ 5；花梗短；花被裂片 6，有时 3 或 4，宽卵形或近圆形；能育雄蕊 9，有时 7 或 12，花丝长 1.5 ~ 2mm，被短柔毛；腺体心形，无柄；退化子房卵形，长 1 ~ 1.5mm，无毛。果实长圆形，长 6 ~ 7mm，直径 4 ~ 4.5mm，先端有尖头，果托盘状，果梗长约 2mm。花期 5 月，果期 7 ~ 8 月。

| **生境分布** | 生于海拔 1320 ～ 2300m 的潮湿山坡或山顶混交林中。分布于重庆石柱、武隆、彭水、南川等地。 |

| **资源情况** | 野生资源稀少。药材主要来源于野生。 |

| **采收加工** | 8 月采摘，阴干。 |

| **功能主治** | 祛风散寒，理气止痛。用于风寒感冒头痛，风湿痹痛。 |

| **用法用量** | 内服煎汤，6 ～ 10g。 |

樟科 Lauraceae 木姜子属 Litsea

木姜子
Litsea pungens Hemsl.

| 药 材 名 | 木姜子（药用部位：果实。别名：山胡椒、木香子、木樟子）、木姜子根（药用部位：根。别名：木椒子根）、木姜子茎（药用部位：茎）、木姜子叶（药用部位：叶）。

| 形态特征 | 落叶小乔木，高 3 ~ 10m。树皮灰白色；幼枝黄绿色，被柔毛，老枝黑褐色，无毛；顶芽圆锥形，鳞片无毛。叶互生，常聚生枝顶，披针形或倒卵状披针形，长 4 ~ 15cm，宽 2 ~ 5.5cm，先端短尖，基部楔形，膜质，幼叶下面被绢状柔毛，后脱落渐变无毛或沿中脉被稀疏毛；羽状脉，侧脉每边 5 ~ 7，叶脉在两面均凸起；叶柄纤细，长 1 ~ 2cm，初时被柔毛，后脱落渐变无毛。伞形花序腋生；总花梗长 5 ~ 8mm，无毛；每一花序有雄花 8 ~ 12，先叶开放；花梗长 5 ~ 6mm，被丝状柔毛；花被裂片 6，黄色，倒卵形，长 2.5mm，

木姜子

外面被稀疏柔毛；能育雄蕊 9，花丝仅基部被柔毛，第 3 轮基部有黄色腺体，圆形；退化雌蕊细小，无毛。果实球形，直径 7 ~ 10mm，成熟时蓝黑色，果梗长 1 ~ 2.5cm，先端略增粗。花期 3 ~ 5 月，果期 7 ~ 9 月。

| **生境分布** | 生于海拔 800 ~ 2300m 的溪旁和山地阳坡杂木林中或林缘。分布于重庆忠县、大足、江津、城口、梁平、万州、云阳、綦江、铜梁、璧山、南川、涪陵、酉阳、巫溪、北碚、开州、石柱、丰都、巫山、巴南、沙坪坝、奉节等地。

| **资源情况** | 野生资源丰富。药材主要来源于野生。

| **采收加工** | 木姜子：参见"毛叶木姜子"条。
木姜子根：春、夏季采挖，洗净，晒干。
木姜子茎：春、夏季采收，洗净，鲜用或晒干。
木姜子叶：春、夏季采收，鲜用或晒干。

| **药材性状** | 木姜子：参见"毛叶木姜子"条。
木姜子叶：本品呈长卵形至倒长卵形，长 5 ~ 10cm，先端急尖，基部楔形，全缘，羽状脉，侧脉约 5 对。气芳香，味辛。

| **功能主治** | 木姜子：参见"毛叶木姜子"条。
木姜子根：辛，温。归胃、肝经。温中理气，散寒止痛。用于胃脘冷痛，风湿关节酸痛，疟疾，痛经。热证禁用。
木姜子茎：辛，温。归胃经。散寒止痛，行气消食，透疹。用于胃寒腹痛，食积腹胀，麻疹透发不畅。
木姜子叶：苦、辛，温。归脾经。祛风行气，健脾利湿，外用解毒。用于腹痛腹胀，暑湿吐泻，关节疼痛，水肿，无名肿毒。

| **用法用量** | 木姜子：参见"毛叶木姜子"条。
木姜子根：内服煎汤或泡酒，3 ~ 10g；或研末，每次 0.2 ~ 0.5g。
木姜子茎：内服煎汤，3 ~ 10g。外用适量，煎汤熏洗。
木姜子叶：内服煎汤，10 ~ 15g。外用适量，煎汤洗；或捣敷。

樟科 Lauraceae 木姜子属 Litsea

绢毛木姜子
Litsea sericea (Nees) Hook. f.

| 药 材 名 | 绢毛木姜子（药用部位：果实。别名：山胡椒、山椒子、木姜子）。

| 形态特征 | 落叶灌木或小乔木，高可达 6m。树皮黑褐色；幼枝绿色，密被锈色或黄白色长绢毛；顶芽圆锥形，鳞片无毛或仅上部被短柔毛。叶互生，长圆状披针形，长 8 ~ 12cm，宽 2 ~ 4cm，先端渐尖，基部楔形，纸质，幼时两面密被黄白色或锈色长绢毛，后毛渐脱落上面仅中脉被毛或无毛，下面被稀疏长毛，沿脉毛密且颜色较深；羽状脉，侧脉每边 7 ~ 8，在下面凸起，连结侧脉之间的小脉微凸或不甚明显；叶柄长 1 ~ 1.2cm，被黄白色长绢毛。伞形花序单生去年生枝顶，先叶开放或与叶同时开放；总梗长 6 ~ 7mm，无毛；每一花序有花 8 ~ 20；花梗长 5 ~ 7mm，密被柔毛；花被裂片 6，椭圆形，淡黄色，有脉 3；能育雄蕊 9，有时 6 或 12，花丝短，无毛，第 3 轮基部腺

绢毛木姜子

体黄色；退化子房卵形。果实近球形，直径约 5mm，先端有明显小尖头，果梗长 1.5 ~ 2cm。花期 4 ~ 5 月，果期 8 ~ 9 月。

| 生境分布 | 生于海拔 400 ~ 2500m 的山坡路旁、灌丛中或针阔混交林中。分布于重庆城口等地。

| 资源情况 | 野生资源稀少。药材主要来源于野生。

| 采收加工 | 夏、秋季采摘，晒干。

| 药材性状 | 本品呈宽椭圆形或近球形，直径约 5mm。表面黑褐色或棕褐色，先端有细尖，基部有稍增厚的盘状花被。外皮破碎后可见较硬脆的果核，种子 1。气芳香，味辛。

| 功能主治 | 辛，温。利尿，祛痰，祛风健胃，防腐。用于脘腹寒痛，腹胀呕吐。

| 用法用量 | 内服煎汤，3 ~ 6g。

樟科 Lauraceae 木姜子属 Litsea

近轮叶木姜子

Litsea elongata (Wall. ex Nees) Benth. et Hook. f. var. *subverticillata* (Yang) Yang et P. H. Huang

| **药材名** | 近轮叶木姜子（药用部位：果实）。

| **形态特征** | 常绿小乔木或中乔木，高达 12m，胸径达 40cm。树皮灰黄色或褐色；小枝黄褐色至灰褐色，密被褐色绒毛；顶芽卵圆形，鳞片外面被丝状短柔毛。叶近轮生，长圆形、长圆状披针形至倒披针形，长 6 ~ 22cm，宽 2 ~ 6cm，先端钝或短渐尖，基部楔形或近圆形，叶片薄革质或膜质，较薄，干时黑绿色，上面无毛，下面被短柔毛，沿中脉及侧脉被长柔毛；羽状脉，侧脉每边 10 ~ 20，中脉及侧脉在叶上面平或稍下陷，在下面凸起，横行小脉在下面明显凸起，网脉稍凸起；叶柄较短，长 2 ~ 5mm，密被褐色绒毛。伞形花序无总梗或近于无梗；花被裂片 6，卵形，外面中肋被丝状长柔毛；雄花中能育雄蕊 9 ~ 12，花丝被长柔毛，腺体圆形，无柄，退化雌蕊细

近轮叶木姜子

小，无毛；雌花序较雄花序略小，子房卵圆形，无毛，花柱粗壮，柱头盘状，退化雄蕊细小，基部被柔毛。果实长圆形，长 11 ~ 13mm，直径 7 ~ 8mm，成熟时黑紫色，果托杯状，质薄，深约 2mm，直径约 5mm，果梗长 2 ~ 3mm。花期 5 ~ 11 月，果期 2 ~ 6 月。

| **生境分布** | 生于海拔 600 ~ 1900m 的山坡路旁或灌丛中。分布于重庆綦江、大足、长寿、永川、丰都、铜梁、垫江、奉节、忠县、酉阳、秀山、南川、北碚等地。

| **资源情况** | 野生资源一般。药材来源于野生。

| **采收加工** | 春、夏季采摘，阴干。

| **功能主治** | 辛，温。祛风健胃，发表散寒。用于腹胀，呕吐，风寒胃痛及头痛。

| **用法用量** | 内服煎汤，3 ~ 6g。

樟科 Lauraceae 木姜子属 Litsea

钝叶木姜子
Litsea veitchiana Gamble

| **药 材 名** | 木香子（药用部位：果实）。

| **形态特征** | 落叶灌木或小乔木，高达 4m。树皮灰褐色或黑褐色；幼枝被黄白色长绢毛，以后毛脱落变无毛；顶芽圆锥形，鳞片无毛或上部被微短柔毛。叶互生，倒卵形或倒卵状长圆形，长 4 ~ 12cm，宽 2.5 ~ 5.5cm，先端急尖或钝，基部楔形或宽楔形，纸质，幼时两面密被黄白色或锈黄色长绢毛，老时毛渐脱落上面无毛或仅中脉被毛，下面被稀疏长绢毛；羽状脉，侧脉每边 6 ~ 9，中脉、侧脉在上面微凸，在下面凸起，连结侧脉之间的小脉微凸；叶柄长 1 ~ 1.2cm，幼时密被黄白色或锈黄色长绢毛，后毛渐脱落变无毛。伞形花序生于去年生枝顶，单生，先叶开放或与叶同时开放；花序总梗长 6 ~ 7mm，被柔毛；每一花序有花 10 ~ 13，淡黄色；花梗长 5 ~ 7mm，密被柔毛；

钝叶木姜子

花被裂片 6，椭圆形或近圆形，有脉 3，具腺点；能育雄蕊 9，花丝基部被柔毛，第 3 轮基部腺体大；退化子房卵形；雌花中退化雄蕊基部被柔毛；子房卵圆形，花柱短，柱头头状。果实球形，直径约 5mm，成熟时黑色，果梗长 1.5 ～ 2cm，被稀疏长毛。花期 4 ～ 5 月，果期 8 ～ 9 月。

| 生境分布 | 生于海拔 400 ～ 2000m 的山坡路旁或灌丛中。分布于重庆永川、梁平、合川、巫溪、南川等地。

| 资源情况 | 野生资源一般。药材主要来源于野生。

| 采收加工 | 夏、秋季采收，晒干。

| 药材性状 | 本品呈圆球形，直径 3 ～ 6mm。表面棕褐色或黑色，皱缩。基部有果柄痕，有的具果柄，长 1.5 ～ 2.5cm，先端稍膨大成盘状。果皮易破碎。具浓烈香气，味辛。

| 功能主治 | 辛、苦，温。归脾、胃经。行气，健胃消食。用于消化不良，脘腹胀痛。

| 用法用量 | 内服煎汤，6 ～ 10g。

樟科 Lauraceae 木姜子属 *Litsea*

绒叶木姜子

Litsea wilsonii Gamble

绒叶木姜子

| 药 材 名 |

绒叶木姜子（药用部位：根皮）。

| 形态特征 |

常绿乔木，高达 10m。树皮褐灰色，光滑；小枝褐色，略粗壮，被灰白色绒毛；顶芽卵圆形，鳞片外被丝状黄色柔毛。叶互生，倒卵形，长 5.5 ~ 14（~ 18）cm，宽 3 ~ 6（~ 9）cm，先端短凸尖，基部渐尖或楔形，革质；幼叶刚发时两面被绒毛，老叶上面深绿色，无毛，下面黄褐色，被灰白色绒毛；羽状脉，侧脉每边 6 ~ 10，弯曲斜升至边缘处联结，小脉横走而平行，在叶下面明显，中脉、侧脉在叶上面下陷，下面凸起；叶柄长 1 ~ 3.5cm，被灰白色绒毛，后毛渐脱落变无毛。伞形花序单生或 2 ~ 3 集生叶腋长 2 ~ 3mm 短枝上；苞片 4 ~ 6；每一雄花序有花 6；花序梗长 1cm，花梗长 5mm，均被绒毛；花被裂片 6，外面被柔毛；能育雄蕊 9，花丝被柔毛，第 3 轮基部腺体黄色，具短柄。果实椭圆形，长 1.3cm，直径 7 ~ 8mm，成熟时由红色变深紫黑色，果托杯状，直径 5 ~ 6mm，深约 3mm，边缘有不规则裂片，果梗长 6 ~ 7mm。花期 8 ~ 9 月，果期 5 ~ 6 月。

| 生境分布 | 生于海拔 300 ~ 1800m 的山坡、路旁、灌丛或杂木林中。分布于重庆南岸、南川、涪陵、璧山、垫江、北碚等地。

| 资源情况 | 野生资源稀少。药材主要来源于野生。

| 采收加工 | 春、夏季采挖，洗净，晒干。

| 功能主治 | 祛风除湿。用于风寒湿痹痛，关节屈伸不利。

| 用法用量 | 内服煎汤，或泡酒，3 ~ 10g。

川黔润楠

樟科 Lauraceae 润楠属 Machilus

川黔润楠
Machilus chuanchienensis S. Lee

| 药 材 名 |

川黔润楠（药用部位：种子）。

| 形态特征 |

乔木，高约5m。枝紫褐色，有时枝条上有很凸起的椭圆形纵裂皮孔，枝和嫩枝均平滑无毛；顶芽小，圆锥形，被微柔毛。叶常集生枝梢，长椭圆形，长8.5～12cm，宽2.7～3.8cm，先端钝或钝渐尖，基部楔形，薄革质，上面绿色，下面淡绿色，嫩时下面被贴伏微柔毛；中脉在上面凹下，下面明显凸起，侧脉每边8～9，上面微凸起，下面凸起较清晰，小脉纤细，结成密网状，有时两面上成蜂巢状小窝穴；叶柄纤细，长1.8～2.2cm。聚伞状圆锥花序约5或6生于当年生枝的近基部或有时近顶生，少花，长6～10.5cm，在上端分枝；总梗占花序长的2/3或3/4；花长约5mm；花被裂片长圆形，等长或近等长，外面无毛，内面被绢毛；花梗纤细，长约7mm。果实未见。花期6月。

| 生境分布 |

生于低山阔叶林中。分布于重庆武隆、南川、江津等地。

| **资源情况** | 野生资源稀少。药材主要来源于野生。

| **采收加工** | 果实成熟后采收。

| **功能主治** | 清热解毒，润肠。

| **用法用量** | 内服煎汤，适量。

樟科 Lauraceae 润楠属 *Machilus*

宜昌润楠 *Machilus ichangensis* Rehd. et Wils.

| 药 材 名 | 宜昌润楠（药用部位：树皮）。

| 形态特征 | 乔木，高 7 ~ 15m，很少较高。树冠卵形；小枝纤细而短，无毛，褐红色，极少褐灰色；顶芽近球形，芽鳞近圆形，先端有小尖，外面被灰白色很快脱落小柔毛，边缘常有浓密的缘毛。叶常集生当年生枝上，长圆状披针形至长圆状倒披针形，长 10 ~ 24cm，宽 2 ~ 6cm，通常长约 16cm，宽约 4cm，先端短渐尖，有时尖头稍呈镰形，基部楔形，坚纸质，上面无毛，稍光亮，下面带粉白色，被贴伏小绢毛或变无毛；中脉上面凹下，下面明显凸起，侧脉纤细，每边 12 ~ 17，上面稍凸起，下面较上面为明显，侧脉间有不规则的横行脉连结，小脉很纤细，结成细密网状，两面均稍凸起，有时在上面构成蜂巢状浅窝穴；叶柄纤细，长 0.8 ~ 2cm，很少有长达 2.5cm。

宜昌润楠

圆锥花序生于当年生枝基部脱落苞片的腋内，长 5 ~ 9cm，被灰黄色贴伏小绢毛或变无毛，总梗纤细，长 2.2 ~ 5cm，带紫红色，约在中部分枝，下部分枝有花 2 ~ 3，较上部的有花 1；花梗长 5 ~ 7（~ 9）mm，被贴伏小绢毛；花白色，花被裂片长 5 ~ 6mm，外面和内面上端被贴伏小绢毛，先端钝圆，外轮的稍狭；雄蕊较花被稍短，近等长，花丝长约 2.5mm，无毛；花药长圆形，长约 1.5mm，第 3 轮雄蕊腺体近球形，有柄；退化雄蕊三角形，稍尖，基部平截，连柄长约 1.8mm；子房近球形，无毛；花柱长 3mm，柱头小，头状。果序长 6 ~ 9cm，果实近球形，直径约 1cm，黑色，有小尖头，果梗不增大。花期 4 月，果期 8 月。

| **生境分布** | 生于海拔 560 ~ 1400m 的山坡或山谷的疏林内。分布于重庆彭水、酉阳、忠县等地。

| **资源情况** | 野生资源一般。药材主要来源于野生。

| **功能主治** | 疏经络，止呕吐。用于霍乱，吐泻不止，转筋，足部水肿。

| **用法用量** | 内服煎汤，适量。外用煎汤洗。

樟科 Lauraceae 润楠属 Machilus

南川润楠 *Machilus nanchuanensis* N. Chao. ex S. Lee

南川润楠

药材名

南川润楠（药用部位：种子）。

形态特征

乔木，高 15m。小枝纤细，芽近球形，密被棕色绒毛。叶常集生枝梢，倒卵形或椭圆形，长 6 ~ 8（~ 9）cm，宽 2 ~ 2.6（~ 4）cm，两面无毛，革质，上面光亮，绿色，下面淡绿色，先端短渐尖至短尾状渐尖，基部楔形，有时两侧不等；中脉在上面凹陷，下面稍凸起，侧脉每边 6 ~ 7，很纤弱，两面都不甚明显，网脉很纤细，在两面上构成不很明显的蜂巢状浅窝穴；叶柄很纤细，长 1.5 ~ 1.7（~ 2）cm。圆锥花序纤细，成丛顶生或近顶生，长 2 ~ 3cm，开花时花序基部的苞片尚未完全脱落，花序和花梗带艳红色，少花；花梗长约 3mm；花白色，各部分无毛，花被裂片长圆形，长约 3mm，宽约 1mm。幼果绿色，近球形。花期 5 月，果期 6 月。

生境分布

生于混交林中。分布于重庆南川等地。

| **资源情况** | 野生资源稀少。药材主要来源于野生。

| **采收加工** | 果实成熟时采摘，晒干。

| **功能主治** | 润肠通便。

| **用法用量** | 内服煎汤，适量。

润楠
Machilus pingii Cheng ex Yang

| 药 材 名 | 润楠（药用部位：根皮、树皮）。

| 形态特征 | 乔木，高40m或更高，胸径40cm。当年生小枝黄褐色，一年生枝灰褐色，均无毛，干时通常蓝紫黑色；顶芽卵形，鳞片近圆形，外面密被灰黄色绢毛，近边缘无毛，浅棕色。叶椭圆形或椭圆状倒披针形，长5～10（～13.5）cm，宽2～5cm，先端渐尖或尾状渐尖，尖头钝，基部楔形，革质，上面绿色，无毛，下面被贴伏小柔毛，嫩叶的下面和叶柄密被灰黄色小柔毛；中脉上面凹下，下面明显凸起，侧脉每边8～10，在两面均不明显，小脉细密，联结成细网状，在上面构成蜂巢状小窝穴，下面不明显；叶柄稍细弱，长10～15mm，无毛，上面有浅沟。圆锥花序生于嫩枝基部，4～7，长5～6.5（～9）cm，被灰黄色小柔毛，在上端分枝，总梗长3～5cm；

润楠

花梗纤细，长 5 ~ 7mm；花小，带绿色，长约 3mm，直径 4 ~ 5mm；花被裂片长圆形，外面被绢毛，内面绢毛较疏，有纵脉 3 ~ 5，第 3 轮雄蕊的腺体戟形，有柄，退化雄蕊基部被毛；子房卵形，花柱纤细，均无毛，柱头略扩大。果实扁球形，黑色，直径 7 ~ 8mm。花期 4 ~ 6 月，果期 7 ~ 8 月。

| **生境分布** | 生于海拔 500 ~ 1600m 的林中或孤立木。分布于重庆綦江、长寿、秀山、铜梁、酉阳、南川、忠县等地。

| **资源情况** | 野生资源稀少。药材主要来源于野生。

| **采收加工** | 全年均可采收，洗净，晒干。

| **功能主治** | 苦，微温。清热解毒，消肿止痛。用于疮疡肿痛。

| **用法用量** | 内服煎汤，适量。

| **附　　注** | 在 FOC 中，本种的拉丁学名被修订为 *Machilus nanmu* (Oliver) Hemsley。

樟科 Lauraceae 新樟属 *Neocinnamomum*

川鄂新樟
Neocinnamomum fargesii (Lec.) Kosterm.

| 药 材 名 | 岩胡椒（药用部位：根。别名：土乌药、菱叶新樟）。

| 形态特征 | 灌木或小乔木，高 2 ～ 7m。枝条圆柱形，有纵向细条纹和褐色斑点，无毛。叶互生，宽卵圆形、卵状披针形或菱状卵圆形，长 4 ～ 6.5cm，宽 3 ～ 4cm，先端稍渐尖，尖头近锐尖，基部楔形至宽楔形，坚纸质，两面无毛，上面绿色，下面淡绿色或白绿色，边缘软骨质，内卷，在中部以上明显呈波状；三出脉或近三出脉，中脉及侧脉在上面凹陷下面凸起，基生侧脉在近叶缘一侧常具支脉，细脉两面明显，呈网状；叶柄长 0.6 ～ 0.8cm，腹凹背凸，无毛。团伞花序腋生，1 ～ 4花，近无梗，近伞形；苞片卵圆形，长 1.3mm，宽 1mm，略被微柔毛；花小，浅绿色，长约 2mm；花梗长 1 ～ 4mm，略被微柔毛或近无毛；花被裂片 6，两面被微柔毛，近等大，宽卵圆形，长约 1.3mm，宽

川鄂新樟

约 1.2mm，先端锐尖；能育雄蕊 9，长约 1mm，被柔毛，第 1、2 轮雄蕊无腺体，花药卵圆形，与花丝等长，4 室，上 2 室内向，下 2 室侧内向，第 3 轮雄蕊有 1 对腺体，花药较狭，4 室，下 2 室大，外向，上 2 室小，侧外向；退化雄蕊小，三角形，具短柄，被柔毛；子房椭圆状卵球形，长约 1.5mm，花柱短，柱头盘状，先端微凹。果实近球形，直径 1.2 ~ 1.5cm，先端具小凸尖，成熟时红色；果托高脚杯状，先端宽 0.5 ~ 1.2cm，花被片宿存，凋萎状；果梗向上略增粗，长 0.5 ~ 1.5cm。花期 6 ~ 8 月，果期 9 ~ 11 月。

| **生境分布** | 生于海拔 600 ~ 1300m 的灌丛中。分布于重庆城口、巫溪、奉节、南川、云阳、涪陵、酉阳等地。

| **资源情况** | 野生资源一般。药材主要来源于野生。

| **采收加工** | 全年均可采挖，洗净泥土，晒干或鲜用。

| **功能主治** | 辛，温。行气，温中，止痛。用于气滞寒凝所致的胸腹胀痛，疝气，痛经。

| **用法用量** | 内服煎汤，3 ~ 9g。

樟科 Lauraceae 新木姜子属 Neolitsea

粉叶新木姜子

Neolitsea aurata (Hay.) Koidz. var. *glauca* Yang

粉叶新木姜子

药材名

粉叶新木姜子（药用部位：根、树皮。别名：新木姜子、金毛新木姜子）。

形态特征

乔木，高达 14m，胸径达 18cm；树皮灰褐色。幼枝黄褐色或红褐色，有少量黄褐色短柔毛。顶芽圆锥形，鳞片外面被丝状短柔毛，边缘有锈色睫毛。叶互生或聚生枝顶呈轮生状，多为长圆状倒卵形，长 8 ~ 14cm，宽 2.5 ~ 4cm，先端镰刀状渐尖或渐尖，基部楔形或近圆形，革质，上面绿色，无毛，下面被白粉，有密生贴伏的白色绢状毛，老后毛脱落存稀疏毛，离基三出脉，侧脉每边 3 ~ 4，最下一对离叶基 2 ~ 3mm 处发出，中脉与侧脉在叶上面微突起，在下面突起，横脉两面不明显，叶柄长 8 ~ 12mm，被锈色短柔毛。伞形花序 3 ~ 5 簇生于枝顶或节间；总梗短，长约 1mm；苞片圆形，外面被锈色丝状短柔毛，内面无毛；每一花序有花 5；花梗长 2mm，有锈色柔毛；花被裂片 4，椭圆形，长约 3mm，宽约 2mm，外面中肋有锈色柔毛，内面无毛；能育雄蕊 6，花丝基部有柔毛，第三轮基部腺体有柄；退化子房卵形，无毛。果实椭圆形，长 8mm；果托浅盘状，直径 3 ～ 4mm；果梗长 5 ～ 7mm，先端略增粗，有稀疏柔毛。花期 2 ～ 3 月，果期 9 ～ 10 月。

| **生境分布** | 生于海拔 800 ～ 850m 的山坡林缘或杂木丛中。分布于重庆彭水、奉节、南川、綦江、北碚等地。

| **资源情况** | 野生资源稀少。药材主要来源于野生，自产自销。

| **采收加工** | 全年均可采收，洗净，晒干。

| **功能主治** | 辛，温。温中散寒，理气止痛。用于脘腹胀痛。

| **用法用量** | 内服煎汤，3 ～ 9g。

樟科 Lauraceae 新木姜子属 Neolitsea

簇叶新木姜子 *Neolitsea confertifolia* (Hemsl.) Merr.

| **药 材 名** | 簇叶新木姜子（药用部位：根）。

| **形态特征** | 小乔木，高 3 ～ 7m。树皮灰色，平滑；小枝常轮生，黄褐色，嫩时被灰褐色短柔毛，老时脱落无毛；顶芽常数个聚生，圆锥形，鳞片外被锈色丝状柔毛。叶密集成轮生状，长圆形、披针形至狭披针形，长 5 ～ 12cm，宽 1.2 ～ 3.5cm，先端渐尖或短渐尖，基部楔形，薄革质，边缘微呈波状，上面深绿色，有光泽，无毛，下面带绿苍白色，幼时被短柔毛；羽状脉，或有时近似远离基三出脉，侧脉每边 4 ～ 6，或更多，中脉、侧脉两面皆凸起；叶柄长 5 ～ 7mm，幼时被灰褐色短柔毛。伞形花序常 3 ～ 5 簇生叶腋或节间，几无总梗；苞片 4，外面被丝状柔毛；每一花序有花 4；花梗长约 2mm，被丝状长柔毛；花被裂片黄色，宽卵形，外面中肋被丝状柔毛，内面无

簇叶新木姜子

毛；雄花能育雄蕊 6，花丝基部有髯毛，第 3 轮基部的腺体大，具柄，退化雌
蕊柱头膨大，头状；雌花子房卵形，无毛，花柱长，柱头膨大，2 裂。果实卵
形或椭圆形，长 8 ～ 12mm，直径 5 ～ 6mm，成熟时灰蓝黑色；果托扁平盘状，
直径约 2mm；果梗长 4 ～ 8mm，先端略增粗，无毛或初时被柔毛。花期 4 ～ 5
月，果期 9 ～ 10 月。

| 生境分布 | 生于海拔 460 ～ 2000m 的山地、水旁、灌丛或山谷密林中。分布于重庆城口、
巫山、丰都、奉节、石柱、彭水、酉阳、秀山、南川等地。

| 资源情况 | 野生资源一般。药材来源于野生。

| 采收加工 | 全年均可采收，洗净，晒干。

| 功能主治 | 行气止痛，温肾散寒。用于胃寒脘腹疼痛，呕逆，阳虚宫冷，泄泻。

| 用法用量 | 内服煎汤，3 ～ 9g。

大叶新木姜子 *Neolitsea levinei* Merr.

大叶新木姜子

药 材 名

土玉桂（药用部位：根、树皮。别名：假肉桂）。

形态特征

乔木，高达 22m。树皮灰褐至深褐色，平滑；小枝圆锥形，幼时密被黄褐色柔毛，老时毛被脱落渐稀疏；顶芽大，卵圆形，鳞片外面被锈色短柔毛。叶轮生，1 轮 4 ~ 5，长圆状披针形至长圆状倒披针形或椭圆形，长 15 ~ 31cm，宽 4.5 ~ 9cm，先端短尖或凸尖，基部尖锐，革质，上面深绿色，有光泽，无毛，下面带绿苍白色，幼时密被黄褐色长柔毛，老时毛渐脱落较稀疏而被厚白粉；离基三出脉，侧脉每边 3 ~ 4，中脉、侧脉在两面均凸起，横脉在叶下面明显；叶柄长 1.5 ~ 2cm，密被黄褐色柔毛。伞形花序数个生于枝侧，具总梗；总梗长约 2mm；每一花序有花 5；花梗长 3mm，密被黄褐色柔毛；花被裂片 4，卵形，黄白色，长约 3mm，外面被稀疏柔毛，边缘被睫毛，内面无毛；雄花能育雄蕊 6，花丝无毛，第 3 轮基部的腺体椭圆形，具柄，退化子房卵形，花柱被柔毛；雌花退化雄蕊长 3 ~ 3.2mm，无毛，子房卵形或卵圆形，无毛，花柱短，被柔毛，柱头头状。果实椭圆形或球形，长 1.2 ~ 1.8cm，直径 0.8 ~ 1.5cm，成熟时黑色；果梗长 0.7 ~ 1cm，密被柔毛，顶部略增粗。花期 3 ~ 4 月，果期 8 ~ 10 月。

| **生境分布** | 生于海拔 1800m 以下的山地路旁、水旁或山谷密林中。分布于重庆南川、綦江、北碚等地。

| **资源情况** | 野生资源稀少。药材主要来源于野生。

| **采收加工** | 秋季采收，刮去栓皮，洗净，晒干。

| **功能主治** | 辛、苦，温。树皮，祛风除湿。用于风湿骨痛。根，止带，消痈。用于妇人带下，痈肿疮毒。

| **用法用量** | 内服煎汤，5 ~ 10g。外用适量，研末调服。

巫山新木姜子
Neolitsea wushanica (Chun) Merr.

| **药 材 名** | 巫山新木姜子（药用部位：根）。

| **形态特征** | 小乔木，高 4 ~ 10m。树皮黄绿色，平滑；小枝纤细，无毛；顶芽卵圆形，鳞片排列松散，外面被锈色短柔毛。叶互生或聚生枝顶，椭圆形或长圆状披针形，长 5 ~ 9cm，宽 1.7 ~ 3.5cm，先端急尖或近于渐尖，偶有长渐尖，基部多少有点渐尖，薄革质，上面深苍绿色，下面粉绿色，具白粉，两面均无毛；羽状脉或有时近于离基三出脉，侧脉每边 8 ~ 12，纤细，中脉、侧脉在叶两面均凸起；叶柄细长，长 1 ~ 1.5cm，无毛。伞形花序腋生或侧生，无总梗；苞片 4，近于无毛；每一花序有雄花 5；花梗被黄褐色丝状柔毛；花被裂片 4，卵形，外面中肋被长柔毛，内面仅基部被毛；能育雄蕊 6，花丝长 3mm，无毛，第 3 轮基部腺体小；退化雌蕊细小，长约 1mm，无毛。

巫山新木姜子

果实球形，直径 6 ～ 7mm，成熟时紫黑色，果托浅盘状，果梗长 5 ～ 10mm，先端略增粗。花期 10 月，果期翌年 6 ～ 7 月。

| **生境分布** | 生于海拔 480 ～ 1500m 的山坡、林缘或混交林中。分布于重庆城口、巫山、巫溪、奉节等地。

| **资源情况** | 野生资源稀少。药材主要来源于野生。

| **采收加工** | 全年均可采收，洗净，晒干。

| **功能主治** | 行气止痛。

| **用法用量** | 内服煎汤，3 ～ 9g。

樟科 Lauraceae 楠属 Phoebe

紫楠

Phoebe sheareri (Hemsl.) Gamble

紫楠

药材名

紫楠根（药用部位：根。别名：枇杷木、小叶嫩蒲柴、野枇杷）、紫楠叶（药用部位：叶）。

形态特征

大灌木至乔木，高5~15m。树皮灰白色；小枝、叶柄及花序密被黄褐色或灰黑色柔毛或绒毛。叶革质，倒卵形、椭圆状倒卵形或阔倒披针形，长8~27cm，宽3.5~9cm，通常长12~18cm，宽4~7cm，先端突渐尖或突尾状渐尖，基部渐狭，上面完全无毛或沿脉上被毛，下面密被黄褐色长柔毛，少为短柔毛；中脉和侧脉上面下陷，侧脉每边8~13，弧形，在边缘联结，横脉及小脉多而密集，结成明显网格状；叶柄长1~2.5cm。圆锥花序长7~15（~18）cm，在先端分枝；花长4~5mm；花被片近等大，卵形，两面被毛；能育雄蕊各轮花丝被毛，至少在基部被毛，第3轮特别密，腺体无柄，生于第3轮花丝基部，退化雄蕊花丝全被毛；子房球形，无毛，花柱通常直，柱头不明显或盘状。果实卵形，长约1cm，直径5~6mm，果梗略增粗，被毛；宿存花被片卵形，两面被毛，松散；种子单胚性，两侧对称。花期4~5月，果期9~10月。

| 生境分布 |

生于海拔 1500m 以下的山地阔叶林中。分布于重庆涪陵、北碚、巫山、城口、巫溪、奉节、南川等地。

| 资源情况 |

野生资源稀少。药材主要来源于野生。

| 采收加工 |

全年均可采收，晒干。

| 功能主治 |

紫楠根：辛，温。活血祛瘀，行气消肿，催产。用于跌打损伤，水肿腹胀，孕妇过月不产。

紫楠叶：辛，微温。顺气，暖胃，祛湿，散瘀。用于气滞脘腹胀痛，脚气浮肿，转筋。

| 用法用量 |

紫楠根：内服煎汤，10 ~ 15g，鲜品 30 ~ 60g。孕妇忌服。

紫楠叶：内服煎汤，15 ~ 30g。外用适量，煎汤熏洗。孕妇慎服。

| 附　　注 |

本种耐阴，喜温暖湿润气候，生长在山谷坡地有林的阴湿环境。在土层深厚、排水良好而富含腐殖质的微酸性土壤中生长健壮，在中性土壤中也能适应，耐寒力较强，但幼苗期易受日灼或冻伤。

峨眉楠

Phoebe sheareri (Hemsl.) Gamble var. *omeiensis* (Yang) N. Chao

| 药 材 名 | 峨眉紫楠（药用部位：根）。

| 形态特征 | 本种与原变种紫楠的区别在于果梗明显增粗，直径达 2mm；一年
生小枝极纤细，中部直径约 2mm；叶倒披针形，少为倒卵形，长
8 ~ 15cm，宽 2.5 ~ 4cm；结果枝及老叶下面疏被短柔毛。

| 生境分布 | 生于海拔 1000m 以下的山地阔叶林中。分布于重庆南川、綦江等地。

| 资源情况 | 野生资源较少。药材来源于野生。

| 采收加工 | 全年均可采收，晒干。

峨眉楠

| **功能主治** | 活血祛瘀。用于跌打损伤。

| **用法用量** | 内服煎汤，10 ～ 15g。

樟科 Lauraceae 楠属 Phoebe

楠木
Phoebe zhennan S. Lee et F. N. Wei

楠木

| 药 材 名 |

楠材（药用部位：木材、枝叶）、楠木皮（药用部位：树皮）。

| 形态特征 |

大乔木，高超过 30m，树干通直。芽鳞被灰黄色贴伏长毛；小枝通常较细，有棱或近于圆柱形，被灰黄色或灰褐色长柔毛或短柔毛。叶革质，椭圆形，少为披针形或倒披针形，长 7 ~ 11（~ 13）cm，宽 2.5 ~ 4cm，先端渐尖，尖头直或呈镰状，基部楔形，最末端钝或尖，上面光亮无毛或沿中脉下半部被柔毛，下面密被短柔毛；脉上被长柔毛；中脉在上面下陷成沟，下面明显凸起，侧脉每边 8 ~ 13，斜伸，上面不明显，下面明显，近边缘网结，并渐消失，横脉在下面略明显或不明显，小脉几乎看不见，不与横脉构成网格状或很少呈模糊的小网格状；叶柄细，长 1 ~ 2.2cm，被毛。聚伞状圆锥花序十分开展，被毛，长（6 ~）7.5 ~ 12cm，纤细，在中部以上分枝，最下部分枝通常长 2.5 ~ 4cm，每伞形花序有花 3 ~ 6，一般为 5；花中等大，长 3 ~ 4mm，花梗与花等长；花被片近等大，长 3 ~ 3.5mm，宽 2 ~ 2.5mm，外轮卵形，内轮卵状长圆形，先端钝，两面被灰黄色长或短柔毛，内面较密；第 1 ~ 2

轮花丝长约 2mm，第 3 轮长 2.3mm，均被毛，第 3 轮花丝基部的腺体无柄，退化雄蕊三角形，具柄，被毛；子房球形，无毛或上半部与花柱被疏柔毛，柱头盘状。果实椭圆形，长 1.1 ～ 1.4cm，直径 6 ～ 7mm；果梗微增粗；宿存花被片卵形，革质，紧贴，两面被短柔毛或外面被微柔毛。花期 4 ～ 5 月，果期 9 ～ 10 月。

| 生境分布 | 生于海拔 1500m 以下的阔叶林中。分布于重庆长寿、永川、秀山、江津、璧山、巴南等地。

| 资源情况 | 野生资源稀少。药材来源于栽培。

| 采收加工 | 楠材：全年均可采收，晒干。
楠木皮：全年均可采剥，洗净，切段，晒干。

| 药材性状 | 楠材：本品枝呈圆柱形，长短不一，直径 0.3 ～ 2.5cm；表面灰棕色或灰白色，幼枝色较浅，具凸起的稀疏点状皮孔；质脆，易折断，断面不平坦，淡黄色，髓部小。叶卷曲皱缩，展平后呈矩圆形或倒披针形，长 6 ～ 11cm，宽 1.5 ～ 4cm，先端渐尖，基部楔形，全缘，两面绿色，上表面微显光泽，下表面被柔毛，以主脉为多。叶柄长 0.7 ～ 1.3cm，被柔毛。气香，味淡、微涩。

| 功能主治 | 楠材：辛，微温。归脾、胃经。和中降逆，止吐止泻，利水消肿。用于暑湿霍乱，腹痛，吐泻转筋，水肿，聤耳出脓。
楠木皮：苦、辛，温。归脾、胃经。暖胃和中降逆。用于霍乱 7 吐泻转筋，胃冷吐逆等。

| 用法用量 | 楠材：内服煎汤，5 ～ 15g。外用适量，煎汤洗足；或烧研粉，棉裹塞耳。孕妇慎服。
楠木皮：内服煎汤，6 ～ 15g。外用适量，煎汤洗。

| 附　注 | 自然界楠木从成林分布变为散生，现存的楠木资源多存在于人工栽培的半自然林和自然风景保护区内。本种喜温暖湿润的气候，幼苗和幼树耐阴，成树喜光，根部有较强的萌生力，能耐间隙性的短期水浸。种子繁殖，宜在土层深厚疏松、排水良好、中性或微酸性的壤土中栽培。

| 樟科 | Lauraceae | 檫木属 | Sassafras

檫木
Sassafras tzumu (Hemsl.) Hemsl.

| **药 材 名** | 檫树（药用部位：根、茎、叶。别名：独脚樟、半枫樟、枫荷桂）。

| **形态特征** | 落叶乔木，高可达 35m，胸径达 2.5m。树皮幼时黄绿色，平滑，老时变灰褐色，呈不规则纵裂；顶芽大，椭圆形，长达 1.3cm，直径 0.9cm，芽鳞近圆形，外面密被黄色绢毛；枝条粗壮，近圆柱形，多少具棱角，无毛，初时带红色，干后变黑色。叶互生，聚集于枝顶，卵形或倒卵形，长 9 ～ 18cm，宽 6 ～ 10cm，先端渐尖，基部楔形，全缘或 2 ～ 3 浅裂，裂片先端略钝，坚纸质，上面绿色，晦暗或略光亮，下面灰绿色，两面无毛或下面尤其是沿脉网疏被短硬毛；羽状脉或离基三出脉，中脉、侧脉及支脉两面稍明显，最下方 1 对侧脉对生，十分发达，向叶缘一方生出多数支脉，支脉向叶缘弧状网结；叶柄纤细，长（1 ～）2 ～ 7cm，鲜时常带红色，腹平背凸，无毛或

檫木

略被短硬毛。花序顶生，先叶开放，长 4～5cm，多花，具梗，梗长不及 1cm，与花序轴密被棕褐色柔毛，基部承有迟落互生的总苞片；苞片线形至丝状，长 1～8mm，位于花序最下部者最长；花黄色，长约 4mm，雌雄异株；花梗纤细，长 4.5～6mm，密被棕褐色柔毛。雄花花被筒极短，花被裂片 6，披针形，近相等，长约 3.5mm，先端稍钝，外面疏被柔毛，内面近于无毛；能育雄蕊 9，呈 3 轮排列，近相等，长约 3mm，花丝扁平，被柔毛，第 1～2 轮雄蕊花丝无腺体，第 3 轮雄蕊花丝近基部有 1 对具短柄的腺体，花药均为卵圆状长圆形，4 室，上方 2 室较小，药室均内向，退化雄蕊 3，长 1.5mm，三角状钻形，具柄；退化雌蕊明显。雌花退化雄蕊 12，排成 4 轮，体态上类似雄花的能育雄蕊及退化雄蕊；子房卵珠形，长约 1mm，无毛，花柱长约 1.2mm，等粗，柱头盘状。果实近球形，直径达 8mm，成熟时蓝黑色而带有白蜡粉，着生于浅杯状的果托上，果梗长 1.5～2cm，上端渐增粗，无毛，与果托呈红色。花期 3～4 月，果期 5～9 月。

| 生境分布 | 生于海拔 1900m 以下的疏林、密林中。分布于重庆南岸、大足、江津、秀山、合川、奉节、万州、城口、酉阳、九龙坡、武隆、永川、石柱、巫溪、北碚、巫山、荣昌、沙坪坝等地。

| 资源情况 | 野生资源稀少，栽培资源一般。药材主要来源于栽培。

| 采收加工 | 秋、冬季采挖根，洗净泥沙，切段，晒干。秋季采集茎、叶，切段，晒干。

| 功能主治 | 辛、甘，温。祛风除湿，活血散瘀，止血。用于风湿痹痛，跌打损伤，腰肌劳损，半身不遂，外伤出血。

| 用法用量 | 内服煎汤或浸酒，15～30g。外用适量，捣敷。孕妇禁服。

| 附　注 | 本种喜温暖湿润气候。喜光，不耐阴。深根性，萌芽性强，生长快。在土层深厚、排水良好的酸性红壤土或黄壤土均能生长良好，陡坡土层浅薄处亦能生长，西坡树干易遭日灼。喜与其他树种混种，但水湿或低洼地不能生长。主要通过种子繁殖。

水青树科 Tetracentraceae 水青树属 Tetracentron

水青树 *Tetracentron sinense* Oliv.

水青树

药材名

水青树（药用部位：树皮、根）。

形态特征

乔木，高可达 30m，胸径达 1.5m，全株无毛。树皮灰褐色或灰棕色而略带红色，片状脱落；长枝顶生，细长，幼时暗红褐色，短枝侧生，距状，基部有叠生环状的叶痕及芽鳞痕。叶片卵状心形，长 7 ~ 15cm，宽 4 ~ 11cm，先端渐尖，基部心形，边缘具细锯齿，齿端具腺点，两面无毛，背面略被白霜；掌状脉 5 ~ 7，近缘边形成不明显的网络；叶柄长 2 ~ 3.5cm。花小，呈穗状花序，花序下垂，着生于短枝先端，多花；花直径 1 ~ 2mm，花被淡绿色或黄绿色；雄蕊与花被片对生，长为花被的 2.5 倍，花药卵珠形，纵裂；心皮沿腹缝线合生。果实长圆形，长 3 ~ 5mm，棕色，沿背缝线开裂；种子 4 ~ 6，条形，长 2 ~ 3mm。花期 6 ~ 7 月，果期 9 ~ 10 月。

生境分布

生于海拔 1500 ~ 2300m 的沟谷林或溪边杂木林中。分布于重庆巫溪、巫山、城口、南川等地。

| **资源情况** | 野生资源较少。药材来源于野生，亦有少量栽培。

| **采收加工** | 全年均可采收，晒干。

| **功能主治** | 活血化瘀，通络止痛。用于跌打损伤，风湿骨痛。

| **用法用量** | 外用适量，煎汤洗。

| **附　　注** | 本种为深根性、喜光的阳性树种，幼龄期稍耐荫蔽。喜生于土层深厚、疏松、潮湿、腐殖质丰富、排水良好的山谷或山腹地带，在陡坡、深谷的悬岩上也能生长。零星散生于常绿、落叶阔叶林内或林缘。

领春木科 Eupteleaceae 领春木属 Euptelea

领春木

Euptelea pleiospermum Hook. f. et Thoms.

领春木

| 药 材 名 |

领春木（药用部位：树皮、花）。

| 形态特征 |

落叶灌木或小乔木，高 2 ~ 15m。树皮紫黑色或棕灰色；小枝无毛，紫黑色或灰色；芽卵形，鳞片深褐色，光亮。叶纸质，卵形或近圆形，少数椭圆状卵形或椭圆状披针形，长 5 ~ 14cm，宽 3 ~ 9cm，先端渐尖，有 1 凸生尾尖，长 1 ~ 1.5cm，基部楔形或宽楔形，边缘疏生先端加厚的锯齿，下部或近基部全缘，上面无毛或散生柔毛后脱落，仅在脉上残存，下面无毛或脉上被伏毛，脉腋被丛毛，侧脉 6 ~ 11 对；叶柄长 2 ~ 5cm，被柔毛后脱落。花丛生；花梗长 3 ~ 5mm；苞片椭圆形，早落；雄蕊 6 ~ 14，长 8 ~ 15mm，花药红色，比花丝长，药隔附属物长 0.7 ~ 2mm；心皮 6 ~ 12，子房歪形，长 2 ~ 4mm，柱头面在腹面或远轴，斧形，具微小黏质突起，有 1 ~ 3（~ 4）胚珠。翅果长 5 ~ 10mm，宽 3 ~ 5mm，棕色，子房柄长 7 ~ 10mm，果梗长 8 ~ 10mm；种子 1 ~ 3，卵形，长 1.5 ~ 2.5mm，黑色。花期 4 ~ 5 月，果期 7 ~ 8 月。

| **生境分布** | 生于海拔 1000 ~ 2200m 的阴湿阔叶林中。分布于重庆城口、巫溪、巫山、开州、奉节、酉阳、南川、綦江等地。

| **资源情况** | 野生资源一般。药材来源于野生。

| **采收加工** | 全年均可采收树皮，晒干。春、夏季采收花，晒干。

| **功能主治** | 清热，泻火，消痈，接骨。

| **用法用量** | 内服煎汤，适量。

| **附　　注** | 本种是第三纪子遗植物，是东亚植物区系成分的特征种，在世界许多地方已灭绝，在中国种群数量也很少，已处于濒危的境地，属于国家三级重点保护野生植物。

连香树科 Cercidiphyllaceae 连香树属 Cercidiphyllum

连香树

Cercidiphyllum japonicum Sieb. et Zucc.

| 药 材 名 | 连香树果（药用部位：果实。别名：芭蕉香清、山白果）。

| 形态特征 | 落叶大乔木，高 10 ~ 20m，少数达 40m。树皮灰色或棕灰色；小枝无毛，短枝在长枝上对生；芽鳞片褐色。短枝之叶近圆形、宽卵形或心形，长枝之叶椭圆形或三角形，长 4 ~ 7cm，宽 3.5 ~ 6cm，先端圆钝或急尖，基部心形或截形，边缘有圆钝锯齿，先端具腺体，两面无毛，下面灰绿色带粉霜；掌状脉 7，直达边缘；叶柄长 1 ~ 2.5cm，无毛。雄花常 4 簇生，近无梗；苞片在花期红色，膜质，卵形；花丝长 4 ~ 6mm，花药长 3 ~ 4mm；雌花 2 ~ 6 (~ 8)，簇生；花柱长 1 ~ 1.5cm，上端为柱头面。蓇葖果 2 ~ 4，荚果状，长 10 ~ 18mm，宽 2 ~ 3mm，褐色或黑色，微弯曲，先端渐细，有宿存花柱，果梗长 4 ~ 7mm；种子数个，扁平四角形，长 2 ~ 2.5mm

连香树

（不连翅长），褐色，先端有透明翅，长 3 ～ 4mm。花期 4 月，果期 8 月。

| 生境分布 |

生于海拔 600 ～ 2000m 较高山地的林中或山谷溪边灌木林中。分布于重庆巫溪、巫山、南川、北碚、长寿等地。

| 资源情况 |

野生资源较少。药材来源于野生。

| 采收加工 |

秋季果实成熟时采收，晒干或鲜用。

| 功能主治 |

祛风定惊，止痉。用于小儿惊风，抽搐肢冷。

| 用法用量 |

内服煎汤，10 ～ 15g，鲜品可用至 30g。

| 附　　注 |

本种喜冬暖夏凉、雨量充足、湿度大的气候。幼龄树耐阴，成龄树喜光。对土壤要求不严格，在酸性土、中性土中都能正常生长，但以山麓沟边土层深厚湿润处为适宜生长环境。通过种子或扦插繁殖。

毛茛科 Ranunculaceae 乌头属 Aconitum

乌头
Aconitum carmichaelii Debx.

乌头

| 药 材 名 |

川乌（药用部位：母根。别名：乌喙、奚毒、即子）、附子（药材来源：子根的加工品）。

| 形态特征 |

多年生草本。块根倒圆锥形，长 2 ~ 4cm，直径 1 ~ 1.6cm。茎高 60 ~ 150（~ 200）cm，中部之上疏被反曲的短柔毛，等距离生叶，分枝。茎下部叶在开花时枯萎；茎中部叶有长柄，叶片薄革质或纸质，五角形，长 6 ~ 11cm，宽 9 ~ 15cm，基部浅心形 3 裂达或近基部，中央全裂片宽菱形，有时倒卵状菱形或菱形，急尖，有时短渐尖近羽状分裂，2 回裂片约 2 对，斜三角形，生 1 ~ 3 牙齿，间或全缘，侧全裂片不等 2 深裂，表面疏被短伏毛，背面通常只沿脉疏被短柔毛；叶柄长 1 ~ 2.5cm，疏被短柔毛。顶生总状花序长 6 ~ 10（~ 25）cm；花序轴及花梗多少密被反曲而紧贴的短柔毛；下部苞片 3 裂，其他的狭卵形至披针形；花梗长 1.5 ~ 3（~ 5.5）cm；小苞片生于花梗中部或下部，长 3 ~ 5（10）mm，宽 0.5 ~ 0.8（~ 2）mm；萼片蓝紫色，外面被短柔毛，上萼片高盔形，高 2 ~ 2.6cm，自基部至喙长 1.7 ~ 2.2cm，下缘稍凹，喙不明显，侧萼片长 1.5 ~ 2cm；花瓣无毛，瓣片长约 1.1cm，唇长约 6mm，微凹，距长（1 ~ ）2 ~ 2.5mm，通常拳卷；雄蕊无毛或疏被短毛，花丝有 2 小齿或全缘；心皮 3 ~ 5，子房疏或密被短柔毛，稀无毛。蓇葖果长 1.5 ~ 1.8cm；种子长 3 ~ 3.2mm，三棱形，只在 2 面密生横膜翅。花期 9 ~ 10 月。

| 生境分布 | 生于山地草坡或灌丛中。分布于重庆黔江、忠县、彭水、城口、丰都、万州、石柱、云阳、涪陵、酉阳、武隆、开州、垫江、巫山等地。

| 资源情况 | 野生资源较丰富。药材主要来源于野生，亦有少量栽培。

| 采收加工 | 川乌：6月下旬至8月上旬采挖，除去子根、须根及泥沙，晒干。

附子：6月下旬至8月上旬采挖，除去母根、须根及泥沙。习称"泥附子"，加工成下列规格。

（1）选择个大、均匀的泥附子，洗净，浸入胆巴的水溶液中过夜，再加食盐，继续浸泡，每日取出晒晾，并逐渐延长晒晾时间，直至附子表面出现大量结晶盐粒（盐霜）、体质变硬为止，习称"盐附子"。

（2）取泥附子，按大小分别洗净，浸入胆巴的水溶液中数日，连同浸液煮至透心，捞出，水漂，纵切成厚约0.5cm的片，再用水浸漂，用调色液使附片染成浓茶色，取出，蒸至出现油面、光泽后，烘至半干，再晒干或继续烘干，习称"黑顺片"。

（3）选择大小均匀的泥附子，洗净，浸入胆巴的水溶液中数日，连同浸液煮至透心，捞出，剥去外皮，纵切成厚约0.3cm的片，用水浸漂，取出，蒸透，晒干，习称"白附片"。

| 药材性状 | 川乌：本品呈不规则圆锥形，稍弯曲，先端常有残茎，中部多向一侧膨大，长2~7.5cm，直径1.2~2.5cm。表面棕褐色或灰棕色，皱缩，有小瘤状侧根及子根脱离后的痕迹。质坚实，断面类白色或浅灰黄色，形成层环纹呈多角形。气微，味辛、辣，麻舌。

附子：本品盐附子呈圆锥形，长4~7cm，直径3~5cm；表面灰黑色，被盐霜，先端有凹陷的芽痕，周围有瘤状凸起的支根或支根痕；体重，横切面灰褐色，可见充满盐霜的小空隙和多角形形成层环纹，环纹内侧导管束排列不整齐；气微，味咸而麻，刺舌。黑顺片为纵切片，上宽下窄，长1.7~5cm，宽0.9~3cm，厚0.2~0.5cm；外皮黑褐色，切面暗黄色，油润具光泽，半透明状，并有纵向导管束；质硬而脆，断面角质样；气微，味淡。白附片无外皮，黄白色，半透明，厚约0.3cm。

| 功能主治 | 川乌：辛、苦，热；有大毒。归心、肝、肾、脾经。祛风除湿，温经止痛。用于风寒湿痹，关节疼痛，心腹冷痛，寒疝作痛或麻醉止痛。

附子：辛、甘，大热；有毒。归心、肾、脾经。回阳救逆，补火助阳，散寒止痛。

用于亡阳虚脱，肢冷脉微，心阳不足，胸痹心痛，虚寒吐泻，脘腹冷痛，肾阳虚衰，阳痿宫冷，阴寒水肿，阳虚外感，寒湿痹痛。

| 用法用量 |　川乌：一般炮制后用。生品内服宜慎；孕妇禁用。

附子：内服煎汤，3～15g，先煎，久煎。孕妇慎用。

川乌和附子均不宜与半夏、瓜蒌、瓜蒌子、瓜蒌皮、天花粉、川贝母、浙贝母、平贝母、伊贝母、湖北贝母、白蔹、白及同用。

| 附　注 |　本种喜温暖潮湿气候，耐寒，怕高温积水，在平坝或丘陵地区均可栽培，宜选择土层深厚、疏松肥沃、排水良好、水稻或玉米轮作4～5年以上的砂壤土或紫色土栽培，忌连作。

瓜叶乌头

毛茛科 Ranunculaceae 乌头属 Aconitum

瓜叶乌头 *Aconitum hemsleyanum* Pritz.

| 药材名 |

藤乌头（药用部位：块根。别名：血乌、见血封喉）。

| 形态特征 |

多年生草本。块根圆锥形，长 1.6 ~ 3cm，直径达 1.6cm。茎缠绕，无毛，常带紫色，稀疏的生叶，分枝。茎中部叶的叶片五角形或卵状五角形，长 6.5 ~ 12cm，宽 8 ~ 13cm，基部心形，3 深裂至距基部 0.9 ~ 3.2cm 处，中央深裂片梯状菱形或卵状菱形，短渐尖，不明显 3 浅裂，浅裂片具少数小裂片或卵形粗牙齿，侧深裂片斜扇形，不等 2 浅裂；叶柄比叶片稍短，疏被短柔毛或几无毛。总状花序生于茎或分枝先端，有花 2 ~ 6(~ 12)；花序轴和花梗无毛或被贴伏的短柔毛；下部苞片叶状，或不分裂而为宽椭圆形，上部苞片小，线形；花梗常下垂，弧状弯曲，长 2.2 ~ 6cm；小苞片生鱼花梗下部或上部，线形，长 3 ~ 5mm，宽约 0.5mm，无毛；萼片深蓝色，外面无毛或变无毛，上萼片高盔形或圆筒状盔形，几无爪，高 2 ~ 2.4cm，下缘长 1.7 ~ 1.8cm，直或稍凹，喙不明显，侧萼片近圆形，长 1.5 ~ 1.6cm；花瓣无毛，瓣片长约 10mm，宽约 4mm，唇长 5mm，距长约 2mm，向后弯；雄蕊无毛，花丝有 2 小齿或全缘；心皮 5，无毛或偶尔子房被柔毛。蓇葖果直，长 1.2 ~ 1.5cm，喙长约 2.5mm；种子三棱形，长约 3mm，沿棱有狭翅并有横膜翅。花期 8 ~ 10 月。

| **生境分布** | 生于海拔 1700 ~ 2200m 的山地林中或灌木林中。分布于重庆奉节、城口、开州、石柱、巫溪、巫山等地。

| **资源情况** | 野生资源一般。药材来源于野生，亦有少量栽培。

| **采收加工** | 秋、冬季采挖，洗净泥沙，剪去须根，切片，晒干。

| **药材性状** | 本品呈圆锥形，长 2 ~ 5cm，直径 1 ~ 2cm。表面深棕褐色或灰棕色，皱缩不平，有须根残存。质坚硬，难折断，断面平坦，深棕色，可见五角形环纹。

| **功能主治** | 辛、苦，热；有毒。归肝、肾、脾经。祛风除湿，活血止痛。用于风湿关节疼痛，腰腿痛，跌打损伤，无名肿毒，癣疮。

| **用法用量** | 内服煎汤，0.9 ~ 1.5g；或入散剂。外用适量，磨汁涂；或研调敷。未经炮制者，不宜内服。

| **附　　注** | 本种喜凉爽潮湿环境，性耐寒，在干燥及高温条件下则生育不良。宜栽于砂壤土，以半阴处为好。

毛茛科 Ranunculaceae 乌头属 Aconitum

川鄂乌头 *Aconitum henryi* Pritz.

| 药 材 名 | 川鄂乌头（药用部位：块根）。

| 形态特征 | 多年生草本。块根胡萝卜形或倒圆锥形，长 1.5 ~ 3.8cm。茎缠绕，无毛，分枝。茎中部叶有短或稍长柄；叶片坚纸质，卵状五角形，长 4 ~ 10cm，宽 6.5 ~ 12cm，3 全裂，中央全裂片披针形或菱状披针形，渐尖，边缘疏生或稍密生钝牙齿，两面无毛，或表面疏被紧贴的短柔毛；叶柄长为叶片的 1/3 ~ 2/3，无毛。花序有花（1 ~ ）3 ~ 6，花序轴和花梗无毛或被极稀疏的反曲短柔毛；苞片线形；花梗长 1.8 ~ 3.5（~ 5）cm；小苞片生于花梗中部，线状钻形，长 3.5 ~ 6.5mm；萼片蓝色，外面疏被短柔毛或几无毛，上萼片高盔形，高 2 ~ 2.5cm，中部直径 6 ~ 9mm，下缘长 1.4 ~ 1.9cm，稍凹，外缘垂直，在中部或中部之下稍缢缩，继向外下方斜展与下缘形尖喙，

川鄂乌头

侧萼片长 1.3 ~ 1.8cm；花瓣无毛，唇长约 8mm，微凹，距长 4 ~ 5mm，向内弯曲；雄蕊无毛，花丝全缘；心皮 3，无毛或子房疏被短柔毛。花期 9 ~ 10 月。

| **生境分布** | 生于海拔 1000 ~ 2000m 的高山阴湿及土壤肥厚处。分布于重庆石柱、城口、奉节、巫溪、巫山等地。

| **资源情况** | 野生资源一般。药材来源于野生。

| **采收加工** | 秋、冬季采挖块根，洗净泥沙，除去须根，切片，晒干。

| **功能主治** | 祛风胜湿，活血行瘀。用于跌打损伤，风湿痛。

| **用法用量** | 外用适量，磨汁涂；或研调敷。未经炮制者，不宜内服。

毛茛科 Ranunculaceae 乌头属 Aconitum

岩乌头
Aconitum racemulosum Franch.

| **药材名** | 岩乌头（药用部位：块根。别名：岩乌子、岩乌、雪上一枝蒿）。

| **形态特征** | 多年生草本。块根倒圆锥形，长 2.3 ~ 3.6cm，直径 9 ~ 11mm，或近圆柱形，长约 7cm，直径约 5mm。茎高 40 ~ 65cm，无毛，等距生叶。茎下部叶在开花时枯萎；茎中部叶有短柄，无毛，叶片革质，五角形，有时圆菱形，长 5.5 ~ 9cm，宽 8 ~ 10cm，基部心形或浅心形，有时圆形，3 深裂至距基部 1.5 ~ 2cm 处，中央深裂片卵状菱形，长渐尖，边缘疏生三角形牙齿，叶脉多少隆起形成明显的脉网叶柄长 2.2 ~ 3cm，圆柱形；茎上部叶变小，宽卵形或菱形，3 裂稍超过中部，有时狭卵形，几不分裂。花序有花 1 ~ 6，长 2.2 ~ 3cm；花序轴和花梗均无毛；花梗长约 1cm，稍向下弯曲；小苞片披针形至披针状线形，长 3 ~ 8mm，宽约 1.5mm，几无毛；萼片蓝色，上萼

岩乌头

片圆筒状盔形或高盔形，高 2.4 ~ 3.2cm，中部直径 5 ~ 10 (~ 15) mm，无毛，下缘稍凹，长 1.5 ~ 2.4cm；花瓣具长爪，无毛，瓣片大，唇长约 6mm，距长 5 ~ 7mm，向后弯曲；雄蕊无毛，花丝有 2 小齿或全缘；心皮 3，无毛。蓇葖果长 1.6 ~ 1.8cm；种子倒圆锥状三棱形，长约 2mm，只在一面生横膜翅。花期 9 ~ 10 月。

| 生境分布 | 生于海拔 1620 ~ 2280m 的山谷崖石上或林中。分布于重庆黔江、彭水、酉阳、南川等地。

| 资源情况 | 野生资源较少。药材来源于野生。

| 采收加工 | 夏末秋初采挖，除去苗叶及小根，洗净，晒干。

| 药材性状 | 本品母根圆锥形，长约 2cm，直径约 1cm；表面暗棕色，有横皱纹及纵沟。子根圆柱形，长 2.5 ~ 3cm，直径约 0.5cm；表面有细纵皱纹和须根痕。质坚硬，不易折断，断面不平坦。

| 功能主治 | 辛、苦，热；有毒。祛风除湿，活血止痛。用于风湿疼痛，跌打损伤。

| 用法用量 | 内服煎汤，0.5 ~ 1g。炮制后用。孕妇慎服。

毛茛科 Ranunculaceae 乌头属 Aconitum

花莛乌头
Aconitum scaposum Franch.

花莛乌头

药材名

墨七（药用部位：根。别名：活血连、凉水渣子、血散七）。

形态特征

多年生草本。根近圆柱形，长约10cm，直径约0.8cm。茎高35～67cm，稍密被反曲（偶尔开展）的淡黄色短毛，不分枝或分枝。基生叶3～4，具长柄；叶片肾状五角形，长5.5～11cm，宽8.5～22cm，基部心形，3裂稍超过中部，中裂片倒梯状菱形，急尖，稀渐尖，不明显3浅裂，边缘有粗齿，侧裂片斜扇形，不等2浅裂，两面被短伏毛；叶柄长13～40cm，基部有鞘。茎生叶小，2～4，有时不存在，集中在近茎基部处，长达7cm，叶片长达2cm，或完全退化，叶柄鞘状。总状花序长（20～）25～40cm，有花15～40；苞片披针形或长圆形；花梗长1.4～3.4cm，被开展的淡黄色长毛；小苞片生于花梗基部，似苞片，但较短；萼片蓝紫色，外面疏被开展的微糙毛，上萼片圆筒形，高1.3～1.8cm，外缘近直，与向下斜展的下缘形成尖喙；花瓣的距疏被短毛或无毛，比瓣片长2～3倍，拳卷；雄蕊无毛，花丝全缘；心皮3，子房疏被长毛。蓇葖果

不等大，长 0.75 ~ 1.3cm；种子倒卵形，长约
1.5mm，白色，密生横狭翅。花期 8 ~ 9 月。

| 生境分布 |

生于海拔 1200 ~ 2000m 的山地沟谷或林中阴
湿处。分布于重庆城口、巫溪、奉节、酉阳、
南川等地。

| 资源情况 |

野生资源一般。药材主要来源于野生。

| 采收加工 |

夏、秋季采挖，洗净，晒干。

| 药材性状 |

本品呈不规则圆柱形，多弯曲，有时分枝，长
5 ~ 10cm，直径 0.5 ~ 1cm。表面黑棕色，有
多数纵、横皱纹及须根痕。质坚硬，不易折断，
断面不平坦。气微，味辛、苦，微麻。

| 功能主治 |

辛、苦，温；有小毒。活血调经，散瘀止痛。
用于月经不调，跌打损伤，骨折疼痛，风湿性
关节痛，胃痛，无名肿毒。

| 用法用量 |

内服煎汤，9 ~ 15g；或泡酒。外用适量，磨涂。

高乌头 *Aconitum sinomontanum* Nakai

高乌头

| 药 材 名 |

高乌头（药用部位：根。别名：穿心莲、破布七、麻布袋）。

| 形态特征 |

多年生草本。根长达 20cm，圆柱形，直径达 2cm。茎高（60 ~ ）95 ~ 150cm，中部以下几无毛，上部近花序处被反曲的短柔毛，生叶 4 ~ 6，不分枝或分枝。基生叶 1，与茎下部叶具长柄；叶片肾形或圆肾形，长 12 ~ 14.5cm，宽 20 ~ 28cm，基部宽心形，3 深裂约至本身长度的 6/7 处，中深裂片较小，楔状狭菱形，渐尖，3 裂边缘有不整齐的三角形锐齿，侧深裂片斜扇形，不等 3 裂稍超过中部，两面疏被短柔毛或变无毛；叶柄长 30 ~ 50cm，具浅纵沟，几无毛。总状花序长（20 ~ ）30 ~ 50cm，具密集的花；花序轴及花梗多少密被紧贴的短柔毛；苞片比花梗长，下部苞片叶状，其他的苞片不分裂，线形，长 0.7 ~ 1.8cm；下部花梗长 2 ~ 5（ ~ 5.5）cm，中部以上的长 0.5 ~ 1.4cm；小苞片通常生于花梗中部，狭线形，长 3 ~ 9mm；萼片蓝紫色或淡紫色，外面密被短曲柔毛，上萼片圆筒形，高 1.6 ~ 2（ ~ 3）cm，直径 4 ~ 7

（～9）mm，外缘在中部之下稍缢缩，下缘长 1.1～1.5cm；花瓣无毛，长达 2cm，唇舌形，长约 3.5mm，距长约 6.5mm，向后拳卷；雄蕊无毛，花丝大多具 1～2 小齿；心皮 3，无毛。蓇葖果长 1.1～1.7cm；种子倒卵形，具 3 棱，长约 3mm，褐色，密生横狭翅。花期 6～9 月。

| 生境分布 | 生于海拔 1000～1850m 的山坡草地或林中。分布于重庆彭水、丰都、城口、巫溪、南川等地。

| 资源情况 | 野生资源稀少。药材主要来源于野生。

| 采收加工 | 夏、秋季采挖，除去残茎、须根，洗净泥土，晒干。

| 药材性状 | 本品呈倒长圆锥形，下部偶有分枝，扭曲，长 5～20cm，直径 1～2cm。表面棕褐色至棕黑色，粗糙，有时因后生皮层脱落露出木部，扭裂，剥去栓皮，木部由多个细根状分生中柱缠绕成绳状或辫子状。体轻，质松脆。

| 功能主治 | 苦、辛，温；有毒。祛风除湿，行气止痛，活血消肿。用于风湿痹痛，脘腹冷痛，跌打损伤，瘰疬，疮疖。外用于杀灭寄生虫。

| 用法用量 | 本品有毒，内服宜慎。

类叶升麻 *Actaea asiatica* Hara

| **药 材 名** | 绿豆升麻（药用部位：根茎）。

| **形态特征** | 多年生草本。根茎横走，质坚实，外皮黑褐色，生多数细长的根。茎高 30 ~ 80cm，圆柱形，直径 4 ~（6 ~ 9）mm，微具纵棱，下部无毛，中部以上被白色短柔毛，不分枝。叶 2 ~ 3，茎下部的叶为三回三出近羽状复叶，具长柄；叶片三角形，宽达 27cm；顶生小叶卵形至宽卵状菱形，长 4 ~ 8.5cm，宽 3 ~ 8cm，3 裂边缘有锐锯齿，侧生小叶卵形至斜卵形，表面近无毛，背面变无毛；叶柄长 10 ~ 17cm；茎上部叶的形状似茎下部叶，但较小，具短柄。总状花序长 2.5 ~ 4（~ 6）cm；花序轴和花梗密被白色或灰色短柔毛；苞片线状披针形，长约 2mm；花梗长 5 ~ 8mm；萼片倒卵形，长约 2.5mm，花瓣匙形，长 2 ~ 2.5mm，下部渐狭成爪；花药长约

类叶升麻

0.7mm，花丝长 3 ～ 5mm；心皮与花瓣近等长。果序长 5 ～ 17cm，与茎上部叶等长或超出上部叶，果梗直径约 1mm；果实紫黑色，直径约 6mm；种子约 6，卵形，有 3 纵棱，长约 3mm，宽约 2mm，深褐色。花期 5 ～ 6 月，果期 7 ～ 9 月。

| **生境分布** | 生于海拔 350 ～ 2700m 的山地林下、草地或沟边阴处。分布于重庆巫山、城口、奉节、石柱、南川、巫溪等地。

| **资源情况** | 野生资源较丰富。药材来源于野生。

| **采收加工** | 春、秋季采挖，洗净泥土，切片，晒干。

| **功能主治** | 辛、微苦，平。归肺经。散风热，祛风湿，透疹，解毒。用于风热头痛，咽喉肿痛，风湿疼痛，风疹，麻疹不透，百日咳，子宫脱垂，犬咬伤。

| **用法用量** | 内服煎汤，3 ～ 9g。外用适量，捣敷。

毛茛科 Ranunculaceae 侧金盏花属 Adonis

短柱侧金盏花 *Adonis brevistyla* Franch.

| **药 材 名** | 短柱侧金盏花（药用部位：全草。别名：水黄连）。

| **形态特征** | 多年生草本。根茎直径达 8mm。茎高（10 ~ ）20 ~ 40（~ 58）cm，常从下部分枝，基部有膜质鳞片，无毛。茎下部叶有长柄，上部有短柄或无柄，无毛；叶片五角形或三角状卵形，长 3.5 ~ 9cm，宽 3.5 ~ 10cm，3 全裂，全裂片有长柄或短柄，2 回羽状全裂或深裂，末回裂片狭卵形，有锐齿；叶柄长达 7cm，叶鞘顶部有叶状裂片。花直径（1.5 ~ ）1.8 ~ 2.8cm；萼片 5 ~ 7，椭圆形，长 5 ~ 8mm，无毛，偶尔有缘毛；花瓣 7 ~ 10（~ 14），白色，有时带淡紫色，倒卵状长圆形或长圆形，长 10 ~ 14mm，先端圆形或微尖；雄蕊与萼片近等长；心皮多数，子房卵形，被疏柔毛，花柱极短，柱头球形。瘦果倒卵形，长 3 ~ 4mm，疏被短柔毛，有短宿存花柱。花期 4 ~ 8 月。

短柱侧金盏花

| 生境分布 | 生于山地草坡、沟边、林边或林中。分布于重庆巫溪、南川等地。

| 资源情况 | 野生资源较少。药材来源于野生，自采自用。

| 采收加工 | 6 ~ 7 月花盛开时采全草，除去泥土，除去枯枝残叶及根须，晾干。

| 功能主治 | 用于黄疸，咳嗽，哮喘，热毒。

| 用法用量 | 内服煎汤，适量。

毛茛科 Ranunculaceae 银莲花属 Anemone

卵叶银莲花 Anemone begoniifolia Lévl. et Vant.

卵叶银莲花

| 药 材 名 |

卵叶银莲花（药用部位：全草）。

| 形态特征 |

多年生草本。植株高 15 ~ 39cm。根茎斜或
近垂直，直径 3 ~ 6mm。基生叶 3 ~ 9，有
长柄；叶片心状卵形或宽卵形，长（1.5 ~ ）
2.8 ~ 8.8cm，宽（1.3 ~）2.2 ~ 8.4（~ 10）cm，
先端短渐尖，基部深心形或心形，不分裂或
不明显 3 或 5 浅裂，边缘自基部之上有浅牙
齿，两面疏被长柔毛；叶柄长（2 ~ ）3 ~ 21cm，
疏被开展的长柔毛或近无毛。花葶 1（~ 2），
常紫红色，被与叶柄相同的毛；苞片 3，无
柄，长圆形，长 0.6 ~ 1.4cm，不分裂或 3 裂，
上部边缘有小齿；伞辐 3 ~ 7，长 1.5 ~ 4cm，
密被短柔毛；萼片 5，白色，倒卵形，长 0.5 ~ 1.1
（~ 1.3）cm，宽 2 ~ 5.5（~ 8）mm，外面
被疏柔毛；雄蕊长 2 ~ 3mm，花丝丝形；
心皮约 40，无毛，卵形，花柱极短，稍向
外弯。聚合果直径约 4mm，瘦果菱状倒卵
形，长约 2mm，在背面和腹面各有 1 纵肋。
花期 2 ~ 4 月。

| 生境分布 |

生于海拔 650 ~ 1000m 的山谷密林中、阴湿

的沟边草地或岩石上。分布于重庆涪陵、武隆、彭水、南川等地。

| **资源情况** | 野生资源较少。药材来源于野生。

| **采收加工** | 春、夏、秋季采收，晒干。

| **功能主治** | 祛风除湿。用于风湿疼痛。

| **用法用量** | 外用适量，研末调敷。孕妇忌服。

毛莨科 Ranunculaceae 银莲花属 Anemone

西南银莲花
Anemone davidii Franch.

| **药 材 名** | 铜骨七（药用部位：根茎。别名：疗疮药、血乌、白接骨连）。

| **形态特征** | 多年生草本。植株高（10～）20～55cm。根茎横走，直径0.6～1cm，节间缩短。基生叶（0～）1（～3），有长柄；叶片心状五角形，长（2～）6～10cm，宽（4～）7～18cm，3全裂，全裂片有短柄或无柄，中全裂片菱形，3深裂，边缘有不规则小裂片或粗齿，侧全裂片不等2深裂，两面疏被短毛；叶柄长13～37cm，无毛或上部被疏毛。花葶直立；苞片3，有柄（柄长1.4～3.5cm），叶片似基生叶，长达10cm；花梗1～3，长（2.5～）5～17cm，被短柔毛；萼片5，白色，倒卵形，长1～2（～3.8）cm，宽0.6～1.3（～2.1）cm，背面被疏柔毛；雄蕊长约为萼片长度的1/4，花药狭椭圆形，花丝丝形；心皮45～70，无毛，有稍向外弯的短花柱，

西南银莲花

柱头小，近球形。瘦果卵球形，稍扁，长约2.5mm，先端有不明显的短宿存花柱。花期5 ~ 6月。

| 生境分布 | 生于海拔1700 ~ 2000m的山谷林中、竹林、沟边较阴处。分布于重庆黔江、云阳、南川等地。

| 资源情况 | 野生资源稀少。药材来源于野生。

| 采收加工 | 春、夏、秋季采收，晒干。

| 药材性状 | 本品呈锥状椭圆形或近条形，少数呈团块状，稍弯曲，长3 ~ 10cm，直径0.6 ~ 1cm。表面棕褐色，有皱褶，环节较密集，有的不甚明显，周围着生多数细长须根或圆形根痕；先端有干枯的叶基及茎基，其周围密生灰白色绒毛。质坚实，断面黄棕色，不甚平坦。气微，味苦。

| 功能主治 | 微苦，温。归肺、肝、脾、肾经。活血，止痛，祛瘀。用于跌打损伤，风湿疼痛，腰肌劳损。

| 用法用量 | 内服煎汤，9 ~ 12g。外用适量，研末调敷。孕妇忌服。

毛茛科 Ranunculaceae 银莲花属 Anemone

鹅掌草

Anemone flaccida Fr. Schmidt

| 药 材 名 | 地乌（药用部位：根茎。别名：蜈蚣三七、地雷、黑地雷）。

| 形态特征 | 多年生草本。植株高 15 ～ 40cm。根茎斜，近圆柱形，直径（2.5 ～）5 ～ 10mm，节间缩短。基生叶 1 ～ 2，有长柄；叶片薄草质，五角形，长 3.5 ～ 7.5cm，宽 6.5 ～ 14cm，基部深心形，3 全裂，中全裂片菱形，3 裂，末回裂片卵形或宽披针形，有 1 ～ 3 齿或全缘，侧全裂片不等 2 深裂，表面被疏毛，背面通常无毛或近无毛，脉平；叶柄长 10 ～ 28cm，无毛或近无毛。花葶只在上部被疏柔毛；苞片 3，似基生叶，无柄，不等大，菱状三角形或菱形，长 4.5 ～ 6cm，3 深裂；花梗 2 ～ 3，长 4.2 ～ 7.5cm，被疏柔毛；萼片 5，白色，倒卵形或椭圆形，长 7 ～ 10mm，宽 4 ～ 5.5mm，先端钝或圆形，外面被疏柔毛；雄蕊长约为萼片之半，花药椭圆形，长约 0.8mm，花丝丝形；

鹅掌草

心皮约 8，子房密被淡黄色短柔毛，无花柱，柱头近三角形。花期 4 ~ 6 月。

| **生境分布** | 生于海拔 1100 ~ 2100m 的山谷、草地或林下。分布于重庆巫山、奉节、酉阳、黔江、武隆、南川等地。

| **资源情况** | 野生资源稀少。药材主要来源于野生。

| **采收加工** | 夏季采挖，除去须根，洗净，晒干。

| **药材性状** | 本品呈扁圆柱形，略弯曲，偶有分枝，长短不一，长 2 ~ 8cm，直径 0.3 ~ 0.7cm。表面棕黑色或淡黑色，具细皱纹和多数半环状凸起的鳞叶痕，斜向交互排列成节状，节上着生密集棕褐色鳞毛。质坚脆，易折断，断面平坦，有粉性，略灰白色，边缘褐色，角质。气无，味微苦。

| **功能主治** | 辛、微苦，温。归肝、脾经。祛风湿，利筋骨。用于风湿疼痛，跌打损伤。

| **用法用量** | 内服煎汤，9 ~ 15g。

| **附　　注** | 本种喜凉爽、潮润、阳光充足的环境，较耐寒，忌高温多湿。喜湿润、排水良好的肥沃壤土。

毛茛科 Ranunculaceae 银莲花属 Anemone

打破碗花花 *Anemone hupehensis* Lem.

| 药 材 名 | 打破碗花花（药用部位：全草或根。别名：秋芍药、野棉花、湖北秋牡丹）。

| 形态特征 | 多年生草本。植株高（20 ~ ）30 ~ 120cm。根茎斜或垂直，长约10cm，直径（2 ~ ）4 ~ 7mm。基生叶 3 ~ 5，有长柄，通常为三出复叶，有时 1 ~ 2 或全部为单叶；中央小叶有长柄（长 1 ~ 6.5cm），小叶片卵形或宽卵形，长 4 ~ 11cm，宽 3 ~ 10cm，先端急尖或渐尖，基部圆形或心形，不分裂或 3 ~ 5 浅裂，边缘有锯齿，两面被疏糙毛；侧生小叶较小，叶柄长 3 ~ 36cm，疏被柔毛，基部有短鞘。花葶直立，疏被柔毛；聚伞花序 2 ~ 3 回分枝，有较多花，偶尔不分枝，只有 3 花；苞片 3，有柄（长 0.5 ~ 6cm），稍不等大，为三出复叶，似基生叶；花梗长 3 ~ 10cm，被密或疏柔毛；萼片 5，紫红色或粉

打破碗花花

红色，倒卵形，长 2 ~ 3cm，宽 1.3 ~ 2cm，外面被短绒毛；雄蕊长约为萼片长度的 1/4，花药黄色，椭圆形，花丝丝形；心皮约 400，生于球形的花托上，长约 1.5mm，子房有长柄，被短绒毛，柱头长方形。聚合果球形，直径约 1.5cm；瘦果长约 3.5mm，有细柄，密被绵毛。花期 7 ~ 10 月。

| 生境分布 | 生于海拔 400 ~ 1800m 的丘陵草坡、沟边。重庆各地均有分布。

| 资源情况 | 野生资源丰富。药材来源于野生。

| 采收加工 | 夏、秋季茎叶茂盛时采挖，除去泥沙。

| 药材性状 | 本品根呈圆柱形，略弯曲，长 13 ~ 30cm，直径 0.5 ~ 1.5cm。表面暗褐色，有纵皱纹。质硬而脆，易折断，断面皮部较厚，红褐色，粉性，木部色较淡，纤维性，皮部与木部易脱离。气微，味涩。

| 功能主治 | 苦、辛，平。归肺、脾经。祛湿，杀虫。用于灭蛆。外用于体癣，脚癣。

| 用法用量 | 外用适量，捣汁涂患处。

| 附　注 | （1）本种与大火草 Anemone tomentosa 和野棉花 Anemone vitifolia 极为相近。与这二种的区别主要在于叶的毛被特征方面。本种的叶背面有稀疏的毛，而其他二种的叶背面则均密被白色绒毛。本种的叶的分裂程度变异很大，或全部为三出复叶，或同时有三出复叶和单叶，或全部为单叶，在为三出复叶时，与大火草更为相似，在为单叶时，则与野棉花更为相似。大火草的基生叶通常为三出复叶，而野棉花的基生叶则全为单叶，这是二种的不同处。但在大火草，有时在基生叶中有 1 ~ 3 个三出复叶，这情况更说明这二种的亲缘关系是非常近的。大火草和野棉花的萼片内面呈白色或带淡粉红色。在打破碗花花这个种中，分布区域位于海拔较高地带的水棉花 Anemone hupehensis f. alba 的萼片颜色与这二种相同，而分布区位于较低海拔地带的打破碗花花的萼片则呈红紫色。但在二者分布区域的过渡地区生长的类型，在萼片颜色上发现有过渡情况，这说明水棉花可能是较原始的类型。

（2）本种的植株、叶形颇类棉花，故俗称野棉花。其聚合果密生的白色绵毛，呈绒球状，故有大头翁之名。花类牡丹、芍药，秋季开放，其模式标本采于湖北，故名湖北秋牡丹、秋芍药。

（3）本种喜凉爽温暖气候，耐寒，喜潮湿。以含腐殖质丰富的砂壤土栽培为最好，其次是石灰质壤土和黏壤土，而贫瘠和过于干旱的土壤则不宜于栽种。通过种子或分根繁殖。

毛茛科 Ranunculaceae 银莲花属 Anemone

草玉梅
Anemone rivularis Buch.-Ham.

| 药 材 名 | 虎掌草（药用部位：根。别名：见风青、见风蓝、乌骨鸡）、虎掌草叶（药用部位：叶。别名：虎掌叶）。

| 形态特征 | 多年生草本。植株高（10～）15～65cm。根茎木质，垂直或稍斜，直径0.8～1.4cm。基生叶3～5，有长柄；叶片肾状五角形，长（1.6～）2.5～7.5cm，宽（2～）4.5～14cm，3全裂，中全裂片宽菱形或菱状卵形，有时宽卵形，宽（0.7～）2.2～7cm，3深裂，深裂片上部有少数小裂片和牙齿，侧全裂片不等2深裂，两面都被糙伏毛；叶柄长（3～）5～22cm，被白色柔毛，基部有短鞘。花葶1（～3），直立；聚伞花序长（4～）10～30cm，（1～）2～3回分枝；苞片3（～4），有柄，近等大，长（2.2～）3.2～9cm，似基生叶，宽菱形，3裂近基部，1回裂片多少细裂，柄扁平，膜质，长0.7～1.5cm，

草玉梅

宽 4 ～ 6mm；花直径（1.3 ～）2 ～ 3cm；萼片（6 ～）7 ～ 8（～ 10），白色，倒卵形或椭圆状倒卵形，长（0.6 ～）0.9 ～ 1.4cm，宽（3.5 ～）5 ～ 10mm，外面被疏柔毛，先端密被短柔毛；雄蕊长约为萼片之半，花药椭圆形，花丝丝形；心皮 30 ～ 60，无毛，子房狭长圆形，有拳卷的花柱。瘦果狭卵球形，稍扁，长 7 ～ 8mm，宿存花柱钩状弯曲。花期 5 ～ 8 月。

| 生境分布 |　生于海拔 850 ～ 2400m 的山地草坡、小溪边或湖旁。分布于重庆巫溪、巫山、奉节、石柱、武隆、彭水、南川等地。

| 资源情况 |　野生资源稀少。药材来源于野生。

| 采收加工 |　虎掌草：全年均可采收，鲜用或晒干。

虎掌草叶：6 ～ 8 月采收，洗净，多鲜用。

| 药材性状 |　虎掌草：本品呈长圆柱形或类长圆锥形，稍弯曲，有的扭曲或分枝，长 5 ～ 12cm，直径 2 ～ 3cm。表面黑褐色或棕褐色，粗糙，具不规则的裂纹及皱纹。根头部略膨大，有残留的叶基、茎痕及灰白色绒毛，并有许多呈纤维状的叶迹维管束及纤维束。质硬而脆，易折断，断面不整齐，黄绿色。气微，味微苦。

| 功能主治 |　虎掌草：微苦、辛，寒；有小毒。归肝、肾、肺、胃经。清热解毒，止咳祛痰，利湿祛黄，消痞散结。用于咽喉肿痛，疟腮，瘰疬，咳嗽痰多，湿热黄疸，风湿疼痛，胃痛，牙痛，泄泻，疮疡肿毒。

虎掌草叶：辛、微苦，温；有小毒。截疟，止痛。用于疟疾，牙痛。

| 用法用量 |　虎掌草：内服煎汤，9 ～ 15g。外用适量。本品外用对皮肤刺激性大，接触时间过长，可致发泡。

虎掌草叶：外用适量，捣敷贴发泡；或搐鼻。本品外用对皮肤刺激性大，用时局部隔凡士林或纱布。

毛茛科 Ranunculaceae 银莲花属 Anemone

小花草玉梅

Anemone rivularis Buch.-Ham. var. *flore-minore* Maxim.

小花草玉梅

药材名

虎掌草（药用部位：根。别名：见风青、见风蓝、乌骨鸡）、虎掌草叶（药用部位：叶。别名：虎掌叶）。

形态特征

本种与原变种草玉梅的区别在于苞片的深裂片通常不分裂，披针形至披针状线形；花较小，直径11.8cm；萼片5（~6），狭椭圆形或倒卵状狭椭圆形，长6~9mm，宽2.5~4mm。植株常粗壮，高42~125cm。

生境分布

生于海拔900~2600m的山地林边或草坡地。分布于重庆万州、巫山、城口、南川等地。

资源情况

野生资源较少。药材来源于野生，自采自用。

采收加工

虎掌草：全年均可采收，鲜用或晒干。
虎掌草叶：6~8月采收，洗净，多鲜用。

药材性状

虎掌草：本品呈圆锥形，长可达20cm，近尾端有分枝。表面黑褐色或棕褐色，粗糙，具不规则的裂纹及皱纹。根头部略膨大，有残留的叶基、茎痕及灰白色绒毛，并有许多呈纤维状的叶迹维管束及纤维束。质硬而脆，易折断，断面不整齐，黄绿色。气微，味微苦。

| 功能主治 | 虎掌草：苦、辛，温；有小毒。清热解毒，活血舒筋，消肿，止痛。用于咽喉肿痛，疗腮，瘰疬结核，痈疽肿毒，疟疾，咳嗽，湿热黄疸，风湿疼痛，胃痛，牙痛，跌打损伤。

虎掌草叶：辛、微苦，温；有小毒。截疟，止痛。用于疟疾，牙痛。

| 用法用量 | 虎掌草：内服煎汤，9～15g；或浸酒。外用适量，研末调敷；或鲜品捣敷；或煎汤含漱。本品外用对皮肤刺激性大，接触时间过长，可致发泡。

虎掌草叶：外用适量，捣敷贴发泡；或搐鼻。本品外用对皮肤刺激性大，用时局部隔凡士林或纱布。

毛茛科 Ranunculaceae 楼斗菜属 Aquilegia

无距楼斗菜 *Aquilegia ecalcarata* Maxim.

| 药 材 名 |

野前胡（药用部位：带根全草。别名：千年耗子屎、黄风）。

| 形态特征 |

多年生草本。根粗，圆柱形，外皮深暗褐色。茎 1 ~ 4，高 20 ~ 60（~ 80）cm，直径 2 ~ 2.5mm，上部常分枝，被稀疏伸展的白色柔毛。基生叶数枚，有长柄，为二回三出复叶；叶片宽 5 ~ 12cm，中央小叶楔状倒卵形至扇形，长 1.5 ~ 3cm，宽几相等或稍宽，3 深裂或 3 浅裂，裂片有 2 ~ 3 圆齿，侧面小叶斜卵形，不等 2 裂，表面绿色，无毛，背面粉绿色，疏被柔毛或无毛；叶柄长 7 ~ 15cm。茎生叶 1 ~ 3，形状似基生叶，但较小。花 2 ~ 6，直立或有时下垂，直径 1.5 ~ 2.8cm；苞片线形，长 4 ~ 6mm；花梗纤细，长达 6cm，被伸展的白色柔毛；萼片紫色，近平展，椭圆形，长 1 ~ 1.4cm，宽 4 ~ 6mm，先端急尖或钝；花瓣直立，瓣片长方状椭圆形，与萼片近等长，宽 4 ~ 5mm，先端近截形，无距；雄蕊长约为萼片之半，花药近黑色；心皮 4 ~ 5，直立，被稀疏的柔毛或近无毛。蓇葖果长 8 ~ 11mm，宿存花柱长 3 ~ 5mm，疏被长

无距楼斗菜

柔毛；种子黑色，倒卵形，长约 1.5mm，表面有凸起的纵棱，光滑。花期 5 ~ 6 月，果期 6 ~ 8 月。

| 生境分布 | 生于海拔 1800 ~ 2790m 的山地林下或路旁。分布于重庆江津、城口、巫山、南川等地。

| 资源情况 | 野生资源较少。药材来源于野生。

| 采收加工 | 秋后采收，晒干或鲜用。

| 功能主治 | 甘，平。归肺经。解表退热，生肌拔毒。用于感冒头痛，烂疮，黄水疮。

| 用法用量 | 内服煎汤，3 ~ 6g。外用适量，研末调敷；或捣敷。

毛茛科 Ranunculaceae 楼斗菜属 Aquilegia

甘肃楼斗菜
Aquilegia oxysepala Trautv. et Mey. var. *kansuensis* Bruhl

| 药 材 名 | 甘肃楼斗菜（药用部位：根或全草）。

| 形态特征 | 多年生草本。根粗壮，圆柱形，外皮黑褐色。茎高 40 ~ 80cm，直径 3 ~ 4mm，近无毛或被极稀疏的柔毛，上部多少分枝。基生叶数枚，为二回三出复叶；叶片宽 5.5 ~ 20cm，中央小叶通常具长 1 ~ 2mm的短柄，楔状倒卵形，长 2 ~ 6cm，宽 1.8 ~ 5cm，3 浅裂或 3 深裂，裂片先端圆形，常具 2 ~ 3 粗圆齿，表面绿色，无毛，背面淡绿色，无毛或近无毛；叶柄长 10 ~ 20cm，被开展的白色柔毛或无毛，基部变宽成鞘状。茎生叶数枚，具短柄，向上渐变小。花 3 ~ 5，较大而美丽，微下垂；苞片 3 全裂，钝；萼片紫色，稍开展，狭卵形，长 1.6 ~ 2.5cm，宽 8 ~ 12mm，先端急尖；花瓣瓣片黄白色，长 1 ~ 1.3cm，宽 7 ~ 9mm，先端近截形，距长 1.5 ~ 2cm，末端

甘肃楼斗菜

强烈内弯成钩状；雄蕊与瓣片近等长，花药黑色，长 1.5 ~ 2mm；心皮 5，被白色短柔毛。蓇葖果长 1.2 ~ 1.7cm；种子黑色，长约 2mm。花期 5 ~ 6 月，果期 7 ~ 8 月。

| **生境分布** | 生于海拔 1300 ~ 2700m 的山地草坡。分布于重庆城口、奉节、丰都、开州、巫溪、巫山、涪陵、南川等地。

| **资源情况** | 野生资源一般。药材主要来源于野生。

| **采收加工** | 根，夏季采挖，除去须根，洗净，阴干。全草，6 ~ 7 月采收，晒干。

| **功能主治** | 根，活血。用于劳伤。全草，用于感冒。

| **用法用量** | 根，内服煎汤，3 ~ 6g。全草，内服煎汤，3 ~ 6g。

毛茛科 Ranunculaceae 耧斗菜属 Aquilegia

直距耧斗菜 *Aquilegia rockii* Munz

直距耧斗菜

| 药 材 名 |

直距耧斗菜（药用部位：根）。

| 形态特征 |

多年生草本。根圆柱形，直径1cm左右，分枝或不分枝，外皮黑褐色。茎高40～80cm，直径3～4mm，基部被稀疏的短柔毛，上部密被腺毛，常分枝。基生叶少数，为二回三出复叶；叶片宽达20cm，中央小叶具8～15mm的细柄，楔状倒卵形，长2～3.5cm，宽近相等，3裂近中部，侧面小叶的柄比中央的稍短，小叶片略不对称，2深裂近中部处，表面近无毛，背面只近基部处被短柔毛；叶柄长8～22cm，基部变宽成鞘。茎生叶2～3或更多。花序含1～3花，花下垂或水平展出；苞片3深裂；花梗长达12cm，密被腺毛；萼片紫红色或蓝色，开展，长椭圆状狭卵形，长2～3cm，宽7～9mm，先端渐尖；花瓣与萼片同色，瓣片长1～1.5cm，宽6～7mm，先端圆截形，距长1.6～2cm，直或末端微弯，被短柔毛；雄蕊比瓣片短，花药黑色，长约1mm；退化雄蕊白膜质，线状长椭圆形，长6～7mm；心皮直立，密被短腺毛。蓇葖果长1.5～2.1cm，先端有长5～7mm的宿存花柱；种子黑色，长约2mm，具棱。花期6～8月，果期7～9月。

| **生境分布** | 生于海拔1500m以上的山地杂木林下或路旁。分布于重庆万州、开州、武隆、南川等地。

| **资源情况** | 野生资源稀少。药材主要来源于野生。

| **采收加工** | 夏季采挖，去须根，洗净，阴干。

| **功能主治** | 祛瘀生新，镇痛祛风。用于感冒头痛，烂疮。

| **用法用量** | 内服煎汤，3～6g。外用适量，研末调敷；或捣敷。

毛茛科 Ranunculaceae 星果草属 Asteropyrum

裂叶星果草
Asteropyrum cavaleriei (Lévl. et Vant.) Drumm. et Hutch.

| 药 材 名 | 鸭脚黄连（药用部位：根、根茎。别名：水黄连、五角连）。

| 形态特征 | 多年生草本。根茎短，密生许多条黄褐色的细根。叶 2 ~ 7；叶片五角形，宽 4 ~ 14cm，3 ~ 5 浅裂或近深裂，先端急尖，基部近截形，并常在中央具 1 浅圆缺，裂片三角形，边缘具不规则的浅波状圆缺，表面绿色，稀被贴伏的黄色短硬毛，背面淡绿色，无毛；叶柄长 6 ~ 13cm，无毛，基部具膜质鞘。花葶 1 ~ 3，通常高 12 ~ 20cm，无毛或疏被柔毛；苞片生于花下的 5 ~ 8mm 处，卵形至宽卵形，长约 3mm，近互生或轮生；花直径 1.3 ~ 1.6cm；萼片椭圆形至倒卵形，长 7 ~ 8mm，宽 3 ~ 5mm，先端圆形；花瓣长约为萼片的 1/2，瓣片近圆形，下部具细爪；雄蕊比花瓣稍长，花药黄色，长约 1mm；心皮 5 ~ 8。蓇葖果卵形，长达 8mm；种子椭圆状球形，

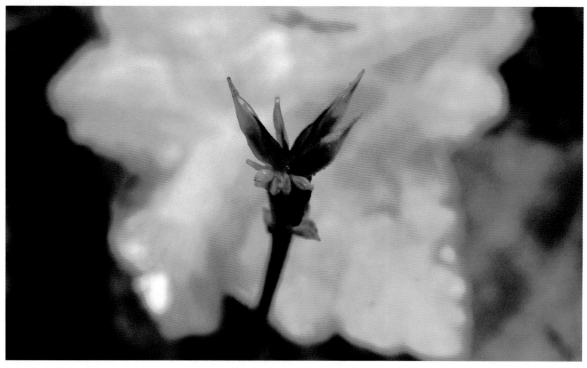

裂叶星果草

长约 1.5mm，直径约 1mm，棕黄色。花期 5 ～ 6 月，果期 6 ～ 7 月。

| 生境分布 | 生于海拔 1050 ～ 2400m 的山地林下、路旁或水旁的阴处。分布于重庆开州、南川、石柱等地。

| 资源情况 | 野生资源较少。药材主要来源于野生。

| 采收加工 | 冬初采收，除去地上部分，洗净，晒干或烘干。

| 药材性状 | 本品根茎极短，密生细长须根。须根长 5 ～ 20cm，直径 1 ～ 2mm；表面鲜时黄色，干后棕褐色，有毛状较短的支根。质柔脆，易折断，断面棕色，无明显木心。气微，味苦。

| 功能主治 | 苦，寒。归脾、大肠、肝经。清热解毒，利湿。用于湿热痢疾，泄泻，黄疸，水肿，火眼目赤肿痛。

| 用法用量 | 内服煎汤，3 ～ 9g。外用适量，煎汤外洗；或研末撒。

| 附　　注 | （1）本种喜冷凉、湿润的环境，忌高温、干旱及强光。土壤以土层深厚、质地疏松、腐殖质丰富的壤土为好，野生于石缝中亦能生长正常。

（2）本种的化学成分与黄连 *Coptis chinensis* Franch. 类似，故在民间作为黄连代用品。

毛茛科 Ranunculaceae 星果草属 Asteropyrum

星果草

Asteropyrum peltatum (Franch.) Drumm. et Hutch.

星果草

| 药 材 名 |

星果草（药用部位：全草。别名：铁锅盖）。

| 形态特征 |

多年生小草本。根茎短，生多条细根。叶
2～6，叶片圆形或近五角形，宽2～3cm，
不分裂或5浅裂，边缘具波状浅锯齿，表面
绿色，疏被紧贴的短硬毛，背面浅绿色，
无毛；叶柄长2.5～6cm，密被倒向的长柔
毛。花葶1～3，高6～10cm，基部直径
1～1.3mm，疏被倒向的长柔毛；苞片生
于花下3～8mm处，卵形至宽卵形，长约
3mm，对生或轮生；花直径1.2～1.5cm；
萼片倒卵形，长6～7mm，宽4～5mm，
先端圆形，具明显脉3～5；花瓣金黄色，
长约为萼片之半，瓣片倒卵形或近圆形，下
部具细爪；雄蕊11～18，比花瓣稍长，花
药宽椭圆形，长约1mm；心皮5～8，长椭
圆形，先端渐狭成花柱。蓇葖果卵形，长达
8mm，先端有1尖喙；种子多数，宽椭圆形，
长约1.5mm，棕黄色，具很不明显的条纹，
边缘近龙骨状。花期5～6月，果期6～7月。

| 生境分布 |

生于海拔2000～2750m的高山山地林下。

分布于重庆巫溪、万州、开州等地。

| **资源情况** | 野生资源稀少。药材主要来源于野生。

| **采收加工** | 春、夏季采收，晒干。

| **功能主治** | 苦、辛，温。活血镇痛，祛风除湿。用于跌打损伤，风湿骨痛。

| **用法用量** | 内服煎汤，适量。